histoire de l'Art

l'épanouissement de l'art moderne
du baroque à nos jours

sous la direction de

Albert Châtelet

et de

Bernard Philippe Groslier

RÉFÉRENCES
Larousse

17, RUE DU MONTPARNASSE - 75298 PARIS CEDEX 06

Secrétariat de rédaction
Monique Le Noan-Vizioz, Claudine Antonin, Claire Marchandise

Illustration
Bernard Crochet, Monique Plon, Viviane Seroussi

Index
Jocelyne Bierry

Maquette
Serge Lebrun

Direction artistique
Henri Serres-Cousiné

Responsable de fabrication
Janine Mille

Cet ouvrage est extrait de l'*Histoire de l'art*, 1985

© **Librairie Larousse, 1988**

Toute reproduction, par quelque procédé que ce soit, de la nomenclature contenue dans le présent ouvrage et qui est la propriété de l'Éditeur, est strictement interdite.

Librairie Larousse (Canada) limitée, propriétaire pour le Canada des droits d'auteur et des marques de commerce Larousse. — Distributeur exclusif au Canada : les Éditions Françaises Inc., licencié quant aux droits d'auteur et usager inscrit des marques pour le Canada.
ISBN 2-03-720053-6

LISTE DES COLLABORATEURS

Direction de l'ouvrage
Albert **Châtelet**
Professeur à l'université de Strasbourg-II

† Bernard Philippe **Groslier**
Directeur de recherche au C.N.R.S.

avec la collaboration de
Claude **Rolley**
Professeur à l'université de Dijon

Albert **Châtelet**

Jean-Louis **Cohen**
Professeur à l'École d'architecture Paris-Villemin,
Maître assistant à l'École nationale des ponts et chaussées

Jean **Cuisenier**
Conservateur en chef du musée national des Arts et
Traditions populaires (Paris),
Directeur de recherche au C.N.R.S.

Jörg **Garms**
Professeur à l'Institut historique de Rome,
Dozent à l'université de Vienne

François **Loyer**
Maître de conférences à l'université de Rennes-II

Mady **Ménier**
Professeur à l'université de Strasbourg-II

Francine **Ndiaye**
Maître assistante au Muséum national d'histoire nationale,
chargée des collections d'Afrique noire au musée de l'Homme

Klaus **Schwager**
Professeur à l'université de Tübingen

Daniel **Ternois**
Professeur à l'université de Lyon-II

TABLE DES MATIÈRES

L'ART BAROQUE

Klaus Schwager

L'ARCHITECTURE

CIVILE

DE 1590 À 1690

LE MOT *BAROQUE* ÉVOQUE ESSENTIEL-
LEMENT aujourd'hui un style, mais il n'en
a pas toujours été ainsi. Il vient probablement du mot portugais *barroco*, adjectif
qui caractérise une perle irrégulière, à
moins que ce ne soit de l'italien *barocco*,
qui désigne une figure de rhétorique
compliquée. Depuis la fin du XVIIe s., il se
rencontre en français avec le sens de
« irrégulier », « bizarre ». À partir de la
seconde moitié du XVIIIe s., la critique l'a
utilisé pour désigner les excès de l'architecture italienne du siècle précédent (celle
d'un Borromini, d'un Guarini), qui
avaient déjà été condamnés par la littérature académique de la fin du XVIIe s. C'est
seulement depuis le milieu du siècle
dernier que le mot *baroque* a pris une
valeur neutre pour désigner l'art occidental et l'architecture entre la Renaissance
et le Néoclassicisme (1550-1750). Un
terme de la critique artistique est donc
devenu un concept temporel de l'histoire
des styles. Dans un premier temps, il a été
défini par opposition à la Renaissance
classique italienne, dont les œuvres
étaient tenues, dans leur « être de tranquille beauté » (Wölfflin), pour harmo-
nieuses, équilibrées, statiques, ordonnées
et indépendantes. En comparaison, les
formes baroques paraissent « actives »,

provocantes, visant en premier lieu à
créer des associations : elles semblent
utiliser les effets de masse et de sensualité
de la couleur, comme la suggestion du
mouvement et de l'espace, dans une
volonté de démonstration ou de persuasion. Ainsi était appréhendée, avec perti-
nence, une opposition fondamentale, valable même dans le cadre des catégories
générales que distingue l'histoire de l'art.
Dans ce sens, le concept stylistique de
baroque s'est généralement imposé, mais
on tend, aujourd'hui, à l'appliquer au seul
XVIIe s. On ne lui rattache plus, aujourd'hui, certaines transformations du
langage des formes de la Renaissance de
la fin du XVIe s., désignées le plus souvent
comme *maniéristes*, pas plus que l'art de
la première moitié du XVIIIe s., classé soit
dans le *Baroque tardif*, soit, plus souvent,
dans le *Rococo*. Ces deux périodes apparaissent maintenant comme des phénomènes stylistiques indépendants. Que l'on
soit en présence d'une évolution qui se
déroule parallèlement dans les diverses
régions d'Europe — ce qui signifierait que
tout l'art et l'architecture du XVIIe s.
relèvent du Baroque —, c'est un point dont
on discute encore. Il ne fait pas de doute
que l'image que nous sommes faite
de ce style a été longtemps trop exclusivement marquée par l'Italie. Or, si l'architecture et l'art italiens ont bien joué un
rôle directeur, s'ils permettent de saisir
plus clairement les relations avec les
vicissitudes historiques, d'autres régions
créatrices présentent des écarts sensibles
par rapport à leur modèle et même
parfois, par exemple en France, s'en

démarquent consciemment. Sans doute, sous l'influence de la Renaissance italienne et sous le signe de l'humanisme et de la culture de cour internationale, les éléments « étrangers » et les éléments « autonomes » s'étaient associés partout en Europe d'une manière analogue aux formules du Maniérisme italien. Par contre, l'architecture et l'art européens du XVIIᵉ s. ne sauraient présenter un tableau parfaitement homogène.

Caractères du Baroque

On peut cependant mettre en évidence des caractères communs. Car, malgré des ruptures de nature historique et l'existence de développements autonomes dans l'art du XVIIᵉ s., les éléments fondamentaux élaborés à partir du modèle italien constituent des liens structurels unificateurs. Les relations évidentes et multiples de régions même historiquement autonomes trouvent leurs équivalents dans le domaine des formes, où se retrouvent les mêmes rapports de tensions opposées qui sont les éléments constitutifs du phénomène baroque.

Bien que l'art du XVIIᵉ s. se distingue ainsi par des lois et des traditions formelles propres, son évolution a été influencée, de façon décisive, par le contexte historique et d'abord par l'écroulement de l'« Europe chrétienne » du XVIᵉ s. Il en est résulté un accroissement dramatique des facteurs de divisions, qui ne sont pas seulement sensibles sur le plan politique, notamment dans les nombreux conflits armés, dont la guerre de Trente Ans ne fut que le plus lourd de conséquences. Quatre facteurs ont, notamment, eu un rôle à cet égard. D'abord, l'accroissement des tensions confessionnelles à l'intérieur des États et entre eux (la Contre-Réforme, partie de Rome, fut d'un poids important) ; ensuite, l'affirmation des États modernes souverains, qui se détachent des liens religieux (elle se concrétise en France par l'absolutisme de Louis XIV, en Angleterre, en fin de compte, par un régime constitutionnel, dans les Pays-Bas du Nord par un corporatisme républi-

cain) ; troisièmement, l'apparition des pratiques capitalistes, qu'elles soient dirigées par l'État ou qu'elles soient libérales, qui s'étendent avec l'ouverture vers l'outre-mer (surtout dans l'Europe septentrionale et occidentale) ; enfin, les mutations sociales, qui se développent dans des directions très diverses, sans étape révolutionnaire, excepté en Angleterre. Les anciennes forces politiques sont en déclin. Le Saint Empire romain germanique, non sans résistances, a perdu son rôle fédérateur, entraînant avec lui les États des Habsbourg. L'Espagne, la puissance catholique mondiale du XVIᵉ s., s'est figée et a perdu sa suprématie. La consolidation interne de l'Angleterre entre l'absolutisme et la démocratie s'affirme, d'abord davantage aux dépens de la puissance maritime ibérique, puis se manifeste par son intervention dans la politique continentale. La Suède, protestante comme l'Angleterre, intervient pour la première fois comme protagoniste dans les démêlés de l'Europe centrale, et les Pays-Bas du Nord, également protestants, non seulement renforcent leur indépendance, mais parviennent même, par moments, au sommet de la puissance maritime et commerciale. À l'intérieur du Saint Empire, certains pays agissent comme des États quasi souverains. En fin de compte, à partir du milieu du siècle, c'est le royaume de France qui, rassemblant toutes ses forces, acquiert la suprématie, grâce à son organisation centralisée qui englobe tous les domaines de la vie publique et parvient à mettre à son service même l'Église, la noblesse et la culture. L'Italie, morcelée entre des pouvoirs divers, continue d'être le champ d'influences et la pomme de discorde des grands États territoriaux et verra l'Espagne devoir s'effacer devant la France. La papauté elle-même, moralement renforcée, dans l'ensemble, depuis le concile de Trente et active sur le plan mondial grâce aux impulsions de la Contre-Réforme, ne peut maintenir son cap politique particulier qu'au prix d'efforts diplomatiques importants.

Au total, le XVIIᵉ s. offre un tableau de forces antagonistes, de positions et d'alliances rapidement modifiées non seulement dans le domaine politique (où, malgré sa puissance, la France ne réussira pas à dominer sans conteste), mais dans bien d'autres domaines ! C'est une époque de grands sentiments, mais aussi de rationalisme conséquent. Les facettes de l'empirisme fascinent tout autant que les hauteurs de la spéculation. Le facteur émotionnel apporte aussi, à côté des conflits, de nouveaux liens, au-delà des barrières géographiques, confessionnelles et sociales ; la prise au sérieux de l'expérience concrète du réel n'a pas seulement désintégré la communauté, elle l'a fondée. La raison, en fin de compte, ne s'est pas bornée à distinguer : elle a établi aussi des synthèses et des systèmes de rapports — de la philosophie à la pratique administrative en passant par le cérémonial. Aussi, à la fin du siècle, ce n'est pas la désorganisation qui prévaut, mais au contraire — grâce à la diffusion des Lumières, qui, de l'Angleterre et de la Hollande, gagne la France — une nouvelle prise de conscience de l'homme qui relativise, en quelque sorte, l'idéalisme élevé du début du siècle et — propagé par l'Angleterre — le principe de l'équilibre des forces politiques en Europe.

L'urbanisme

LES « VILLES IDÉALES »

Dès le Moyen Âge, des villes nouvelles avaient été conçues sur un plan régulier, en fonction des impératifs du commerce, des transports et des fortifications, et l'on avait déjà appris à considérer la ville comme l'incarnation d'une société ordonnée, selon les conceptions dominantes, et orientée vers le plus grand bien de tous, voire à exiger d'elle des qualités esthétiques. C'est à la Renaissance que s'est élaborée la convergence — caractéristique pour les étapes suivantes — d'un urbanisme pratique et de l'idéal d'une ville aussi « fonctionnelle » que « belle ». Le projet théorique (le *disegno*) de la ville parfaite a pris le pas sur la simple pratique. La « ville idéale », étudiée également dans les traités, avait généralement (en conformité avec les conceptions esthétiques de l'époque) un plan centré ou au moins symétrique, les murs et les portes étant disposés en fonction d'un réseau de places et de rues en échiquier ou en étoile. En tout cas, la présence de citadelles, qui reproduisaient en plus petit la forme de la ville, perturbait cette harmonie préétablie. Le plus souvent, la rigidité du concept empêchait sa transposition dans la réalité ; tout au plus, quelques villes nouvelles fortifiées ou quelques ports nouveaux ainsi que quelques résidences princières se sont approchés de ce modèle par le caractère fonctionnel de leurs fortifications et leur esthétique de géométrie idéale. Ces inventions de la Renaissance, grâce à leur plausibilité désarmante, déterminent aussi l'aspect de la cité idéale du XVIIe s., ainsi que de nombreuses créations de villes-forteresses et de villes coloniales. Neuf-Brisach (1689), dernier ouvrage du marquis de Vauban (1633-1707), pour la protection des frontières françaises, est encore une réplique modernisée de ce schéma de base ; Mannheim, la résidence princière fortifiée, édifiée juste après la guerre de Trente Ans, en présente une variante comportant une citadelle. Mais ce sont les libertés prises à l'égard de ces modèles qui sont les plus révélatrices des nouvelles tendances du XVIIe s. Ainsi les projets de ville idéale de Jacques Perret, datant de 1601, dans lesquels la rigide régularité de la hiérarchie éclate devant les dispositions intérieures, où corps de bâtiment et places se répondent en *contrapposto* et où l'unité ne s'impose que par l'équilibre des différentes masses. Cela est vrai aussi bien pour la ville protestante d'Henrichemont, conçue par Salomon de Brosse (1571-1626), que pour la ville résidentielle de Grammichele, fondée dès 1699 dans le sud de l'Italie par le prince Caraffa pour remplacer une cité détruite par un tremblement de terre. Cette dernière est conçue, en particulier, à partir de pôles multiples, sur plan polygonal centré et comporte des quartiers presque équilibrés, centrés à leur tour sur eux-mêmes. Une autre différence importante, par rapport aux anciens modèles, est la plus grande flexibilité qui intervient, au XVIIe s., dans leur mise en œuvre : on en trouve des exemples dans les nouveaux plans de Nicodemus Tessin l'Ancien (1615-1681) pour les villes de Kalmar (1648) ou Landskrona (1659), dans le florissant royaume de Suède.

RICHELIEU

Dès 1635, la nouvelle ville et le château de Richelieu, commandés par le cardinal à Jacques Lemercier (1585-1654), un architecte formé en Italie, marquent une rupture nette avec le système centré et fermé de la Renaissance. Le château (avec son parc) et la ville entourée de murs constituent ici, côte à côte, des unités quasi indépendantes ; mais l'un et l'autre restent solidement organisés en un tout : de même que la zone du château est structurée par un réseau d'axes dont certains débordent même largement dans l'espace environnant, de même le quadrilatère de la ville est inscrit sur l'axe de communication principal, qui rayonne perpendiculairement à la façade du palais et reste indissolublement lié au château. La formule que Domenico Fontana (1543-1607) avait déjà utilisée sous Sixte Quint (pape de 1585 à 1590) pour dominer le conglomérat urbain de Rome, un rayonnement de voies et de perspectives rectilignes, devient à Richelieu un moyen pour mettre en rapport ville et résidence, chacune ayant son poids propre, mais non une valeur égale, en ce siècle de l'absolutisme.

VERSAILLES

Le château et la ville de Versailles, édifiés par Louis XIV, constituent à la fois une conséquence extrême de ce principe et un cas particulier significatif. Dès 1665, alors que le roi faisait envelopper de constructions neuves le pavillon de chasse de son père par Louis Le Vau (1612-1670), André Le Nôtre (1613-1700), à qui l'on doit le plan des jardins, semble avoir conçu pour le roi, las de Paris, une ville-résidence qui, au cours des agrandissements ultérieurs du château, devait être réalisée, avec quelques modifications. Le château, cette fois-ci, domine nettement, mais sans constituer un simple centre. Il

s'étend de toute sa largeur entre le parc et la ville, qui, chacun à sa manière, répondent à la façade à laquelle ils font face. Côté parc, les avenues, perpendiculaires au château, partent d'abord parallèlement pour se diviser ensuite en fourche ; côté ville, elles s'ouvrent immédiatement en une patte-d'oie géante. Ce système d'axes se superpose à un ensemble d'éléments comme les parterres, les bosquets, les édifices mineurs dans le parc ou certaines places dans le réseau urbain, dont le dessin individuel n'a pas pour autant perdu de son autonomie. De même, la façade sur les jardins, les bâtiments massifs qui entourent la cour d'honneur ainsi que les Grandes et les Petites Écuries, à l'entrée de la patte-d'oie, s'affirment-ils au premier coup d'œil comme des centres de gravité, auxquels tout le reste semble subordonné. Certains des axes qui partent de ces bâtiments centraux conduisent, au-delà de la campagne, vers les résidences royales de Paris, Saint-Cloud et Sceaux, ainsi associées au système. Le complexe appareil de domination de la monarchie française se traduit ici, dans les éléments de l'architecture, non d'une manière rigide et uniforme, mais plutôt sous forme d'une structure différenciée et quasi dynamique.

ROME ET VENISE

Dans l'impossibilité de faire table rase de ce qui ne répondait pas à leur idéal, les urbanistes du xviie s. furent contraints de corriger et de transformer les villes existantes. Rappelons ici encore l'exemple de Rome. Alors que, sous Sixte Quint, l'accent était mis presque exclusivement sur le réseau de rues (servant à relier des points de repère tels que fontaines ou obélisques), ce sont les places qui ont la priorité au xviie s. — à la fois comme espace et comme ensemble bâti. Ce qui jusqu'alors n'était qu'une rencontre de rues ou une extension informe en manière de place sera dorénavant enserré architecturalement et érigé en centre de gravité. Il faut rappeler ici la *Colonnade* de Bernin (1598-1680) devant Saint-Pierre, commencée en 1665, qui redéfinit formellement son environnement, ou la *Place*

Sainte-Marie-de-la-Paix, complètement re-modelée en 1656-57 par Pierre de Cortone (1596-1669) grâce à de nouvelles façades plaquées sur de vieilles maisons. Dans les deux cas, cette mise en scène accentue optiquement l'accès aux églises préexistantes. La transformation de la *Piazza del Popolo* par Carlo Rainaldi (1611-1691) sous le même pape (Alexandre VII, 1655-1667) montre un phénomène identique : en édifiant en face de la Porte du Peuple deux églises à coupoles insérées entre les trois artères qui pénètrent en éventail dans la ville, l'architecte inverse l'orientation de la place et en fait une entrée solennelle de la cité. Une tendance semblable se manifeste même à Venise, dont le plan se prête pourtant mal aux modifications : en 1631, l'église *Santa Maria della Salute,* fondée par le Sénat, est édifiée par Baldassare Longhena (1598-1682) entre le Grand Canal et le canal de la Giudecca de manière à devenir un nouveau point de repère pour le paysage urbain tout entier.

PARIS ET AMSTERDAM

Naturellement, cette nouvelle orientation se manifeste également à Paris, qui se développe, de plus en plus, comme le véritable centre du royaume de France. Tandis que la place Royale, aujourd'hui place des Vosges (1606-1612), la place Dauphine (à partir de 1607) et même la place de France (conçue en 1609), avec ses huit rues s'ouvrant radialement dans la ville, s'en tenaient encore au cadre des conceptions maniéristes, des centres de gravité baroques apparaissent avec les deux places royales conçues par J. Hardouin-Mansart (1646-1708) en 1685 : la place des Victoires et la place Vendôme. L'aspect sévère et clos des bâtiments qui les entourent, très sensible par comparaison avec Rome, est compensé par une articulation vigoureuse et diversifiée et surtout par des raccordements de types variés à l'ensemble urbain. De même, les nouvelles portes érigées par Louis XIV aux principales sorties sur le tracé des murs médiévaux — la porte Saint-Denis et la porte Saint-Antoine par exemple — étaient bien moins des points de passage

que des monuments destinés à matérialiser, visuellement et rhétoriquement, la limite entre la ville et ses faubourgs.

Même l'extension d'Amsterdam (dès 1607), la ville bourgeoise et commerciale sans doute la plus riche d'Europe, participe de cette souplesse baroque. Autour de l'ancienne agglomération, sur l'embouchure de l'Amstel, on développe au sud une triple ceinture de canaux qui enserre dans son polygone la totalité de l'espace urbain, avec rues et canaux radiaux de jonction. Ce qui est nouveau, c'est la liberté avec laquelle a été mariée l'idée de la ville centrée de la Renaissance avec les données préexistantes, créant ainsi une organisation d'ensemble où sont prévus des écarts par rapport au schéma théorique.

LONDRES ET STOCKHOLM

C'est une autre conception qui est envisagée à Londres quand on entreprend de reconstruire la Cité à la suite du grand incendie de 1666. Le projet du mathématicien et architecte Christopher Wren (1632-1723), choisi par le roi et le Parlement parmi plusieurs propositions, montre combien les architectures italienne et française contemporaines lui étaient familières, tout en reflétant le climat de restauration qui prévaut sous le Stuart Charles II. Un modèle en damier devait se combiner avec des rues concentriques, des places et des axes diagonaux : système complexe, éminemment baroque, qui dégageait plusieurs centres névralgiques (Saint Paul, Royal Exchange, Custom House). À cela s'ajoutent l'intention de créer des points de vue marquants à partir de la Tamise, en dégageant sa rive, et le souci de raccorder directement les constructions neuves aux quartiers non détruits. Tout comme ce projet — non réalisé —, l'agrandissement de la ville de Stockholm, promue en 1634 capitale du royaume de Suède et jouissant d'un site insulaire unique, témoigne de l'expansion européenne de l'urbanisme baroque sous le signe d'une ostentation confessionnellement neutre. Une carte de 1650 montre le territoire urbain médiéval concentré sur trois îles principales ainsi que son extension sur la terre ferme au cours du XVIIe s. Celle-ci s'adapte au site par une combinaison de rues en damier et d'axes diagonaux. La polarisation baroque de l'ensemble — telle que l'avait prévue, à la fin du siècle, le grand architecte suédois Nicodemus Tessin le Jeune (1654-1728), formé en France et en Italie — ne fut toutefois, là encore, que partiellement réalisée. En partant de son nouveau palais (à partir de 1691), Tessin voulait grouper plusieurs constructions de prestige (dont une cathédrale) en deçà et au-delà d'un pont reliant l'île du palais au Riddarsholmen septentrional et créer un noyau urbain baroque à partir de la césure entre deux quartiers de la ville.

On peut dire pour conclure que la ville baroque est conçue comme dynamique et ouverte, qu'elle ne s'appuie sur aucun rapport fixe entre édifices et espace ni, d'une façon plus générale, entre les différents quartiers qui constituent une ville. Au contraire, elle tend plutôt à instaurer des polarités entre ces éléments, avec une prédilection pour les effets visuels s'étendant sur de grandes distances. Il va de soi que l'accent a été mis sur les palais et les grandes églises. Si, dans la première moitié du siècle, l'Italie a fourni les solutions les plus originales et si ses propositions se distinguent nettement, même dans leur enseignement, des créations occidentales et septentrionales (tout comme l'urbanisme de la monarchie absolue présente un caractère différent de celui de la république corporatiste), les points communs dominent partout où l'urbanisme est le résultat d'un véritable choix. Les impulsions les plus fortes se manifestent là où les forces politiques tendent à l'action, comme en France. Par ailleurs, l'urbanisme baroque offre une possibilité spécifique : son aptitude à composer avec ce qui existe, à le « remettre en scène ». Dans l'antique culture italienne, elle a conduit à des solutions particulièrement originales, surtout lorsque les projets étaient soutenus par des mécènes avertis, comme par exemple dans la Rome des papes. Toute action publique, au temps du Baroque, n'est pas concevable sans ostentation, et l'architecture joue alors un rôle capital. Compte

tenu du coût important de ces projets, il n'est pas surprenant que nombre d'entre eux n'aient connu qu'une réalisation partielle.

La construction civile

S'il est vrai que l'on conçoit déjà occasionnellement, au XVIIe s., des quartiers d'habitation, isolés ou groupés, comportant des maisons de rapport (pour la classe moyenne, en Angleterre par exemple), les commanditaires de bâtiments profanes plus ambitieux demeurent généralement les princes et leur cour, la noblesse et la haute bourgeoisie (qui participe au pouvoir ou l'exerce déjà) ainsi que la cour pontificale et les princes de l'Église. Même là où l'État, l'Église et les communes ont déjà un rôle institutionnel prépondérant, leurs représentants gardent individuellement un rôle prédominant. Ce sont les puissances absolutistes qui donnent le ton, sans aucun doute, avec leur besoin d'apparat et leur cérémonial quasi chorégraphique. Trois types de construction, surtout, hérités de la Renaissance, répondent à ces besoins : palais urbains ou « hôtels », villas ou résidences de campagne, châteaux, pour lesquels on choisit de plus en plus la proximité des villes. À cela s'ajoutent les hôtels de ville et autres constructions publiques comme les bâtiments des collèges et écoles, édifiés un peu partout, pas seulement par les Jésuites.

ITALIE

La maison d'habitation aristocratique italienne est restée, jusqu'au Maniérisme, un bloc isolé et fermé. Le XVIIe s., plus extraverti, s'est efforcé en revanche de donner plus d'accent à la masse et au poids des corps de bâtiment et de rendre plus explicite leur rapport à l'environnement. Dans les constructions formant un seul bloc, les socles, les charpentes et les arêtes extérieures sont fortement marqués, de même que les profils et le décor sculpté des encadrements de portes et fenêtres, surtout au centre des façades. Le

Palais Madame (1610-1642), édifié à Rome par Lodovico Cigoli et Paolo Maruscelli pour les Médicis, ou la *Ca'Pesaro* (à partir de 1633), construite à Venise par Baldassare Longhena, dans la lignée d'autres prototypes locaux, sont caractéristiques de cette tendance. De tels édifices s'adaptaient aussi à l'alignement des rues, des canaux et des places. La façade du *Collegio Elvetico* de Milan (1629-30), édifiée par Francesco Maria Ricchini (1583-1653), est, au contre, d'un baroque plus audacieux dans son implantation par rapport à la rue. Cette construction d'une institution typiquement « tridentine » comporte au centre un retrait de forme légèrement concave, qui donne le recul nécessaire à la vue et invite en même temps à s'approcher du portail. C'est une situation analogue, mais plus différenciée, que présente le *Palais de la Propagation de la Foi* de Rome (1646 ; façade de 1662), siège de l'une des institutions centrales de la Contre-Réforme, conçu par le grand Francesco Borromini (1599-1667), qui avait quitté Milan pour Rome. Dans ce bâtiment, qui se dresse dans une rue étroite, deux blocs angulaires, articulés seulement par des corniches et des fenêtres, enchâssent un élément médian plus bas, comme fiché entre eux ; celui-ci est saillant, avec un ordre de pilastres colossaux qui ne se rétracte qu'au niveau du portail principal, traité en forme d'abside. L'apparente autonomie des formes architecturales et décoratives secondaires, si peu conventionnelle, correspond à l'articulation des éléments principaux, qui, bien que denses, semblent quasi mobiles. Les boutiques et les grandes fenêtres, insérées rythmiquement, bousculent la limite des étages ; les encadrements des fenêtres, convexes ou concaves, paraissent même rompre la planéité de la façade. Comme pour le collège de Milan, la façade ne se contente pas de délimiter : grâce à elle, l'édifice semble s'exprimer, les relations entre intérieur et extérieur sont mises en valeur. Il est significatif que de telles solutions ne soient pas dues au caprice d'un commanditaire laïque, mais le fait d'institutions de propagation de la foi. Tel n'est pas le cas du projet rhétoriquement encore plus efficace, bien que moins complexe, du grand concurrent de Borromini, l'architecte et sculpteur Gianlorenzo Bernini (1589-1680), pour la façade du palais de la riche et puissante famille Chigi (Odescalchi) à Rome (à partir de 1664). Là aussi, l'ensemble de la masse construite (aujourd'hui prolongée) est articulé. Les ailes, légèrement en retrait, sont subordonnées au cube central, qui se dresse de toute sa hauteur. D'une part, les horizontales des stries de la pierre de taille font paraître les ailes plus basses ; d'autre part, la partie médiane, marquée par un ordre colossal de pilastres s'élevant au-dessus d'un rez-de-chaussée formant socle, donne l'impression d'être particulièrement exhaussée. À la différence de Borromini, Bernin utilise un vocabulaire entièrement connu. Ce qui est baroque, chez lui, c'est la syntaxe, l'utilisation plus délibérée de formes simples et compactes pour les corps de bâtiment et, de ce fait, d'oppositions plus nettes. Ce qu'il y a d'excessif dans une telle façade apparaît sur la place des Saints-Apôtres comme une surenchère seigneuriale. Au XVIIe s., le prince ne doit pas se contenter d'être simplement un seigneur, il doit s'affirmer comme tel.

Ce siècle a développé une forme particulière de dialogue entre l'architecture et l'environnement dans les luxueuses villas de l'Italie. Alors que le bâtiment principal de la *Villa d'Este* de Tivoli (à partir de 1550), œuvre majeure du Maniérisme, semblait encore posé comme un simple bloc au-dessus des jardins, qui, en raison d'une organisation compartimentée abstraite, paraissent plaqués sur le paysage, sans égard pour les données naturelles et sans liens de perspective entre le proche et le lointain, c'est une mutation fondamentale qui s'opère dans la villa du neveu du pape Pietro Aldobrandini, commencée en 1601 à Frascati, près de Rome, par Giacomo della Porta (1532/33-1602) et terminée par Carlo Maderno (1555-1629). Ici encore, l'art façonne à l'excès la nature, mais palais et jardins interprètent les données naturelles. Le palais domine encore, mais la cohésion de sa masse est assouplie, ce qui autorise une variété de rapports de formes avec le fond de la colline et la pente du terrain. Disposition architectonique, mise en scène et tracé de chemins sont liés mais ne se recouvrent pas. Dès l'abord, le regard est directement guidé vers le centre du palais par un terrassement en gradins ; cependant, l'allée carrossable se divise en deux rampes, dès la terrasse moyenne, rampes qui ne se réunissent que devant le portail du palais. Des dispositions analogues, qui font de la nature une partenaire dans les effets de prestige, pour les fêtes et les plaisirs, se retrouvent partout en Italie. Deux villas de la banlieue de Rome sont également célèbres : la Villa *Il Pigneto* (env. 1632-1650), construite pour les Sacchetti d'après les plans de Pierre de Cortone (1596-1669), ainsi que la *Villa Pamphili* (à partir de 1647, laissée inachevée), commandée en 1644 par le nouveau pape, Innocent X, et dessinée en commun par le sculpteur et décorateur Alessandro Algardi (1595-1654) et par l'architecte Carlo Rainaldi (1611-1691).

Au xviiᵉ s., l'Italie n'a pas conçu de châteaux résidentiels de grande ampleur aussi audacieux. Les grands architectes italiens n'ont montré leur capacité dans ce domaine que dans les plans qu'ils ont établis pour le Louvre, en concurrence avec leurs confrères français.

FRANCE

En France, à l'aube du Baroque, il existait, depuis longtemps, une architecture profane moderne, issue de la Renaissance italienne, avec ses propres traditions. Dans les palais et hôtels, le corps de logis était, en règle générale, dans l'aile arrière ; aussi construit-on souvent plus bas et plus étroit le corps de bâtiment donnant sur la rue. Dans l'ensemble, les constructions conservent toujours un caractère composite, et cette tendance est encore accentuée par les toitures indépendantes de chacun des blocs et corps de bâtiments et par l'articulation des travées de fenêtres, qui dépassent les gouttières. Des inflexions « baroques » apportées à ce schéma apparaissent de bonne heure : le *Palais du Luxembourg*, construit en 1615-1626 par Salomon de Brosse (1571-1626) pour Marie de Médicis, en offre un

exemple plein d'ambition. Le corps de logis, relié plus fortement que par le passé aux quatre pavillons d'angle, domine avec ses trois étages un avant-corps plus bas du côté des jardins et un ressaut dans la cour d'honneur. Les ailes qui flanquent la cour n'ont guère qu'une fonction d'encadrement ; seule la façade d'entrée, bien qu'à un seul niveau, peut faire un peu contrepoids avec son portail à coupole et ses pavillons d'angle massifs. C'est cette façade d'entrée, cependant, qui doit être comprise, par la saillie qu'elle forme côté ville, comme une annonce du corps de logis, auquel on est renvoyé dès que l'on pénètre dans la cour. L'ensemble donne une impression plus expansive que les constructions précédentes de la Renaissance. Les toits sont moins pentus et embrassent plus fortement le bâtiment ; un bossage, qui se répand sur trois ordres de pilastres et dans lequel s'insèrent les fenêtres, donne une impression de pesanteur. En France, donc, à l'inverse de l'Italie, les bâtiments, initialement plus articulés, sont plus nettement unifiés au xviiᵉ s. Pourtant, l'effet final est analogue à ce que présente l'Italie : un tout dont les parties (pavillons, ressauts, etc.) apparaissent pourtant comme des pôles encore marquants, avec des références formelles à l'environnement ; un ensemble rhétoriquement solennel du côté de la ville, par l'importance donnée à l'accès principal, plus discret du côté des jardins ou des maisons avoisinantes.

Châteaux et résidences de campagne. Plus avant dans le xviiᵉ s., on trouve partout, dans l'architecture profane française de qualité, un tel caractère « baroque », notamment dans les châteaux de campagne. Malgré de nombreuses fonctions communes avec la villa baroque italienne, on préfère ici le plan rectangulaire, plus ancien, issu de la Renaissance, avec pavillons d'angle (Ancy-le-Franc, 1546 et suiv.), ou sa réduction à un seul bloc central (château de Rosny, v. 1600). Une variante baroque précoce de cette dernière formule est réalisée à *Bléran-court* (1614) par Salomon de Brosse, qui s'y montre particulièrement réceptif aux formules italiennes en utilisant les toits en coupole sur les pavillons et en marquant une différence dans les ressauts de la façade d'entrée et de celle du jardin, comme plus tard au Luxembourg. Le *Château de Maisons* (Maisons-Laffitte), construit par François Mansart, en 1642-1646, pour René Longueil, et le *Château de Vaux-le-Vicomte* (1653-1660), édifié par son concurrent, Le Vau, pour Nicolas Fouquet, surintendant des Finances de Louis XIV, sont des exemples de ce type du Baroque à son apogée. Tous deux présentent encore les toits pointus, et Maisons les petits ordres continus, de la Renaissance française. En revanche, on trouve à Maisons, sur les côtés étroits du corps de logis, les deux pavillons d'angle réunis en un corps de bâtiment avec son propre ressaut à fronton, ainsi que les rudiments d'une cour d'honneur. Mais à Vaux-le-Vicomte, les pavillons d'angle apparaissent nettement individualisés par leurs toits, qui les isolent, et par des pilastres colossaux, inhabituels jusqu'alors en France. Ce sont aussi les toits qui soulignent l'ébauche d'un bâtiment transversal, à chaque extrémité du corps de logis, de sorte que, avec l'entrée détachée en forme de pavillon et le salon central, vigoureusement bombé vers l'avant du côté des jardins et surmonté d'un dôme, il se produit une liaison des parties que son jeu de contrepoids ne peut qu'apparenter au Baroque. Par la volonté du roi, cette construction a servi de modèle pour l'achèvement de Versailles. À Vaux-le-Vicomte, les façades s'harmonisent heureusement avec l'environnement, en particulier grâce aux jardins de Le Nôtre. Pour le reste, Vaux-le-Vicomte — par le choix d'un terrain plat, n'exigeant que peu d'escaliers, par les bassins de grande surface (sur le modèle de la Hollande) et par les larges perspectives, s'ouvrant sur l'horizon — est typiquement français. L'implantation du château sur des terrains en pente, si caractéristique de l'Italie, apparaît à peine en France et, quand cela survient, le relief n'est pas accentué en étagements successifs. Cette formule française a eu une large postérité dans toute l'Europe.

PARIS. On trouve aussi des intentions, en principe, analogues dans les hôtels, en particulier à Paris. L'*Hôtel de La Vrillère*, avec sa cour d'honneur caractéristique, commandé à François Mansart (1589-1666) dès 1635, en est un exemple remarquable. Là aussi, on se trouve en présence d'un tout articulé autour d'un centre de gravité mis en évidence, mais où les éléments secondaires, jusqu'au bossage des pilastres soulignant le relief et la masse du mur, jouent un rôle indépendant. Le *Collège des Quatre-Nations* (Institut de France), fondé par le cardinal Mazarin et projeté par Louis Le Vau (1612-1670), au début des années 60, sur la rive gauche de la Seine, est un sommet de ce Baroque français, qui s'inscrit dans la catégorie des bâtiments scolaires. La construction s'ouvre comme un grand théâtre donnant sur le château du roi, qui lui fait face (et en direction duquel Le Vau voulut jeter un pont en 1661). Ici encore, on remarque une pondération différenciée des masses architecturales et une élaboration très poussée de leur articulation : au milieu, comme cœur et point de repère de l'axe urbain menant au Louvre, se situe l'église à coupole, avec son portique en saillie ; aux extrémités, les pavillons d'angle se distinguent par leurs toits, mais leur ordre colossal de pilastres renvoie au centre ; entre les deux, se dégageant des deux côtés par un retrait, mais unifiée par une même couverture basse, s'insère la façade intérieure en exèdre articulée en deux étages. Le Vau est allé à Rome : aussi la parenté de ce parti et de celui de la façade de Sainte-Agnès de la place Navone ne saurait être un hasard.

PROJETS POUR LE LOUVRE. Les projets et les réalisations pour le Louvre, qui, à côté de Versailles, constitue la plus grande entreprise palatiale de l'Europe du XVIIe s., appartiennent au même contexte. La reprise du « grand dessein » d'Henri II, sous Louis XIII, entraîne le quadruplement de la cour Carrée, qui annonce un sens baroque de l'architecture, de même que l'érection, à partir de 1624, du pavillon de l'Horloge, conçu par Jacques Lemercier (1585-1654) comme centre de gravité de la prolongation de l'aile occidentale. Après l'arrivée au pouvoir de Louis XIV (1661), l'agrandissement du Louvre se poursuit suivant les plans de Le Vau. Mais, quand celui-ci voulut mettre en chantier la façade orientale donnant sur la ville, le tout-puissant Colbert invita d'autres architectes renommés à présenter des contre-projets : François Mansart, Claude Perrault, mais aussi des Italiens célèbres et, à ses yeux, acceptables, tels que Pierre de Cortone, Carlo Rainaldi et Bernin. C'est alors que naquit ce projet de rechange de François Mansart (1589-1666) : une longue façade tendue entre des pavillons étirés en hauteur, centrée par un portique monumental, avec des façades de pavillons plus ou moins saillantes et une statue équestre du roi, placée très au-dessus du portique entre deux toits pointus. La longue façade, décomposée par de nombreux retraits et saillies, est cependant reconstituée en un relief global grâce à l'ordre colossal dressé en avant ; la progression pilastres - demi-colonnes - colonnes assure une accentuation de l'effet plastique vers le centre. Ne serait-ce que par ce projet, qui met si souverainement en valeur la rhétorique de motifs antiques par l'opposition des vides et des pleins, Mansart se révèle comme l'un des grands architectes du Baroque ! Pourtant, Bernin fut appelé à son tour à concourir et présenta trois projets : l'un à Rome, en 1664-65, et deux autres à Paris, en 1665-66. Tandis que Mansart semble retenir « mouvement » et « tension » de la façade, Bernin voulait visiblement donner de l'ampleur à l'éloquence des formes. Un petit nombre d'éléments cubiques de grande dimension, rythmés par de brusques retraits, se dressent au-dessus d'un vigoureux podium talulé : le rapport des masses à l'espace semble conçu dynamiquement. Dans le premier projet, ce sont surtout les éléments d'angle compacts et le portique à colonnes colossal inséré entre les deux, d'abord en retrait, puis saillant vers l'avant autour du tambour médian à trois étages, qui déterminent l'effet. Dans le deuxième, analogue en principe, toute la partie centrale du portique devait être en retrait. Dans le troisième enfin, Bernin se souvient du palais-bloc italien, si ce n'est

que la densification de l'ordre colossal vers le centre confère au motif de base « classique » un degré de pathétique inconnu jusque-là. Bernin avait expressément créé ses projets pour le roi en tant que personne. Colbert avait plus à cœur la dignité propre de l'État : aussi les projets de Bernin ne lui ont sans doute pas paru appropriés. Si ce sont finalement des projets français qui se sont imposés, c'est sans doute aussi à cause du moindre coût, bien que cette raison n'ait pas été déterminante. Le projet d'exécution de l'aile orientale (1667 et suiv.), la *Colonnade*, largement déterminé par Claude Perrault (1613-1688) et issu des directives de Colbert (1667), se distingue en effet fondamentalement des propositions de Mansart. Bien que préparé dans la direction même du dernier projet de Bernin et rattaché aux bâtiments plus anciens par le motif des pavillons en ressaut, il se présente comme le refus aussi bien de la puissance dynamique de Bernin que du traitement des reliefs en dégradé de Mansart. Perrault n'a jamais été membre de l'Académie royale d'architecture, fondée en 1671, et, comme « concepteur » ancré dans l'empirisme et formation archéologique, il n'a jamais fait siennes les positions doctrinales classiques qui y prévalaient. Les colonnes accouplées de sa colonnade lui valurent même des critiques de cette assemblée. Néanmoins, son projet pour le Louvre peut être considéré comme la réponse du rationalisme français à ce que l'idéologie de l'Académie avait ressenti comme une expression débridée et extravagante du Baroque italien. Les conceptions architecturales qui se développent à partir de ces réactions — sous le signe d'une « convenance » subordonnée à l'« objectivité » de l'État absolutiste — ont par la suite laissé une forte empreinte sur l'architecture officielle française.

VERSAILLES. Cependant, même en France — dans le cadre de la querelle des Anciens et des Modernes —, il restait une marge pour les manifestations baroques. La conception finale de Versailles, qui fut confiée à l'académicien Jules Hardouin-

Mansart (1646-1708) en 1677, après le transfert en cette ville de la résidence du Roi-Soleil, en est le témoignage. Avec sa « grande enveloppe » du vieux pavillon de chasse, Le Vau avait déjà largement ouvert, en 1668, la façade sud sur les jardins grâce à deux puissants éléments angulaires et à une large terrasse intermédiaire. Sans doute Hardouin-Mansart referma-t-il de nouveau le centre par la galerie des Glaces, mais il vint marquer la nouvelle façade, en se référant aux constructions d'angle de Le Vau, d'un ressaut central. En outre, en mettant en retrait les ailes géantes qu'il avait prévues, il met en scène toute la partie centrale comme un bloc avancé. Le rôle qu'il assigne à cette architecture se révèle d'un seul coup d'œil depuis les jardins : stratification, organisation et articulation quasi tectonique semblent concrétisées comme en un tableau ; la façade « plane », extraordinairement étirée comme un « mirage » fascinant au-dessus des bassins, associe illusion et réalité en un caractère théâtral. Pourtant, aucune exèdre, aucun bombement n'« ouvre » réellement le front de cet édifice, le plus important de l'architecture de ce siècle.

L'architecture civile en dehors de l'Italie et de la France

L'INFLUENCE DE VERSAILLES

Le château de Versailles, symbole de l'absolutisme, a exercé une influence considérable sur l'évolution de l'art, au XVIIᵉ s., même hors de France. C'est ainsi que le remarquable projet de Johann Fischer von Erlach (1656-1723) pour le château impérial de Schönbrunn, près de Vienne, en 1688, apporte de nouveau, dans le Saint Empire romain germanique, après la guerre contre les Turcs, une architecture de niveau européen. Le large développement panoramique des façades (sur le modèle de Versailles) et le groupement échelonné et très suggestif de leurs éléments (tel qu'on peut le trouver dans

les villas italiennes et les projets de Bernin pour le Louvre), qui constituent un cadre prestigieux aux fêtes et aux évolutions chorégraphiques de la cour, participent de la rhétorique monumentale de l'empire habsbourgeois, qui s'inspire de nouveau de Rome (colonnes d'Hercule, colonnes triomphales).

L'architecture de l'absolutisme français a marqué les résidences catholiques aussi bien que les résidences protestantes de l'Europe et s'est associée de manières très diverses aux influences durables de l'architecture baroque italienne. Citons au moins trois exemples : le palais du Grand Jardin (1678-1683), construit à Dresde par Jean-Georges Starcke (1640-1695) pour le prince électeur Jean-Georges II de Saxe, qui est d'un type étroitement apparenté à l'exemple français ; le château de Troja (1679-1691), dans l'ensemble plus fortement italianisant, que le juge suprême de la Bohême recatholicisée, le comte Wenzel Adalbert von Sternberg, se fit construire à Prague par le peintre et architecte dijonnais Jean-Baptiste Matthey (1630-1696), formé à Rome ; enfin, l'hôtel du voïvode J. D. Krasinski, notablement plus austère et articulé avec plus de retenue, construit à Varsovie par celui qui devait devenir le premier architecte de Pologne, Tylman van Gameren (Gamerski) [1632-1706], originaire d'Utrecht. Alors que, dans les autres pays catholiques (même là où les circonstances ne permettaient pas de grosses dépenses architecturales de prestige), on est toujours parvenu à des solutions individuelles originales, l'Espagne n'a réalisé presque aucune construction profane digne de considération. Apparemment, les impulsions de la Contre-Réforme n'ont pas suffi à compenser l'absence d'initiatives due au déclin politique. Les rares constructions notables dépassent à peine un baroque précoce issu du Maniérisme et dépendant encore de l'Escorial de Herrera.

L'EMPIRE ET LES PAYS-BAS

Quelques constructions des pays septentrionaux protestants en sont d'autant plus remarquables. C'est ainsi que le massif hôtel de ville d'Augsbourg (1608 ; 1615-

1620) d'Elias Holl (1573-1664), qui développe les motifs de la Renaissance tardive vénitienne, appartient sans nul doute aux grandes réalisations du Baroque précoce. L'interpénétration audacieuse des principaux éléments, accentuée par des articulations différenciées, et la surenchère des frontons étagés à partir du cube ainsi que des corniches de la tour confèrent à la construction un dynamisme tout à fait extraordinaire. Ce qui s'annonce là ne s'est véritablement développé qu'après la guerre de Trente Ans. C'est seulement après la conclusion de la paix que commence l'édification du « nouvel hôtel de ville » d'Amsterdam (1648-1665), de Jacob van Campen (1595-1657), conçu, comme celui d'Augsbourg, autour d'une grande salle du conseil. Cette dernière est, comme l'église de l'Escorial, encastrée entre deux cours, l'ensemble étant entouré de puissants corps de bâtiment. Il est vrai que le caractère antithétique du Baroque ne se montre que dans les éléments d'angle, en forme de pavillons, et dans les ressauts surmontés de frontons des faces principales (avec une tour à l'est) ; les pilastres plats, quelque peu rigides, limitent l'apparence dynamique. Ce « nouvel hôtel de ville » est longtemps resté la seule construction monumentale de la Hollande. Le Mauritshuis (1633-1644), beaucoup plus petit, construit à La Haye par le même architecte pour Maurits de Nassau-Siegen, a connu en revanche une riche postérité. Ici encore, le recours à une architecture italienne plus ancienne, en rupture avec les formes compliquées de la Renaissance locale, a porté ses fruits ; le plan régulier et l'ordre antique constituent une référence à Palladio. Mais, tel qu'il se dresse sur son socle, enchâssé dans ses combles en croupes légèrement arquées, modelé par les faibles décrochements de la façade, des pilastres et de l'entablement, présentant des façades diversifiées sur la place d'entrée, le bâtiment offre une formule assouplie du Baroque, sensible dans la plasticité des masses.

L'ANGLETERRE

Le Baroque septentrional, tantôt gracieux, tantôt assez sévère, mais toujours très retenu, n'a pas seulement dominé l'image de la Hollande ; il s'est étendu dans les pays protestants du Nord et en Angleterre. Types et formes s'en sont trouvés diversement modifiés en fonction des traditions régionales. Mais là aussi, dans ce domaine du rayonnement des cours, qui, malgré leurs différences confessionnelles et politiques, appartenaient à la sphère de l'absolutisme, apparaissent des constructions qui exploitent de manière très conséquente les possibilités de l'architecture baroque développées en Italie et en France. Une entreprise exemplaire — parce qu'elle s'étend sur presque tout le siècle — est celle des constructions royales de Greenwich. Elles débutent par l'érection de *Queens House* (le pavillon de la Reine) [1616-1635], construit par Inigo Jones (1573-1652) pour la reine Anne dans ses jardins de la Tamise, en avant des collines riveraines et perpendiculairement à elles : il s'agit d'un cube à l'antique qui, par son recours à Palladio, se démarque de la Renaissance postélisabéthaine. Un pas de plus est accompli par le grand palais carré commencé en 1664 par John Webb (1611-1672) pour Charles II, après la révolution et la restauration des Stuarts, sur la rive du fleuve, en avant et à droite du pavillon de la Reine. De longues ailes sont ici de nouveau encadrées par des blocs angulaires comportant un lourd attique. Des sections de façade, traitées en rustique, alternent avec des groupements de pilastres colossaux. Des portiques, avec des colonnes colossales, marquent le milieu des ailes. Sur la rive, l'ensemble compose une imposante façade panoramique. En assimilant la leçon des récents exemples italiens et français (les façades de Saint-Pierre et les projets du Louvre), Webb a réussi une construction d'une remarquable plasticité. Cependant, l'ensemble tel qu'il se présente aujourd'hui ne date que de Christopher Wren. Quand ce dernier reçoit l'ordre de Guillaume III, en 1694, de faire de Greenwich un hôpital de la marine, il donne un pendant à la construction de Charles II et édifie, en outre, vers l'intérieur des terres, de part et d'autre de l'axe qui joint la Tamise au pavillon de la Reine, deux corps de bâtiment légèrement en retrait, comportant chacun une coupole surélevée, encadrant la perspective en direction du pavillon de la Reine. De cette façon, les parties anciennes et nouvelles sont associées dans une mise en scène centrée sur le pavillon de la Reine. La concentration des corps de bâtiment et l'alternance de leur hauteur contribuent tout autant à l'effet que leur échelonnement en profondeur, qui marque la perspective depuis le fleuve.

LA SUÈDE

De façon analogue, encore que plus modeste, associant les caractères hollandais et français, le Riddarhuset, maison de l'ordre de la noblesse à Stockholm (avec ses deux pavillons, exécutés seulement au XIXᵉ s.), est édifié sur la rive du lac Mälar pour créer un effet panoramique à distance. Commencé sous Christine, la fille de Gustave Adolphe, en 1635, par le Hollandais Justus Vingeboons, peut-être à partir de projets de Simon de La Vallée, il sera achevé par son fils Jean (1620-1696). En comparaison, une construction comme le château de plaisance de Drottningholm, conçu en 1662 par l'architecte du roi Nicodemus Tessin l'Ancien (1615-1681), malgré tout ce qu'il a de français dans sa disposition, paraît beaucoup plus italien dans son caractère. La même remarque vaut pour le nouveau château royal de Stockholm, monument unique dont s'est doté l'État suédois dans sa toute nouvelle conscience de grande puissance. Comme à Drottningholm, Charles XI est le maître d'œuvre de ce château, qui fut conçu dans son ensemble, au plus tard en 1696, par Nicodemus Tessin le Jeune (1654-1728). Ce dernier s'était formé en Angleterre, en France et en Italie, auprès de Bernin et de Carlo Fontana (1638-1714). À côté de Le Vau, des deux Mansart, de Fischer von Erlach, de Wren et d'Andreas Schlüter, il est l'un des grands architectes du Baroque septentrional. Le noyau à quatre ailes du château de Stockholm vient du troisième projet de Bernin pour le Louvre ; orientées vers le lac Mälar, le canal ou la ville,

les quatre façades ont chacune un rapport différent à l'environnement, selon qu'elles sont en retrait ou en avancée. Les longs côtés, avec leurs ailes basses, rappellent en outre les colonnades de Saint-Pierre et le Palazzo Chigi. Leur effet est encore accru par la tension évidente entre la masse construite, puissamment étirée, et l'agencement rigoureux des lignes verticales et horizontales. Cette disposition ne se retrouve qu'au château de Berlin d'Andreas Schlüter (1660/1664-1714), commencé seulement, il est vrai, en 1689 (détruit en 1950). Œuvre d'un architecte-sculpteur, ce « palazzone », qui remplaçait, comme c'est si souvent le cas, un château plus ancien, présentait une homogénéité de masse, un agencement des volumes et de la sculpture décorative tels qu'on ne les rencontre habituellement qu'en Italie.

Bibliographie générale

BLUNT (A.), *Art and Architecture in France, 1500 to 1700*, Pelican History of Art, Penguin Books, Harmondsworth, 1953, Éd. française, Macula, Paris, 1983. GERSON (H.), TER KUILE (E. H.), *Art and Architecture in Belgium, 1600 to 1800*, Pelican History of Art, Penguin Books, Harmondsworth, 1960. KUBLER (G.), SORIA (M.), *Art and Architecture in Spain and Portugal and their American Dominions*, Pelican History of Art, Penguin Books, Harmondsworth, 1959. ROSENBERG (J.), SLIVE (S.), TER KUILE (E. H.), *Dutch Art and Architecture 1600 to 1800*, Pelican History of Art, Penguin Books, Harmondsworth, 1960. TAPIÉ (V. L.), *l'Art baroque*, Paris, 1961. TINTELNOT (H.), *Barocktheater und barocke Kunst*, Berlin, 1939. WITTKOWER (R.), *Art and Architecture in Italy, 1600 to 1750*, Pelican History of Art, Penguin Books, Harmondsworth, 1973.

Bibliographie de ce chapitre et du suivant

BLUNT (A.), *Baroque and Rococo Architecture and Decoration*, Londres, 1978. HAUTECŒUR (L.), *Histoire de l'architecture classique en France*, t. I, 2 et II, 1 et 2, Picard, Paris, 1943 et 1948. LAVEDAN (P.), *Histoire de l'urbanisme. Renaissance et Temps modernes*, Picard, Paris, 1959.

L'ARCHITECTURE RELIGIEUSE DE 1590 À 1690

Les pays de la Contre-Réforme

LES MODÈLES ITALIENS

L'architecture religieuse baroque se rattache, elle aussi, à des solutions de la Renaissance et du Maniérisme : le « type du Gesù » — développé essentiellement par l'esprit de la Contre-Réforme et désigné, seulement par simplification, par le nom de la principale église des Jésuites à Rome (1568-1684) — est utilisé comme une formule standard, susceptible de variations, dans toute l'Europe catholique. Du seul point de vue fonctionnel, il offre un cadre idéal, avec sa combinaison d'une église-salle presque toujours voûtée (à l'usage de la communauté de nouveau mobilisée), accompagnée de chapelles (le plus souvent fondations familiales de l'aristocratie), et d'une partie orientale fastueuse, avec transept, coupole à l'intersection et grand chœur (pour le développement d'une liturgie et d'une prière qui recherchent, de plus en plus, les effets théâtraux). Mais, sur le plan des formes, ce schéma composite n'avait besoin que d'être activé (il suffisait d'opposer les éléments les uns aux autres) pour obtenir un caractère baroque. Un rôle déterminant revient, à cet égard, à la tension que suscitent les tendances opposées de constructions longitudinales et centrées, tension dont le Baroque aime à tirer parti. Même dans les constructions à plan central, on ne recherche pas l'harmonie, la paix, l'intimité, qui étaient essentielles pour la Renaissance ; au contraire, le Baroque leur préfère la coexistence des oppositions : calme et mouvement, intimité et extraversion, plénitude et vide, complexité et unité ! L'urbanisme et l'architecture profane montrent combien le XVIIe s. attache d'importance à la structu-ration des formes extérieures dans l'espace. Pour les églises, à partir de la diversification, déjà effective, des types, il s'agit surtout des façades, qui deviennent un motif privilégié. À côté des exemples déjà évoqués dans le cadre de l'urbanisme, citons encore ici deux « incunables », à Rome : la façade théâtrale riche en colonnes conçue par Carlo Rainaldi (1611-1691) pour *Santa Maria in Campitelli* (1663-1667) et *Sainte-Agnès* de la place Navone (1652-1672), créée par Girolamo et Carlo Rainaldi et Borromini, inscrivant en retrait, entre deux tours, une église à coupole. Ce qui a été dit de la rhétorique et des effets plastiques des éléments architecturaux des façades de palais est encore valable ici.

Toutefois, dans l'architecture religieuse, c'est l'intérieur qui est, en dernier ressort, le centre des préoccupations, et c'est justement là que l'on trouve, au XVIIe s., et particulièrement à Rome, les réalisations les plus avancées du Baroque. Bien qu'elle n'ait pas été entreprise pour des raisons esthétiques, l'adjonction, par Carlo Maderno (1556-1629), d'une nef (1607-1626) à l'édifice de plan centré du nouveau Saint-Pierre de Michel-Ange a été lourde de conséquences. La progression caractéristique du Baroque : nef oblongue – coupole centrale – chœur, trouve, ainsi, sa consécration dans l'église principale de la chrétienté, comme dans le type du Gesù. Ce nouvel espace gigantesque a exigé un aménagement des formes : à côté de la décoration sculpturale plus riche, qui tempère l'austérité de la nef et du chœur, il s'agit essentiellement du baldaquin créé par Bernin et Borromini au-dessus du tombeau de saint Pierre (1624-1633). Il dote l'espace de la coupole d'un accent formel sans nuire à la perspective du chœur, associant ainsi brillamment un caractère monumental à une apparence provisoire, en une combinaison authentiquement baroque.

BORROMINI ET BERNIN. Quelques petites constructions romaines de plan central, comme par exemple *Saint-Charles-aux-Quatre-Fontaines*, l'église des Trinitaires, offrent des solutions beaucoup plus hardies. Borromini commence ce bâtiment en 1637, sur un terrain très restreint, à côté du couvent de l'ordre, dont il avait conçu les plans dès 1634. La façade ondulée annonce déjà ce qui attend le visiteur à l'intérieur : un espace dans l'ensemble fermé, mais qui, dans le détail, se constitue pas à pas, par transition d'une forme à l'autre, et ne laisse le spectateur en paix qu'après avoir offert un grand nombre d'impressions visuelles, en partie ambivalentes. Un octogone oblong agrandi en forme de croix par des chapelles semi-circulaires et elliptiques est rythmé par une succession de compartiments muraux verticaux insérés entre des colonnes. Celles-ci interviennent comme un leitmotiv pour donner corps aux limites flottantes de l'espace et « porter » l'entablement, tout en lignes brisées, qui l'enserre ; mais en même temps, elles servent aussi visuellement, par paires, de « piliers » à la coupole. Les pendentifs n'apparaissent pas comme de simples surfaces sphériques, mais comme des structures autoportantes composées par les profils d'encadrement des arcs-doubleaux et des *tondi*. Ce système culmine dans le grillage des caissons de la coupole qui, en même temps, apporte néanmoins la résolution des ambivalences formelles ; et ce n'est pas un hasard si la croix des Trinitaires acquiert une primauté symbolique dans l'ornementation de ces caissons. Aucun des éléments de l'architecture — ni le mur, ni les supports, ni la voûte, ni les détails de l'appareillage antiquisant — ne demeure, chez Borromini, ce qu'il était traditionnellement. Tous les rapports sont, dès le départ, reformulés en fonction de la complexité de l'ensemble.

Bernin, en revanche, part d'abord, dans ses églises, du connu et brode sur des solutions communes. L'entrée de l'église du Noviciat des Jésuites, *Saint-André du Quirinal* (1658-1661), construite à Rome sur la commande du neveu du pape, Camillo Pamphili, avec sa façade en forme d'exèdre dont le centre se projette en avant, à partir du centre, en manière de portique, peut, en particulier, illustrer ce propos. Mais en même temps, son caractère antithétique et provoquant ouvre la voie à des conséquences incalculables. C'est ainsi que, à l'intérieur, on est immédiatement confronté à une anti-nomie : celle qui existe entre l'espace ovale disposé transversalement par rapport à la nef, avec sa couronne de chapelles, et la perspective raccourcie de l'entrée au maître-autel. La puissante architecture qui encadre l'entrée du chœur, à laquelle renvoient aussi les murs de l'ovale, fait apparaître plus éloigné le *Martyre de saint André*, peint avec beaucoup de brio sur l'autel ; mais, comme Bernin a encore figuré, en stuc, le saint s'élevant dans l'espace ovale en direction du « ciel », toute l'église semble finalement transformée sous les yeux du croyant en une scène où un miracle s'accomplit, dans l'espace comme dans le temps. Bernin réussit même, en plaçant des figures en stuc qui tournoient autour des retombées de nervures et en suggérant visuellement le détachement de ces nervures des caissons de la coupole, à faire oublier la pesanteur de la voûte.

GUARINI. Borromini était un Italien du Nord. C'est pourquoi on trouve à Milan des antécédents importants de son art, notamment chez Francesco Maria Ricchini. Dans la seconde moitié du siècle également, un Italien du Nord — qui construit dans toute l'Europe, le théatin Guarino Guarini (1624-1683) — innove également. Cela est particulièrement sensible à l'intérieur de l'église *Saint-Laurent de Turin* (1668-1680), conçue pour son ordre. Sur un plan approximativement octogonal (avec porche et espace ovale transversal pour le chœur), Guarini isole ici un centre en forme d'étoile au moyen de huit murs-éventails avec de très courts bras de croix. Au-dessus, s'appuyant sur les larges pendentifs et le tambour, se développe, sur des nervures entrecroisées, une grande coupole ouverte sur la lanterne. Comme les murs-éventails en forme de serliennes sont largement ajourés, l'ensemble présente un espace très complexe, dans lequel les éléments de structure et les ornements sont développés indépendamment, tout en restant associés. Le projet mathématique initial transparaît dans la structure visible. Guarini s'est inspiré de Borromini et laisse percevoir les liens avec l'architecture gothique et islamique dans ses conceptions architecturales complexes.

LA FRANCE

Guarini a également conçu, en 1662, Sainte-Anne-la-Royale, l'église théatine de Paris qui n'a jamais été terminée et a été démolie depuis. Il est significatif qu'elle n'ait eu aucune postérité en France ; sans aucun doute, elle appartenait à ces bâtiments qui furent rejetés comme trop « baroques » avant même que le siècle des Lumières n'adopte le Néoclassicisme. Pour le comprendre, il faut envisager l'évolution de l'architecture religieuse baroque depuis ses débuts en France. Lorsque, dans la première moitié du siècle, sous l'impulsion de la Réforme catholique, la construction des églises reprend, on s'appuie moins, comme ailleurs en dehors de l'Italie, sur les exemples contemporains que sur ceux de la Contre-Réforme précoce, comparativement plus sévères. Le R. P. Étienne Martellange (1564/1569-1641), le plus influent des architectes jésuites, ou Lemercier ne se sont pas contentés de s'inspirer du type du Gesù : ils se sont attachés, même dans le détail, à l'austère prébaroque et l'ont développé. Même lorsque le projet rigide et sans relief de Martellange pour la façade de *Saint-Paul-Saint-Louis* (1625) fut supplanté par celui, beaucoup plus fortement rythmé et riche en colonnes (1629), du R. P. François Derand (1588-1644), le premier réussit encore à imposer quelques corrections affaiblissant ses qualités dynamiques. Avec la façade de De Brosse pour Saint-Gervais (1616), l'œuvre réalisée marque cependant l'apparition en France de la façade d'église baroque, très sculpturale. Il ne restait guère plus de français que la solution à trois ordres superposés, adaptée aux proportions gothiques de l'intérieur. Si Lemercier, formé à Rome, copie plus exactement le schéma italien à deux étages pour la façade principale de l'église de la *Sorbonne* (1635-1648), élevée pour le cardinal de Richelieu, il n'en évite pas moins, en revanche, toute gradation baroque. La stratification parallèle et rigoureuse des reliefs de la façade, la renonciation à tout ressaut et l'utilisation parcimonieuse de la sculpture décorative sont significatives. Une telle réserve caractérise très générale-

ment la manière dont l'architecture religieuse française a reçu le Baroque italien. Cependant, la manière dont Lemercier accentue la double orientation de l'église de la Sorbonne par deux façades différentes, sa transformation de la coupole « romaine » à nervures en une coupole élancée formant contraste avec le reste de la construction, tout cela est moderne. François Mansart, dans son projet de 1636 pour la façade de l'église des Minimes, suivra cette voie et l'on peut même dire qu'il anticipera la solution de Sainte-Agnès à Rome. Au *Val-de-Grâce*, l'église homonyme du couvent des bénédictines — fruit d'un vœu d'Anne d'Autriche lors de la naissance du futur Louis XIV —, se manifestent non seulement une compréhension architecturale du Baroque dans la disposition du sanctuaire par rapport à la cour d'honneur, mais aussi, dans la façade et dans la coupole à tambour, des emprunts aux modèles italiens du Baroque précoce. Sur la façade, tout est plus dense, plus lourd vers le centre (comme à Santa Susanna de Rome) ; dans la coupole, très étirée en hauteur — élevée non plus par Mansart, mais, depuis 1646, par Lemercier —, s'affirment les formes puissantes des contreforts et des nervures. Le plan d'ensemble est apparemment inspiré de Sant'Andrea della Valle à Rome (1581-1625) ; mais ici — et la différence est décisive ! — une rotonde, couverte d'une coupole, avec trois grandes absides et des chapelles d'angle ouvertes sur les diagonales, dépasse la largeur de la nef principale, qu'elle domine par son ampleur. Bien que le Redentore (1577-1592) de Palladio ait peut-être ici servi de modèle, et que les détails soient formulés plus rigoureusement que dans l'architecture italienne contemporaine, il faut comprendre cela comme un développement conséquent de potentialités baroques : il est significatif que l'on ait placé sous la coupole un baldaquin à la manière de celui de Bernin.

Saint-Louis-des-Invalides (1676-1690, 1706), qui apparaît comme un des sommets de l'architecture religieuse française, perfectionne la disposition concentrique des parties orientales du Val-de-Grâce. Quand Jules Hardouin-Mansart reprit à

Libéral Bruant (1633-1697) la direction des travaux de l'hôtel des Invalides, l'église dite « des Soldats », sur plan simplement rectangulaire, était déjà élevée. En lui adjoignant, en contrepoint, une église à coupole, peut-être conçue comme mausolée pour Louis XIV (et en reliant les deux églises entre elles, liturgiquement, par un chœur commun), il donna au complexe un nouveau centre. Vue de loin, l'église Saint-Louis apparaît comme un parallélépipède, avec de faibles ressauts sur les flancs et un portique saillant à deux étages, au-dessus duquel est posé un dôme à très haut tambour et lanternon pointu. Quand on s'approche frontalement de la façade (comme auraient conduit à le faire les constructions prévues sur les côtés), l'articulation verticale de la façade et l'élongation du tambour s'unissent visuellement en une structure élancée. Les effets optiques jouent aussi un grand rôle à l'intérieur.

Abstraction faite de la vue que l'on a du chœur depuis l'entrée, qui atténue l'impression de centrement, ce sont surtout les colonnes monumentales placées en avant des piliers de coupole, les doubles pilastres, les ressauts et les arcs-doubleaux des bras du transept, ainsi que deux fausses coupoles superposées, qui dissimulent les limites spatiales. Ici comme à Versailles, avec beaucoup de réserves à l'égard des formulations extrêmes du Baroque, apparence et réalité s'unissent dans un effet grandiose de rhétorique.

L'ESPAGNE

Il est symptomatique du déclin général de l'Espagne que cette ancienne grande puissance de la Contre-Réforme n'ait vu, au XVIIe s., l'édification d'aucune église qui puisse rivaliser avec les exemples italiens et français. Alors qu'ailleurs on ne prend l'exemple de la Renaissance tardive que comme point de départ pour la construction des églises, on demeure à ce stade en Espagne. L'ovale aplati de Nostra Señora de los Desamparados, à Valence, église érigée en 1652-1667 par Diego Martinez Ponce de Urrana, répète le schéma de San Giacomo degli Incurabili à Rome (1592 et suiv.). La collégiale madrilène San

Isidoro el Real (auj. cathédrale), érigée à partir de 1629 par le jésuite Francisco Bautista (1594-1679), modifie le type du Gesù par un rythme des travées de la nef qui rappelle celui de Sant' Andrea de Mantoue (commencée en 1470 !). À Santa Maria Magdalena de Grenade, construite à partir de 1677 sur les plans de Juan Luis Ortegas (1628-1677), la zone de la coupole a, au moins, gagné en importance par rapport à une nef raccourcie. La tendance croissante à développer de manière surabondante les ornements — par exemple dans le décor de la cathédrale de Saint-Jacques-de-Compostelle ou dans de nombreuses églises de missions en Amérique — ne fait que masquer cet état de fait.

PAYS GERMANIQUES ET POLOGNE

Dans les limites du Saint Empire romain germanique, la guerre de Trente Ans et la persistance de l'architecture allemande gothicisante de la Renaissance tardive, qui est encore tenue pour valable, font que les églises baroques dignes d'être mentionnées ne virent le jour qu'après le milieu du siècle. Il est vrai qu'il y avait eu des précédents : Saint-Michel (1583-1587), l'église des Jésuites de Munich, placée sous le patronage des ducs de Bavière, à la conception de laquelle le Hollandais Friedrich Sustris (1524-1599) et le jésuite Giuseppe Valeriani (1542-1596) avaient largement participé, et la nouvelle cathédrale des princes-évêques de Salzbourg (1606-1607 ; 1614-1628), par Vincenzo Scamozzi (1552-1616) et le Cômasque Santino Solari (1576-1646). Il est significatif que, parmi les rares bâtiments qui introduisent définitivement le Baroque, la plus grande partie ait été commandée ou conçue par des étrangers. À Munich, la princesse électrice Adélaïde de Savoie fit construire, à partir de 1663, l'église théatine *St. Kajetan* d'après les plans du Bolonais Agostino Barelli (1627-1679) [construction dirigée par Enrico Zuccalli apr. 1674]. Son modèle avoué était l'église mère de l'ordre des Théatins à Rome, Sant'Andrea della Valle (1591-1666). L'élongation des proportions, reprise du Baroque de l'Italie du Nord, l'accentuation des contrastes entre l'espace de coupole, la nef (plus courte) et les chapelles, le relief extrêmement vigoureux des puissantes colonnes engagées, des doubleaux de la voûte en berceau ainsi que les effets très violemment contrastés de faisceaux lumineux s'imposeront dans l'architecture religieuse de l'Allemagne du Sud. La façade à deux tours due à Barelli, dont les couronnements modifiés par François Cuvilliés à partir de 1768 ont un effet décoratif et constituent un point de repère important dans la ville, marque, par rapport à sa devancière sévère de Salzbourg, un nouvel élan de l'apogée du Baroque. Il en va tout autrement de l'église des Chevaliers de la Croix à l'étoile rouge à Prague, construite en 1679-1688 par Jean-Baptiste Mathey, concurremment à celle du collège voisin des Jésuites. Un schéma spatial reproduisant le modèle du Maniérisme tardif (ovale aplati traversé par une croix grecque, à laquelle se rattache le chœur, avec coupole à pendentifs) s'allie à un corps de bâtiment dans le goût du Baroque romain (v. les églises à coupole de la Piazza del Popolo), avec de faibles ressauts sur les murs, « à la française ». Mathey crée ainsi, au centre même d'une Bohême dominée par l'Italie du Nord, un édifice qui devait montrer la voie à un Baroque tardif transalpin, plus complexe. Son protagoniste, en Allemagne, est Johann Fischer von Erlach, dont l'œuvre maîtresse, au seuil du XVIIIe s., est l'église de l'université bénédictine d'Allemagne du Sud, la *Kollegienkirche* de Salzbourg (1696-1707). Son schéma de base, un plan en croix grecque à coupole avec un axe longitudinal dominant et quatre chapelles (ici, des ovales aplatis), rappelle, et ce n'est pas un hasard, l'église de la Sorbonne ; la façade, saillante entre les deux tours plus basses, fait penser au Palazzo Carignano de Turin (par Guarini). Bien qu'également redevable de Bernin par l'intermédiaire de Carlo Fontana (1634-1714), qui fut, pour peu de temps, son maître, Fischer von Erlach trahit ici une forte influence de Borromini dans les détails et dans la manière dont il les utilise pour transformer l'hétérogène en unité plastique. L'alliance du pathos et de l'élégance, de la grandeur et de la perfection des détails est inimitable. Ici, comme dans le projet de Schönbrunn, l'auteur a tiré le meilleur parti de l'architecture baroque et montré la voie pour l'avenir. En comparaison, même les églises à nef unique et piles murales les plus réussies des constructeurs du Vorarlberg, actifs dans le Sud-Ouest — comme l'église conventuelle des prémontrés d'Obermarchtal, commencée d'après les plans de Michael Thumb († 1690) et achevée par Christian Thumb (1683-1726) et Franz Beer (1660-1726) —, apparaissent provinciales. Elles présentent pourtant des relations baroques entre les différentes parties de l'espace et — même sans coupole à l'intersection de la nef — elles introduisent une opposition théâtrale entre le chœur et la nef : bien que ces églises soient édifiées le plus souvent pour des couvents prospères, elles ne font guère que rattraper la mode. Dans l'Est catholique, on n'est pas, non plus, parvenu à des solutions véritablement nouvelles. Même la Pologne, si imprégnée par la rénovation jésuite de la Contre-Réforme, se contente, pour les constructions d'églises les plus importantes, de suivre le schéma du Gesù ou des exemples italiens beaucoup plus anciens à plan centré. Ce qui semble lui manquer en volonté d'inventions spatiales complexes, l'architecture baroque polonaise le compense par une articulation très plastique des murs, donnant souvent des effets théâtraux, liée à une orientation correspondante de la lumière : l'église jésuite de Poznań (1677-1701), dessinée par le jésuite Bartolomiej Wasowski (1617-1687), en donne un exemple.

LA FLANDRE

Un relief riche, calculé toutefois davantage pour ses effets décoratifs, caractérise aussi la construction des églises flamandes, mais il est lié, ici aussi, à des espaces conventionnels et de caractère manifestement « ouvert ». Des exemples en sont donnés par les églises jésuites d'Anvers (commencée en 1613, détruite depuis) et de Namur (1621-1641), l'une avec et l'autre sans galeries, toutes les deux amples et comportant de hautes arcades et de grandes fenêtres, construites par l'architecte jésuite Pieter Huyssens (1577-1637). Tandis que la façade de l'église d'Anvers reflète le style de l'Italie du Nord, Saint-Loup de Namur et l'église Saint-Michel de Louvain (1650-1655), construite par le jésuite Willem Hesius (1601-1690), présentent une forme flamande particulière : une façade sans tour, étirée en hauteur dans son milieu, à trois étages. La poussée baroque se manifeste dans ces façades à la fois dans les verticales et dans l'ornementation végétale en vigoureux reliefs ; ainsi, le décor — hérité de la Renaissance nordique tardive — remet en question la structure d'une ossature articulée « à l'italienne ».

Les pays septentrionaux réformés

LES PAYS-BAS

Avec de telles constructions, le Baroque catholique se « manifeste » à la porte des Pays-Bas protestants, cœur de la nouvelle foi et de son architecture. C'est cette dernière — et pas seulement dans son expansion hollandaise — que nous considérerons pour finir. Car c'est alors que, pour la première fois, la Réforme, qui n'avait jusqu'alors donné que peu d'élan à la construction religieuse, trouve une expression architecturale propre à son rôle révolutionnaire. L'accent mis sur la prédication — qui entraîne une prédilection pour l'espace centré, comme dans l'exemple précoce de la première église protestante des Pays-Bas, à Willemstad (1581-1604) — ainsi qu'une réticence plus ou moins prononcée (calvinistes, anglicans) devant la sculpture et l'ornement comme devant des formes d'articulation plus développées jouent un rôle dans les premiers temps.

La nouvelle création protestante la plus importante fut sans aucun doute le temple de Charenton, érigé en 1623 par Salomon de Brosse sous la protection de l'édit de Nantes et détruit, après sa révocation, en 1685. Initiateur du Baroque en France, le protestant de Brosse avait trouvé là, en

s'inspirant de la reconstitution de la basilique vitruvienne de Fano par Palladio, une solution nouvelle, essentiellement orientée vers le public. Bien que spacieuse et lumineuse, cette construction n'était certainement pas, par ses formes, « baroque » au sens traditionnel du terme. La « Nieuwe Kerk » (1646-1649) construite par Jacob van Campen pour la communauté calviniste de Haarlem est une réalisation comparable, mais sans liens directs. Contrastant fortement avec la tour Renaissance, conservée, de l'église qui l'a précédé, le bloc de brique, très parcimonieusement articulé, est implanté sur un espace vide, massif, austère mais impressionnant. L'intérieur forme une croix grecque voûtée en berceau, avec des pièces d'angle à plafond plat. Le centre est à peine marqué par des arcs-doubleaux et une voûte d'arêtes ; le vocabulaire architectural est rigoureusement palladien. Cependant, cet édifice se distingue aussi de ceux de la Renaissance par sa clarté diffuse, la manière dont il semble s'élargir au-delà de toutes les divisions et déborder son enveloppe extérieure, par ailleurs inarticulée. « Espace » et « lumière » ont été apparemment les thèmes baroques que l'art sacré protestant a également mis à profit, d'une manière toute différente, il est vrai, de l'art sacré catholique. Pour la Nieuwe Lutherske Kerk d'Adrian Dortman († 1682) à Amsterdam, qui s'inspire du théâtre antique, le problème de l'espace se pose d'une manière encore plus concrète : les fidèles, placés en demi-cercle en face de la chaire-autel, lui sont associés par une « scène » ronde au-dessus de laquelle se développe une coupole. C'est bien là une idée baroque que cette « mise en scène » architecturale !

L'ANGLETERRE

L'art sacré anglican ira plus loin encore. Il est vrai que, ici aussi, avec l'église Saint Paul de Covent Garden (1631-1641), due à Inigo Jones (1573-1652), on trouve, à l'origine, un simple prostyle palladien avec une cella en forme de parallélépipède ; mais, déjà, les constructions de Christopher Wren qui remplacent les églises paroissiales détruites par le grand incendie de Londres relèvent des nouvelles conceptions baroques.

C'est tout à fait net à *Saint Stephen Walbrook* (1672-1687) : tout comme la Nieuwe Kerk de van Campen, cette église est constituée d'un simple bloc parallélépipédique (avec baldaquin), clair et spacieux, avec une voûte portée par des colonnes libres. Toutefois, ici, la croix grecque de l'ordre inférieur est reliée à la coupole centrale du type du Panthéon par des pendentifs d'angle. Une telle combinaison d'éléments spatiaux de nature différente et leur association sous une coupole ont des équivalents dans les architectures italienne et française du XVIIᵉ s. ; c'est en cela que Saint Stephen est baroque, même si l'on a renoncé ici (comme souvent en France) à une activation des volumes et à une rhétorique de l'ornemental. Cela est valable dans une plus grande mesure encore pour la reconstruction de la *Cathédrale Saint Paul,* conçue par Wren entre 1668 et 1675 et poursuivie jusqu'en 1709 (avec des modifications du projet initial). Lorsque les milieux ecclésiastiques rejetèrent le premier projet de Wren à plan centré et exigèrent à la place une construction oblongue (comme l'ancien Saint Paul), l'architecte résolut ce problème — à l'instar de ses prédécesseurs baroques français, mais de façon tout à fait indépendante dans le détail — en marquant la nef par une séquence d'éléments centralisants. Par ailleurs, il a su, comme Fischer von Erlach, unir des éléments hétérogènes : d'une part, une façade à deux tours, exceptionnelle dans l'architecture religieuse protestante, empreinte à la fois de souvenirs de la colonnade du Louvre et des couronnements de tours de Borromini, d'autre part, un dôme à tambour (retour au projet de plan centré de Bramante pour Saint-Pierre avec des proportions et une coupole « à la française »).

La cathédrale Saint Paul est, de loin, la plus grande et la plus importante des églises protestantes de l'Europe, et en même temps l'une des plus ambitieuses du point de vue architectural. Elle rivalise sciemment avec Saint-Pierre de Rome et finalement aussi avec Saint-Louis-des-Invalides, dont la construction commence un peu plus tard.

Dans d'autres capitales protestantes d'Europe, on procéda de manière beaucoup plus modeste. L'église du XVIIᵉ s. la plus importante de Stockholm, Sainte-Catherine (1656-1670), de Jean de La Vallée, avec sa coupole à tambour polygonal étirée en hauteur au-dessus de la croisée du transept, ainsi que la première église baroque de Berlin, l'église paroissiale (1695-1703) sur plan tréflé construite par Johann Arnold Nering (1659-1695) pour les émigrés protestants et dont un projet plus ambitieux de toiture ne fut pas réalisé, représentent des exemples typiques.

LA SCULPTURE

BAROQUE

Spécificité de la sculpture baroque

À toutes les époques de l'histoire de l'art se retrouvent, plus ou moins prononcées, des correspondances formelles — quand ce ne sont pas des interférences — entre architecture, sculpture, peinture et décoration. Leur commune référence à la complexité de la réalité et à la culture de l'homme est ainsi perceptible esthétiquement dans l'art, qui les transcende. Cependant, la nature de cette relation a varié dans le temps. Dans les périodes qui conçoivent l'individu et la société, l'homme et la nature comme existant d'abord en soi, dans le cadre d'un ordre prédéterminé (Renaissance tardive, Maniérisme), les arts n'ont pas eu les mêmes rapports qu'à l'époque baroque, pour laquelle l'interdépendance de ces pôles — si indépendants qu'ils soient — est de première importance et qui pousse fortement à leur manifestation même quand leurs points communs ne se situent que sur le plan conceptuel. Ce n'est donc pas un hasard si, au temps du Baroque, même l'architecture « pure » — justement quand elle donne le meilleur d'elle-même — recherche avec prédilection les effets plastiques des volumes et les effets optiques des surfaces, sans parler des cas — les plus fréquents — où sculptures, peintures et ornementation sont associées dès la conception des bâtiments et de leurs espaces intérieurs pour faire de leur ensemble une seule œuvre d'art. Mais même quand ce n'est pas le cas, statues et tableaux de cette époque présentent, par le choix de leurs motifs et par leur traitement, une cohérence de sens et de formes. La représentation humaine domine toujours, mais, contrairement aux époques précédentes, même lorsqu'elle est isolée, elle apparaît presque toujours vue dans son rapport scénique avec le champ visuel global de l'observateur. Rarement le mouvement et le geste, comme motif et comme attitude, ont joué un rôle aussi central, rarement le décoratif a été aussi important pour structurer et relier les éléments séparés.

Comme en architecture, on peut regrouper les orientations décisives de la sculpture baroque en deux grands domaines : le religieux (de la sculpture d'autel aux colonnes mariales, des figures ornementales sur la façade des églises aux saints des ponts) et le profane (du portrait en buste aux statues de fontaines et de jardins en passant par les allégories de souverains et les thèmes historico-mythologiques). Cependant, la sculpture a aussi hérité de la Renaissance un mode de représentation associant la nature à l'idéal antique et les assimilant l'une et l'autre dans un équilibre remarquable. Combattants de la foi et guerriers profanes, martyrs et héros mythologiques souffrant, reine du ciel et souveraine terrestre sont tout aussi apparentés que les gloires de saints avec leur cohorte d'anges et les apothéoses de règnes temporels accompagnés de génies ailés. La traduction des caractères individuels ou de la matérialité des objets est aussi enveloppée dans des mouvements expansifs dans les formes décoratives et dans tout un langage volontairement et sentimentalement emphatique.

Naturellement, en sculpture, invention et style sont passés plus facilement d'un pays à l'autre qu'en architecture. Aussi peut-on constater — si l'on fait abstraction de quelques objectifs sociopolitiques spécifiques — d'étonnants points communs dans toute l'Europe. Ici encore, les formules nouvelles qui devaient servir d'exemples sont apparues le plus souvent en Italie, et l'orientation des sculpteurs européens vers la plastique italienne ou tout au moins italianisante, de tradition depuis la Renaissance, demeure prédominante. Mais cela n'exclut pas des particularités régionales. Le clivage confessionnel de l'Europe s'exprime moins sur le plan stylistique que par le peu d'intérêt des Églises protestantes pour l'ornementation plastique des temples, de sorte que, même dans les pays protestants de monarchie absolue, les sculpteurs ont eu moins de chance que les architectes.

L'Italie

Creuset de la sculpture italienne pendant les deux premiers tiers du XVIIe s., Rome a joué un rôle décisif dans le développement du Baroque. Centre de l'Église issue du Concile de Trente, siège de la cour pontificale et gardienne de l'héritage antique, qui demeure fascinant, elle attire les meilleurs artistes, même au-delà de l'Italie. Leurs buts et leurs formules s'imposent aussi bien au-delà de la Ville éternelle. La personnalité dominante, plus encore en sculpture qu'en architecture, est Gian Lorenzo Bernini (1589-1680). Il a été donné à ce Napolitain de naissance, Toscan de souche, protégé de plusieurs papes, de créer plus que tout autre artiste des œuvres dans lesquelles s'expriment l'idée baroque du pouvoir, la spéculation théologique, le sens de la réalité et l'émotion d'une façon qui est apparue convaincante à tout le XVIIe s.

BERNIN : LA FONTAINE DES QUATRE-FLEUVES À ROME

L'une de ces synthèses, du temps de sa maturité, qui a servi de modèle à de

nombreux monuments analogues ultérieurs, est la *Fontaine des Quatre-Fleuves*
(1648-1651), sur la place Navone, à Rome.
À partir d'un modeste palais familial, situé
sur le bord sud-ouest du vieux Circus
Agonalis, le pape Innocent X (Pamphily)
désirait édifier une somptueuse résidence.
L'ancienne demeure fut agrandie et l'on
édifia, à côté, la nouvelle et luxueuse église
Sainte-Agnès. La place elle-même fut organisée en un forum Pamphily. C'est dans
ce contexte, entre deux fontaines maniéristes basses à conques, situées aux extrémités du circus, que fut érigée la fontaine
des Quatre-Fleuves, pour marquer le nouveau centre de la place. On en doit le
premier projet, qui comportait déjà un
obélisque, à Francesco Borromini (1599-
1667). Bernin l'amplifia à l'exécution. Un
socle rocheux, s'ouvrant dans les quatre
directions principales, s'élève sur un bassin circulaire bas ; au-dessus s'élance très
haut l'obélisque avec la colombe des
Pamphily. Sur des saillies rocheuses de la
base, disposées en diagonale, sont allon-
gées de géantes divinités fluviales : elles
représentent les quatre fleuves continentaux, le Danube, le Nil, le Gange et le Río
de La Plata ; entre elles se glissent des
plantes et s'ébattent des animaux. L'obélisque, symbole de la souveraineté et du
Soleil, représente ici le rayonnement du
pouvoir des Pamphily, qui pénètre et
conserve le monde. Les dieux fleuves, avec
leurs attributs allégoriques, plantes et
animaux, dans le paysage originel para-
disiaque (primitivement polychrome),
symbolisent la rénovation du monde que
devait apporter ce règne pour l'année
sainte 1650. Bernin a nettement distingué
visuellement les deux sphères, celle du
pouvoir et celle de la vie terrestre ; à
l'obélisque prismatique, il oppose le
paysage du socle, d'aspect désordonné et
primitif. Il donne vie ensuite aux rapports
entre ces deux pôles par une sorte de
mimique des dieux fleuves, qui semblent
d'un côté rendre hommage aux armes des
Pamphily placées sur l'obélisque, de l'autre réagir vivement et de façon très diverse
au rayonnement issu de l'obélisque. Les
liens avec le forum Pamphily, essentiels
pour la compréhension de cet ensemble,
sont également rendus sensibles : d'une

part par les formes très ouvertes du
monument, qui le mettent en contact avec
toute la place, d'autre part par l'harmonie
que forme sa disposition avec les façades
du palais et de l'église Pamphily, qui
constituent, derrière lui, un écran pour
quiconque accède à la place par l'artère
orientale. Ainsi, ce n'est pas seulement
une transposition du programme des
Pamphily qui a été rendue tangible, mais
c'est un nouveau centre d'attraction pour
toute cette zone qui est instauré et illustre
les prétentions universelles, ici et maintenant, de cette famille papale.

BERNIN À SAINT-PIERRE

La *Chaire de saint Pierre* (1656-1666),
commandée à Bernin par Alexandre VII
(Chigi), offre un exemple comparable.
Initialement conçue comme un conventionnel autel-reliquaire pour le siège de
l'apôtre, qui revêt une grande importance
pour la politique de l'Église, et prévue
pour la deuxième des trois niches basses
du chœur de Saint-Pierre, elle devint, sous
l'impulsion de Bernin, une manifestation
de la puissance pontificale et emplit toute
l'abside principale. Quatre statues plus
grandes que nature des Pères de l'Église,
dressées sur des piédestaux — deux d'entre elles représentent l'Église d'Orient et
deux celle d'Occident —, sont disposées
aux coins du gigantesque autel, dégagé
dans l'espace. Entre elles semble s'abais-
ser un imposant trône pontifical, exaltation matérielle de la relique, beaucoup
plus petite, qu'il contient. L'ensemble est
surmonté d'une gloire géante au centre de
laquelle plane, très haut devant une fenêtre ovale, la colombe du Saint-Esprit, de
laquelle émane tout un rayonnement.
Dans les bas-reliefs de la chaire sont
symbolisés le pouvoir des clés et le
pouvoir d'enseignement de l'Église de
Pierre, tandis que la colombe, dans la
gloire, exprime l'action du Saint-Esprit
dans son Église ; quant aux Pères de
l'Église, ils représentent les propagateurs
œcuméniques de la doctrine et de la grâce
de leur Église pour la communauté des
croyants. Le seul fait de négliger le cadre
architectural préexistant pour déployer
librement toute la figuration devant la

paroi du chœur, d'une façon qui est particulièrement frappante à distance, a permis de donner corps aux prétentions universelles de l'Église ; et comme l'ensemble paraît s'avancer au-devant du spectateur, accompagné par la lumière qui descend de la fenêtre entre les pilastres colossaux de Michel-Ange, une progression dans les volumes, qui passent des bas-reliefs à des figures libres presque en ronde bosse, l'apparition de la chaire est ressentie comme une irruption miraculeuse du transcendantal. Les Pères de l'Église, qui paraissent inspirés jusque dans les traits de leurs visages, semblent littéralement maintenir le trône dans les airs du seul bout de leurs doigts. Le spirituel n'est pas simplement communiqué : il est rendu sensible et peut donc être chaque fois éprouvé de nouveau.

Pour l'art du XVII\ e s., tout cela était « logique », comme le démontre encore une statue isolée telle que le *Saint Longin* de Bernin, également à Saint-Pierre et conçue en 1629 pour une commande assez conventionnelle. Comme les trois autres statues réalisées par d'autres sculpteurs pour les niches des piliers de la coupole de Saint-Pierre, le saint, exécuté en 1633-1638, « représente » l'une des principales reliques de la basilique, conservée dans « son » pilier et exposée à certaines fêtes : la pointe de la lance de saint Longin. À côté de statues maniéristes, ce saint se présente de façon étonnamment frontale, comme une image ; mais cette impression première ne dure pas. Dans une pose singulièrement tendue, la statue se développe d'abord vers la droite pour ensuite, au niveau des grandes obliques opposées des bras écartés, s'ouvrir vers la gauche et venir culminer dans la tête bouclée et barbue du saint, qui lève les yeux vers le haut. Le modelé, mis en valeur par la lumière de la coupole, oppose surfaces bombées et dépressions de façon tantôt abrupte, tantôt progressive et traduit une expression extatique. Pour Bernin, Longin est un homme qui se convertit sous la croix et vit cela comme un événement spirituel. L'ampleur de la coupole, vers laquelle il se tourne, et la lumière qui en émane suggèrent le rayonnement et la présence divine. L'observateur, qui est situé dans le même espace, perçoit la vraisemblance de l'expérience qui lui est présentée.

En sculpture, contrairement à ce qu'il fait en architecture, Bernin développe à l'extrême les possibilités du Baroque de matérialiser rigoureusement l'immatériel. En cela, l'héritage de l'art classique tend plutôt à s'effacer et seules quelques-unes de ses composantes sont encore développées : dans des têtes, comme celle de Longin, revit le pathos du *Laocoon ;* les dieux des fleuves de la fontaine de la place Navone reflètent des prototypes antiques et les allégories des *Heures du jour* de Michel-Ange.

DUQUESNOY ET MOCHI

Il y a pourtant à Rome au même moment, à côté du *Saint Longin,* une sculpture baroque plus retenue, plus étroitement apparentée à l'art de Raphaël et à l'Antiquité classique. L'exemple le plus célèbre en est la *Sainte Suzanne* (1628-1633) placée à droite du maître-autel de Notre-Dame-de-Lorette, à Rome, et commandée, par la corporation des boulangers, au Flamand François Duquesnoy (1597-1643), ami de Poussin. On ne peut nier que la vision du sculpteur, qui reflète la douceur de son tempérament de Flamand et sa prédilection pour le rendu précis de vêtements riches et amples, soit fortement marquée par les modèles classiques. Cependant, elle tient aussi compte de la disposition de l'église et de la présence du fidèle. L'observateur qui se tourne vers le chœur est attiré par la courbe douce de la silhouette de la martyre qui se penche vers lui, et son regard est ensuite conduit, par l'intermédiaire du bras à demi dénudé, à la main gauche de la sainte, qui montre l'autel. Ici encore est illustrée une situation spirituelle, celle du témoignage exemplaire qu'une martyre apporte au Christ, dont le sacrifice rédempteur, que l'on nous appelle à imiter, est renouvelé chaque jour sur l'autel, au moment de la messe. Toutefois, ce n'est pas par des expressions dramatiques que l'on cherche à convaincre le croyant, mais par la seule sollicitation de cette apparition.

Quand Duquesnoy débute à Rome, en 1618, la sculpture maniériste a déjà été relayée, de façon décisive, par le jeune Bernin, à partir du milieu de la deuxième décennie du siècle, et même dès 1603 par Francesco Mochi (1580-1656). Les premières œuvres de Bernin, avant 1625, sont marquées par l'étude de la sensualité et du pathos envahissant de la sculpture hellénistique, mais aussi par l'art de Michel-Ange, par le réalisme pittoresque de l'Italie du Nord — important pour le rejet des figures isolées du Maniérisme.

Le Florentin Mochi a puisé à des sources analogues et s'affirme avec l'*Annonciation* réalisée à Rome de 1603 à 1608 pour le *Maître-autel* de la cathédrale d'Orvieto (auj. au Museo dell' Opera del Duomo) ; comme pour beaucoup d'« incunables » de la sculpture baroque, il s'agit d'un groupe. L'héritage maniériste se reconnaît dans les brusques changements de mouvement et de direction comme dans la netteté des plis des vêtements, tendus sur des corps généreux ; dans la composition de l'ange résonne encore le souvenir des enlèvements de femmes de Jean de Bologne. Les deux personnages sont conçus pour être perçus comme un seul ensemble ; les ruptures sont neutralisées par des gestes de liaison ; corps et vêtement ont une même valeur plastique. Nouvelles sont également les recherches de véracité dans l'expression des visages, dans les vêtements et les cheveux. Le messager angélique fait irruption comme une bourrasque, par laquelle l'observateur, lui aussi, se sent touché.

L'EXTASE DE SAINTE THÉRÈSE DE BERNIN

C'est seulement une génération plus tard que la sculpture baroque atteint l'un de ses sommets avec l'*Extase de sainte Thérèse* (1646-1653), de Bernin. L'œuvre se trouve toujours dans son contexte originel : l'autel du transept gauche de l'église des Carmélites, Sainte-Marie-de-la-Victoire, à Rome, élément de la chapelle familiale aménagée pour le cardinal Federigo Cornaro. Bernin — architecte, sculpteur, peintre, décorateur et homme de théâtre — a réalisé ici un « chef-d'œuvre total » du Baroque qui donne vie aux débordements de la sensibilité religieuse. Il a conçu la chapelle Sainte-Thérèse comme un décor scénique qui doit se voir de la nef. Structure architecturale et décoration peinte semblent liées indissolublement. Dans des oratoires simulés, à gauche et à droite, des représentants de la famille Cornaro assistent à l'événement sous forme de témoins de marbre. Comme fiction inscrite dans une situation déjà quasi fictive, Bernin fait surgir le miraculeux : devant la table d'autel, incrustés dans le pavement de marbre, se pressent vers la Rédemption des squelettes en adoration, qui représentent les Cornaro inhumés à cet emplacement. Le Saint-Esprit, représentation peinte glissant sur le décor architectural, fait irruption au zénith de la chapelle, dans une gloire rayonnante. Au-dessus de l'autel, enfin, dans une sorte de petit temple à colonnes ouvert, également inondé de lumière céleste, apparaît le groupe de marbre de l'*Extase (Unio Mystica)*. Sur la gauche, dressé, le messager ailé de Dieu s'approche, avec un sourire rayonnant témoignant de l'ardente affection divine, et soulève d'une main le bord du manteau de Thérèse en s'apprêtant, de l'autre, à la transpercer avec la flèche de l'amour céleste. La sainte, aux yeux presque clos, est à demi effondrée vers la droite et semble expirer dans un abandon mystique à son fiancé divin. Thérèse et l'ange, comme « se dérobant » sur un nuage, ne paraissent tenir aucun compte de l'observateur. Bien qu'étroitement associées dans une figuration globale et également unies par le modelé qui anime l'ensemble et fait émerger les formes de l'ombre vers la lumière, les deux figures incarnent des partenaires inégaux. L'ange est plus libre dans sa tunique légère, tourbillonnant en plis parallèles ; mis à part les pieds, les mains et le visage, Thérèse est comme effondrée dans les replis de son habit, qui annihilent toute différenciation. Bernin n'a pas voulu représenter ici uniquement les expériences visionnaires de Thérèse jusqu'à leurs composantes érotiques : il pensait aussi, de toute évidence, à sa mort physique, voulue par l'amour de Dieu, qui, aux yeux du temps, faisait de la sainte l'équivalent d'une martyre, porte-parole de l'humanité pécheresse.

ALGARDI

Pour l'observateur, tenu intentionnellement à distance, le groupe en ronde bosse de l'*Extase mystique* semble se rapprocher d'un bas-relief. À l'inverse, le bas-relief du XVIIe s. se rapproche souvent insensiblement de la figure libre. Citons comme exemple une œuvre du plus important des artistes qui se situe aux antipodes de Bernin : *Saint Léon repoussant Attila* (1646-1653), relief réalisé par Alessandro Algardi (1594-1654), sous Innocent X, dans le bas-côté gauche de Saint-Pierre. Algarde y représente une scène importante pour la papauté de la Contre-Réforme : l'éviction miraculeuse hors d'Italie de l'ennemi de l'Église Attila par le pape Léon le Grand. Venant de gauche, derrière un homme de sa suite accroupi, le pape et sa troupe progressent vers le devant du relief. Léon le Grand, en tête, semble chasser Attila vers la droite ; de la main gauche, il lui montre les princes des apôtres, qui descendent du ciel comme un ouragan, venant de la gauche. Attila se tourne encore vers eux avec effroi, mais quitte déjà la place. Les motifs importants par leur signification constituent aussi le centre de gravité du bas-relief. Tandis que, au-delà des figures principales, il reste plat, les éléments significatifs des protagonistes du premier plan sont sculptés en trois dimensions. La direction de l'expulsion est matérialisée par des obliques continues, qui envahissent une composition tendant par ailleurs à l'équilibre. Par des gestes éloquents, les personnages expriment, par-delà les césures, les rapports significatifs, ou le degré et la nature de leur participation émotionnelle. Bien que beaucoup plus réaliste, Algarde voulait — comme Bernin — susciter une intime participation du fidèle.

L'ART FUNÉRAIRE ET LE PORTRAIT

C'est dans les monuments funéraires et les portraits dans lesquels les commanditaires mettent en jeu leur propre personne que le caractère fondamental, pour le Baroque, de l'élément rhétorique apparaît le mieux. Là encore, Bernin a montré l'exemple, surtout avec les *Tombeaux des papes Urbain VIII et Alexandre VII*. Certains de leurs éléments répondent à des traditions. Même le recours aux squelettes comme *Memento Mori* et comme évocation des vanités du monde n'est pas nouveau, bien qu'il soit tout à fait naturel à l'esprit de ce siècle pris entre gloire et humilité, entre sensualité et nostalgie de l'au-delà. La nouveauté réside dans la mise en scène théâtrale d'éléments hétérogènes dans des rapports nouveaux, qui peuvent être considérés comme des procédés scéniques de l'espace et du temps. Cela est surtout vrai pour le *Tombeau d'Alexandre VII* (1671-1678), qui représente le pape en « adoration éternelle ». La porte d'une chapelle a été intégrée au socle de manière à apparaître comme celle du tombeau. Bien qu'il s'agisse, en réalité, d'un enfeu, la disposition de la Justice et de la Prudence dans le fond de la niche donne l'illusion d'une tombe libre. Les allégories — de jeunes femmes florissantes — trouvent des associations différentes avec leur entourage, selon leur signification et leur tempérament. La Charité, avec ses enfants, est la seule qui se tourne, comme par affection, vers le pape ; la Vérité (primitivement nue) se « dévoile » devant le sablier de la Mort, comme « vérité fille du Temps », allusion au fait que le pape a été méconnu de son vivant. En même temps, le temps de la vie écoulée est montré à Alexandre, et le squelette fait de la porte située derrière lui celle de la Mort. Enfin, le pape prie en direction du tombeau de Pierre, comme s'il le voyait, bien que tout un pilier de la croisée du transept lui en cache la vue.

Dans le portrait, le Baroque a produit de grandes œuvres quand, à côté de la réalité physique, il a pu évoquer aussi les caractères sociaux et biographiques du modèle. Cela n'est pas toujours aussi évident que dans le buste funéraire du médecin *Gabriel Fonseca,* que Bernin représente consumé de fièvre devant l'autel de la chapelle familiale, à San Lorenzo in Lucina (Rome, v. 1660-1665). On trouve une expression voisine même dans un buste de type plus conventionnel et de conception plus réaliste comme celui du poète *Francesco Bracciolini* (v. 1630-1640), intime des Barberini, par Alessandro Algardi. Sans doute est-on ici informé plus « objectivement » sur la biographie de l'intéressé que pour Fonseca, grâce surtout à une représentation plus précise de son apparence extérieure ; mais, là encore, la concentration sur le regard témoigne de l'intérêt que le sculpteur attache à l'impression dégagée par son modèle.

Le XVIIe s. était fasciné par les forces qui animent les individualités et qui agissent à travers elles. Cela ne fut jamais aussi sensible qu'en 1665, lorsque Louis XIV appela Bernin à sa cour. Ce voyage est essentiellement un épisode de l'histoire de l'architecture ; pourtant, la statue équestre, manquée, et le *Buste* du roi, conservé aujourd'hui encore à Versailles, en sont aussi les fruits. Bernin admirait Louis XIV, mais il ne voulait pas seulement représenter l'homme, il voulait aussi évoquer le souverain, avec les vertus qui lui étaient attribuées. Le buste le montre en longue perruque, jabot de dentelles et armure, mais le drapé du manteau, à l'antique, lui fait perdre tout caractère de réalité quotidienne.

Il est significatif que Bernin ait trouvé des similitudes entre le visage du roi et une tête d'Alexandre. En outre, il avait prévu comme socle, pour glorifier le rôle et la puissance du roi, un globe reposant sur des trophées. Il ne visait pas, cependant, à une image rigide d'une souveraineté inaccessible. Le véhément contraste entre l'orientation du manteau flottant au vent et la tête rejetée de côté suggère passion et volonté ; les yeux, creusés, fixent un but éloigné qu'il s'agit d'atteindre. Ce portrait tire aussi sa force d'expression du pathos des formes, du contraste entre le visage solidement composé du jeune souverain et le mouvement impétueux du manteau et de la chevelure, à la limite des possibilités décoratives. L'exercice du pouvoir apparaît ainsi comme un acte éminemment passionnel.

La France

LA SCULPTURE VERSAILLAISE

Tout comme l'architecture et la peinture, la sculpture française du XVIIe s. ne saurait être comprise sans les enseignements de l'art italien. De nombreux sculpteurs français ont séjourné plus ou moins longtemps sinon à Rome, du moins en Italie. Mais la sculpture a acquis aussi, dans le cadre des possibilités du Baroque, indépendance et classe, même si ce ne fut que plus tardivement. La cour du Roi-Soleil et son apparat ont joué pour cela un rôle prédominant. Les effigies du Roi-Soleil le montrent nettement. L'influence du buste de Bernin (qui ne fut pas accepté, du reste, sans critiques) est perceptible, mais les sculpteurs français voyaient leur roi autrement. C'est ce que montrent les bustes d'Antoine Coysevox (1640-1720) du début des années 1680, de même que la *Statue équestre de la place Louis-le-Grand* (place Vendôme), conçue à partir de 1685 par François Girardon (1628-1715), mise en place en 1699 et détruite en 1792. Dans ces représentations, le roi apparaît bien plus calme, perruque et drapé n'ont pas une fonction aussi ornementale que chez Bernin. En revanche, la description est plus précise, le style plus sévèrement classique. La plénitude du pouvoir s'exprime dans une gravité plus digne, dans une minutieuse représentation de vêtements appropriés et dans une certaine insistance dans le traitement des effets plastiques.

Une statuette en bronze conservée au musée du Louvre donne une bonne idée de la statue équestre de Girardon — l'un parmi tant d'autres monuments royaux érigés dans les lieux publics. Tandis que les sculpteurs italiens préféraient des interprétations mouvementées du Marc Aurèle (*Monuments Farnèse* de Plaisance, 1612-1625, par Francesco Mochi) ou des chevaux cabrés et bondissants (le *Constantin* de Bernin, 1654-1670) — bref, les souverains en action —, avec Girardon, on retrouve l'esprit du *Marc Aurèle* lui-même : allure tranquille du cheval, geste impératif du cavalier, assis comme sur un trône. Girardon a même redonné au roi mûri un peu de l'expression pensive de l'empereur philosophe. Au lieu de faits héroïques, il s'agit ici des principes de la souveraineté. Et ceux-ci sont célébrés de manière si convaincante, incarnés de façon si sensible dans le modelé du cavalier et du cheval que le monument, diffusé par les modèles équestres des places des villes de province françaises, est devenu un prototype des représentations des monarques absolus de l'Europe éclairée au XVIIIe siècle.

C'est une autre formule, plus ancienne, de la représentation de la monarchie que l'on trouve avec trois statues de bronze du Louvre, qui faisaient primitivement partie d'un monument dressé contre un mur et inauguré en 1648 près du Pont-au-Change — rénové par Louis XIII : *Louis XIV en dauphin entre ses parents, Louis XIII et Anne d'Autriche*. Ce groupe avait été réalisé par Simon Guillain (1581-1658), disciple de Germain Pilon, qui, comme Girardon, avait fait le voyage d'Italie. Le sculpteur exprime essentiellement l'idée de la continuité du gouvernement par une facture réaliste et par une séduisante représentation de la splendeur des vêtements royaux. Ce sont des rapports humains qui sont évoqués — même avec une certaine emphase — dans le cas de la reine. Un tel naturel n'est plus possible à la cour du roi adulte, imprégnée d'un idéalisme élevé et figée dans la gravité de son cérémonial.

LA DÉCORATION DES JARDINS ET DES PARCS

Versailles était au centre de cette chorégraphie des formes de la vie de la cour sous le Roi-Soleil. On n'est donc pas surpris de trouver, parmi les sculptures du parc, entre autres fontaines et statues, un groupe à programme et allusions politiques. Dans la *Grotte de Thétis*, détruite dès 1684 pour permettre le second agrandissement du château, se trouvaient, dans trois niches, trois groupes sculptés (1666) conçus les uns en fonction des autres, aussi bien sur le plan formel que du point de vue de leur contenu. *Apollon servi par les nymphes*, par Girardon,

occupait le centre ; les *Chevaux d'Apollon*, dus respectivement à Gilles Guérin (1606-1674) et aux frères Gaspard et Balthasar Marsy (1624-1681 ; 1629-1674), les niches latérales. Le contexte de cet ensemble est clair : Apollon/Louis trouve ici un réconfort bien mérité à la fin d'une fructueuse journée pour son royaume, journée qui avait commencé « à l'Aurore » avec le *Char du Soleil*, dans le bassin situé à l'extrémité de la Grande Allée. Tandis que les chevaux, nourris par les dieux marins, se cabrent avec une vivacité sauvage — image dynamique des forces élémentaires —, le groupe central est une composition de figures indépendantes exécutées avec une sensualité et une virtuosité tout hellénistiques ; Louis XIV ressemble à un *Apollon du Belvédère* qui serait assis. La culture semble opposée à la nature : on pense aux tableaux de Poussin et à la joie de Louis XIV devant les représentations théâtrales allégoriques dans lesquelles il intervenait comme protagoniste. Ce langage rationnel, dévoilant le mécanisme des sentiments, est caractéristique du style de cour. Toute spontanéité est ici évitée, comme tout ce qui contredit l'antique et les règles qu'on en a tirées pour l'imitation de la nature.

Le Méridional Pierre Puget (1620-1694) fait voler en éclats ces conventions. Ce n'est sûrement pas un hasard si, après ses années d'études en Italie (1640-1643), en grande partie chez Pierre de Cortone), il a encore travaillé indépendamment à Gênes (1660-1669) avec grand succès. Ce n'est qu'à la fin de l'ère de Colbert, quand, même dans les milieux de l'Académie, on commence à rendre justice aux artistes baroques italiens, qu'il peut contribuer, avec plusieurs sculptures, à la décoration des jardins de Versailles. Il réussit à s'imposer avec son *Milon de Crotone*, aujourd'hui au Louvre. Si le projet de cette œuvre avait été accepté par le roi dès 1671, la statue ne prit place à Versailles qu'en 1683. Le thème en avait été choisi par Puget lui-même : tandis que Milon, héros présomptueux et vainqueur vieilli des jeux Olympiques, essaie en vain de retirer sa main de la fente d'un tronc d'arbre, il doit subir l'attaque mortelle d'un lion. L'espace et les formes corporelles sont ici encore plus fouillés que chez Bernin. Tandis que les œuvres de ce dernier restent, en général, formellement ouvertes, les pleins et les creux alternent librement au service d'une mimique expressive, les volumes sont ici si fortement tendus dans leur ensemble que le détail du modelé, si vivant soit-il, n'en dissout pas la structure. Seules quelques obliques, débordant des contours du groupe, et la tête, torturée et redressée, rompent la réalité scénique. Sous la pression de l'extraordinaire effort physique et de la souffrance, le mouvement se fige dans une expression globale qui renie le décorum et les règles classiques et traduit une indicible résignation. D'un sujet classique de la démesure de l'ambition humaine, le sculpteur a tiré un exemple de grands sentiments, au-delà de toute morale et de toute action.

Même si le tardif succès de Puget à Versailles a été favorisé par un « changement de climat » à la cour, son cas est demeuré exceptionnel. Mais d'autres en ont profité qui n'étaient pas allés, ou seulement brièvement, en Italie et qui, à partir de ce qu'ils en avaient reçu indirectement ou par l'intermédiaire des Flandres, prirent leurs distances par rapport au ton solennel de l'art de cour. C'est le cas, par exemple, d'Antoine Coysevox. À côté de ses bustes, il faut surtout citer ici ses tombeaux, notamment le *Tombeau du marquis de Vauban* (1680-81), dans la chapelle du château de Serrant. Les accessoires sont autres, le style paraît plus sec et l'intérêt porté à la représentation du concret est nouveau. Mais la manière dont les sculptures et le cadre architectural, le réalisme et l'allégorie sont étroitement associés en un tout cohérent dévoile les sources italiennes de l'artiste : en bas, à côté de la Foi chrétienne pleurant, le marquis se repose de ses exploits ; au-dessus de lui, une angélique Victoire semble sortir de ses rêves et promettre la gloire, l'immortalité et même aussi la rédemption.

L'Espagne

Comme l'architecture, la sculpture du XVII\ :sup:`e` s. est également marquée par le déclin économique et la torpeur politique de cette ancienne grande puissance. En dehors de l'Église, qui dispose, grâce à la religiosité du peuple, intensifiée par la Contre-Réforme, de grands moyens, les conditions d'un développement indépendant des arts tels que l'architecture et la sculpture n'existent pour ainsi dire pas. La cour et la noblesse sont pratiquement défaillantes, de sorte que la sculpture profane existe à peine. Qu'il suffise de rappeler que les statues équestres des rois Philippe II (1609-1614) et Philippe IV (1634-1640), dues à Pietro Tacca (1577-1640), sont une importation toscane, dans le style du Maniérisme tardif. Ce pays des grands portraitistes n'a même pas produit, à cette époque, une seule effigie sculptée notable. Qui cherche des figures humaines les trouve dans l'art sacré. Aussi la sculpture poursuit-elle les grandes traditions du XVI\ :sup:`e` s., si ce n'est que l'effacement de la cour permet la domination sans partage des écoles régionales — surtout celles de Castille et d'Andalousie — et un détachement plus net de l'Italie. Les motifs demeurent ceux de la tradition, stalles et retables à plusieurs étages, riches en figures, comme images de dévotion conçues en groupe ou en figures isolées, destinées souvent aux processions (pasos). Le matériau demeure le bois, peint, en certains cas, de manière très vériste. On peut rattacher ces œuvres presque directement à l'art déjà fortement émotionnel et parfois protobaroque de maîtres tels que Juan de Juni (1507-1577) ou Alonso Berruguete (1486-1561).

Juan Martinez Montañés (1568-1649) est directement issu de l'ancienne école sévillane et peut même être considéré comme le chef de file de la nouvelle école. Il est l'auteur du *Saint Jean l'Évangéliste* de l'autel consacré à ce saint dans le Couvent Santa Paula de Séville (1617) : assis dans une niche peu profonde, l'aigle à ses pieds, l'évangéliste se tient prêt à écrire sous la dictée de Dieu. Comme dans le cas de *Saint Longin*, une observation précise de la réalité et les traditions de la Renaissance sont associées dans une composition expressive. De nouveau, la tête doit être comprise comme le point culminant d'une « ouverture » vers l'es-

L'ART BAROQUE

Vue aérienne du château, du parc
et de la ville de Versailles.

La basilique Saint-Pierre de Rome
et la colonnade *de Bernin. 1656-1667.*

La Villa Aldobrandini *à Frascati*,
construite pour le cardinal Pietro Aldobrandini
par Giacomo della Porta, achevée par Maderno.

Église Sainte-Agnès, *construite de 1625 à 1652 par Carlo Rainaldi.
La façade baroque est de Borromini (1652-1657). Rome, place Navone.*

Coupole à lanterne de l'église San Lorenzo *à Turin,*
construite en 1634 par Guarino Guarini.

Façade de la cathédrale Saint Paul à *Londres*,
construite par sir Christopher Wren de 1675 à 1710.

La Chaire de saint Pierre *(1656-1666), par Bernin, vue à travers le baldaquin en bronze réalisé de 1624 à 1632 par Bernin. Saint-Pierre de Rome.*

Tombeau d'Alexandre VII à *Saint-Pierre de Rome,*
par Bernin (1671-1678). Marbre.

Descente de croix, *retable de l'autel du Sagrario (1670-1673)*
par Pedro Roldán. Séville, cathédrale.

Vue des fresques de la voûte de la galerie Farnèse,
par Annibal Carrache.

La Madone de Lorette *(1603-1605), par Caravage.*
Rome, église Saint-Augustin.

11

L'Empire de Flore,
par Nicolas Poussin.
Dresde, Gemäldegalerie.

13

Le Banquet des officiers du corps des archers de Saint-Adrien,
par Frans Hals. V. 1627. Haarlem Frans Hals Museum.

15

Jeune Femme lisant une lettre, *par Johannes Vermeer,*
Amsterdam, Rijksmuseum.

pace quasi transcendantal au-delà de la niche de l'autel. Le modelé, adapté aux qualités du matériau, et surtout la polychromie répondent aux désirs d'identification du fidèle.

Les mêmes observations peuvent être faites à propos de la *Mise au tombeau* du maître-autel de l'église de l'hospice de la Caridad à Séville (1670-1673) par Pedro Roldán (1624-1699), principal maître sévillan de la seconde moitié du siècle. Ce fastueux retable présente le groupe de figures, presque en ronde bosse (comme il est d'usage en Espagne), dans une sorte de loggia devant une perspective en trompe-l'œil du Golgotha. Comme la mort du Christ se répète dans le sacrifice de la messe, la Déploration suit la Mise au tombeau au-dessus du tabernacle. Toute l'action est réduite au minimum ; la composition est presque symétrique. Les épisodes de l'histoire sainte sont surtout rendus vraisemblables par la diversité des expressions des protagonistes, relevant toutes, cependant, de l'affliction.

La *Madeleine pénitente* de la maison des Jésuites de Madrid (auj. au M. N. de sculpture de Valladolid), datée de 1664, par Pedro de Mena (1628-1688), le concurrent de Roldán à Malaga, est également dénuée de toute sentimentalité. Bien qu'elle ne renie en aucune manière son corps nu dans la robe de paille qui l'enveloppe, la belle pénitente semble contempler le crucifix qu'elle tient dans la main avec une totale abnégation. La simplicité et la précision du rendu réaliste trouvent un répondant dans la concentration et la tension de la composition plastique. Ainsi est traduite la situation radicalement identique faite à la pénitence et à la foi dans le Christ.

Le Saint Empire romain germanique

Dans l'ensemble, l'Empire est à peine plus actif et plus puissant politiquement que l'Espagne. Il réunit en revanche, grâce à sa structure fédérative, plusieurs capitales princières et des villes libres d'Empire, dans lesquelles la sculpture profane

trouve aussi ses chances. Cependant, les commandes de l'Église sont ici aussi prédominantes et, comme en Espagne, la sculpture sur bois peinte joue un rôle important. Toutefois, la guerre de Trente Ans a fait de profonds ravages, allant jusqu'à tarir la production. Les influences extérieures sont plus puissantes ici que partout ailleurs et le centre de gravité est situé dans les pays catholiques, c'est-à-dire dans le Sud.

LA SCULPTURE MONUMENTALE

C'est surtout dans les capitales princières de Munich et de Prague, ainsi qu'à Augsbourg, ville d'Empire, que l'on trouve, dès le début du siècle, une sculpture monumentale remarquable : figures de façades, de fontaines et de jardins dues à un groupe de bronziers de l'école de Bologne. Deux d'entre eux, originaires de Bavière — Hans Krumper (1570 ?-1636) et Hans Reichle (1570 ?-1642) —, se démarquent nettement, par quelques-unes de leurs œuvres, du Maniérisme international de leurs maîtres et de leurs confrères plus âgés. Il faut citer particulièrement le groupe en bronze créé par Hans Reichle en 1603-1606 pour la façade de l'Arsenal d'Augsbourg : l'*Archange saint Michel* ; le saint, avec son épée de feu, triomphant de Satan, est flanqué de vigoureux angelots portant des trophées, qui assistent au terrassement. Contrairement à l'élégant *Saint Michel* réalisé par Hubert Gerhaert (1550-1620) pour l'église des Jésuites de Munich, qui symbolise la lutte contre les hérétiques, le bronze de Reichle, destiné à l'Arsenal d'une ville libre protestante, était surtout une manifestation de l'orgueil de la cité. Le groupe se détache sur l'architecture et apparaît composé d'éléments compacts, chaque figure étant caractérisée comme acteur ou témoin de l'événement dramatique. La fermeté de la forme souligne le caractère démonstratif de l'idée. La guerre de Trente Ans mit rapidement fin à de telles prémices du Baroque. C'est seulement à la fin du siècle, en 1696, que l'on retrouve une ornementation d'arsenal de même importance, dans le Brandebourg, principauté protestante en pleine ascension, avec les clefs de voûte représentant des *Masques de guerriers mourants* de l'Arsenal de Berlin par Andreas Schlüter (1674-1714). Alors que la décoration extérieure annonce la victoire, ces têtes, qui émergent de leurs boucliers, évoquent, dans un mélange incomparable de réalisme, de structure ornementale et de pathos expressif, les tourments qui précèdent toute victoire. Entre la réalisation des deux arsenaux, il y avait eu la période de souffrances et de destructions de la longue guerre et, désormais, ces expériences étaient partie intégrante du monde des artistes.

LA PETITE SCULPTURE

Une bonne part de la sculpture profane relève de la petite sculpture, qui, seule, est poursuivie pendant la période sombre. Georg Petel (1601/02-1634) a réalisé, dans ce domaine, des œuvres importantes. Ses voyages l'ont conduit notamment à Rome et à Gênes, et il conserve toujours une orientation internationale. Rubens est son ami. C'est pour lui qu'il aurait réalisé à Anvers, en 1628, la *Salière* de Stockholm en ivoire avec le triomphe de Vénus naissant de l'écume. Il transpose un dessin de son ami en une quasi-ronde-bosse : Vénus, sur un dauphin et flanquée de deux nymphes, avance en tête d'un cortège extatique ; en arrière se dresse un Triton avec une autre nymphe. Le mouvement, qui tourne autour du fût, devient ascensionnel et culmine en une coquille tenue en suspension par des Amours voltigeant. L'effet de mouvement est suggéré par la virtuosité de la sculpture des nus, du drapé ample des vêtements et des flots qui s'écoulent et il est encore amplifié par la plénitude des enlacements et le recouvrement des formes.

C'est également à Petel qu'est dû le *Buste de Rubens*, en bronze, orné d'une chaîne honorifique (1633, Anvers, M. R. B. A.). La fraise à plis denses émerge d'un lourd manteau drapé à l'antique ; il en sort un cou vigoureux et lisse, et la tête s'inscrit en contrapposto. Le gros visage charnu, un front bombé, mais surtout une chevelure et une barbe aux boucles abondantes soulignent le caractère imposant de l'effi-

gie. Par ces aspects extérieurs, l'artiste a aussi exprimé le rayonnement de cet homme universel : sa conscience de soi, sa vitalité et sa chaleur humaine.

ART RELIGIEUX

C'est aussi une grande chaleur humaine qui caractérise l'une des grandes sculptures religieuses les plus connues de Petel : l'*Ecce Homo* (env. 1630-31) réalisé pour l'église des Dominicains (auj. à la cathédrale d'Augsbourg) et qui conserve sa polychromie originale. Bien que conçue comme objet de dévotion destiné à être placé devant un mur, cette figure vigoureuse, avec les outils de la flagellation en main, semble saisie en plein mouvement : une sorte de glissement hélicoïdal partant du pied droit soulevé se développe jusqu'au visage douloureusement triste, dont les yeux sont tournés vers le bas mais avec une expression tout intérieure.

Petel est, dans le domaine du sacré, un phénomène d'exception. La première moitié du siècle est dominée, par ailleurs, par un style qui mélange le Maniérisme italianisant ancien des Pays-Bas avec les traditions médiévales tardives de la sculpture sur bois. C'est aussi vrai pour quelques régions protestantes qui commencent à abandonner prudemment le refus des images. On en trouve un remarquable exemple catholique dans le *Maître-autel* de l'église paroissiale d'Überlingen (1613-1619), réalisé par Jörg Zürn (env. 1583-1635) et son atelier familial. Un coup d'œil sur la partie centrale du retable — une *Adoration des Mages* débordante de figures, d'éléments architecturaux et de nuages —, travaillée avec virtuosité, apprend l'essentiel. Les figurines à peine peintes, dans des attitudes parfois outrées, sont travaillées individuellement et encastrées comme des figures de châsse gothique. Une lumière instable, provenant en partie des profondeurs, tombe sur des formes arrondies et lisses « maniéristes » ou des drapés « gothiques » aux plis cassés. Sur les visages, une impassibilité de masque côtoie un réalisme méticuleux. Ce n'est ni le style d'un Rubens ni celui d'un Bernin ; mais, dans la liaison pittoresque du tout avec chaque partie, dans la surenchère rhétorique de l'ensemble des détails, les positions maniéristes sont abandonnées de façon analogue.

Le langage des formes du Baroque international ne s'impose sur un front plus large qu'après la fin de la guerre de Trente Ans. C'est dans les pays alpins que l'influence du Bernin s'étend le plus ; le renforcement du royaume des Habsbourg dans les guerres contre les Turcs fait de Vienne le centre artistique le plus important. C'est là que voit le jour, comme fondation votive de l'empereur Léopold Ier pour avoir été délivré de la peste, le *Monument de la Trinité*. Le socle à trois faces, conçu en 1687 par J. B. Fischer von Erlach (1656-1723), montre, à côté de reliefs historiques circulaires, en bas de la face principale, le groupe en ronde bosse de la « Victoire de la Foi sur la peste » et, juste au-dessus, également en ronde bosse, l'empereur fondateur à genoux. La Foi et l'empereur regardent avec dévotion vers le haut, où apparaît — comme descendant du ciel — la Trinité avec les neuf chœurs d'anges, au-dessus d'une pyramide de nuages conçue par l'architecte de théâtre Ludovico Burnaccini (1636-1707). Une telle manifestation des bonnes relations de la monarchie avec le Tout-Puissant est typique de l'absolutisme des Habsbourg. La manière dont les différents plans de la réalité apparaissent ici liés dans une action principale de l'État est d'un Baroque qui s'inscrit dans la veine de Bernin ; on peut en dire de même du style du Tyrolien du Sud Paul Strudel (1648-1708), qui a créé ici la Trinité, l'empereur, la Foi et la plupart des anges.

L'HÉRITAGE DE BERNIN

Le point extrême de l'expressivité berninesque, au-delà des Alpes, est atteint par un *Saint Martin* (église des Chevaliers de la Croix de Prague, 1690-91) des frères Jérémie et Conrad Süssner (1653-1690 ; 1650 ?-1696). Grâce à des contrastes extrêmes de mouvements et à un furieux contrepoint de pleins et de creux qui se déchaîne jusque dans les vêtements, le sujet exemplaire de l'amour du prochain est représenté avec une sorte de frénésie. Les frères Süssner, originaires de Bo-

hême, étaient venus à Prague après avoir été sculpteurs respectivement à la cour de Dresde et à celle de Berlin. Leur style était imprégné d'influences méridionales et occidentales. Un mélange analogue d'impulsions les plus diverses en un style « dynamique » se retrouve dans la *Statue équestre du Grand Électeur* (1697-1700) par Andreas Schlüter (les figures d'angle n'ont été exécutées qu'en 1702-1710), au château de Charlottenburg de Berlin, l'un des monuments du Baroque les plus importants consacrés à un prince. Ses modèles, pas seulement sur le plan politique, en sont le Roi-Soleil de Girardon et, pour les personnages secondaires, ceux de Martin Desjardins (1640-1694) sur la place des Victoires (1686). À cela sont venus s'ajouter la dynamique et le pathos des exemples italiens et, pour les figures d'angle, qui réagissent chacune « selon son tempérament », le souvenir de la *Fontaine des Quatre-Fleuves* de Bernin. Cependant, la formulation de Schlüter est originale. La mise en scène sur l'ancien emplacement — le monument était dressé perpendiculairement à la voie provenant du Lange Brücke, devant le château — offrait, selon l'angle de vision, un aspect différent du souverain : force de volonté et dynamisme vigoureux d'un côté, réflexion et gravité de l'autre. La présentation sur un socle bas est à l'opposé de la distanciation recherchée des prototypes français. En outre, dans cette effigie du prince électeur, figuré sans perruque et décrit sans complaisance, associé aux figures d'angle, qui paraissent à peine des esclaves, malgré leurs chaînes, Schlüter donne une vision nuancée d'un politicien ouvert au monde.

Les Pays-Bas et l'Europe septentrionale protestante

Ce n'est pas un hasard si, au XVIIe s., le centre de gravité de la sculpture néerlandaise, que diffusent divers représentants, est situé dans les provinces catholiques du Sud. Rubens en est également issu. Cet artiste baroque par excellence a aussi entraîné les sculpteurs dans son sillage.

Un exemple en est donné par le *Tombeau de l'archevêque Cruesen* (cathédrale de Malines, v. 1666), par Lucas Faydherbe (1617-1697). Ancien compagnon de l'atelier de Rubens, ce sculpteur s'efforce, en liaison avec une toile du maître, de représenter comme un tout cohérent un schéma conventionnel de trois figures : le défunt est agenouillé devant son Sauveur (à droite), et Chronos (à gauche) se met en route. Faydherbe a réussi, « à la Rubens », à traduire la respiration de la vie et la diversité des matières. Artus Quellinus le Vieux (1609-1668) sculpte d'une manière peut-être encore plus séduisante un petit groupe en terre cuite représentant *Samson et Dalila* (Berlin-Dahlem, v. 1640-1650). Générosité romaine et sens flamand des réalités s'allient dans ce groupe narratif, visible sous toutes ses faces, réalisé peu après le retour de Rome de l'artiste d'après un projet de Rubens.

L'ART DU PORTRAIT

Dans les Pays-Bas du Nord travaillaient des Néerlandais du Sud, comme Rombout Verhulst (1624-1698), qui prend la relève du maniériste tardif Hendrick de Keyser (1565-1621). Venu à Amsterdam avec Quellinus, en 1650, pour participer à la décoration du nouvel hôtel de ville, il crée vers 1665 le buste en terre cuite extraordinairement vivant de *Maria van Reyersbergh* (Rijksmuseum). Bien qu'il y ait ici une évidente imitation de la nature, l'œuvre est élaborée à partir d'un contrapposto décoratif.

Le spirituel portrait (Oxford) du grand architecte et savant sir Christopher Wren (1673) par l'Anglais Edward Pierce (1695), qui avait précédemment orné de grands bâtiments, est également « baroque » au même titre et s'inscrit comme une œuvre typique du siècle. Une tête expressive saisie avec perspicacité, des cheveux et des vêtements sculptés avec virtuosité avec un effet ornemental, telles sont les caractéristiques de cette œuvre, d'esprit plutôt français. En Angleterre, comme dans les autres pays septentrionaux protestants, la sculpture est restée à un niveau moyen. On y rencontre également des réalisations

baroques, de caractère décoratif, sur les façades, dans les salles de fêtes et dans les églises. Dans les bâtiments représentatifs, ces pays arrivent presque au niveau de ceux du continent. Mais on n'y rencontre pas de réalisations exceptionnelles, sinon, à la rigueur, parmi les portraits.

Bibliographie sommaire

LAVIN (I.), *Bernini and the Unity of the visual Arts*, New York, 1980. POPE-HENNESSY (J.), *Italian High Renaissance and Baroque Sculpture*, Phaidon Press, Londres, 1963. VITRY (P.), *la Sculpture française classique de Jean Goujon à Rodin*, Paris, 1934.

LA PEINTURE
À L'ÂGE
BAROQUE

La conjugaison des extrêmes

Le XVIIe s. a été un siècle de peinture. Une époque comme le Baroque, qui s'est lancée aussi passionnément dans la réalité tout en s'efforçant de la modifier de façon si décisive et qui, même en architecture, en sculpture et en décoration, a accordé autant d'attention à la mise en scène qu'aux réalités en elles-mêmes, ne pouvait négliger les possibilités particulières de la fiction « en images ». Rarement la pensée a été exprimée d'une façon aussi « visible », rarement l'invraisemblable a été manifesté d'une manière aussi vraisemblable ; le petit et le grand, le proche et l'éloigné, la forme et l'espace — bref, tous les extrêmes — n'ont jamais sans doute été mis en relation de façon aussi suggestive pour la vue. Jamais auparavant on n'a rendu de manière aussi sensible, en images, un monde animé par les fortes impulsions des grands sentiments, de la volonté et des idées ; jamais aussi bien qu'à l'âge baroque on n'a extériorisé le sentiments intérieurs, on n'a exprimé dans l'insignifiant la dimension cosmique. Quand a-t-on mis l'accent d'une manière aussi consciente, dans l'interaction des genres, sur une vision qui mêle fiction et réalité ?

Mais le rôle et l'importance des différents types de peinture (de la peinture murale au tableau de chevalet) sont très différents suivant le pays, l'environnement religieux, le niveau social et la tradition artistique.

La peinture monumentale a une importance incomparablement plus grande, en Italie, que de l'autre côté des Alpes, couvrant murs, plafonds et voûtes des églises et des galeries des demeures ; quand elle se rencontre dans le Nord, c'est surtout dans les régions catholiques ou à la cour des souverains, là où, par souci de décorum, on veut justement rivaliser avec l'Italie. Naturellement, on trouve aussi en Italie des peintures de chevalet, et non des moindres ; mais ce sont surtout les Pays-Bas — protestants comme catholiques — qui apportent du nouveau dans ce domaine et qui exercent leur influence dans toute l'Europe, jusqu'en Espagne. On y observe un élargissement de l'éventail des thèmes dont les conséquences se font sentir jusqu'à l'époque contemporaine. Comme toujours en peinture — du fait de la plus grande mobilité des artistes comme des œuvres —, les relations européennes et donc les rapports stylistiques sont plus étroits qu'en sculpture et en architecture. Le phénomène connaît encore un développement plus grand grâce à l'apparition de nombreux commanditaires dans la classe bourgeoise, pour laquelle la peinture de chevalet est devenue de plus en plus abordable.

Les centres de gravité de la peinture baroque ne sont pas toujours confondus avec ceux de l'architecture et de la sculpture. S'il est vrai que l'Italie conserve un rôle pilote déterminant, l'Espagne, qui ne développe pas une architecture remarquable et dont la sculpture conserve un caractère régional, a vu naître quelques-uns des peintres les plus importants de tout le siècle. Les Pays-Bas protestants, qui ont, en revanche, produit une architecture pleine de caractère, mais ont peu créé de sculptures, se sont hissés en peinture au sommet des nations européennes. Enfin, les peintres français et allemands les plus notoires — et c'est symptomatique de l'époque — ont développé leur art et trouvé leur public non pas dans leur pays d'origine, mais en Italie. Pourtant, même entre des extrêmes comme la peinture italienne et la peinture hollandaise, on trouve — à côté de différences de forme, de contenu et de genres — des points communs indéniables. On peut citer beaucoup d'emprunts picturaux, sans parler des séjours en Italie des nombreux « oltramontani ». Si l'on fait abstraction des phénomènes exceptionnels tels que Caravage, qui a aussi fortement influencé le Nord (Caravagisme d'Utrecht), le monde de la vie quotidienne est mieux représenté dans la peinture néerlandaise et dans sa zone d'influence — Europe du Nord et Europe centrale — que dans la peinture italienne.

En Hollande, où la société est plus démocratique, ce sont les paysages et les vues urbaines, les scènes d'intérieur, les tableaux de mœurs, les portraits et les natures mortes qui dominent. Là non plus, toutefois, les oppositions baroques entre réalité et idéal, présent et intemporel (ou histoire sainte) ne sont pas rompues. Ce sont souvent les mêmes thèmes qu'ailleurs, bibliques ou mythologiques, que l'on rencontre, habillés des vêtements du quotidien ; il n'est pas rare que des idées ambitieuses et didactiques soient évoquées par des éléments de la réalité dont la lecture doit passer par l'allégorie ou le mythe. Inversement, les tendances réalistes se développent même dans les fresques et retables italiens, dans une facture qui tire parti des effets picturaux de la matière. Paysages, scènes de genre et natures mortes entraînent aussi — bien que dans une moindre mesure — des modifications du caractère des peintures.

En Espagne, un réalisme analogue peut conduire, comme en sculpture, à intensifier de manière extraordinaire l'expression religieuse (Valdés Leal, Ribalta, Ribera, Velázquez, Cano). En France, il sert tout autant à la sobriété et à la rigueur jansénistes qu'à la force de persuasion des allégories absolutistes de la Cour. Dans l'ensemble, en peinture, commandes religieuses et profanes s'équilibrent. Mais les thèmes profanes, et même les thèmes antiques, ne sont guère traités pour eux-mêmes : comme par le passé, ils sont utilisés pour faire comprendre le monde contemporain.

Sous l'influence en particulier des Églises protestantes, qui cherchent à s'affirmer, comme de la « propaganda fide » catholique, qui s'appuie sur des œuvres convaincantes et sans ambiguïté, et sans oublier le besoin des dignitaires de l'époque baroque de se représenter et de s'affirmer, les programmes jouent un rôle important dans ce langage si facile à mettre en œuvre qu'est la peinture ; et cette tendance si accusée à l'illustration entraîne une floraison d'allégories et de métaphores.

La peinture baroque en Italie

LA PEINTURE MONUMENTALE

Il est révélateur du rôle de l'image dans l'art baroque que les nouveaux principes se soient dégagés particulièrement tôt dans la peinture murale et dans celle des plafonds, surtout en Italie, qui avait produit des œuvres importantes dans ce domaine dès le xvᵉ et le xvIᵉ s. Depuis la fin du xvIᵉ s., c'étaient les « quadri riportati » (tableaux feints entourés de cadres de stuc) ou la « quadratura » illusionniste, avec ses raccourcis perspectifs, qui dominaient dans les plafonds. La peinture monumentale baroque évite surtout les tentatives extrêmes qui peuvent menacer l'unité des espaces intérieurs. Les œuvres principales voient le jour à Rome, où l'on cherche très tôt à associer la décoration en stuc, la sculpture, véritable ou feinte, et l'architecture, simulée ou réelle (voir la *Chapelle Cornaro* de Bernin).

La *Galerie Farnèse,* grande salle voûtée en berceau disposée transversalement dans l'étage noble du *Palais Farnèse* (1597-1604), à Rome, est une réalisation d'avant-garde. Les fresques sont dues à Annibal Carrache (1560-1609), Bolonais installé à Rome, et à son équipe. Les commanditaires en sont les propriétaires du palais, le duc Ranuccio Iᵉʳ de Parme et le cardinal Odoardo Farnèse. Le prétexte de la commande était les noces du premier (1600). Aussi le plafond doit-il être compris comme une célébration de l'amour terrestre. La décoration des murs — terminée, après une interruption, en 1603-04 — met l'accent, en revanche, sur la valeur plus élevée d'un amour vertueux, purifié par la raison et par la piété ! Au centre du plafond apparaît, en rapport avec l'entrée, sur le grand côté, le *Triomphe de Bacchus et d'Ariane ;* toutes sortes d'intrigues amoureuses poético-mythologiques (la plupart d'après Ovide), dont six « amours des dieux », s'organisent autour de cette composition, sur les grands et sur les petits côtés de la voûte. Ici, tout est peint : aussi bien les scènes mentionnées ci-dessus, présentées comme des « quadri riportati », que l'encadrement architectural, que les petits reliefs de bronze insérés dans un encadrement de pierre comportant des hermès et un décor ornemental ou encore que les « ignudi » et les Amours. En revanche, sur les murs, figurent seules des compositions isolées, encadrées de stuc, entre des pilastres : scènes mythologiques à signification allégorique comme la « Vierge à la licorne », emblème de la famille Farnèse, mais aussi incarnation de la vertu. Par la somptuosité de la décoration et la profusion des détails, le plafond des Carrache ne cède en rien à ses devanciers maniéristes, et sûrement pas dans la simulation de la réalité. Ce qui est nouveau, c'est le retour aux modèles antiques, l'affirmation de la matérialité des choses et la clarté d'un contrapposto inscrit dans la lumière et dans l'espace, bannissant tout caractère décoratif comme toute brusque perspective. Le recours conscient à Raphaël et à Michel-Ange — dans la composition d'ensemble comme dans les détails — de même que l'association de tels emprunts à la richesse picturale et au sens de la réalité et de la tradition de l'Italie du Nord sont symptomatiques de cette nouvelle orientation du Baroque précoce.

Ce renouveau, par l'affinement rhétorique du langage iconographique monumental, dû à la fusion d'un ordre métaphorique et d'une nouvelle sensualité, est à l'origine de la peinture de plafond de l'apogée du Baroque, qui s'exprime pour la première fois un peu plus tard avec le gigantesque plafond du *Salon du palais Barberini* (1633-1639), à Rome, par Pierre de Cortone (1596-1669). Dans cette grande salle d'apparat, le programme est plus ouvertement associé aux affaires politiques que dans la *Galerie Farnèse* et projeté sur une sorte de fond d'histoire spirituelle. Il s'agit de montrer les effets bénis de la Divine Providence sous le pontificat Barberini. Ici, la peinture commence seulement avec la voûte ; l'architecture peinte est réduite à une structure ouverte formant un encadrement, sur les côtés, et traitée de manière illusionniste : donc, pas de « quadri riportati », mais uniquement de larges échappées, sur les côtés, sur des espaces aériens et des paysages, avec des figures allégoriques et des « histoires » qui font allusion au pouvoir universel d'Urbain VIII et, au milieu, une apothéose du pape et poète. Tandis qu'Annibal Carrache fractionnait encore l'idée centrale en différents tableaux, les rapports thématiques sont ici illustrés sous la forme d'un ensemble cohérent, dans un espace peint homogène qui élargit vers le haut les limites de l'architecture réelle. L'observateur qui pénètre dans le salon par l'entrée principale est presque physiquement attiré par cette glorification excessive des Barberini.

Il n'est pas surprenant que les plafonds peints des églises, avec leur contenu émotionnel plus profond, aient été un lieu d'expérience et que l'on trouve, là aussi, des solutions montrant la voie. Précurseur en ce domaine est un élève des Carrache, Giovanni Lanfranco (1582-1647), avec sa coupole aux figures innombrables de Sant' Andrea della Valle, à Rome (1625-1628). L'épanouissement du genre est représenté par les peintures de Santa Maria in Vallicella (1648-1665), l'église des Oratoriens à Rome, de Pierre de Cortone, et par celles du protégé de Bernin, Giovanni Battista Gaulli, dit Baciccio (1639-1709) : la fresque de la *Gloire du nom de Dieu* (1676-1679) dans la grande Nef du Gesù, à Rome. La voûte de Baciccio, qui était restée nue jusque-là, s'intègre dans une nouvelle décoration, commencée un peu plus tôt. Comme un « quadro riportato »

géant tenu par des anges, la composition « plane » *devant* des frises et des caissons de stuc seulement simulés ; en même temps, elle donne l'impression de se développer vers le bas, en direction de la nef ; les nombreuses figures semblent voler en dessous de la voûte ; les saints s'efforcent d'atteindre le monogramme de Jésus dans les profondeurs du ciel simulé, tandis que, en dehors de l'encadrement, les vices et les hérésies, peints sur le berceau, se précipitent à l'ombre des nuages dans l'espace réel de l'église. Leur coloration chaude contraste avec l'or de la voûte en berceau et avec le blanc des figures en stuc.

Tandis que Pierre de Cortone et Baciccio donnent vraisemblance aux figures célestes essentiellement par l'effet de corps planant et se pressant dans l'espace — avec, chez Baciccio, une utilisation raffinée de la couleur et de la lumière —, le célèbre jésuite Andrea Pozzo (1642-1709) recourt davantage à la simulation d'un espace profond dans sa *Propagation du feu de l'amour divin par l'ordre des Jésuites* sur la voûte de la grande nef de Saint-Ignace de Rome (1691-1694). Au milieu plane la Trinité, toute petite, apparemment loin « dans le ciel » ; elle est cependant la source de la lumière qui tombe en faisceau sur saint Ignace, enlevé au-dessous sur des nuages, puis de là — symbole de la mission universelle de l'ordre — se divise en quatre rayons diagonaux qui illuminent les allégories des parties du monde triomphant de l'idolâtrie et de l'hérésie. Un cinquième rayon lumineux fait briller le blason de l'ordre, porté par un ange, et allume le feu de l'amour divin, qui est distribué par d'autres anges tenant des torches. Comme dans la quadratura, à laquelle Pozzo fait de nouveau appel, la scénographie est définie par une riche architecture peinte, surmontant en quelque sorte la construction réelle. Au-dessous, rien ne se produit. Tout ce qui est important est situé au centre ou le long de l'axe longitudinal de la voûte en berceau ; des figures vêtues d'habits multicolores et se mouvant très librement dans l'espace constituent, sous l'apparence d'un spectacle cosmique, une colossale métaphore de l'action de l'ordre des Jésuites, voulue par Dieu.

Même en Italie, il y a peu d'œuvres où les possibilités de la figuration baroque ont été exploitées d'une façon aussi convaincante. Il s'en rencontre encore plus rarement au-delà des frontières. Le manuel de Pozzo sur la *Prospettiva de Pittori e Architetti* (1691-1694) a pourtant contribué à la diffusion de cette peinture illusionniste. Toutefois, mis à part quelques exceptions, les réalisations les plus importantes de ce genre n'ont vu le jour qu'au siècle suivant.

TABLEAUX D'AUTEL ET DE CHEVALET

De la même façon, tableaux d'autel et peintures de chevalet se développent peu avant 1600, en réaction contre le formalisme maniériste. Michelangelo Merisi da Caravaggio (Caravage, 1573-1610), venu de Lombardie à Rome, puis finalement en Sicile, fait figure de précurseur. Il choqua ses contemporains non seulement par sa vie agitée, mais aussi et surtout par la simplicité apparente de ses inventions iconographiques, leur effet direct et provocant. Sa *Madone de Lorette*, peinte en 1603-1605 pour Saint-Augustin de Rome, apparaît d'abord comme une belle jeune femme debout dans une embrasure et tenant un petit garçon nu dans ses bras ; seuls les nimbes discrets permettent de la reconnaître comme la Vierge. Tournés vers elle et l'implorant, deux pèlerins sont agenouillés en bas à droite. Au clair-obscur créant l'unité atmosphérique et suggérant les volumes tout en soulignant la signification de la scène s'ajoute un « vérisme » forcé (les murs lépreux de la maison, les pieds calleux du vieux). À côté de grands aplats de couleur locale jouent des demi-teintes de caractère réaliste et pittoresque. Un réseau d'horizontales-verticales, concrétisées par le seuil et l'embrasure de la porte, s'oppose à la grande diagonale qui associe les pèlerins et la Madone et qui adoucit, même sur le plan de la signification, le contraste entre l'instabilité maniériste de la figure de la Vierge et le caractère renaissant du groupe des deux vieux. Tout semble étran-

gement en suspens. La transposition de la scène dans l'actualité est moins profanatrice qu'elle ne rend crédibles les relations spirituelles entre des éléments antagonistes : la rencontre de la pieuse adoration du peuple de l'Église et de la grâce divine — idée centrale du domaine de la foi de la période post-tridentine.

Même les contemporains ont perçu l'extraordinaire tension entre ce que Caravage apporte d'expérience et d'intérêt personnels et le programme d'ensemble d'une telle iconographie. Même si des voix s'élèvent en faveur d'une plus grande « objectivité » — surtout avec les théories artistiques classicisantes et fort influentes d'un Giovanni Battista Bellori (1615-1696) —, l'appel à l'émotion du spectateur, suscitant tantôt la méditation, tantôt l'excitation, demeure une caractéristique de la peinture du temps. C'est ce qu'atteste même une œuvre tardive du classique Annibal Carrache comme la *Déploration* de la National Gallery de Londres (env. 1606). Maintien et mouvements atteignent une expression quasi théâtrale, et les visages sont empreints d'un douloureux pathos. Les obliques qui montent vers la gauche en direction de l'échappée du paysage donnent à la scène du Christ mort et de la Vierge tombant en pâmoison une expressivité poignante. La discrétion de la lumière et des ombres, l'emploi mesuré de teintes lumineuses — le vêtement rouge et jaune de Madeleine par exemple — ajoutent d'autres accents. Cependant, le maintien, les mouvements et les physionomies des personnages (comme c'est souvent le cas dans le Baroque) restent fidèles aux modèles antiques hellénistiques, la composition comme la couleur conservent des harmonies si proches de Raphaël et de Titien que plaisir et « élévation » accompagnent toujours l'émotion.

LE RÔLE DE ROME

Le centre de ces premières synthèses baroques est certainement Rome, grâce à la puissance de ses mécènes, dont l'action déborde le cadre de la ville. Grâce à l'Accademia degli Incamminati fondée par les Carrache, Bologne est restée un centre artistique. Avant même de venir à Rome, Giovanni Francesco Barbieri, dit le Guerchin (1591-1666), élève de Louis Carrache (1555-1619), peint, à la suite d'un séjour à Venise (env. 1618), les *Pâtres en Arcadie*, de la Galleria Nazionale de Rome. L'Arcadie a été un grand thème de la peinture baroque. Depuis le début du XVIe s., on imaginait cette utopie sous l'aspect d'un monde naturel, peuplé de bergers, dont l'intemporelle félicité mélancolique faisait accepter même le caractère éphémère. Mais tandis qu'auparavant — par exemple dans le *Concert champêtre* de Giorgione — cette utopie était représentée sous forme d'une existence harmonieusement apaisée, le Guerchin l'a peinte comme chargée d'émotion. Le regard que jettent les bergers sur la tête de mort portant l'inscription *Et in Arcadia ego* traduit l'opposition baroque homme/mort dans une tempétueuse orchestration pathétique.

LES « OLTRAMONTANI » : POUSSIN, LORRAIN

Depuis que la peinture s'est tournée vers la représentation du monde et de l'homme, elle présente ses thèmes dans des cadres naturels. Le paysage représente la nature, et la nature le monde ; c'est pourquoi la présence et la fonction du paysage dans le tableau ont évolué en même temps que la conception du monde. Les bergers du Guerchin illustrent l'importante contribution des Bolonais au paysage baroque. Cependant, l'art italien a reçu des impulsions décisives de la part des « Oltramontani », notamment d'Adam Elsheimer (1578-1610), un ami de Rubens, né à Francfort, qui s'était définitivement fixé à Rome en 1600 après un séjour de deux ans à Venise. Son petit tableau sur cuivre, à petites figures, de la *Fuite en Égypte* (Munich, Pin., 1609) est un incunable de la peinture baroque. Au bord de l'eau, devant un sombre décor de forêts et sous un ciel nocturne légèrement nuageux, la Sainte Famille avance vers la gauche en passant devant des bergers qui attisent le feu. L'oblique orientée en sens

inverse de la cime des arbres comme le tracé scintillant de la Voie lactée indiquent l'origine lointaine des fugitifs et expriment l'ampleur de l'espace céleste. On sent ainsi que les saints personnages sont « en route » au sens profond du terme, à l'écart de tout ce qui est terrestre mais en sûreté sous l'immensité du ciel étoilé.

Dans d'autres domaines également, les Oltramontani ne se sont pas contentés d'emprunter, mais ont aussi donné. Même à Venise, des peintres étrangers ont fait sensation, tel Johann Liss (1597-1630) — peintre d'Oldenburg de formation néerlandaise qui réside à Venise jusqu'à sa mort — avec sa *Vision de saint Jérôme* de San Nicoló dei Tolentini. Représenté comme un pénitent, nu, d'une présence physique extraordinaire, le docteur de l'Église et traducteur de la Bible semble interrompu dans son écriture par un ange qui lui montre le ciel, où d'autres anges, avec le Livre et les trompettes du Jugement, lui rappellent sa fin imminente. Tout suggère l'ascension : la vue légèrement d'en bas, les diagonales de la composition, les étoffes qui se soulèvent, les formations de nuages et même l'échelle de couleurs, qui s'éclaircit vers le haut. Une relation spirituelle est ici encore présentée comme un phénomène du monde sensible, avec un pouvoir de séduction comme on n'en retrouve à Venise qu'au XVIIIe s. (Tiepolo).

Mais le plus important des étrangers acclimatés en Italie — et en même temps l'un des maîtres les plus influents de la peinture italienne du XVIIe s. en général — est sans aucun doute Nicolas Poussin (1594-1665). Mis à part les deux années passées, à contrecœur, à la cour (1640-1642), c'est pendant quarante ans qu'il travaille à Rome. Que ce peintre, d'abord formé à l'art de l'école de Fontainebleau, n'ait trouvé son style personnel qu'après avoir fréquenté la peinture vénitienne du XVIe s. et la peinture baroque romaine, plus sévère, du Dominiquin (1581-1641) — un élève des Carrache — ne l'a pas empêché, sa vie durant, de rester plus proche de l'esprit et de la forme classiques que ses contemporains italiens ni de contribuer ainsi, d'une manière décisive, au développement de la peinture de cour, soucieuse du décorum, dans la France de la seconde moitié du siècle.

Dans son *Printemps* de Dresde, peint en 1631 pour Fabrizio Valguarnera, le très instruit Poussin mêle la tradition antique (*les Métamorphoses* et *les Fastes* d'Ovide) et l'imagination pour brosser un tableau nostalgique de gracieuses festivités. Entre un terme représentant un primitif dieu Pan et une gracile pergola qui laisse transparaître le paysage (motifs du Maniérisme tardif de Fontainebleau), sous un Hélios traversant le zodiaque, danse la juvénile déesse du Printemps ; autour d'elle sont groupés les enfants des fleurs et les chéris des dieux, mourant en se transformant en fleurs, tels qu'Ajax, Narcisse, Clytia, Crocus, Adonis et Hyacinthe. Pas une couleur qui n'apparaisse transparente ou brisée dans la lumière argentée. Tout semble léger, élégiaque et fragile, comme en un rêve. L'équilibre précaire entre la vie et son caractère éphémère paraît sublimé dans la fête.

Plus sévère et plus exigeante est la *Mort de Saphire* (Louvre), peinte par Poussin vingt ans plus tard. Le peintre s'est souvenu ici de la tapisserie de Raphaël représentant le châtiment du mari de Saphire. Dans celle-ci, la mort du pécheur est représentée au centre, devant le podium de saint Pierre, disposé frontalement. Poussin, lui, présente le contraste d'un face-à-face du prince des Apôtres, debout à droite du tableau avec deux compagnons, et de la menteuse, effondrée à gauche au milieu d'hommes effrayés qui s'affairent autour d'elle. Cette opposition est encore accentuée par la perspective architecturale qui s'ouvre entre les deux groupes. Maintien, mouvement et gestes donnent à chaque figure, de la manière la plus exacerbée, l'expression qui convient à son personnage ; quelques figures se détachent de la coloration voilée de l'environnement, surtout grâce à un orange lumineux, un vermillon, un rouge vineux et un bleu. Tout prend vie grâce aux relations explicites des personnages, par leurs gestes et par leur disposition

dans le vaste décor. Cette composition, qui reflète la rhétorique contrôlée du moraliste qu'est devenu le Poussin de la maturité, a le caractère d'une représentation théâtrale baroque.

De cinq ans seulement postérieur, le *Temple de Delphes* (1650, Rome, G. Doria Pamphili), du deuxième grand Romain d'élection de langue française, Claude Lorrain (1600-1682), est bien différent du *Tobie et l'ange* (v. 1665-1670, Londres, N. G.) du Napolitain Salvator Rosa (1615-1673), lui-même de six ans postérieur, bien que les deux œuvres soient nées dans des conditions historiques analogues. Le « paysage idéal » préféré des peintres du XVIIᵉ s. (comme de Poussin) depuis Elsheimer et les Carrache y domine : non une description réaliste de l'environnement, mais un cadre pour des scènes du *teatrum mundi*, différenciées selon les genres héroïque, idyllique, pittoresque ou même, comme Poussin le propose, selon les *modes* de la musique grecque (dorique, lydien ou phrygien). Observation et vécu ne sont exploités dans ces « paysages moralisés » que pour évoquer, en une libre association, des lieux isolés dans le temps ou l'espace, auxquels peuvent être reliés des événements saillants ou heureux de l'histoire sainte, de la mythologie ou de la poésie. Poussin a préféré le genre héroïque, Claude le genre idyllique. Bien que, même dans le *Temple de Delphes*, de puissantes obliques expriment les conceptions ouvertes du monde baroque, ce vaste pays, avec ses arbres et ses bâtiments majestueux, sous son haut ciel vespéral et dans la lumière fascinante et envahissante de Claude, apparaît comme un lieu de félicité. Plus excentrique, Salvator Rosa place en revanche la scène de Tobie au bord d'une vallée inhospitalière entourée de montagnes, où l'on distingue un fleuve et une chute d'eau. Les rares arbres sont ébouriffés ; des colonnes de nuages et une lumière instable annoncent la tempête. L'ange, comme illuminé, apparaît ainsi comme un sauveur devant la menace. Comparée à l'exécution transparente de Claude, la couche picturale semble vibrante. Le caractère sublime de la nature fait apparaître le merveilleux comme plausible.

La peinture baroque en France

Les Français n'ont pas attendu la fondation de l'Académie de France à Rome (1666) pour rechercher des contacts avec l'art italien, même quand ils ne se sont pas installés définitivement dans le Sud. Des centres comme Rome, Venise et Naples sont devenus des plaques tournantes de l'art européen. L'un des artistes qui en ont tiré profit, le Parisien Simon Vouet (1590-1649), en a donné des preuves alors qu'il était encore à Rome (1612-1626). Sa *Psyché contemplant l'Amour endormi* de Lyon, réalisée peu de temps avant son retour, est encore fortement marquée par Caravage, malgré de nombreux traits antiques et raphaélesques. L'élan qui assemble, dans une configuration dynamique, une femme opulente et de petits Amours, dans son allégorie de *la Richesse* (Louvre, env. 1640), comme la traduction quasi tactile des matières des vêtements et la luminosité vénitienne des couleurs ne le cèdent en rien aux tableaux italiens de l'apogée du Baroque.

C'est une orientation toute différente que montre Georges de La Tour (1593-1652), actif à Lunéville, que l'on suppose avoir séjourné aux Pays-Bas et en Italie. Son *Nouveau-né* (1646-1649) [M. B. A., Rennes], éclairé par une femme tenant une bougie, est impensable sans l'influence de Caravage (à travers la Hollande ?) — à cause du clair-obscur, de la concentration et de la retenue —, bien que le réalisme et la simplification « cubiste » des formes dans la lumière, caractéristique des dernières œuvres de La Tour, répondent à une tradition venue en France depuis Fouquet. Ce qui est nouveau, c'est le développement théâtral du thème de la Madone en une sorte de présentation de l'Enfant, c'est la suggestion des relations spirituelles entre les personnages, par la direction de la lumière et de la couleur (comme le rouge, très intense, dans la Madone !).

De nombreux portraits remarquables attestent que l'élément réaliste est une partie intégrante de la polarité baroque, telle l'effigie en pied du *Cardinal de Richelieu* (Louvre, 1635), par Philippe de Champaigne (1602-1674). Rarement apparition aussi théâtrale que celle de l'homme d'État s'arrêtant devant le rideau de brocart repoussé sur le côté a été rendue aussi sobrement ; mais rarement aussi la tension entre dynamisme, cérémonial et présence personnelle n'a été traduite de manière aussi vive. La parenté de ce Flamand de naissance avec Rubens et Van Dyck est indéniable ; mais en même temps, on croit déceler aussi la froide intégrité d'un homme dont la patrie spirituelle — en dépit de tous ses succès de cour — a été le jansénisme de Port-Royal.

La variété des solutions individuelles de la première moitié du siècle — auxquelles il faut intégrer Poussin et Claude Lorrain — est relayée, sous Louis XIV, par un style de cour fixé par les doctrines de l'Académie (fondée en 1648), qui domine aussi la province. Ce n'est pas un hasard si la figure dominante de cette période est Charles Le Brun (1619-1690), brillant éclectique et décorateur, dont l'influence, fondée sur l'Académie et la faveur de Colbert et embrassant tous les domaines de l'art et de l'artisanat, ne disparaît qu'avec la mort du ministre (1683). Son activité a eu surtout pour effet de donner à la peinture monumentale française, notamment dans le domaine profane, un rôle comparable à celui de ses modèles italiens dans les créations d'ensemble. Elle commence avec les compositions de plafond à grandes figures de la *Galerie d'Hercule* (env. 1650-1660) de l'hôtel Lambert à Paris et se termine par la *Galerie des Glaces*, les *Salons de la Guerre et de la Paix*, à Versailles (1678-1686). Cependant, les violents contrastes entre images et architecture demeurent étrangers au Français. Sur le fond des querelles de l'Académie entre « poussinistes » et « rubénistes », d'anciens collaborateurs de Le Brun tels que Jean Jouvenet (1644-1717) ou Charles de La Fosse (1636-1717) développent finalement un langage moins cérémonieux, qui assure la transition avec le xviiie s. Encore marqués, comme leur maître, par Poussin et le Baroque romain, ils assimilent des influences flamandes et néerlandaises.

La Flandre et la Hollande

RUBENS

L'œuvre d'un homme — Pierre Paul Rubens (1577-1640) — a suffi pour assurer à la peinture flamande, en peu de temps, un rôle essentiel sur la scène de l'Europe baroque. Élève des romanistes anversois, en Italie dès 1600-1608 (Venise, Mantoue, Gênes, Rome), plusieurs fois aussi — notamment en mission diplomatique — en Espagne (1603, 1628-29), à Paris (1622, 1623 et 1625) et en Angleterre (1629-30), il a su comme aucun autre recueillir l'héritage de la grande peinture européenne et donner des impulsions à l'art de son temps. Malgré ses interventions dans « les affaires de ce monde », malgré le recours à de nombreux collaborateurs exigé par l'abondance des commandes, il est resté essentiellement peintre. Tout comme la sculpture de Bernin et l'architecture de Borromini, sa peinture nous semble, aujourd'hui, synonyme de « baroque ».

Il avait un peu plus de quarante ans quand il peignit son célèbre *Enlèvement des filles de Leucippe* (d'après Théocrite, Munich, Alte Pin., v. 1618). Se détachant sur un vaste ciel, le mortel Castor, monté sur un cheval noir, et son frère l'immortel Pollux, dans une nudité héroïque devant son cheval clair cabré, attirent sur leurs montures les plantureuses filles de Leucippe. L'une, presque à genoux, résiste encore légèrement ; l'autre, en revanche, déjà dans les bras des hommes, semble dans l'attente de l'amour. L'enlèvement semble dépourvu de toute violence. La composition elle-même — inscrite dans un losange reposant sur la pointe — ne présente ni un déroulement narratif ni un caractère dramatique, mais, au contraire, un savant équilibre de forces ressenties par le spectateur comme pesantes par la lourdeur sensuelle des corps, leur proximité et l'intensité de la coloration envahissante. C'est à juste titre qu'on a souligné le caractère métaphorique de tels tableaux, qu'on a voulu voir ici moins une illustration qu'une allégorie, celle de l'Amour et (dans la perspective du destin ultérieur des filles de Leucippe

et de leurs ravisseurs) de la Vie conjugale.

Rubens n'aurait pas pu peindre un tel tableau sans la connaissance non seulement d'Annibal Carrache, mais aussi de Titien ou de Véronèse. Cela vaut également pour le *Paysage avec Philémon et Baucis* (v. 1616, Vienne, K. M.), qui laisse apparaître des réminiscences de paysages romains de Bril, d'Elsheimer et du cercle des Carrache. Mais, ici encore, Rubens — par son coup de pinceau, la coloration quasi autonome et la concentration métaphorique des événements — laisse derrière lui tout ce qui est comparable. Philémon et Baucis avaient accordé l'hospitalité à Jupiter et à Mercure, qui visitaient la terre incognito ; c'est pourquoi les dieux les sauvèrent d'un déluge (Ovide). C'est cette récompense du dévouement que Rubens donne à voir. Le frémissement et l'exaltation qu'éprouve le spectateur devant une nature déchirée jusque dans ses profondeurs et fouettée par les éléments répondent aux sentiments des deux tout petits vieux, blottis au bord. Les dieux à leurs côtés et l'arc-en-ciel, en formation sur la gauche, au-dessus de l'eau, sont les garants de leur salut.

La maîtrise avec laquelle le vieux Rubens a aussi traité dès problèmes de son temps est illustrée par les *Suites de la guerre* (Offices), peintes pour un ami en 1637. En un mouvement diagonal irrépressible vers la droite, qui s'achève dans un effondrement, le dieu Mars, brandissant glaive et bouclier, arrache tout ce qui donne du prix à la vie de la porte ouverte du temple de Janus. Europe, les bras levés, se lamente comme une mère pour le sort de ses enfants. Une Vénus florissante et séduisante ne peut retenir le dieu de la Guerre, qui s'éloigne en foulant aux pieds livres et dessins (les Grâces !). Arts et sciences sont jetés à terre ; au-dessus d'eux, la Furie menaçante étend son brandon. À l'extrémité, il n'y a plus que nuages et éclairs. Rubens utilise le répertoire de la sémantique iconographique de son temps, mais il le soumet à ses formules personnelles de pathos (l'Europe vient du *Massacre des Innocents ;* la déesse de l'Amour, de la *Fête de Vénus*) et le transpose en une couleur expressive et subjuguante.

L'HÉRITAGE DE RUBENS

Des générations de peintres se sont nourris de l'art de Rubens, à commencer par Antoine van Dyck (1599-1641), qui fut son élève et longtemps son collaborateur et qui, jeune encore, fut promu au rang de portraitiste des grands de l'Europe. Son magnifique *Portrait de Charles Ier d'Angleterre* (env. 1635, Louvre), qui allie le réalisme néerlandais, la *grandessa* méridionale et sa propre verve picturale, suffit pour le comprendre. L'opposition entre l'arbre et l'échappée sur la côte basse suit un modèle baroque ; l'antithèse monarque-paysage et l'attitude arrogante du souverain trahissent les convictions absolutistes, précisément de ce roi. Cependant, le peintre de cour a réussi à tempérer l'impérieux par l'élégance, à transformer le caractère officiel du portrait en pied en effigie « privée » grâce à la position de profil et à l'adjonction du cheval et des palefreniers. Même la nature, ici, est autre chose qu'un « territoire ». Il faut noter aussi l'élégance du dessin et le raffinement de la palette, qui apparaît comme dédramatisée, en comparaison de celle de Rubens.

Jacob Jordaens (1593-1678), lui aussi proche de Rubens comme van Dyck, présente en revanche des formes beaucoup plus compactes et des couleurs plus denses. Il insiste aussi (sous l'influence du Caravage) sur une présentation réaliste et contemporaine des sujets, même s'ils sont historiques ou mythologiques. En cela, les peintres des Pays-Bas du Nord présentent des similitudes avec Jordaens. En décrivant infatigablement les hommes, les villes et les paysages de leur patrie, les artistes des provinces protestantes se sont rattachés aux traditions de leurs pères tout en affirmant leur jeune identité sociopolitique. Qu'il en soit résulté une certaine affinité avec Caravage, c'est bien évident : la colonie néerlandaise de Rome a pu servir d'intermédiaire, et ce sont les caravagistes d'Utrecht du premier tiers du siècle qui en sont les plus marqués. Dans le *Fils perdu* (1622, Munich, Alte Pin.) par Gerrit van Honthorst (1590-1656), la joyeuse ronde des personnages en demi-figure, mise en scène dans une lumière crue autour de la nature morte de la table, est tout autant caravagesque que son interprétation est hollandaise en visant à une mise en garde moralisatrice à l'égard de la mauvaise société. Par ailleurs se développe une prédilection très démocratique pour les portraits de groupes, d'hommes au travail, festoyant librement ou en représentation ; les « gildes », les « régents », les « soldats » et les « anatomies » sont bien connus. Le *Banquet des officiers du corps des archers de Saint-Adrien* (env. 1627, Frans Hals Museum, Haarlem), par Frans Hals (1581/85-1666), relève de cette veine. Douze portraits de personnages en grand apparat et pleins de vie, brossés en larges touches et disposés en contrapposto, semblent surpris au train de banqueter. L'association très baroque du réalisme des détails et de l'artificiel de la disposition traduit de manière convaincante le rôle nouveau de ces réunions de bourgeois qui ont pris conscience de leur valeur.

REMBRANDT

Rembrandt Harmenszoon van Rijn (1606-1669), cadet de Rubens et son antipode nordique, a lui aussi traduit cette nouvelle réalité sociale dans des toiles aussi importantes que ses « leçons d'anatomie », ses « syndics de drapiers » ou ses « rondes de nuit ». Qu'il ait emprunté une voie très personnelle de sublimation picturale et qu'il ait été par la suite isolé socialement n'y changent rien. À l'époque de ses premiers succès, il s'est même essayé à des groupements dynamiques de corps à la manière de Rubens. Son *Aveuglement de Samson* (1636, Francfort, Städel. Inst.), avec la véhémence de l'oblique du géant gisant sur le sol, l'entassement des corps des bourreaux et de la victime et les pathétiques figures du lansquenet et de Dalila, en donne un brillant exemple. À cela s'ajoute la confrontation, sensible dans les effets d'éclairage dirigé, avec les Italiens — surtout avec Caravage —, dont il a très tôt connu l'art. Le contraste entre la présentation impitoyable de la force brutale, d'une part, et l'éclat des armures, les tons chauds de la chair et la luminosité des vêtements vermillon et bleu clair, d'autre part, est aussi personnel qu'irritant. Comme Rembrandt traverse alors une époque de bonheur personnel, il faut interpréter ce tableau comme une allusion aux horreurs de la guerre de Trente Ans. De même que Rubens dans ses *Suites de la guerre*, il transcende aussi les contradictions de la réalité, mais renonce à l'emphase rhétorique au profit d'une plus grande concentration. Son *Aristote* (Metropolitan Museum), peint dix-sept ans plus tard, fait apparaître la profondeur de l'écart entre la célébrité de l'artiste et les conditions de sa vie : quand il peint ce tableau pour un collectionneur sicilien (!), Rembrandt est déjà au seuil de la ruine économique et de l'isolement social qui va suivre la mort de Saskia. Le grand philosophe de l'Antiquité, devenu vieux et superbement vêtu, sur un fond de livres apparaissant derrière un rideau légèrement relevé, pose sa main droite sur le buste d'Homère (qui appartenait à Rembrandt !) ; sa main gauche touche une chaîne d'or à laquelle pend une médaille à l'effigie d'Alexandre le Grand. La lumière n'éclaire plus, mais entoure les objets d'une auréole d'une teinte dorée automnale, les laissant luire par eux-mêmes. Ici encore, de façon toute baroque, l'individuel est haussé à la dimension de l'histoire, mais sans drame, comme dans une méditation mélancolique : on dirait que le vieillard pense à son élève Alexandre, qu'il a autrefois enthousiasmé pour Homère mais qui lui est, plus tard, devenu étranger (Plutarque) et dont la vie de héros s'est terminée encore plus prématurément que la sienne. Le thème des vanités du monde résonne aussi dans son *Retour de l'enfant prodigue* (Ermitage). À l'époque du *Samson*, le peintre s'était représenté, avec Saskia dans les bras (Dresde, Gg), comme un fils prodigue festoyant à la manière de Honthorst, bien en évidence au premier plan. Dans l'évocation du retour au bercail, peinte l'année de sa mort, tout paraît très calme. La peinture semble à la fois pâteuse et transparente ; corps et espace, substance et surface, sujet et expression semblent

s'unifier en elle. Le groupe père-fils, isolé tout au bord des ténèbres avec le visage du vieillard offert de face et tout intériorisé et le fils fuyant le monde pour se réfugier dans les bras protecteurs du père, est aussi inoubliable que l'immobilité et le silence qui paraît irradier des assistants. Et cependant, par son motif comme par son caractère pictural, ce tableau se situe encore dans le sillage d'œuvres comme la *Madone des Pèlerins* de Caravage !

CARACTÈRE INTIMISTE ET RÉALISTE DE LA PEINTURE HOLLANDAISE

Bien que Rembrandt n'ait jamais quitté la Hollande, il n'est pas moins universel que Rubens, qui a parcouru le monde. En revanche, la plupart des autres peintres hollandais ont travaillé, même du point de vue thématique, dans des limites plus étroites. Et pourtant, si l'on fait exception du quattrocento toscan, l'histoire de l'art a rarement connu une période aussi dense en chefs-d'œuvre que le XVIIe s. hollandais. Si l'homme reste alors le thème principal, on voit apparaître des paysans et des soldats à côté des bourgeois. Des accents didactiques et moralisateurs, l'ironie et une complaisance évidente pour le caractère sensuel de la vie comme de l'art ont empêché cette approche de la réalité de tomber dans la platitude. Chez le « peintre de paysans » Adriaen Brouwer (1606-1638), qui a émigré de Flandre en Hollande, l'intérêt social s'allie déjà de façon exemplaire à l'attrait du dramatique. Son *Marchand de crêpes* (v. 1625, Philadelphie, M. A.) est, jusque dans l'application des couleurs, une mise en scène de contrastes : un protagoniste d'une grandeur inhabituelle, au profil marquant, portant camisole et casquette rouges, est assis devant le feu près d'une cloison de planches, faisant face à une nuée de clients anonymes — boustifaillant, buvant, braillant — issus du menu peuple. L'application sauvage de la couleur est bien propre à souligner les éléments du thème. Comme ses confrères, Brouwer était proche du théâtre amateur florissant en Hollande, où le marchand de crêpes symbolisait les pauvres gens. Les bourgeois eux-mêmes n'étaient pas épargnés par satire et morale. Le *Monde renversé* (1663, Vienne, K. M.) de Jan Steen (1626-1679), peintre fixé d'abord à Leyde, puis à Haarlem, montre, par l'illustration ironique et spirituelle de proverbes néerlandais, l'équilibre précaire de la bienséance et de l'opulence bourgeoises. Pas un acteur, pas un accessoire de cette scène dissolue qui ne renvoie — directement ou par l'intermédiaire d'un proverbe — aux conséquences d'une vie désordonnée : depuis le couple licencieux du centre, que des béguines et des quakers veulent morigéner, jusqu'à la bourse vide et aux accessoires de mendiant accrochés au mur, évoquant les suites possibles, en passant par la maîtresse de maison qui passe ses journées à dormir et dont se moquent enfants et animaux. À cela vient s'ajouter l'effet du désordre artistique de la composition, dans laquelle se fondent encore une fois « réalisme » et idées. D'autres peintres de la même génération — comme le globe-trotter Gérard Ter Borch (1617-1681), Gabriel Metsu (1629-1667) ou Pieter de Hooch (1629-1683) — ont évoqué l'existence bourgeoise comme une forme de vie désirable. Leurs intérieurs aux chaudes tonalités les ont conduits à idéaliser, même pour les thèmes égrillards, le bien-être domestique. Le principal représentant de ce genre, Johannes Vermeer de Delft (1632-1675), en a fait le modèle de l'existence humaine. Dans son *Gentilhomme et dame à l'épinette* (env. 1662-1665, coll. de la maison royale d'Angleterre), un couple de qualité apparaît en retrait dans la profondeur d'une pièce remplie de lumière ; la femme, visible seulement de dos, joue d'une épinette sur le couvercle de laquelle on peut lire : « La musique accompagne la joie et porte remède à la douleur » ; l'homme la contemple et semble charmé. Derrière lui, un tableau de la « Caritas Romana » fait allusion à l'aspect éthique de l'amour ; le miroir, qui laisse voir une partie du chevalet de Vermeer, « reflète » l'art. L'équilibre éthéré des choses et des personnes, la réjouissance transparence de la lumière ainsi que l'harmonie des tons froids et des tons chauds sont perçus par le spectateur comme un équivalent de l'harmonie musicale. C'est dans le rejet aussi bien artistique que moral de tout désordre que sont présentés les liens amoureux sous leur forme exemplaire de tendresse et de maîtrise.

CATÉGORIES PICTURALES DE L'ART HOLLANDAIS

Même des tableaux aussi intimes que ceux-là s'inscrivent dans la tension baroque entre le petit et le grand ; ils sont aussi une synthèse de plusieurs genres de la peinture hollandaise : nature morte, tableau d'intérieur, scène de genre. La plupart des maîtres hollandais se limitent plus que Vermeer dans le choix des catégories picturales, même s'ils n'excluent jamais les chevauchements possibles. C'est ainsi que la *nature morte*, particulièrement susceptible de traduire la réalité, connaît alors sa première grande floraison. Le rapport des objets à la vie — fleurs, pain, vin, livres, instruments, récipients, etc. —, mais aussi leur état — fleurs fraîches ou fanées par exemple — rendent possibles des transpositions picturales raffinées et des interprétations symboliques. Sur une somptueuse *Nature morte* (Alte Pin. de Munich) de Jan Davidsz de Heem (1606-1683/84), à côté d'un bouquet de fleurs luxuriant richement peint, placé sur un plateau fendu, l'artiste n'a pas seulement représenté une horloge, une tête de mort et un crucifix, mais aussi inscrit le regret du peintre que « l'on ne se tourne pas vers la plus belle des fleurs » (le Christ, le Rédempteur) !

En général, les *tableaux d'architecture* sont moins explicites. Si la vue intérieure de la *Nieuwe Kerke de Haarlem* (1653, musée de Budapest), de Pieter Jansz Saenredam, reproduit le motif avec la précision d'une nature morte, son principal thème est celui de l'espace et son ambiance tels que doivent les avoir perçus des visiteurs de l'église, comme ceux qui sont peints sur la toile. La même remarque peut s'appliquer au *Dam d'Amsterdam* des Offices (1667), de Jan van der Heyden (1637-1712). À côté de la fierté des citadins pour leur « Nieuwe Rathaus » s'exprime ici un intérêt pour le saisissant contraste entre les constructions anciennes et modernes dans le cadre urbain d'Amsterdam.

Dans le *paysage* également, les peintres hollandais du XVIIᵉ s. introduisent de nouveaux modes de représentation de leur patrie. En dehors des paysages italianisants, le plat pays de la côte hollandaise devient l'un des thèmes de prédilection. À côté de Salomon van Ruysdael (apr. 1600-1670) et d'Aert van der Neer (1603/04-1677), Jan van Goyen (1596-1656), actif à La Haye, est l'un de ses premiers grands maîtres. Des toiles telles que sa *Mer à Haarlem* (1656, Francfort, Städel. Inst.) ne montrent pas seulement l'unité d'ambiance reprise d'Elsheimer et la profondeur de « horizon hollandais », suggérant les espaces infinis, de son maître Esaias van de Velde (1591-1630) : il s'agit aussi ici du paysage concret, théâtre des phénomènes quotidiens de la nature, auxquels l'homme se sent lié. Les nuages qui montent dans la lumière vespérale, le vent tiède sensible dans les voiles mal tendues et le mouvement imperceptible de l'eau sont compris comme un tout cohérent, dont les pêcheurs, qui rangent leurs filets, font également partie. Un contraste recherché entre la surface de l'eau et les nuages qui s'amoncellent ou les voiles qui se dressent, entre le proche et le lointain, l'ombre et le contre-jour élève le quotidien à une réalité exemplaire.

Même les œuvres dont le sujet est modeste sont marquées par l'émotivité de la conception baroque du monde, par sa volonté d'unir, dans la représentation, fini et infini, raison et sentiment.

Le Saint Empire romain germanique

Comme la peinture française, celle de l'Empire s'est développée sous l'influence de l'Italie et des Pays-Bas. Les suites de la guerre de Trente Ans et l'absence de centres culturels capables de susciter durablement la cristallisation d'une tendance n'ont pas permis cependant la formation d'une variante homogène du Baroque européen. Il a déjà été question

des « émigrants » Elsheimer et Jan Liss ; le second Vénitien d'élection, Johann Carl Loth (1632-1698), ou Daniel Schultz (1615-1683) et Wenzel Hollar (1607-1677), actifs respectivement en Pologne et en Angleterre, ne participent guère non plus à l'activité de leur pays natal. Le peintre allemand le plus célèbre est alors l'érudit Joachim von Sandrart (1606-1688), qui a beaucoup voyagé et qui est aujourd'hui mieux connu comme historien de l'art et fondateur de l'académie de Nuremberg (1662). Le Pragois Karel Škreta (1610-1674) et le principal peintre d'Augsbourg du milieu du siècle, Johann Heinrich Schönfeld (1609-1683/84), longtemps actifs en Italie dans leur jeunesse, sont sans aucun doute les peintres les plus importants.

Škreta, protestant émigré dans le Sud à cause de la Contre-Réforme tchèque, crée surtout — lorsque, converti, il rentre dans son pays — des portraits de la noblesse tchèque à côté de tableaux d'autels et de cycles hagiographiques italianisants. Le gracieux portrait de la jeune *Maria Maximiliana von Sternberg* en bergère (Prague, G. N., 1665) suit, dans son déguisement, une mode de cour très répandue. Le caractère évanescent du paysage et le raffinement pictural dans le rendu des étoffes précieuses attestent des influences flamandes venues des meilleurs maîtres. Les *Chercheurs de trésors dans les ruines romaines* (Stuttgart, Staatsgalerie, 1662), de Schönfeld, associent le style arcadien avec le motif de la recherche de trésors qui trahit déjà l'empreinte romaine et napolitaine. La manière dont un matériau aussi hétérogène est accordé à un ton élégiaque fondamental, grâce à des contrastes recherchés dans la composition, la direction de la lumière et les teintes (tons argentés froids contre teintes chaudes), est toute personnelle et magistrale : la recherche avide des trésors du passé et la connaissance de la fragilité des biens terrestres en un même tableau ! Une telle ambivalence comme la prédilection pour les combinaisons de couleurs cassées inhabituelles annoncent déjà le XVIIIᵉ s. La peinture, très déliée, de Michael Willmann (1630-1706), alliant le feu mystique à la poésie, apporte, à sa manière, un art analogue à la Silésie. Le Viennois Johann Michael Rottmayr (1654-1730) a même fait pénétrer dans l'empire des Habsbourg, dans les toutes dernières années du siècle, les acquisitions de la peinture monumentale du Baroque (décors peints de Melk et de Klosterneuburg [1728-1730]).

L'Espagne

Bien que ni la bourgeoisie ni la noblesse n'interviennent, en Espagne, comme commanditaires, bien que seules comptent encore une cour affaiblie et une Église renforcée par la Contre-Réforme, c'est-à-dire des forces plutôt conservatrices, ce que quelques peintres espagnols ont alors produit apparaît comme l'un des sommets de l'art baroque. Les liens politiques avec la Flandre et l'Italie, les liens religieux avec Rome sont tout aussi insuffisants, pour rendre compte de ce phénomène, que la préférence accordée, par économie, aux artistes locaux. Ici encore, la note réaliste est particulièrement forte. Cela est déjà valable pour le plus vieux des grands Espagnols, José de Ribera (1591-1652), dont l'activité s'est déroulée uniquement à Rome et dans la Naples espagnole. Son *Toucher* du Prado (1632) — un vieil aveugle assis qui tâte une tête antique posée sur ses genoux —, s'il constitue un exemple caractéristique des allégories des sens prisées aux Pays-Bas, se rapproche par son style du courant caravagiste. Toutefois, son clair-obscur comme sa couleur sont plus picturaux et l'ensemble est plus expressif.

Francisco de Zurbarán (1598-1664), un peu plus jeune, a trouvé son langage sans expérience de l'étranger : il n'a connu que les remarquables collections royales. La combinaison, chez lui, d'une appréhension aiguë de la réalité, de contrastes accusés d'éclairage et de teintes lumineuses, issues du ton local, n'en est que plus frappante. La façon de juxtaposer des formes traitées en volumes et d'autres en aplats est certainement très personnelle. Tout cela se trouve à la perfection dans son portrait de *Fray Gonzalo de Illescas*,

qui fait partie du cycle peint pour l'ordre des Hiéronymites, dans leur chapelle de Guadalupe (1639). Cet ensemble, qui combine rigueur et pathos, narration et représentation, est un exemple caractéristique de l'art rigoureux de la Contre-Réforme espagnole, exigeant une claire signification et un effet suggestif. Zurbarán a peint pendant des décennies pour ses protagonistes, dans les cloîtres espagnols.

Toute différente a été la voie de son ami Diego de Silva y Velázquez (1599-1660). Élève du « classique décadent » Pacheco (1564-1654), également connu comme théoricien, il réussit de bonne heure à la cour ; c'est là qu'il entre en contact avec Rubens, c'est de là qu'il part pour deux voyages prolongés en Italie, en partie comme acheteur d'œuvres d'art pour les collections royales. Son domaine s'étend à tous les thèmes conventionnels de la cour : portraits de toutes sortes, peinture d'histoire, mythologies, allégories. Mais il les traite de manière peu conventionnelle. C'est ainsi que sa *Vénus au miroir* (v. 1650, Londres, N. G.) n'est pas seulement une variation sur un thème de la peinture vénitienne, elle annonce aussi, par sa facture spontanée, les libertés des Impressionnistes. Le motif traditionnel de la Vanité (présentation du miroir) devient métaphore de l'introspection par l'insistance sur la confrontation de Vénus et de son image reflétée — traduction tangible d'un processus spirituel typique du Baroque. Et comme ce n'est pas le dos nu séduisant de la femme, mais le reflet de son visage dans le miroir, qui fournit la clé de la compréhension, c'est en même temps le rapport de l'art et de la réalité qui est évoqué.

C'est justement par cette conscience de l'art que Velázquez se révèle comme l'un des artistes les plus importants du Baroque. Le plus jeune des grands peintres espagnols, Bartolomé Esteban Murillo (1617-1682), apparaît par comparaison presque naïf. Avec sa version toute dogmatique de l'*Immaculée Conception*, où la ferveur religieuse d'un Zurbarán apparaît idéalisée à la manière de Raphaël et où le réalisme d'un Velázquez semble détourné en agrément, à la van Dyck, il annonce, en effet, l'art du siècle suivant. C'est aussi le cas de ses divers « jeunes mendiants », qui en appellent plus à la sensiblerie du spectateur qu'à la volonté et à la passion.

Mais, au XVIIIᵉ s., l'Espagne pas plus que la Hollande ne devait produire de grands peintres, si l'on fait abstraction du cas particulier que représente Goya. C'est l'Angleterre, le grand adversaire politique de l'Espagne, qui se place alors au premier rang à côté de l'Italie, de la France et du Saint Empire, cette même Angleterre dont le seul grand peintre du XVIIᵉ s., malgré son développement politique et économique, est encore un Flamand : Antoon van Dyck.

Bibliographie sommaire

BUSHART (B.), *Deutsche Malerei des Barock,* Königstein, 1967. CHÂTELET (A.), THUILLIER (J.), *la Peinture française, de Fouquet à Poussin ; de Le Nain à Fragonard,* Skira, Genève, 1963 et 1964. GUINARD (P.), BATICLE (J.), *Histoire de la peinture espagnole,* Tisné, Paris, 1950. LASSAIGNE (J.), DELEVOY (R.), *la Peinture flamande,* Skira, Genève, 1958.

LE BAROQUE TARDIF ET LE ROCOCO

Jörg Garms

L'ARCHITECTURE

BAROQUE TARDIF ET ROCOCO SONT LES PHASES ULTIMES de la période historique ouverte par la Renaissance. Un aspect moins strict, une composition plus libre, un épanouissement détendu, le goût de la beauté sensuelle s'opposent alors à la densité, au souffle héroïque, au caractère systématique du Baroque du XVIIᵉ s.

L'affaiblissement de la papauté et de la royauté française, l'essor de l'Autriche et de la Grande-Bretagne entraînent un déclin relatif de Rome et de Versailles et l'apparition de nouveaux centres de rayonnement : Vienne et Londres, Dresde et Turin, l'Allemagne du Sud et la Bohême.

On peut situer le début de cette période entre la mort de Bernin (1680) et celle de Jules Hardouin-Mansart (1708). Dans leurs ateliers, dans ces centres anciens que sont Rome et Versailles naissent des courants novateurs. Fischer von Erlach et Juvara font leur apprentissage chez Bernin et chez son successeur Carlo Fontana (1634-1714). Boffrand et Lassurance, Le Pautre et Oppenordt ont travaillé dans les services royaux d'architecture, sous la direction de Mansart et de son beau-frère Robert de Cotte (1656-1735).

Rome et Paris connaissent alors un prestige éclatant aussi bien grâce à leurs modèles — le palais romain, l'hôtel particulier parisien — que par leur rôle de lieu d'apprentissage. Avant de se voir confier d'importants travaux, les architectes principaux Effner, Cuvilliès et Neumann sont envoyés à Paris, le Suédois Nicodemus Tessin le Jeune (1654-1728), à Rome et à Paris.

Les projets de Fontana, de De Cotte et de Boffrand sont introduits dans l'Empire ainsi qu'en Espagne. De Rome, on fait venir Juvara à Turin, Salvi et Vanvitelli à Naples et à Milan, Chiaveri à Dresde, Guarnieri à Cassel ; Michetti, de Rome, et Leblond, de Paris, gagnent Saint-Pétersbourg, tandis que Boffrand est appelé à Nancy, et Dominique Girard à Munich. L'Académie de Rome fait fonction d'école pour toute l'Europe et de nouvelles idées s'y élaborent. Partout, les résidences copient le Louvre et Versailles, Trianon et Marly : Madrid avec la Granja, Naples avec Caserte, Berlin avec Potsdam ; Stockholm, Saint-Pétersbourg, Vienne, Nancy ainsi que les petits États de l'Empire. Le style décoratif français règne dans toutes les cours.

Inversement, un art provincial se développe qui peut se vanter de réussites de premier ordre. Bref, c'est une exceptionnelle floraison. Le siècle des Lumières est essentiellement international ; l'architecture le devient avec l'assouplissement des règles, qui entraîne une plus grande disponibilité des formes et une recherche de nouvelles synthèses. Plus que jamais, le plaisir des yeux devient le critère décisif. De là viennent les caractéristiques généralement prêtées au Baroque tardif et au Rococo : somptuosité et décoration, style théâtral et plaisant. Les somptueux intérieurs, où se réalise l'intégration de tous les moyens, constituent les réussites les plus éclatantes, tels les salons ovales de l'hôtel de Soubise à Paris (1712-1745, Boffrand) ou l'église de pèlerinage de la Wies, en Allemagne du Sud (v. 1749-50, Zimmermann) ; le rythme de la lumière et des couleurs y joue un rôle décisif. C'est à juste titre que les adjectifs « aimable » et « enjoué » sont généralement utilisés pour qualifier l'époque, et le terme d'« agrément » pour désigner pavillons et maisons. Cependant, on trouve aussi de vastes ensembles architecturaux articulés de manière complexe selon des plans aussi rationalistes qu'utopiques (ainsi l'Albergo dei Poveri de Naples).

La rigueur cède à la fantaisie de l'espace et à la magnificence, valeurs désormais souveraines : elles trouvent des terrains de choix dans les théâtres et les fêtes, éléments centraux de la vie de cour. L'apogée de la scénographie baroque se situe à peu près entre les dates de parution des ouvrages des deux membres les plus importants de la famille Galli-Bibiena : *L'Architettura Civile* (1711) de Fernando (1657-1743) et *L'Architettura e Prospettive*, publiée à partir de 1740 par son fils Giuseppe (1696-1756). Les Galli-Bibiena, dont le nom était devenu le symbole du genre, appréciés et bien payés, étaient présents périodiquement dans la plupart des cours d'Europe. À côté d'eux s'imposent par l'originalité Ludovico Antonio Burnacini (1637-1707) à Vienne et Pietro Righini (1683-1742) à Parme. Deux personnalités témoignent de manière significative de la place de la scénographie parmi les autres arts : l'architecte italien Filippo Juvara (1676-1736), qui deviendra le plus célèbre architecte d'Italie, enregistre ses premiers succès comme scénographe (1711) au théâtre du cardinal Ottoboni à Rome ; Giovanni Nicolà Servandoni (1695-1766), qui s'assure le premier rôle dans ce domaine à Paris, crée des décors architecturaux (v. 1740 aux Tuileries) et dessine la façade de Saint-Sulpice (1732), préfiguration spectaculaire de l'architecture néoclassique. La liberté, l'aisance ludique dans l'emploi des formes font du « *capriccio* » un concept central de l'invention architecturale du Baroque tardif. Le genre débouche dans les deux premières séries de Piranèse,

Prima parte di Architetture e Prospettive (1743) et *Invenzioni capriciose di carceri* (1749), où les frontières du Baroque sont largement dépassées.

Autre conséquence de cette évolution vers une architecture moins sévère, les bâtiments sont davantage intégrés dans l'environnement extérieur, campagne ou ville, auquel ils adaptent leurs formes. Après les premiers exemples de Fischer von Erlach, Prandtauer dresse à Melk (1701-1738) un complexe architectural composé d'une façade d'église, d'un monastère et d'un parvis, sur un rocher dominant le Danube. Pour une commande semblable, l'église votive des princes de Savoie sur la colline de Superga au-dessus de Turin (1711-1731), Juvara a trouvé une solution plus sévère : le rendez-vous de chasse royal qu'il construit à Stupinigi ferme de manière « scénographique » la route de Turin. Des façades d'église formant une unité simple, avec une tour centrale, dominent parfois les alentours : Saint Mary-le-Strand à Londres (1714-1720), de Gibbs, l'abbaye de Dürnstein au bord du Danube (1722-1727), de Matthias Steindl, l'église catholique de la cour (1739-1755) de Gaetano Chiaveri, à Dresde, au bord de l'Elbe, enfin San Giorgio de Rosario Gagliardi à Raguse en Sicile (1766-1775). De petites églises de pèlerinage à l'extérieur modeste, couronnant des collines (telle la Wies), sont un élément caractéristique du paysage de l'Europe centrale catholique.

S'inscrivant pleinement dans le caractère de cette architecture, toute conçue en fonction du spectateur, deux des œuvres de la dernière grande période de construction pontificale à Rome jouissent d'une célébrité universelle : l'*Escalier de la place d'Espagne* qui mène à la Trinité-des-Monts (1723-1726), de Francesco de Sanctis, et la *Fontaine de Trevi* (1732-1762), de Nicolo Salvi (1697-1751). L'intégration de l'eau à l'architecture comme élément mouvant correspond à un goût de l'époque. La grandeur de la fontaine romaine n'est dépassée que par la cascade jaillissant d'un octogone dominé par une gigantesque statue d'Hercule, au château de Wilhelmshöhe à Cassel (1701-1718), dont l'architecte, Giovanni Francesco Guar-nięri, était romain.

À ce stade d'évolution, la troisième caractéristique de l'architecture est l'intérêt croissant porté à la technique de construction ; elle doit en effet permettre de satisfaire l'aspiration esthétique du Baroque tardif à des volumes plus vastes et plus lumineux. Des supports fins ou percés, des murs extérieurs largement ouverts et des voûtes plates de longue portée rappellent le déploiement gothique. Un représentant prestigieux de cette tendance est Neumann, ingénieur militaire de formation. Boffrand et Vanvitelli s'étaient rendus célèbres comme hydrauliciens.

Le mouvement est un principe fondamental du Baroque : celui de l'utilisateur comme celui de l'œil concourent au déploiement « scénique » dans le développement de l'escalier, qui devient un motif essentiel de l'époque en passant de l'étroitesse à l'ampleur, de l'ombre à la lumière. On peut mentionner, en Haute-Autriche, l'escalier ouvert sur la cour de l'abbaye Saint-Florian (1706-1714), réalisé par Carlone et Prandtauer, ceux du palais Daun-Kinsky à Vienne et du château Mirabell à Salzbourg par Hildebrandt, série qui atteint son apogée dans les châteaux des princes-évêques de Neumann : Bruchsal près de Spire (1731-32), Brühl près de Cologne (1743-1748) et Würzburg (1735-1753). L'*Escalier du palais Madame* à Turin (1735-1753) occupe toute la construction, édifiée par Juvara. Le plus royal est celui qui se dresse à Caserte (1751-1758) et débouche, avec des effets scéniques, dans un vestibule supérieur (Vanvitelli).

L'escalier revêt une valeur comme lieu de rencontres et de cheminements officiels. Les autres espaces qui sont privilégiés en cette époque de sociabilité vont du parc, avec ses espaces ouverts, ses pavillons, ses grottes, ses ermitages, aux églises de pèlerinage populaire.

En France, une polarisation sur l'architecture intérieure introduit le Rococo, qui répond aussi à un besoin social de raffinement, dont relève également la multiplication de somptueuses salles de théâtre de cour. Les plus belles qui soient conservées sont celles des Résidences de Bayreuth (1745-1750, Giuseppe Bibiena) et de Munich (1751-1753, Cuvilliès) et, sous le signe de la transition vers le Néoclassicisme, à Versailles celle de Gabriel et à Caserte celle de Vanvitelli.

Le plus grand espace social demeure la ville et ce n'est pas par hasard qu'elle devient alors thème de peinture. L'urbanisme joue aussi en France un rôle plus important depuis Jacques V Gabriel, jusqu'au concours organisé en 1748 pour la place Louis-XV à Paris. De nouvelles places sont ouvertes : la *Place de la Bourse* à Bordeaux (1733-1743), en demi-lune au bord de la Garonne, de Robert de Cotte et Jacques V Gabriel, la *Place de la Concorde* à Paris (1752-1775) de Jacques-Ange Gabriel, dont l'aspect ouvert fut difficilement accepté ; enfin, le *Royal Crescent* de John Wood le Jeune, dominant des galeries couvertes en pente à Bath (1767-1775). La plus célèbre de l'époque, la *Place Stanislas* à Nancy (1751-1755), n'est pas non plus totalement fermée ; elle constitue, avec la carrière et l'hémicycle, un ensemble ample et rythmé.

Construire est à l'époque un plaisir, dont les princes, laïques ou ecclésiastiques, font avec compétence leur loisir principal, en y consacrant tous leurs moyens.

Autriche

En Autriche, un climat politique favorable coïncide avec la présence d'un grand artiste, Johann Bernhard Fischer von Erlach (1656-1723). Celui-ci trouve en revenant de Rome un vaste champ d'activités au service de l'évêque de Salzbourg et des familles aristocratiques de la capitale, les Liechtenstein entre autres, pour leurs palais urbains. Rapidement, il devient architecte de l'empereur, ce qui l'amène à étudier un projet à la limite de l'utopie pour le *Palais impérial de Schönbrunn* à Vienne (1688), puis à en exécuter un autre, plus raisonnable (1696-1711). Il poursuit son œuvre en réalisant, toujours à Vienne, les écuries (1719-1723), la bibliothèque impériale (1723-1735) et l'église

Saint-Charles-Borromée (1716-1739). Il avait acquis à Rome une vision universelle de l'histoire de l'architecture, et son livre — édité pour la première fois en 1721 — *Esquisse d'une architecture historique* lui valut une audience européenne. Fidèle à cette conception, il associe au style romain le Classicisme français et le Palladianisme de l'Europe du Nord.

Ce dernier caractère se trouve surtout dans les palais de la seconde période de son activité, par exemple au *Palais Trautson* de Vienne (1710-1713), alors qu'à ses débuts il interprète surtout librement des formes romaines, comme au *Palais Batthyany Schönborn* (1699-1706).

Ses projets de maisons de plaisance, développés à partir de conceptions romaines, font preuve d'originalité et de variété dans l'invention. Dans ses églises, dont les façades extérieures cherchent à s'imposer, les intérieurs sont, par contraste, très sévères (*Église de l'Université de Salzbourg*, 1691-1705). La *Façade de Saint-Charles* (Vienne) évoque les grandes églises à coupoles, voire même Sainte-Sophie, les colonnes triomphales des empereurs romains et les portiques des temples antiques. Le tout compose un ensemble homogène, dressé face à la ville au-delà du glacis surplombant la rivière.

Un caractère d'image, semblable à une apparition légère de rêve, marque aussi l'œuvre maîtresse du principal concurrent de Fischer, Lucas von Hildebrandt (1668-1745) : le *Haut-Belvédère* (1721-1723), construit pour le prince Eugène de Savoie, avec sa façade d'entrée au centre rabaissé, ses contours brouillés, ses ressauts et retraits difficilement contrôlables au-delà du bassin. Hildebrandt est d'abord l'architecte de la noblesse, à laquelle conviennent l'élégance et la finesse de son architecture et de sa décoration (*Palais Daun-Kinsky* [1713-1716], *Pavillon Schönborn* [1706-1711] à Vienne). À l'inverse de Fischer, il invente moins de grandes formes qu'il ne nuance délicatement et qu'il ne concède un rôle majeur à la décoration.

En Allemagne du Sud et en Autriche, le Baroque est alors inséparable du rayonnement des abbayes, en secteur rural. Par leur grandeur et leur opulence, elles s'imposent dans le patrimoine culturel environnant. À l'égal des églises, les grandes salles de fêtes (les « salons impériaux ») et les bibliothèques sont les éléments les plus importants de leurs constructions.

Quelques architectes spécialisés créent dans ce domaine des œuvres remarquables, ainsi Jakob Prandtauer (1660-1726) à Saint-Florian et à Melk, et son cousin et disciple Joseph Munggenast (v. 1680-1741) à Altenbourg dans le Nord (1731-1742). Mais l'ensemble le plus grandiose est celui de Göttweig (1719-1723), dû à Hildebrandt.

Bohême et Moravie

La Bohême et la Moravie, politiquement liées à l'Autriche, sont les premières régions à suivre son exemple. Certes, quelques œuvres notoires sont dues à Hildebrandt (Saint-Laurent à Gabel, 1700-1711) et à Fischer (palais Clam-Gallas à Prague, 1713-1725), mais deux artistes fixés à Prague marquent l'architecture locale : Christoph Dientzenhofer (1655-1720) et son fils Kilian Ignaz (1689-1751).

Dans cette région, l'architecture religieuse est prépondérante. Dientzenhofer le père apporte une contribution décisive au développement postérieur en introduisant les voûtes imbriquées à la manière de Guarini. Sur des piliers infléchis, des secteurs de voûtes voilent les séparations des travées et tendent à unifier la nef entière dans un mouvement ondulatoire qui la rapproche du plan central, même dans les proportions. La façade aussi peut participer au mouvement (Saint-Nicolas, Malà Strana, à Prague, 1703-1711). De petites églises semblent traitées comme de véritables objets sculptés (Břevnov à Prague, 1709-1715, et Smiřice, 1706-1713).

Dientzenhofer le fils accentue de façon dramatique les tendances de son père, par exemple avec les tours doubles, en position oblique, sur la façade de *Saint-Jean-Népomucène au Rocher*, à Prague (1750-1752). Il crée des accents à l'échelle de la ville avec les vastes coupoles (1750-1752) de l'église *Saint-Nicolas*, construite par son père, et de *Saint-Nicolas-de-la-Vieille-Ville*, bâtie selon ses plans (1732-1769). Mais son vrai chef-d'œuvre reste la façade sud de la seconde, dont les corps séparés produisent dans le clair-obscur un effet dramatique.

Auprès de ces deux architectes, Giovanni Santini dit Aïchel semble extrêmement original. Par son intérêt pour les questions de construction et pour la géométrie, il renoue avec la tradition gothique, jamais disparue (Sedlec, 1703-1706, et Kladruby, 1712-1726). Son église de pèlerinage *Saint-Jean-Népomucène* à Zefena/Hora (1719-1722), dont le plan reproduit symboliquement les cinq étoiles du saint martyr, suscite une impression d'étrangeté avec ses murs courbes mais nus.

Allemagne du Sud

L'architecture se manifeste en Bavière sur deux plans assez distincts, à la cour et dans les abbayes. Les sympathies politiques du prince électeur le portent vers une architecture très inspirée de la France. Les deux architectes de la cour, Joseph Effner (1687-1745) et François Cuvilliès (1695-1768), ont probablement fait leur apprentissage auprès de Boffrand. Ils réalisent leurs meilleures créations dans les *Chambres riches* de la Résidence de Munich (1730-1734) et dans les pavillons du parc de Nymphenbourg, notamment le *Pavillon d'Amalienbourg* (1734-1739), de Cuvilliès. En matière d'exubérance et de décoration naturaliste, ces ensembles surpassent les modèles français tels que les *Salons ovales* de l'hôtel de Soubise.

Dès lors, la décoration rococo s'introduit dans l'architecture bavaroise des églises populaires et des monastères et s'y mêle aux éléments baroques. Une délimitation précise entre le Baroque tardif et le Rococo devient, par conséquent, totalement illusoire. L'abbaye de Tegernsee envoie Cosmas Damian Asam (1686-1739) et son frère Egid Quirin Asam, l'un peintre, l'autre sculpteur et tous deux architectes, poursuivre leurs études à Rome. Avec eux, la fusion des arts vers

une animation d'essence théâtrale modifie profondément les églises qu'ils décorent et atteint son apogée avec l'église privée d'Egid Quirin à Munich (1733-1746).

Les frères Zimmermann, stucateurs, Dominikus (1686-1766), architecte, et Johann Baptist (1680-1758), peintre, obtiennent des résultats plus originaux encore. Leur œuvre est le triomphe de l'espace, de la couleur et de la lumière mis en valeur par la décoration rococo. Les *Églises de pèlerinage* de Steingaden (1728-1731) et de la Wies (1745-1754) marquent le point final, jamais dépassé, d'une ligne de développement : plan ovale ou oblong, légère couronne de piliers, murs extérieurs immatériels, chœur apparaissant comme une image.

Les grandes églises reprendront l'axe long traditionnel. Déjà au XVIIe s., des maîtres provenant du Vorarlberg et travaillant en confréries familiales (les Beer, les Thumb, les Mosbrugger) attachent leur nom à un modèle fondé sur des traditions gothiques. Les contreforts sont insérés à l'intérieur et délimitent des chapelles. Le système permet le passage de flots de lumière indirecte à l'intérieur de l'église (par exemple en Suisse à Saint-Urbain, 1711-1715). Les réalisations les plus importantes de ces artistes sont les *Églises des Bénédictins de Weingarten*, près d'Augsbourg (1715-1722), d'*Einsiedeln* (1719-1723) et de *Saint-Gall* (1748-1758), en Suisse. La dernière de leurs œuvres, et peut-être la plus belle, est l'*Église de pèlerinage* de Birnau (1746-1758), sur le lac de Constance, dont l'intérieur se réduit à une salle. La prodigalité des stucs et des peintures rend ces lieux enivrants ; « jubilation », « enchantement », « musicalité » sont d'autres qualificatifs fréquemment utilisés. Ils conviennent aussi aux églises de Johann Michel Fischer (1692-1766), qui alignent des volumes distincts, achevés en coupoles plates dans de grands sanctuaires conventuels, en Bavière et en Souabe : à Diessen (1731-1739), Zwiefalten (1741-1765), Ottobeuren (1748-1866), Rott am Inn (1759-1763).

À la même époque, Balthasar Neumann (1687-1753) travaille en Franconie. Il a été marqué par les espaces imbriqués des Dientzenhofer de Bohême et témoigne d'une exigence intellectuelle supérieure. La *Résidence des évêques* de Würzburg reste, avec son église de cour et sa décoration (la Salle blanche) d'Antonio Bossi (1744), la plus belle Résidence allemande du XVIIIᵉ s. Mais il atteint le sommet de son art avec l'*Église de Vierzehnheiligen,* en Franconie (1743-1792), et celle de *Neresheim,* en Souabe (1747-1792). La première marque notamment le triomphe d'une architecture d'espace et de lumière, organisée uniquement par les couleurs et les emplacements du décor. On trouve là, de manière exemplaire, deux éléments fondamentaux du Baroque tardif : l'interpénétration des espaces central et longitudinal et la voûte en baldaquin supportée par des colonnes.

Saxe et Prusse

À Dresde, qui devient une ville baroque avec une terrasse au bord du fleuve et un pont, s'élève le temple protestant le plus important du Baroque tardif : la Frauenkirche (de 1726 à 1743), construite par Georg Bähr (1666-1738), est un édifice circulaire surmonté d'une coupole en forme de tour (détruite en 1945). Mais l'œuvre la plus significative est encore la cour ajoutée de 1711 à 1728 à l'ancien *Château de Zwinger* pour y donner des fêtes. Cernée de galeries, de pavillons et de portes, tous intégrés dans une structure squelettique, l'architecture de Matthaus Daniel Pöppelmann (1662-1736), très marquée par le style de Hildebrandt, est en symbiose parfaite avec la sculpture de Balthasar Permoser.

Antérieurement s'élèvent à Berlin l'*Arsenal* (1695-1717) et le *Château* (1698-1707). Andreas Schlüter (1659-1714) — sculpteur de formation — donne par ses sculptures un caractère baroque à l'Arsenal, construction de style hollandais classique due à Johann Arnold Nering et Jean de Bodt (1670-1745). Il marque d'un aspect plus rythmé le massif du *Château,* grâce à des corps de bâtiment timbrés d'entrées en arc de triomphe, abondamment sculptées.

À Berlin, sous le règne de Frédéric II, l'influence française succède à la période de Classicisme hollandais et de Baroque romain. Les témoignages d'architecture extérieure sont peu importants, mais, dans la décoration intérieure, au *Château de Charlottenburg* de Berlin, au *Château de ville* et à *Sans-Souci* de Potsdam, l'architecte Georg Wenzeslaus von Knobelsdorff (1699-1753) et le décorateur Johann Michael Hoppenhaupt (1709-1769) inaugurent dans les années 1740 une étape tardive du Rococo : dans la très libre disposition de motifs en longues lignes, elle dépasse les formules munichoises.

Russie et Pologne

L'ouverture européenne de la monarchie russe sous le règne de Pierre le Grand fait de Saint-Pétersbourg, fondée en 1703, un centre d'architecture internationale. Le *Palais de Tsarskoïe Selo* (1749-1756), le *Palais d'Hiver* (1754-1762), le monastère *Smolny* (1748-1755) et Bartolomeo Francesco Rastrelli (1700-1771) émerveillent par la longueur de leurs façades et la profusion d'imposantes colonnes, de ressauts, de larges ouvertures et une généreuse décoration sculptée. La décoration « Régence » à la cour de Pierre le Grand est due à des artistes français représentatifs du genre, Leblond et Pineau.

Avant que la Pologne ne s'approprie le Baroque saxon, le remarquable architecte hollandais Tilman van Gameren (1632-1706) crée ses plus importantes œuvres à Varsovie (1677-1682) — le *Palais Krasinski* — et à Cracovie (1666-1704), l'église Sainte-Anne.

En Europe centrale, ce Baroque tardif marque les villes non seulement par les monuments, mais aussi par les maisons bourgeoises. Il en est ainsi à Vienne, à Prague, à Dresde, à Varsovie, à Bamberg, à Eichstätt, dans l'ancien Cassel et à Potsdam.

Italie

En Italie, sauf en Piémont, cette période n'est pas aussi déterminante. Il existe toutefois un *barochetto* chargeant les façades de motifs décoratifs légers. Comme édifices importants, on trouve, dans les villes les plus diverses, des façades de palais d'une originalité surprenante. Elles s'imposent par des ouvertures de portes et de fenêtres encadrées de décors sculptés en fort relief, souvent bizarres : par exemple aux palais Litta (1743-1760) et Cusani (1719) à Milan, au palais Mezzabarba (1728-1730) à Pavie, au palais Stanga (début du siècle) à Crémone, au palais Montanari (1744-1752) à Bologne ; à Rome, les deux façades des palais Doria-Pamphili (1731-1734 et 1741-1744) et della Consultà (1732-1737), ce dernier de Fuga, sont couvertes de décors de ce genre.

Naples, ville la plus peuplée d'Italie, réalise au cours de la première moitié du siècle une architecture encore ressentie de nos jours comme typiquement napolitaine : des églises magnifiquement ornées, comme celle de *Nunziatella* (1730-1734) de Sanfelice, avec des marbres incrustés dans la tradition de Fanzago, ou avec des stucs, des sculptures et des fresques. L'architecte populaire et original Domenico Antonio Vaccaro (1681-1750) est en même temps peintre et sculpteur (église de l'Immaculée-Conception à Monte Calvario, 1718-1724). À la vie napolitaine, qui se déroule si spectaculairement dans les rues, correspondent les porches en gradins sous les arcades largement ouvertes des églises et de très ingénieuses volées d'escaliers ouverts dans les palais, dont les meilleurs exemples sont dus à Ferdinando Sanfelice (1675-1750) : les *Palais Serra di Cassano* (1725-26) et *Sanfelice* (1728).

La mort des deux grands protagonistes de cette architecture locale provoque un vrai revirement ; à partir de 1751, le roi Charles III fait venir de Rome Ferdinando Fuga (1699-1781) et Luigi Vanvitelli (1700-1773), avec l'intention de donner à Naples un patrimoine architectural à la mesure d'une vraie Résidence moderne. Fuga établit le projet de l'« Hospice des Pauvres » (1751) et Vanvitelli celui de la « Reggia » à Caserte (1751). Sur commande royale, il construit aussi une église pour la « Maison des enfants trouvés », Santissima Annunziata (1758-1781), dont l'intérieur abonde en colonnes d'effet scénographique.

Conçues selon des principes rationalistes, de petites villes se développent au sud-est de la Sicile : Noto, Modica et Raguse ; leurs accents architecturaux sont quand même baroques. Grâce aux travaux de Giovanni Battista Vaccarini (1702-1768), Catane devient après Turin la deuxième grande ville italienne la plus représentative du Baroque tardif.

À Rome, presque toutes les réalisations importantes de cette période ont une valeur d'urbanisme. Le plus important mécène de l'époque, Clément XII (pape de 1730 à 1740), achève alors des projets de pontifes bâtisseurs envisagés depuis la Renaissance. Outre l'escalier de la place d'Espagne et la Fontaine de Trevi, dont les études remontaient au temps de Bernin, sont élevées les façades ostentatoires de trois basiliques : *Saint-Jean-de-Latran* (1732-1736) d'Alessandro Galilei, *Sainte-Marie-Majeure* (1741-1743) de Fuga et *Sainte-Croix-de-Jérusalem* (1743-44) de Pietro Passalacqua et Dominico Gregorini. Toutes s'imposent dès le premier regard par les ordres architecturaux colossaux, qui réduisent au minimum l'importance du mur.

La longue façade du *Palais Doria-Pamphili* sur le Corso, de Gabriel Valvassari (1683-1761), tient compte de sa situation sur la principale artère de la ville. Les maisons implantées en 1727-28 par Filippo Raguzzini (1680-1771) comme les coulisses d'un décor de théâtre forment un contraste suggestif avec la façade de la vaste église, plus ancienne, de Saint-Ignace.

Les *Palais Corsini* et *della Consultà*, de Fuga (1736-1751), sont organisés avec intelligence, de façon fonctionnelle. Avec l'œuvre tout à la fois rationaliste et décorative de Filippo Marchionni (1702-1786), auteur de la villa Albani (1743-1763) et de la sacristie de Saint-Pierre (1776-1784), s'éteint l'architecture de la Rome papale.

En 1714, l'arrivée de Filippo Juvara (1678-1736) donne dans le Piémont une impulsion décisive au Baroque tardif. Pour l'église *Sainte-Christine* (1715-1728), il transpose une œuvre fondamentale du

Baroque tardif, due à Fontana, la façade de l'église Saint-Marcel sur le Corso de Rome. Il construit des quartiers entiers à Turin et, en dehors de la ville, des châteaux royaux d'agrément (par exemple la *Venaria Reale*). Son œuvre est très varié, car il domine et applique, selon la demande, tout le répertoire historique de l'architecture italienne. À l'*Église du Carmel* (1732-1734) et dans la salle centrale du *Château de Stupinigi* (1729-1733), la légèreté et la gaieté des intérieurs ne reposent que sur des structures squelettiques.

Bernardo Vittone (1704-1770) a aussi étudié à Rome, où il obtint, en 1732, le premier prix de l'Académie pour un projet de ville portuaire, vraisemblablement le plus complexe des exercices académiques du Baroque tardif. À Turin, il adopte entièrement le parti de la géométrie décorative de Guarini. Dans ses petites églises, une curieuse tension naît de l'association de composantes « savantes » et d'un esprit de religiosité populaire : des piliers et des arcs qui se croisent, des coupoles percées, des volumes creusés et des formes intermédiaires entre pendentif et trompe justifient la fascination que provoquent ces constructions, notamment *Vallinotto* près de Carignano (1738-39), *Santa Chiara* à Bra (1742) et *Sainte-Croix* à Villanova di Mondovi (1755).

Monde hispanique

L'Espagne, le Portugal et leurs colonies américaines ne parviennent pas à autant d'originalité dans le Baroque tardif. Mais la multiplication des structures, l'abondance des ornements qui les couvrent en les transformant sont sans doute des constantes historiques de l'architecture espagnole, autant qu'elles sont un trait caractéristique du Baroque tardif. Les plans et les volumes des bâtiments sont généralement traditionnels. La richesse ornementale se concentre sur certains éléments d'architecture ou des ensembles bien délimités : les portails (hospice San Fernando de Madrid, 1722, par Pedro Ribera, ou palais des marquis Dos Aguas

à Valence, 1744, par Hipolito Rovira Brocandel), le *transparente* (cathédrale de Tolède, 1731-32, par Narciso Tomé), le *camarin* des églises espagnoles (Santa-Cruz-la-Real à Grenade) et les maîtres-autels des églises portugaises (couvents des Jésuites d'Aveiro, 1722-1732, et des Bénédictins de Tibães, 1770).

Le style ornemental se nourrit à la fois aux sources locales du passé islamo-mauresque et du plateresque ainsi que d'un apport étranger plus moderne transmis par les gravures. Tissus et menuiseries inspirent les ensembles architecturaux. On qualifie trop facilement ce style de *churrigueresque*, du nom de la famille d'architectes des Churriguera. La lumière joue un rôle important : elle scintille sur de très petites surfaces mouvementées et dispersées et crée, à contre-jour, des silhouettes bizarres. L'effet n'affecte presque jamais l'ensemble d'une construction (sacristie de la chartreuse de Grenade, 1713-1747). Les façades des églises ne s'animent que rarement de courbes baroques, et, dans la plupart des cas, le portail richement orné contraste vivement avec les murs nus (parmi les exemples coloniaux : Saint-Laurent à Potosi, 1728-1740, San Sebastian et Prisca à Taxco, 1748, et Sagrario Metropolitano à Mexico, 1749). Trois monuments méritent d'être cités : le *Palais de Los Viscaynas* à Mexico (1734-1752), de Pedro Bueno, dont la longue façade est seulement rythmée par les volumineux encadrements de ses fenêtres ; le *Château de Queluz*, près de Lisbonne (1746-1760), de Mateus Vincente de Oliveira, moderne et d'un plan assez individualisé ; l'église *Saint-François-d'Assise* à São João d'El Rei, due au plus grand architecte et sculpteur brésilien, António Francisco Lisboa, surnommé O Aleijadinho (le petit infirme, 1738-1814).

À l'architecture locale s'oppose l'architecture de cour, qui est internationale : en Espagne, ce sont, au château royal de la Granja près de Ségovie, les adjonctions de Teodora Ardeman et de Juvara (1719-1739) ainsi que le parc tracé par René Carlier ; à Madrid, le palais royal dû à Juvara et à son élève Giovanni Battista Sachetti (1736-1755) ; au Portugal, le monastère résidence de Mafra près de Lisbonne (1717-1730), de João Frederico Ludovice (1670-1752) ; l'église commémorative de Belém, faubourg de Lisbonne (1760), de Giovanni Carlo Bibiena, et d'autres édifices à Porto, qui sont de Niccolo Nasoni (1731-1773).

Angleterre

Dans l'histoire de l'architecture anglaise, on qualifie de « baroques » les années 1685-1715, puis le style évolue du Palladianisme au Néoclassicisme. La deuxième période de sir Christopher Wren (1652-1723), l'architecte le plus important de la seconde moitié du XVIIe s., s'inspire davantage des modèles romains et français contemporains. Il prévoit pour l'hôpital de Greenwich, près de Londres (1695-1708), que terminera son successeur, Nicholas Hawksmoor (1661-1731), des coupoles et des colonnades. Les églises, d'inspiration italienne, de Thomas Archer (1668-1743) — telle Saint Paul à Deptford (1712-1730) — et de James Gibbs (1682-1754) — Saint Mary-le-Strand à Londres (1714-1717) — restent isolées.

Sir John Vanbrugh (1664-1726) est la plus forte personnalité de cette période. Sa fantaisie effrénée s'explique par une première vocation d'écrivain de théâtre. Il assure sa qualification professionnelle en travaillant avec Hawksmoor. En prenant comme point de départ les grands châteaux français, il ose prévoir pour des résidences considérables comme *Castle Howard* (1702-1712), près de York, et *Blenheim* (1705-1725), près d'Oxford, un bâtiment central sous coupole, et agencer les corps avec des formes massives et disparates. Ultérieurement, il atteint le comble des dissonances et un jeu très libre des masses avec deux petits châteaux, *Seaton Delaval* (1720-1729) dans le Northumberland et *Grimthorpe* (1722-23) dans le Lincolnshire.

L'architecture paysagiste, « inventée » par l'écrivain Pope et le peintre-architecte William Kent (1685-1748), réalisée par des gentlemen-amateurs et des professionnels tels que Lancelot « Capability » Brown (1715-1782), se caractérise par des irrégu-

larités naturelles et des asymétries recherchées, la soumission à la nature et la découverte « fortuite » de « beautés ». (En France aussi, la nouvelle devise « faire céder l'art à la nature » amène le « tapis vert » à remplacer l'ancien parterre de fleurs.) Les exemples les plus célèbres sont le *Jardin de Pope* à Twickenham, près de Londres (1718), et celui de *Rousham* dans le Kent (des années 30), le *Stowe* en Buckinghamshire, tracé par Charles Bridgeman vers 1720 et transformé ultérieurement par Brown, enfin *Stourhead* en Wiltshire, dû à un amateur, Henry Hoare (1741-1783).

France

À cette époque, l'architecture française, dont le développement est le plus cohérent et le plus continu, jouit d'un prestige inégalé. Cela est à mettre au crédit, en premier lieu, de ces deux institutions bien adaptées que sont l'Académie royale et l'Atelier royal sous la direction successive de Jules Hardouin-Mansart, de Robert de Cotte, de Jacques V Gabriel et de Jacques Ange Gabriel. La confrontation permanente avec l'Italie et l'Antiquité, la mobilité de la société, le rôle dominant du goût, la critique littéraire et philosophique favorisent en effet un renouvellement constant malgré les tendances conservatrices inhérentes à de telles structures.

LES GRANDS ARCHITECTES

Dans les dernières œuvres de Hardouin-Mansart s'accroît déjà le nombre des éléments baroques : il associe une verticalité plus marquée avec un emploi plus fréquent de l'ordre colossal et de détails sculpturaux, notamment les consoles et les mascarons, comme au *Château Neuf* de Meudon (1706-1709) et à la *Chapelle* du château de Versailles (1689-1710), dont l'intérieur est inondé de lumière et l'extérieur riche en ornements sculptés. La colonne antique y est employée dans une structure gothique.

Pendant la première moitié du siècle, Germain Boffrand (1667-1754) est, parmi les disciples de Mansart, celui qui apporte le plus d'idées novatrices. Dans son œuvre, les traits du Baroque tardif sont fortement marqués à côté de ceux qui annoncent le Néoclassicisme. Il est significatif qu'il partage une idée, bien caractéristique de l'époque, avec Fischer von Erlach (maison de plaisance *Althan* à Vienne) et Juvara *(Stupinigi)* : celle du château comportant un salon central et des ailes en moulin à vent (Malgrange). Les princes de Lorraine, hésitant entre la dépendance et l'indépendance aussi bien politique que culturelle, lui fournissent l'occasion idéale de construire des symboles architecturaux : un « Louvre », c'est le *Palais ducal* de Nancy (1717-1722) ; un « Marly », c'est la *Malgrange* (1712-1716) — tous deux inachevés et détruits ; avant ceux-ci, le « Versailles » lorrain voit le jour à Lunéville (1702-1723). À cette fin, il a recours aux formules nobles : ordres colossaux et colonnes détachées du mur. Ces préférences se retrouvent jusque dans ses dernières œuvres (*Hospice des Enfants trouvés*, 1751).

De Cotte, au contraire, suit une voie moyenne dans la relation entre ordres architecturaux et mur. Il enrichit ses projets pour des châteaux princiers (*Schleissheim*, près de Munich ; *Poppelsdorff*, près de Bonn ; *Buen Retiro*, près de Madrid) par des variantes à partir de différentes typologies. Entre l'hôtel particulier parisien et le château présentant une grande façade sur la rivière, il réussit une synthèse heureuse avec le *Palais de Rohan* (1731-1742), palais de l'archevêque de Strasbourg. Aux *Grandes Écuries de Chantilly* (1721-1733), Jean Aubert (1680-1741), architecte des Condé, réalise la construction la plus imposante et la plus originale de cette dynamique phase baroque que constitue la Régence : articulation très sophistiquée au moyen des toits, abondance des sculptures, cohérence par des refends sur toute la longueur de l'édifice.

LES HÔTELS PARTICULIERS

Mais les thèmes de prédilection de l'architecture au XVIIIe s. restent l'hôtel particulier et l'intérieur : Louis XIV, au soir de sa vie, ne donne plus d'impulsion à l'architecture, l'initiative passant aux nobles et aux financiers. Le terme « Régence », au-delà de son contenu politique précis et de la personne du Régent, arbitre et patron des arts, au-delà du relâchement du contrôle central, correspond à une stylistique (v. 1705-1730) très proche du Baroque, période de grande liberté et d'ouverture aux expériences (ainsi le Palais-Bourbon, 1722-1729, construit pour la duchesse de Bourbon-Condé).

Pour les hôtels particuliers, pendant la première décennie du XVIIIe s., les spécialistes en vue Pierre-Alexis Delamair (*Hôtel de Soubise*, 1705-1709) et Jean Lassurance (*Hôtel de Rothelin*, 1700 ; *Hôtel de Roquelaure*, 1722-1724) utilisent encore les formules à colonnes doubles et frontons.

Les hôtels de Boffrand (*Hôtel Amelot*, 1712, avec cour ovale et ordre colossal ; *Hôtel de Torcy*, 1715) ne sont guère imités. Ceux de R. de Cotte (*Hôtel d'Estrées*, 1713 ; *Hôtel du Maine*, 1716-1718) sont très sobres. À l'époque, les réalisations de Claude Mollet (1670-1742) font autorité (*Hôtels d'Humières*, 1715, et *d'Évreux*, l'actuel Élysée, 1718). Deux immeubles sont exceptionnels, l'*Hôtel Matignon* (1722-1724), de Jean Courtonne (1671-1739), et l'*Hôtel Biron* (Peyrenc de Morens, l'actuel musée Rodin, 1728-1731), d'Aubert : le premier par le raffinement du déplacement des axes entre la cour et le jardin ainsi que le rythme léger des petites saillies ; le second pour sa parfaite symétrie, ses bandes de refends vigoureux et ses corps latéraux, qui arrondissent l'ensemble.

Entre les châteaux massifs de Louis XIV et de telles constructions, le *Château de Champs*, près de Paris (1703-1707), de Jean Bullet de Chamblain, marque une transition. Méritent aussi une mention spéciale les hôtels particuliers de François Blondel (1683-1756) à Genève, où il travaille depuis 1731, ceux de Thomas Lainée (1682-1739) et de Jean-Baptiste Franque (1689-1756) à Aix et à Avignon.

Les grands recueils d'architecture apportent une documentation sur les meilleurs ensembles : *l'Architecture française* (1727) de Mariette, et sa réédition de 1752 enrichie de commentaires critiques par

Jacques François Blondel, des publications comme *l'Architecture moderne* de Charles Étienne Briseux (1728) ou celles sur *la Maison de campagne* de Blondel (1737) et *la Maison de plaisance* de Briseux (1773).

PLANS ET DÉCORATION

L'architecture extérieure est assez peu individualisée et, plutôt que des décors, on y trouve des « valeurs », des surfaces nuancées, des moulures fines et des fenêtres bombées. En revanche, le plan devient le sujet central de réflexion en matière de « convenance » et de « commodité » : les cheminements, les pièces secondaires « invisibles », l'emplacement des escaliers et de la salle à manger, la progression et les proportions de l'enfilade, le parti d'arrondi au changement d'axe, le tout sur des terrains souvent peu propices et avec beaucoup d'exigences pour les remises et les écuries. La décoration intérieure est la grande affaire et c'est dans ce domaine que naît le Rococo, le « style moderne ». L'objectif primordial est l'unification du décor mural par des encadrements et des motifs ornementaux, en éliminant les ordres architecturaux et en faisant régresser les corniches qui séparent le mur vertical du plafond. Tout cela implique en fait que le volume du bâtiment devienne une coque recouverte d'un décor gracile.

En France, on ne peut pas vraiment parler d'architecture extérieure rococo, sinon à titre exceptionnel, comme dans le cas de façades de maisons bourgeoises avec des applications de motifs légers et animés. L'intérieur rococo est très lumineux (grandes portes-fenêtres, miroirs, lustres vénitiens peints de couleurs claires, boiseries blanches aux tonalités délicates). Des trompe-l'œil couvrent des pièces entières pour « suggérer » la nature, des cabinets de miroirs déformants suspendent le sens de la réalité. L'homogénéité des murs est richement compensée par un type d'ornement nouveau (le terme *rococo* désigne d'abord le seul ornement et dérive d'un de ses motifs caractéristiques, la rocaille).

Le processus qui aboutit à ce style est fascinant de logique. Il comporte cependant des éléments nouveaux, souvent venus d'Italie (ailes de chauves-souris, têtes d'anges ailés), et une nouvelle référence à la nature. Il prend son point de départ dans les arabesques et grotesques de la Renaissance, auxquelles s'ajoutent les trouvailles des ornemanistes de Louis XIV, Jean Berain et Claude III Audran, puis, pendant la Régence, Gilles-Marie Oppenordt (1672-1742) et en plein Rococo Juste Aurèle Meissonnier (1695-1752). L'étape décisive est franchie dans les dernières années 1790 par les « dessinateurs » Jean Lassurance (1660-1724) et Pierre Lepautre (1648-1716), qui travaillaient au Bureau royal. Ce renouvellement s'accomplit surtout dans la décoration des châteaux royaux : *Marly* et *Trianon* (la galerie des Glaces, 1706), *Appartements du dauphin et du roi* à Versailles (antichambre de l'Œil-de-bœuf, 1701), pour aboutir à la décoration de la *Chapelle* du château (1707-1710). Il s'agit d'abord de la liaison verticale, le trumeau formé de la cheminée et du miroir, de l'adaptation des surfaces interstitielles entre les arcades (courbes en forme de C comme motif prédominant) et de l'enrichissement de l'ornement. L'apport de Boffrand réside dans la façon dont il assemble les parois d'une pièce, généralement par des séries d'arcades (Petit Luxembourg, 1709-1716 ; Malgrange, 1711-1715). Sous la Régence, ce parti s'exprime par le déploiement de motifs dynamiques et de sculptures. Les lignes d'encadrement des compositions d'ornements sont traitées comme formes végétales et deviennent cadres des panneaux de la paroi. Les réalisations les plus importantes sont celles d'Oppenordt au Palais-Royal pour le Régent (1716-1720) et à l'hôtel d'Assy (1710), et celles de François-Antoine Vassé et de De Cotte pour la galerie Dorée de l'hôtel de Toulouse (1718-19) [la part des architectes dans cette évolution depuis Hardouin-Mansart n'est pas encore bien éclaircie]. Dans les années 1720, les œuvres d'Aubert *(Petit château de Chantilly, Hôtel de Lassay)* manifestent une sorte d'apaisement et d'harmonie, qui se maintiendront jusqu'au moment où, sous l'influence de Meissonnier, une dynamique abstraite, des éléments bizarres, l'asymétrie des panneaux entiers (« contraste » dans la terminologie de l'époque) conduisent le Rococo à son zénith. Le plus important décorateur est alors Nicolas Pineau (1684-1754), revenu de Russie en 1727. Il collabore en général avec l'architecte Jean-Baptiste Leroux (1677-1746). Ses œuvres se distinguent par la grâce et la légèreté (*Hôtel de Rouillé*, v. 1732 ; *Grand salon rouge* de l'hôtel de Roquelaure, 1733 ; *Hôtel de Maisons*, v. 1750). Mais les ensembles les plus célèbres de l'époque restent les deux *Salons ovales* de l'hôtel de Soubise (1731-1739), que l'on doit à Boffrand : tout y est subordonné au rythme des courbes. Rapidement, la mode du Rococo l'emporte sur les réticences de l'Académie et gagne, vers 1735, les ateliers de Versailles, qui connaissent une nouvelle activité avec Jacques Verberckt (1704-1771), qui, sous la direction de Gabriel, exécute pour les petits appartements du roi (1731), puis pour la chambre du roi et le cabinet du conseil, des boiseries qui conservent toutefois une certaine retenue. On lui doit aussi des boiseries d'une densité extraordinaire au château de Rambouillet (1730-1735).

LES DERNIERS FEUX DU ROCOCO

Le déclin du Rococo est aussi soudain que son triomphe : il est condamné non seulement par les traditionalistes, mais aussi par la critique philosophique, comme extravagant, confus, irrationnel et immoral. La deuxième moitié du règne de Louis XV voit le retour du Classicisme avec des compromis avec le Rococo. On peut donc assez justement parler d'un demi-siècle de « style Louis XV ». Quand le roi meurt, en 1774, le Rococo disparaît également.

Le changement qui s'opère vers le milieu du siècle dans le sens d'un retour au « grand goût » du style Louis XIV correspond aussi aux derniers feux du Baroque, comme cela a déjà été dit à propos de Boffrand. La chapelle de son « hôpital des Enfants trouvés » est entièrement peinte en trompe-l'œil, et les frères Brunetti, peintres d'architectures, ont, de la même façon, décoré les escaliers des hôtels de Soubise et de Luynes. À la même époque s'élève l'église la plus baroque de la région parisienne, *Saint-Louis* de Versailles (1743-1754), de Jacques Hardouin-Mansart de Sagonne. Dans les provinces de l'Est, on trouve des édifices parallèles aux églises allemandes du type « halle » à *Saint-Jacques* de Lunéville (1730-1747) et à *la Madeleine* de Besançon (1742-1766), due à Nicolas Nicole.

Enfin, une authentique architecture rococo se développe dans l'atmosphère détendue de la cour lorraine du « bon roi Stanislas » : Emmanuel Héré (1705-1763) dessine des maisons de plaisance dont le parti architectural n'offre pas beaucoup plus que des suites d'arcades aérées. À cela s'ajoutent les pavillons, bien-aimés de l'époque, des pagodes chinoises, des kiosques turcs et des paysages en miniature animés d'activités humaines (« le Rocher »). Ce tableau de fond de l'éphémère et du jeu aide pourtant à bien comprendre le chef-d'œuvre de l'urbanisme, la *Place Stanislas*, à Nancy.

Bibliographie générale

HEMPEL (E.), *Baroque Art and Architecture in Central Europe*, Pelican History of Art, Penguin, Harmondsworth, 1965. KALNEIN (W. G.), LEVEY (M.), *Art and Architecture of the Eighteenth Century in France*, Pelican History of Art, Penguin, Harmondsworth, 1972. KELLER (H.), éd., *Die Kunst des 18. Jahrhunderts*, Propyläen Kunstgeschichte 10, Propyläen, Berlin, 1971. KUBLER (G.), SORIA (M.), *Art and Architecture in Spain and Portugal and their American Dominions 1500 to 1800*, Pelican History of Art, Penguin, Harmondsworth, 1959. WITTKOWER (R.), *Art and Architecture in Italy 1600-1750*, Pelican History of Art, Penguin, Harmondsworth, 1958.

Bibliographie de ce chapitre

HAUTECŒUR (L.), *Histoire de l'architecture classique en France*, Picard, Paris. Vol. II *le Règne de Louis XIV*, 1948 ; vol. III *la Première Moitié du XVIIIᵉ siècle. Le style Louis XV*, 1950. KIMBALL (F.), *le Style Louis XV*, Picard, Paris, 1949. NORBERG-SCHULZ (C.), *Architettura tardobarocca*, Electa, Milan, 1972. Éd. française, *Architecture du baroque tardif et du rococo*, Berger-Levrault, Paris, 1979. SUMMERSON (J.), *Architecture in Britain 1530-1830*, Pelican History of Art, Penguin, Harmondsworth, 1953.

LA SCULPTURE

ET LES ARTS

DÉCORATIFS

L'héritage de Bernin

Le Baroque tardif et le Rococo ne figurent pas parmi les grandes époques de la sculpture. Un gain en virtuosité et en souplesse, en grâce et en élégance, se solde souvent par une perte en intensité et en poids.

Le génie de Bernin à Rome écrase les générations qui le suivent. Les œuvres de la fin de sa vie (par exemple les statues de la chapelle Chigi dans la cathédrale de Sienne, celles du pont des Anges), comme celles de ses successeurs immédiats, tels Melchior Caffa (1635-1668, *Extase de sainte Catherine de Sienne* dans l'église Sainte-Catherine à Rome, *Santa Rosa* à San Domingo de Lima) et Antonio Raggi (1624-1686, stucs décoratifs dans les églises du Gesù et Santa Maria dei Miracoli à Rome, le maître-autel et les *Tombeaux Gastaldi* dans cette dernière), sont déjà considérées, dans les années 1660, comme appartenant au Baroque tardif. Elles marquent l'abandon des formes compactes, elles accordent plus d'importance au drapé, qui se développe librement dans un rythme dynamique et décoratif ; leurs contours s'allègent et leurs surfaces se développent en effets picturaux. Avec l'œuvre de Filippo Parodi, la survivance du style berninesque s'étend jusqu'à Gênes, Venise et Padoue, bientôt même en Espagne et dans les pays du nord des Alpes. Balthasar Permoser l'introduit à la cour de Dresde et forme des disciples qui auront un rôle dans leurs sphères d'activité respectives : Donner donne le ton à Vienne, Egell à Mannheim, et Roubiliac à Londres.

En Bavière, Asam fait plus qu'adopter un style, il va jusqu'à transposer les apparitions de Bernin dans un décor de théâtre populaire (à Weltenburg et Rohr).

Bernin a également influencé de maintes façons les sculpteurs français à travers Puget et la génération qui s'affirme vers 1700 à Rome, puis, de nouveau, à travers les « prix de Rome » des années 1720.

LES THÈMES

La « grande » sculpture est pratiquée essentiellement à Rome et à Paris, les deux centres qui, selon une longue tradition, unissent l'idéologie du pouvoir politique et la statuaire. Cette tradition est maintenue par les académies des deux métropoles et dans d'importantes commandes, comme celles des saints de la colonnade de la place Saint-Pierre, des apôtres à Saint-Jean-de-Latran, mais aussi celles des statues allégoriques des parcs de Versailles, du Trianon et de Marly ou des statues équestres royales en France. Des retables d'autel en marbre, plus durables et plus coûteux que les peintures, sont aussi réalisés, comme ceux des deux grandes églises des Jésuites à Rome et de la petite chapelle du Mont-de-Piété (1676-1723).

La dignité princière exige une rangée de statues sur l'attique d'un palais ou dans un parc. Dans les églises métropolitaines comme Saint-Sulpice à Paris ou la Hofkirche de Dresde, on en trouve à l'intérieur ; les abbayes en Allemagne du Sud se soumettent, elles aussi, aux exigences du modèle romain, mais remplacent le plus souvent le marbre par une imitation en stuc.

Aspirer à l'éternité et s'inspirer de l'Antiquité vont de pair avec un art funéraire où la statue joue un rôle essentiel. Ce genre est également développé à Rome et à Paris, tandis que, dans les Pays-Bas et en Angleterre, il est presque le seul support d'une sculpture monumentale. Les ingénieuses et dramatiques créations funéraires de Bernin inspirent encore M. A. Slodz pour son monument dédié à Languet de Gergy (1753, Paris, Saint-Sulpice), Pigalle pour sa grandiose mise en scène funéraire en l'honneur du maréchal de Saxe, à Strasbourg, et Roubiliac pour ses tombeaux du général Hargrave (1757) et de lady E. Nightingale (1761) à Westminster Abbey.

La force d'expression baroque, avec toute son emprise sur le corps, les gestes, le visage, garde surtout sa puissance aux confins orientaux de l'Empire allemand : à Dresde avec Permoser, à Berlin avec Schlüter, à Prague avec Braun. L'Ouest, en revanche, est le lieu d'élection du buste isolé, qui connaît à cette époque le plus grand succès. La statue, en pied, sans thème historique particulier, survit pourtant comme preuve d'un talent académique, comme pièce rare dans le cabinet d'objets d'art d'un connaisseur, ou encore comme garniture de salon, sous une forme proche du Maniérisme, avec les premières statues de Falconet ou de Pigalle, par exemple. Des sculpteurs de grand talent se distinguent enfin dans la porcelaine.

La tendance, caractéristique de cette époque, à dissoudre les formes se manifeste en premier lieu par l'apport d'accessoires décoratifs, allégoriques ou réalistes, puis par la fusion des figures dans un vaste ensemble architectural ou décoratif. Les matériaux qui se laissent modeler sans offrir de résistance, tels les stucs et la terre glaise, sont fréquemment préférés à la pierre et remplaceront quelquefois même le bronze. Il est également caractéristique de cette évolution que des esquisses pour les sculptures soient fournies par des peintres : ainsi de celles du parc de Versailles (Lebrun), des autels des églises des Jésuites (Pozzo) et des statues du Latran (Maratta), des tombeaux anglais (William Kent, 1684-1748) ; parfois, aussi, ce sont des architectes qui ont une influence décisive dans les créations plastiques (Fontana, Juvara, Gibbs, Vanvitelli).

Les statues des apôtres de la basilique du Latran, ou celles de Saint-Sulpice, se développent en surface et, malgré l'ampleur de leur drapé, manquent parfois de présence corporelle. La *Mort de Didon* de Cayot (1711, Louvre), la *Diane chasseresse* de Cametti (1720, Berlin) doivent tant à leurs motifs accessoires qu'à la disposition de leur figure leur caractère pictural, encore plus marqué dans l'allégorie du *Prince Eugène victorieux* de Permoser (1718-1721, Belvédère de Vienne).

Les grands monuments funéraires, comme celui de Benoît XIII à Santa Maria Sopra Minerva, sculpté par Marchionni et Bracci (1739), tendent, également, à distribuer les figures en surface plutôt qu'à les grouper en une concentration plastique. Asam aboutit de façon particulièrement originale à une interpénétration des moyens artistiques en associant intimement des éléments architecturaux et plastiques à des effets picturaux dans ses compositions (église Asam à Munich [1733-1746], à Osterhofen et à Straubing).

Les stucateurs de Wessobrunn s'emparent impérieusement des grands espaces des églises en multipliant statues, chérubins, motifs végétaux et ornementaux, qui couvrent les autels, les chaires, les fonts baptismaux et s'étendent jusqu'aux voûtes. S'élevant comme des obélisques, les colonnes dites « de la Peste » ou « de Marie », en Autriche, en Bohême et en Moravie, présentent des masses presque amorphes (celle de Vienne, 1682-1684), comme le font les « guglie » napolitaines (*Guglia dell'Immacolata*, 1747-1750). L'architecture et la sculpture mettent à profit ce manque de vigueur des statues et des reliefs, qui participent avec bonheur aux effets d'ensemble de la combinaison des arts ou s'épanouissent avec plus de liberté dans le cadre urbain et le paysage environnant. Les ponts offrent des lieux de choix pour ériger des statues : le plus célèbre, après le *Pont Saint-Ange* à Rome, est le *Pont Saint-Charles* à Prague. On connaît aussi une nouvelle vague de constructions de fontaines : Rome *(Fontaine de Trevi)*, Paris *(Fontaine de Grenelle)* et Vienne *(Mehlmarktbrunnen)* se voient dotées de fontaines publiques monumentales ; seule celle de Vienne garde encore la forme classique du bassin avec des statues, alors qu'à Paris Bouchardon soumet la sculpture à l'architecture. Par contre, l'*Abreuvoir des chevaux* de Salzbourg (Fischer von Erlach et Michael Bernhard Mandl, 1695), les deux arts se conjuguent enfin, chacun ayant autant d'importance que l'autre.

Peut-on définir le Baroque tardif plus particulièrement par la grandiloquence des gestes, la passion lue sur des visages déchirés, et le Rococo par la grâce de figurines délicatement façonnées, au pas dansant, par leur préciosité et leur mi-

LE BAROQUE TARDIF
ET LE ROCOCO

Fontaine de Trevi *à Rome,*
achevée en 1762 par Nicolo Salvi.

Vue d'ensemble du Haut-Belvédère *à Vienne,*
construit par Lukas von Hildebrandt de 1720 à 1723.

Vue générale de l'abbaye bénédictine de Melk,
commencée en 1701 par l'architecte Jakob Prandtauer.

Église de pèlerinage de la Wies, *dédiée au Christ flagellé.*
Construite de 1745 à 1754 par Dominikus Zimmermann.

Le château de Zwinger
*à Dresde, construit
par Matthaus Daniel
Pöppelmann
de 1711 à 1728.*

Vue de
la bibliothèque
du château
de Sans-Souci
à Potsdam.

Façade du château de Blenheim, *près d'Oxford,
construit par sir John Vanbrugh de 1705 à 1725.*

Façade de l'hôtel Biron, *à Paris, aujourd'hui musée Rodin,
construit par Aubert de 1728 à 1731.*

Crèche napolitaine, *attribuée à Giuseppe Sanmartino.*
Naples, musée Sanmartino.

Gloire de saint Louis de Gonzague,
par Pierre Legros. Rome, église Saint-Ignace.

Les Chevaux du Soleil,
*par Robert Le Lorrain.
Haut-relief sculpté
au-dessus de la porte
des écuries de l'hôtel
de Rohan, à Paris.
1735-1739.*

Le Désenchantement,
*par Francesco
Queirolo.
Naples, chapelle San
Severo.*

Terrine avec son présentoir, *par François-Thomas Germain.*
Argent. Château de Versailles.

La Rencontre d'Antoine et de Cléopâtre, *par Tiepolo.*
Fresque du palais Labia à Venise (1745-1750).

Intérieur de l'église Saint-Jean-Népomucène *à Munich*
construite de 1733 à 1746 par Égid Quirin Asam.

La Mère laborieuse, *par Jean-Baptiste Chardin. 1740.*
Paris, musée du Louvre.

La Confirmation,
*par Giuseppe
Maria Crespi.
Dresde, Staatliche
Kunstsammlungen.*

Portrait
d'Élisabeth
de Beauharnais,
*par Nicolas
de Largillière.
1701.
Grenoble, musée des
Beaux-Arts.*

Les Fêtes vénitiennes, *par Antoine Watteau. 1717.*
Édimbourg, National Gallery of Scotland.

nardise ? Le monde des saints et des héros appartient-il au style Baroque tardif et celui des cupidons et des enfants au Rococo ? Celui-là se caractériserait par de brusques envolées de drapés, et celui-ci par des surfaces ondulées, miroitantes du nacre ? Tout cela n'est qu'approximatif, et vouloir classer sans équivoque les uns et les autres dans un domaine stylistique donné est souvent impossible : on le voit bien avec les ensembles sculptés des églises bavaro-souabes.

Dès les œuvres tardives de Bernin, on peut constater un abandon de l'extériorisation active au profit d'une attitude plus passive et intériorisée. À Rome, également, les saints de l'ordre des Jésuites sculptés par Pierre Legros semblent manifester un sentiment religieux proche du quiétisme. C'est le cas du *Saint François-Xavier,* debout, en douce extase, de l'église Saint-Apollinaire (1702), du *Saint Stanislas Kotska gisant,* de l'église Saint-André-du-Quirinal, et de *Louis de Gonzague,* emporté au ciel, sur le relief de l'autel de l'église Saint-Ignace.

Des extases qui ne sont plus motivées par un élan vers l'au-delà paraissent bientôt vides et affectées, puis, une fois sécularisées à l'époque du Rococo, elles finissent par revêtir un caractère érotique. Cela aboutit à l'esthétisation des sentiments, qui s'amorce déjà — une fois encore dès la fin de la carrière du Bernin — par ces mouvements gratuits du drapé, équivalents des émotions intérieures qui resteront typiques pour toute la période. Il en résulte un certain apaisement, une superficialité — aux sens propre et figuré —, une beauté seulement aimable.

Baroque tardif et Rococo suscitent l'un et l'autre l'affirmation d'un courant opposé, celui d'un réveil du réalisme et de la recherche du caractère. Ainsi, dans la statuaire des églises de l'Allemagne du Sud, sainte Anne apparaît comme une vieille femme enlaidie par l'âge, et des chevaliers ou seigneurs du Moyen Âge apparaissent, sous un aspect bizarre (comme les comtes de Zähringen à St. Peter en Forêt-Noire, sculptés par Feuchtmayer, 1728-1730). Dans le domaine de la porcelaine, c'est aux personnages de la commedia dell'arte qu'incombent ces

rôles expressifs. Dans la grande sculpture, cela entraîne l'accentuation des traits particuliers de l'individu, dont on n'hésite pas à faire ressortir ce qu'ils peuvent avoir de laid ou d'insolite. Cette tendance est particulièrement développée dans la sculpture en cire, si répandue alors, notamment à Bologne.

Rome

Rome a exercé une influence prépondérante dans la sculpture du Baroque à son apogée, non seulement grâce à la riche personnalité de Bernin, mais aussi en raison de l'incomparable diversité et de l'envergure des programmes artistiques qu'elle proposait. Plus tard, avec le Baroque tardif, Naples, Florence et Venise constituent, elles aussi, des centres autonomes. Le poids de la tradition, incontestée jusqu'au Néoclassicisme, ne permet guère d'innovations profondes. Pourtant, les tombeaux des papes à Saint-Pierre sont l'occasion de créations artistiques complexes dont on ne trouve l'équivalent, ailleurs, ni en nombre ni en magnificence. On peut citer, en exemple, deux œuvres antithétiques et de haute qualité, celle de Rusconi, qui essaye, sans y parvenir pleinement, de faire revivre le pathétique de l'apogée du Baroque avec son tombeau de Grégoire XIII (1719-1725), et celle de Filippo della Valle (1697-1768), qui tente de donner une variante gracieusement contemplative du modèle berninesque avec celui d'Innocent XII (1746).

Alors que la série des saints couronnant les colonnades de la place Saint-Pierre témoigne de l'influence prédominante de Bernin, celle des fondateurs d'ordres religieux, à l'intérieur de la basilique, manque plutôt de cohésion ; la statue la plus remarquable de toutes, le *Saint Bruno,* créée par Michel-Ange Slodtz (1744), représente l'esprit du Rococo par le caractère spontané de son attitude et ses oscillations gracieuses. Le cycle de statues le plus notoire, exécuté d'une traite entre 1710 et 1715, est celui des apôtres colossaux, devant les piliers de la basilique du Latran, qui oppose le style baroque héroïque de Rusconi (Mathieu, André, Jean, Jacques le Majeur) à la tendance classique de deux Français, Legros (Bartholomée et Thomas) et Monnot (1657-1733, Pierre et Paul). C'est à des chapelles de Bernin et en particulier de Fontana que remonte l'utilisation de marbres de couleur pour des ensembles tels que l'*Autel de saint Ignace* au Gesù (1695-1699), avec des statues monumentales de Legros et de Théodon, le *Stanislas Kostka gisant* de Legros, la *Chapelle funéraire des Muti* à San Marcello (1725) de Bernardino Cametti. Les artistes qui représentent le mieux les périodes successives de la sculpture romaine sont, vers 1700, Pierre Legros (1666-1719), vers 1710, Camillo Rusconi (1658-1728) et, dans les années 1730 et 1740, Giovanni Battista Maini (1690-1752), principal maître de la *chapelle Corsini* à Saint-Jean-de-Latran, et Pietro Bracci (1700-1773).

ITALIE

La sculpture florentine, qui revêt essentiellement le caractère d'un art de cour, montre, sous l'influence de Bernin, un attachement à la tradition locale des petites sculptures et des reliefs de bronze avec Giovanni Battista Foggini (1652-1737) et Massimiliano Soldani-Benzi (1656-1740). À Gênes, Filippo Parodi, qui est surtout un créateur de Madones, introduit un berninianisme plein de grâce sensible ; ses disciples développent dans les palais un style décoratif d'une grande richesse. Les façades d'églises vénitiennes sont très caractéristiques par l'importance de leur décor sculpté. Ce sont surtout Antonio Corradini (1668-1752) et Gian Maria Morlaiter (1699-1781) qui s'y distinguent par la virtuosité de leur traitement du marbre et une préciosité moderne issue d'un retour aux formes du Maniérisme local. À Palerme, Giacomo Serpotta (1656-1732) couvre les murs des oratoires de guirlandes, de petits reliefs encastrés, d'élégantes figures élongées et de *putti* pleins d'expression (*Sainte Zita,* 1686-1688 et 1714-1727, *Rosaire de saint Dominique,* 1714-1717). La sculpture napolitaine est surtout représentée par des bustes ornant de petits monuments funéraires (Matteo

Bottigliero, 1684-1751). Son chef-d'œuvre est cependant la chapelle familiale que Raimondo di Sangro fait décorer de 1749 à 1766 de nombreuses allégories. Ses maîtres les plus importants viennent d'ailleurs : Corradini, passé de Venise à Vienne, Dresde, Prague et Rome, y termine sa carrière, et Francesco Queirolo (1704-1762) vient de Gênes. Les Napolitains Giuseppe Sanmartino (1720-1795) et Francesco Celebrano (1729-1814) leur doivent beaucoup. Leurs statues représentent un sommet de la virtuosité du Baroque tardif, notamment dans le thème du corps nu sous un souple tissu transparent, introduit par Corradini *(Pudeur, Christ mort, Désenchantement).* Ces mêmes artistes travaillent, à partir des années 1750, pour la *Résidence de Caserta,* surtout aux fontaines du parc. Mais ils se consacrent aussi à un genre tout à fait opposé, celui de crèches foncièrement réalistes.

MONDE GERMANIQUE

Plus qu'ailleurs, dans les pays germaniques, la sculpture s'intègre dans une conception globale que domine l'architecture. À la fin du XVIIe s., deux traditions nationales sont les plus vivantes : celle de la petite sculpture, le plus souvent en ivoire (Matthias Rauchmiller, 1645-1686 ; Matthias Steini, 1645-1727, et encore Permoser), qui relève de l'art de cour, et celle, populaire, de la sculpture sur bois. Le centre de création des autels de bois sculptés comportant de grandes sculptures se situe dans la région de Salzbourg et en Haute-Autriche, avec des maîtres issus de familles alémaniques installées depuis longtemps : Meinrad Guggenbichler (1649-1723), Thomas Schwanthaler (1634-1705) et Michael Zürn (autels à Kremsmünster, 1682-1684). Les créations les plus remarquables sont celles de Guggenbichler au couvent de Mondsee, qui sont marquées (v. 1690) par un Baroque tardif expansif et (v. 1700) par une manière plus calme.

Le prince électeur de Saxe fait venir de Florence, en 1689, Balthasar Permoser dans sa ville résidentielle de Dresde. Le buste de *l'Âme damnée* et ses statues des *Pères de l'Église* (1720-1725, musée de

Bautzen) reprennent les thèmes de Bernin et s'en approchent en plasticité et force expressive. Cependant, les œuvres capitales de Permoser sont celles qu'il a conçues pour le Zwinger (1715-1720) : nymphes, faunes et allégories de la nature, dont la surface picturale, mouvementée, et les oscillations des corps se marient en une parfaite symbiose avec l'architecture.

La sculpture viennoise reste longtemps sous l'influence d'artistes de la Vénétie. Un trait caractéristique du souci d'intégration de la sculpture dans les façades de palais, chez Fischer von Erlach et Hildebrandt, est le groupement de figures au portail et à la fenêtre centrale qui le surmonte. Les portails les plus spectaculaires, il est vrai, se trouvent à Prague, où Braun a sculpté des atlantes pour le *Palais Clam-Gallas* dû à Fischer, Brokoff (1688-1731) d'autres atlantes pour le *Palais Morzin* (tous deux v. 1714), et surtout Braun des aigles pour le *Palais de Thun-Hohenstein*. Prague doit également à Mathias Bernhard Braun (1684-1738) et Ferdinand Maximilien Brokoff la série de saints très librement conçus pour le pont Saint-Charles. L'œuvre de Braun pousse à la limite de la dissolution des formes la mobilité des figures, les surfaces des drapés et l'expression, et par là marque la fin de toute une évolution. Son style, agrémenté de grotesque et d'humour, se retrouve chez le Bohémien Ferdinand Tietz, qui réalise les statues des jardins des pavillons de plaisance épiscopaux de Seehof, près de Bamberg (1747-1752), et de Veitshöcheim, près de Würzburg (1760-1768).

Dans cette évolution des pays germaniques, un Viennois, le sculpteur Georg Raphael Donner (1693-1741), se situe à contre-courant de ses contemporains : sans renier le côté dramatique du Baroque et le formalisme maniériste, il est plus fidèle aux vertus académiques du respect de l'Antiquité et des canons de l'anatomie. Son chef-d'œuvre, la *Fontaine du Mehlmarkt* (1737-1739), se rapproche même par le choix du matériau — le plomb — des sculptures du parc de Versailles (bien qu'il ne se soit jamais rendu en France, semble-t-il). Ses autres œuvres maîtresses sont la chapelle funéraire de l'évêque dans la cathédrale de Bratislava (1732-1735)

avec un autel surmonté d'un *Saint Martin,* et dans la cathédrale de Gurk une *Pietà* (1741), l'un et l'autre en plomb.

À l'ouest, parallèlement à Donner bien que plus proche du Rococo et de la religiosité populaire, le sculpteur de la cour de Mannheim, Paul Egell (1691-1752), avec des souvenirs maniéristes et classiques et une verve pathétique, manie lui aussi les matériaux avec virtuosité, même pour des œuvres de petit format. Il ne subsiste que des fragments des autels de l'église paroissiale inférieure de Mannheim (1739-1741) et de la cathédrale de Hildesheim (1729-1731), qui sont ses œuvres principales.

À l'académie des Beaux-Arts de Vienne et auprès de Paul Egell se forme le dernier des grands sculpteurs de cette époque, en Allemagne du Sud, le Bavarois Franz Ignaz Günther (1725-1775). Son style combine à la fois des traits nettement maniéristes et des formes relevant de la tradition populaire de la sculpture sur bois ; l'*Annonciation* de Weyarn (1764) et le groupe de l'*Ange gardien* dans l'église du Bürgersaal à Munich (1763) allient l'élégance éthérée des anges à la bonhomie de l'enfant.

La tradition populaire est également présente chez Egid Quirin Asam (1692-1750), qui, pourtant, avait été formé à Rome : les compositions picturales de ses autels, édifiés dans des chapelles ou appliqués sur des murs (église des Prémontrés à Osterhofen [1730-1735], église des Ursulines à Straubing [1738-1740] ainsi que les maîtres-autels théâtraux de Weltenburg et de Rohr). Très différente est la carrière de nombreux artistes qui, tout à la fois statuaires, stucateurs et sculpteurs sur bois, réalisent les décors architecturaux et les autels des grandes églises. Ils sont les héritiers des stucateurs de l'Italie septentrionale qui, en clans familiaux, travaillaient de manière itinérante en Allemagne et en Autriche depuis l'époque du Maniérisme.

Ainsi en est-il du fondateur de l'école souabe, descendant du plus renommé de ces clans : Diego Francesco Carlone (1674-1750). Ces maîtres sont souvent désignés sous l'appellation d'« artistes de Wessobrunn » et c'est bien de la « famille » de ce monastère qu'est issu le plus populaire de ce groupe : Joseph Anton Feuchtmayer (1696-1777), qui finit par se fixer au monastère de Salem, proche du lac de Constance. Avec Carlone, il a travaillé à Weingarten entre 1718 et 1725, mais c'est seulement avec la décoration de l'*Église de pèlerinage de Birnau* (1748-1758) qu'il se distingue par l'aménité et le maniérisme virtuose, qu'il partage avec son contemporain Günther, dont il n'a cependant pas la chaleur et la spontanéité. À Zwiefalten (1744-1756) et à Ottobeuren (1757-1766), Fischer, comme architecte, et Feuchtmayer, comme stucateur, collaborent étroitement et avec bonheur.

FLANDRE

La sculpture flamande, en particulier anversoise, conserve sa vitalité à la fin du XVIIe et au XVIIIe s. Dans l'atelier de Quellinus, on continue à pratiquer un Baroque classicisant, et Michiel Vervoort (1667-1737) en est issu. Les tombeaux dans les cathédrales de Malines et de Bruxelles (notamment celui de l'archevêque de Precipiano par Vervoort en 1709) ainsi que les stalles sont dignes d'intérêt. Plus frappantes encore sont les chaires qui imitent de façon « naturaliste » rochers ou arbres (Malines, Saint-Rombouts, 1721-1723, par Vervoort, et Notre-Dame de Hanswijk, 1743, par Theodor Verhaegen). Cette école s'avère aussi importante par son rayonnement : d'Anvers, Guglielmus de Grof ira à Munich pour être le sculpteur de la cour, Peter Scheemakers (1691-1781) et Michael Rysbrack (1694-1770) joueront des rôles de premier plan en Angleterre.

ANGLETERRE

La sculpture anglaise du XVIIIe s. doit son épanouissement à la venue de sculpteurs continentaux. En 1717, on fait appel à Denis Plummer, d'Anvers (1688-1721), pour ériger le *Tombeau du duc de Buckingham* à Westminster ; de Rome, lord Burlington amène, en 1714, Giovanni Battista Guelfi, dont le *Monument à James Cragg* à Westminster Abbey — d'après un dessin de l'architecte Gibbs — crée,

dès 1721, un type antiquisant qui connaîtra une grande fortune : le mort se tient accoudé sur l'urne. Tombeaux, monuments funéraires et bustes — nombreux à l'abbaye de Westminster à partir de 1716 — constituent le genre presque exclusif de l'époque. Jusqu'à ce que Roubiliac fasse son entrée, vers la fin des années 1730 Scheemakers et Rysbrack dominent la scène. Élève de Vervoort, ce dernier est l'artiste le plus doué et le plus noble des deux. Entre 1730 et 1733, il exécute ses monuments funéraires les plus connus (Newton à Westminster, le premier comte de Harborough à Stapleford). Scheemakers cultive surtout un type de buste antiquisant et obtient son plus grand succès, en 1740, avec son *Monument à Shakespeare*, d'après une maquette de Kent. Avec des éléments analogues, mais poussés à l'extrême — costume historique, attitude évoquant la profession et attribut en relief sur le fond —, Louis-François Roubiliac (1702/1705 ?-1762) érige un *Monument à Haendel* en l'abbaye de Westminster. Cet artiste néglige presque totalement les premiers des points d'appui de ses deux aînés, l'Antiquité et le Baroque : il en est ainsi dans les monuments déjà mentionnés et dans ses bustes (comme celui de Hogarth, v. 1740, Londres, N. P. G.), même dans ceux des personnalités depuis longtemps décédées (membres illustres du Trinity College de Cambridge, 1751-1757, et la grande statue de Newton).

FRANCE

L'histoire de la sculpture française offre une meilleure image que celle des autres pays en raison de son unité, de sa logique et de son avant-gardisme. Cela tient autant à la tradition et au contexte sociopolitique qu'à la force centralisatrice du pôle Paris-Versailles et de l'Académie, seuls décideurs en matière de sculpture, cet art si coûteux. Et cela explique la précarité de l'activité des sculpteurs pendant la Régence. Seul le portrait en buste — qu'il soit destiné aux domaines public ou privé — connaît alors de grandes réussites.

L'histoire du buste s'inscrit entre deux pôles : l'Antiquité (les premiers travaux italiens de Bouchardon) et Bernin (*Louis XV* de L. S. Adam). Mais ils sont dépassés, grâce à une individualisation soulignée par un mouvement passager, intérieur et physique (voir aussi les représentations « en négligé »). La glaise est préférée pour animer de façon plus subtile la bouche, les narines et surtout les yeux. Depuis que Coysevox, vers 1700, avait donné au genre une nouvelle impulsion (bustes d'artistes ; *Buste de Marie Serre*, 1706, Louvre), la plupart des sculpteurs le pratiquent. L'artiste dominant — ne serait-ce qu'en raison de la durée de son activité — est Jean-Baptiste II Lemoyne (1704-1778). Son style lui vaut d'occuper une place centrale : au cours de la seconde moitié du siècle apparaissent, dans ses bustes, des caractères classicisants (*Louis XV*, 1757, Metropolitan Museum). Au même moment, Pigalle, notamment, adopte un réalisme plus aigu, tandis que Jacques Saly (1717-1776) — si le sujet s'y prête — sait dépersonnaliser et charmer, permettant ainsi qu'on dépose un buste dans un boudoir sans que son identité soit révélée pour autant : il en est ainsi de son célèbre et très diffusé *Buste d'une petite fille*.

Antoine Coysevox (1640-1720) franchit le pas en 1702 en optant pour la légèreté et l'effet brillant du Baroque tardif dans la création de ses deux groupes — *la Renommée* et *Mercure* — pour l'abreuvoir de Marly (Paris, jardin des Tuileries). À la tête de la nouvelle génération, ses neveux, les frères Nicolas (1658-1733) et Guillaume (1677-1746) Coustou, se consacrent à la sculpture publique monumentale. Guillaume termine sa carrière avec les *Chevaux de Marly* (1739-1745, de nouveau en place à Marly), plus dramatiques et plus plastiques que les groupes de Coysevox qu'ils étaient destinés à remplacer. Exemple du nouvel idéal de grâce féminine, la *Duchesse de Bourgogne en Diane* de Coysevox (1710, Louvre) est suivie par *Marie Leszczyńska en Junon* (1731-32, Louvre) de Guillaume Coustou. Avec des ensembles tels que *la Seine* et *la Marne* (1699-1712) pour les Tuileries, les Coustou réalisent des commandes analogues à celles du Classicisme louisquatorzien, mais avec plus de mouvement, de variété et de plasticité.

Deux ensembles religieux (v. 1710) sont représentatifs de cette interaction, typique du Baroque, de l'architecture et de la sculpture, tout particulièrement du relief et de l'ornement : le décor et le maître-autel de la *Chapelle de Versailles* (1707-1710) et le chœur de Notre-Dame de Paris (1711-1725, travaux de De Cotte, Pierre Lepautre, François-Antoine Vassé et Coysevox ; *Pietà* de Nicolas Coustou).

Dans son désir de couronner une parfaite maîtrise de l'art, traduite dans des compositions complexes, l'Académie est amenée paradoxalement à accepter comme « morceau de réception » des statues d'une expression baroque : le *Polyphème* de Corneille de Clèves (1681, Louvre), l'*Hercule au bûcher* de Guillaume Coustou (1704, Louvre) et la *Mort de Didon* de Cayot (1711, Louvre), les figures tombantes de Dumont, de Jean-Baptiste I Lemoyne et de Paul Ambroise Slodtz (1743) et finalement le *Milon de Crotone* de Falconet (1754, Louvre), qui, pour avoir adopté la manière de Puget, peut être tenu pour un représentant du retour aux formules du Baroque à son apogée. La *Galatée* de Le Lorrain (1701, Washington, N. G.) constitue une exception importante annonçant la sculpture de boudoir qui se développera largement à partir du milieu du siècle, avec ses corps placides, élégants, délicats et blancs, de marbre ou de porcelaine.

Dans leur vitalité nerveuse, les *Chevaux du Soleil* de Robert Le Lorrain (1666-1743) constituent un chef-d'œuvre, unique en son genre (Paris, écuries de l'hôtel de Rohan, 1735-1739). Alors que des traits rococo se révèlent dans la plupart des œuvres citées des deux premières décennies du siècle, l'élément baroque revient en force dans les principales créations des sculpteurs rentrés de Rome pendant la troisième et la quatrième décennie : Lambert Sigisbert Adam (1700-1759), de retour en 1730 ; Michel-Ange Slodtz (1705-1764), en 1746 ; et — le moins baroque de tous — Edme Bouchardon (1698-1762), en 1732. Tous ont réalisé des sculptures importantes à Rome, Slodtz ses meilleures (le *Saint Bruno*, le *Tombeau Capponi*, le

Tombeau Montmorain). Adam, avec le groupe principal de la *Fontaine de Neptune* à Versailles, conduit ce genre à sa dernière apothéose.

Bouchardon est l'artiste le plus significatif et le plus complexe de tous. Il hésite entre les traditions baroques (par exemple ses nombreux dessins de fontaines), la recherche de la nature et une attitude classicisante dont il se fait l'apôtre. Réalisées à la suite de grandes commandes officielles, à Paris, la série de statues pour Saint-Sulpice (1734-1751) et la *Fontaine de Grenelle* (1739-1745) se rattachent à des types italiens (cf. les *Apôtres du Latran*, la *Fontaine de Trevi*) ; le *Tombeau du cardinal Fleury* (1743, inachevé) et la statue équestre de *Louis XV* de la place de la Concorde (1749-1751) s'inspirent de modèles français. Dans les bustes de ses débuts et dans le monument royal de sa dernière période, il apparaît comme un précurseur du Néoclassicisme, mais son chef-d'œuvre, l'*Amour se taillant un arc dans la massue d'Hercule* (pour Versailles, auj. Louvre), sans abandonner tout à fait ce style, se teinte d'une note de froideur maniériste. Conçue en 1740 et exécutée en 1750, cette œuvre est contemporaine d'une autre, également influencée par le Maniérisme, plus vivante et plus intense, qui connaîtra aussi plus de succès : le *Mercure attachant ses sandales* (Louvre, morceau de réception, 1744) de Jean-Baptiste Pigalle (1714-1785), un artiste de la génération suivante. Le domaine des statues autonomes, aux formes très *marquées*, dont les réductions (en biscuit de Sèvres) envahiront les salons des connaisseurs et les boudoirs des dames, atteindra son plus grand développement vers le milieu du siècle, lorsque s'effectue la transition du Baroque-Rococo au Néoclassicisme. En relèvent aussi bien l'œuvre réaliste de Pigalle, l'*Enfant à la cage* (1750, Louvre) — un portrait comme la *Petite Fille* de Saly — ou son contraire, l'*Amour menaçant*, légèrement rococo et ambigu (1757, Louvre), d'Étienne Maurice Falconet (1716-1791), dont la *Baigneuse* (1757, Louvre) pourrait apparaître, elle, comme le contrepoids gracieux et détendu de l'*Amour* de Bouchardon.

Occupés une grande partie de leur vie active par leurs œuvres les plus monumentales, les deux grands rivaux sont amenés à revenir au Baroque : Pigalle pour le *Tombeau du maréchal de Saxe* (Strasbourg, Saint-Thomas, 1753-1776) et Falconet avec le *Monument à Pierre le Grand* de Saint-Pétersbourg (1766-1778). Mais ce ne sont pas encore là les derniers sursauts du Baroque et du Rococo : les bustes en marbre de Jean-Jacques Caffieri (1725-1792) et les groupes en terre cuite de nymphes et de satyres de Claude Michel, surnommé Clodion (1738-1814), se situent dans les années 1780. Le monument funéraire donne encore lieu à une série de créations fastueuses et ambitieuses dans lesquelles l'appel vers l'au-delà et la rhétorique du Baroque s'associent à des exigences individuelles et où s'unissent aussi les traditions romaines et françaises. Certains ont anticipé le chef-d'œuvre de Pigalle, tel Guillaume Coustou avec le *Tombeau du cardinal Dubois* (1725, Paris, Saint-Roch), Nicolas Sébastien Adam avec celui de la *Reine Catherine Opalinska* (1749, Nancy, Notre-Dame de Bonsecours) et Slodtz avec le *Tombeau de l'archevêque Montmorin* et celui de *Monseigneur Languet de Gergy*, l'un à Vienne [Isère] (1740-1744) l'autre à Saint-Sulpice de Paris (1753). La chapelle du Calvaire à Saint-Roch (1752-1760), bâtie en collaboration par Boulle et de Machy et ornée de sculptures de Falconet, peut être considérée comme le dernier « Gesamtkunstwerk » spectaculaire du Baroque avec déjà quelques éléments néoclassiques.

Caractères des arts décoratifs

Le XVIIIe s., du Baroque tardif au Néoclassicisme en passant par le Rococo, est, par excellence, l'époque des arts décoratifs. On en peut citer de nombreuses causes : le caractère essentiellement profane de l'art, une sensualité grandissante, la montée d'une large couche d'amateurs d'articles de luxe ; enfin, la transposition de l'idée du « Gesamtkunstwerk » dans le cadre de l'habitat et de la vie quotidienne, de la décoration et des objets « galants » joue un rôle essentiel. La France, en ce domaine, occupe une situation primordiale, notamment par sa production en grande partie destinée à l'exportation, mais aussi par les gravures de modèles de ses ornemanistes. Ainsi, de Juste Aurèle Meissonnier (1693-1750), orfèvre de métier, on ne connaît aucune œuvre qui soit sûrement de sa main, à l'exception de dessins et de séries de gravures pour l'architecture, la décoration intérieure et l'orfèvrerie, qui, comme ses inventions de fontaines et d'ornements, présentent des créations autonomes, souvent paradoxales dans leurs associations fantaisistes de genres. La gravure d'ornement culmine dans son œuvre entre 1727 et 1740, et elle est représentative du Rococo à son apogée ; chez lui, la courbe et l'asymétrie évoluent librement, l'onde et l'écume, le coquillage et le corail, le roc et la plante sont les motifs les plus caractéristiques. L'évolution s'était amorcée dans les ateliers royaux où travaillaient des dessinateurs tels que Jean Berain (1640-1711) et, après 1705, Claude III Audran (1656-1734) puis Claude Gillot (1673-1722) et Watteau, dont les inventions sont déjà presque des tableaux. Bernard Toro (1672-1731) esquisse des ornements d'une qualité très plastique et des vases (à partir de 1715). Gilles Marie Oppenordt (1672-1741), personnage central de l'art de la Régence, fait progresser l'association des décors muraux et du mobilier et introduit aussi dans ses dessins des fantaisies architecturales. Dans le domaine de la peinture décorative, nombreux sont ceux qui se rapprochent du Rococo de Meissonnier : Jacques de Lajoue, François Boucher, François Cuvilliés, Pierre Edmé Babel (1750-1775) et jusqu'à Jean Pillement (1727-1808), qui œuvre dans les années 1780 ; une dernière création significative est celle des *Essais de papillonneries humaines* de Charles Germain de Saint-Aubin (1721-1786).

Dans les aménagements intérieurs, le tableau — irrégulièrement découpé, en dessus-de-porte — est réduit à une fonction décorative. La tapisserie connaît un nouvel essor dans les manufactures des Gobelins et de la Savonnerie, ainsi qu'à Beauvais et à Aubusson. Des séries telles que *les Portières des dieux,* au début du siècle, et plus tard *les Amours des dieux,* les histoires de *Don Quichotte* et de la *Toison d'Or* seront reproduites des dizaines d'années durant, les scènes conçues par les peintres jouant le rôle principal, le cadre ornemental étant seul renouvelé.

MOBILIER

Les meubles de l'ébéniste du roi le plus en vue, André Charles Boulle (1642-1732), restent jusqu'en 1700 rigoureusement classiques, ornés de somptueuses incrustations de métal. Son atelier demeure en activité et assure la formation technique de la génération suivante. Charles Cressent (1685-1768) est le véritable représentant du Rococo en ce qu'il a de plus vivace, notamment par ses appliques de bronze, d'une grande richesse plastique. Deux meubles de luxe, fabriqués pour Louis XV, l'emportent par leur exubérance : le *Bureau du roi* (Londres, Wallace Coll.) et le *Médaillier du roi* (Versailles), dessinés par les frères Slodtz et exécutés par Antoine Robert Gaudreau (1680-1751) en 1738-39. La vaste production de meubles de haute qualité, dont les types les plus marquants sont le *bureau plat,* la *commode* et l'*encoignure,* ne débute que vers 1740 dans un style modérément rococo. Les maîtres ébénistes les plus renommés sont Jean-Pierre Latz (1691-1751), Gilles Joubert (1689-1775, maître en 1725), Jacques Dubois (1693-1763, maître en 1742), Bernard II Vanrisenburgh (B. V. R. B., maître de 1730 à 1765), Jean-François Oeben (1721-1763), Roger Vandercruse nommé Lacroix (1728-1790, maître en 1755), Joseph Baumhauer († 1772). Leurs meubles se distinguent par la finesse de l'exécution, la délicate harmonisation des différents bois utilisés, l'emploi parcimonieux d'incrustations et d'appliques. Le grand engouement pour les chinoiseries entraîne, de plus en plus, l'utilisation, en applique, de laques importées d'Extrême-Orient. On en inventera même bientôt un substitut (le vernis Martin), que Dubois, en particulier, utilise pour confectionner des meubles entiers. La délicatesse et l'enjouement du Rococo survivent dans des travaux des années 1770, surtout dans les guéridons de Martin Carlin (maître en 1766) ; la pompe baroque enrichit le meuble le plus coûteux du siècle, le *Secrétaire à cylindre de Louis XV* à Versailles, œuvre de Oeben et Riesener (1760-1769).

Hors de France, Abraham et David Roentgen, à Neuwied sur le Rhin, sont seuls à diriger à partir de 1750 une manufacture qui travaille pour toute l'Europe : richement décoré de marqueterie, le *Bureau-pupitre de l'archevêque de Trèves* (1760-1762, Rijksmuseum d'Amsterdam) est un meuble de luxe typique. La plupart des cours royales ou princières s'offrent leurs propres ateliers, à l'exemple français. Ceux de Turin, de Munich et de Potsdam se distinguent par leur savoir-faire et leur style original. Pietro Piffetti (1700-1777), à Turin, invente des meubles extrêmement riches et compliqués dont la marqueterie multicolore rappelle la tradition italienne des incrustations en marbre (un ensemble au palais royal de Turin, un secrétaire au palais du Quirinal à Rome, v. 1730-1740). Les architectes de la cour munichoise, Effner et Cuvilliés, dessinent des meubles plus libres, dans leur traitement de l'ornement, que ceux de France, utilisant des bois clairs et de la laque blanche (le meilleur ébéniste est Joachim Dietrich).

Les meubles des petites résidences d'Allemagne du Sud conservent volontiers les décorations sculpturales du Rococo munichois tout en adoptant les volumes ventrus du mobilier bourgeois, dont le type caractéristique de la grande armoire s'est répandu de Hollande jusqu'en Autriche. En Italie — particulièrement à Gênes, à Venise et à Naples —, des éléments de détails modernes sont appliqués sur des morceaux qui relèvent de la tradition du meuble d'apparat baroque de caractère sculptural. En Angleterre, William Kent introduit un genre de mobilier qui se situe entre le style classique du XVIIIe s., le Baroque et le Néoclassicisme (par ex., le bureau plat à Chatsworth, Berbyshire, 1730-1735). Thomas Chippendale (1718-1779) assure la renommée internationale du meuble anglais ; il fournit à sa clientèle une multitude de chaises, de lits, d'armoires-bibliothèques (Wilton House,

Wils, 1760-1762) dont le style rococo, léger et fonctionnel, alterne avec des formes chinoises et gothiques.

Au mobilier s'ajoutent les carrosses et les traîneaux, qui sont d'une somptuosité et d'une invention peu communes.

ORFÈVRERIE ET ARTS DU MÉTAL

L'orfèvrerie d'or et d'argent fut considérée par les premiers critiques du Rococo comme son unique domaine légitime (ainsi la *Supplication aux orfèvres* de Cochin, 1754). Les principaux maîtres orfèvres parisiens, Thomas et François-Thomas Germain (1673-1748 et 1726-1791), fournisseurs en vaisselle de luxe des cours d'Europe (par ex. pour l'impératrice Élisabeth de Russie, 1757-1759, aujourd'hui dans différents musées), peuvent être tenus pour les représentants du style de Meissonnier. Candélabres et soupières sont des motifs caractéristiques de l'époque ; les nécessaires en or des reines Marie Leszczyńska (1729-1732, Louvre) et Marie-Thérèse (v. 1750, Vienne, musée des Arts et Métiers) témoignent de l'exceptionnelle qualité de cette production. Des détails réalistes, tels des groupes d'animaux ou des plantes, agrémentent traditionnellement les surtouts de table, les pare-feu en un répertoire toujours renouvelé. Libres et souples dans leurs lignes, les lampes d'applique se dégagent du mur, leur bronze doré est souvent garni de porcelaine de Chine ou de Meissen. Horloges et pendules comptent parmi les objets les plus précieux (la *Cuisine* des frères Caffieri, v. 1750, Leningrad, Ermitage). La mesure fait la qualité du Rococo de Paul de Lamerie, domicilié à Londres à partir de 1712.

Vers le milieu du siècle, les grands de ce monde, épris de luxe et de raffinement, chérissent les petites boîtes à fards, les tabatières, en or pur ou en argent doré, d'habitude richement serties d'un décor floral, de portraits ou de scènes en miniature, mais les plus élégantes sont plutôt recouvertes de dessins abstraits, ondes ou rayons, semis de fleurs, en nacre ou en émail.

À l'opposé, par leur envergure, mais d'une perfection non moins accomplie, se situent les grilles en fer forgé pour les chœurs d'églises (par ex. à Saint-Ouen de Rouen, 1744-1749, ou à la cathédrale d'Amiens, 1761, par Slodtz) ou encore pour les portails de parc (celles de la Résidence de Würzburg, 1734-1741, de Johann Oegg). Elles peuvent encore jouer un rôle décisif dans l'organisation de l'espace à côté de l'architecture et des fontaines, comme à Nancy, sur la *Place Stanislas* (1751-1755, par Jean Lamour).

TISSUS

Le costume aussi est empreint de la culture formelle qui s'étend à toute la vie quotidienne, dès la fin du XVIIᵉ s., quand la mode féminine commence à jouer le premier rôle. Les plus belles étoffes du XVIIIᵉ s., des soies, se conservent pourtant dans les trésors d'églises (chasubles). Deux catégories de soieries se distinguent par leur originalité. Ce sont, vers 1700-1710, celles dites « bizarres », d'origine inconnue, et celles qui sont liées au nom de Jean Revel et sont tissées en général à Lyon vers 1735-1740. Les premières présentent des motifs irréguliers, mouvementés et exotiques, de style typiquement Régence, les autres sont couvertes de grappes de fruits ou de légumes ; plus tard, le décor s'allège avec un fond clair parsemé de fleurs délicates et de guirlandes.

PORCELAINE

Le moyen d'expression le plus adéquat pour répondre à l'idéal du siècle, à son éclat, à son goût du précieux, à sa volonté de modeler la matière à sa guise est la porcelaine. De tout temps, des articles de luxe ont été importés d'Orient. La mode des chinoiseries finit par doter les châteaux royaux de « cabinets de porcelaine » et même de « laque » (Portici, Madrid). À Dresde, la passion pour les curiosités rares, traditionnellement conservées dans les cabinets princiers, atteint son apogée vers 1700 (ensemble de figurines en or émaillé et pierres précieuses, tels le *Bain de Diane*, le *Cortège du Grand Mogol*, le *Maure à la gourmette d'émeraudes* par Permoser et Dinglinger dans la collection du *Grünes Gewölbe*). Le souverain lui-même encouragea vivement les recherches pour découvrir le secret de la porcelaine, et vers 1720 la pâte dure put enfin être fabriquée. La formule se répandit en Europe, par le débauchage des ouvriers, et d'autres cours créèrent leurs propres manufactures sur le modèle saxon (Meissen), fabriquant parfois aussi de la faïence et d'autres matériaux moins purs. Dans l'Empire allemand, on en trouve à Nymphenburg, Höchst, Ludwigsburg, Frankenthal, Vienne ; en Italie, à Capodimonte, Doccia ; en Angleterre, à Chelsea, Derby et Longton Hall ; en France, à Vincennes, Sèvres, Rouen, Strasbourg. Modeleurs et peintres travaillent indépendamment. Après le milieu du siècle, des images toujours plus riches (paysages, scènes avec soldats, thèmes à la Boucher) remplacent les chinoiseries des débuts (Johann Gregor Höroldt de Meissen). La porcelaine doit la faveur dont elle jouit non seulement à la vaisselle (ainsi le *Service des Cygnes* de Meissen), mais aussi et plus encore à son utilisation pour la sculpture en miniature, susceptible de devenir un objet de collection. Les meilleurs du genre sont de Francesco Antonio Bustelli, qui travaillait à Nymphenburg en 1755. À Strasbourg et à Longton Hall, les pièces traitées de manière naturaliste prennent la forme d'animaux ou de légumes. C'est à la manufacture de Sèvres que cet art connaîtra son apogée, avec des pièces plus grandes et exécutées en pâte tendre (caisses, cuvettes à fleurs, « vases potpourri », brûle-parfums). Les formes extravagantes attribuées à Jean-Claude Duplessis (père), tels les « vases à éléphants », les « vaisseaux à mâts » et les « gondoles », sont particulièrement renommées dès 1756.

LA PEINTURE
ENTRE
BAROQUE
ET ROCOCO

À LA FIN DU XVIIᵉ S., À ROME ET À PARIS, jusqu'alors pôles majeurs, on constate une certaine usure des formules artistiques utilisées antérieurement. En 1683, Pierre Mignard (1612-1695) succède à Lebrun († 1690) comme «premier peintre du Roi». L'offensive des «rubénistes» contre les «poussinistes», qui est celle de la couleur contre le dessin, avait remis en cause non seulement la suprématie de la doctrine académique, mais aussi celle de la «grande» peinture officielle. La série mythologique commandée en 1688 pour le Trianon et réalisée sur deux décennies constitue de ce point de vue un aboutissement et une transition, dont la création la plus novatrice est la *Clytie changée en tournesol* (Trianon) de Charles de Lafosse (1636-1716).

Dans l'œuvre de Giovanni Battista Gaulli, dit Baciccio (1639-1709), on trouve assez tôt sérénité, intériorisation, douce contemplation (le *Repos pendant la fuite en Égypte*, Naples, G. N., v. 1671). Baciccio à Rome et Luca Giordano (1632-1705) à Naples représentent le mieux la phase qui fait suite à l'apothéose du Baroque en transposant le sentiment religieux profond en beauté picturale. Parmi les dernières œuvres de Giordano, il faut citer la *Vie de la Vierge* (v. 1696-97, Vienne, K. M.) et le *Martyre de saint Janvier* (v. 1702-1703, Rome, Santo Spirito dei Napoletani).

Francesco Solimena (1657-1747) et Sebastiano Ricci (1659-1734) établissent de nouvelles synthèses à partir de l'évolution antérieure et créent d'éblouissantes «machines». Ils sont à l'origine des deux principales écoles du XVIIIe s. italien : celle de Naples et surtout celle de Venise. En revanche, Rome devient alors la gardienne des idéaux classiques et garde aussi cette position jusqu'au Néoclassicisme : de Carlo Maratta (1625-1713), autorité officielle, à la charnière du siècle, à Pompeo Batoni (1708-1787) et A. R. Mengs (1728-1789) en passant par Francesco Benefial (1684-1764) et le Français Pierre Subleyras (1699-1749).

Le XVIIe s. approfondissait la réalité de ce monde-ci et l'inspiration religieuse. Le Baroque tardif et le Rococo, en donnant la prépondérance à la qualité esthétique et décorative, permettent à la peinture italienne de maintenir son rang international en puisant dans le riche patrimoine du passé sans donner une contribution essentielle à la nouvelle conception du monde. Les peintres vénitiens Sebastiano Ricci, Antonio Pellegrini (1675-1741), Jacopo Amigoni (1682-1752), Rosalba Carriera (1675-1758) et Pietro Rotari (1707-1762) parcourent l'Europe avec succès pendant le premier tiers du siècle, de Dresde et Munich jusqu'à Paris et Londres. Giambattista Tiepolo (1696-1770), universellement admiré au milieu du siècle lorsqu'il exécute les fresques de la Résidence de Würzburg, va pâtir du triomphe de Mengs au moment même où il termine sa carrière en remplaçant à Madrid le Napolitain Corrado Giaquinto (1703-1765) comme peintre de la Cour (1761).

Plus encore que dans l'histoire des autres arts, c'est la France qui joue le rôle décisif dans l'évolution de la peinture. Hormis Tiepolo, les artistes dont le nom s'impose sont Antoine Watteau (1684-1721), Jean-Baptiste Chardin (1699-1779), François Boucher (1703-1770) et Jean-Honoré Fragonard (1732-1806).

Les Pays-Bas et l'Espagne passent tout à fait à l'arrière-plan. L'Autriche se veut la gardienne des anciennes valeurs (fresques monumentales et tableaux d'autel), alors que la Grande-Bretagne se distingue dans les genres «modernes», portraits et scènes de société. L'installation de Pozzo en 1702 à Vienne, où il réalise ses dernières grandes œuvres, la commande à Solimena (v. 1728) des peintures pour le maître-autel de la chapelle du château du Belvédère à Vienne et celles de l'église Saint-Charles à Ricci (1734) témoignent du maintien de la tradition italienne en Autriche.

Les fresques

Une des formes les plus appréciées de l'époque est la fresque monumentale, solennelle ou décorative, notamment aux plafonds des églises, des escaliers et des grandes salles des châteaux et des monastères. Il est significatif que cette technique picturale ne soit adoptée que peu avant 1700 en Autriche, avec l'expérience artistique de Rottmayr, et en France avec la coupole des Invalides. Dans le sud de l'Allemagne, toutefois, elle devient le mode de peinture prédominant et le demeure jusqu'au seuil du XIXᵉ s. En France, au contraire, on trouve peu de fresques, mis à part celles des « premiers peintres du Roi » : à Versailles, la chapelle d'Antoine Coypel (1708) et le salon d'Hercule de François Lemoyne (1736), après la mort de qui, en 1737, le déclin du genre sera définitif.

Il est certain que toute la peinture murale repose sur la tradition italienne. C'est à Giordano (qui, dans les années 90, en Espagne, couvrit de fresques d'énormes surfaces) que Solimena et Ricci empruntent, pour rythmer leurs compositions animées par l'abondance des personnages, un style large et aéré. On doit au premier la *Conversion de saint Paul* et la *Chute de Simon le magicien* dans la sacristie de San Paolo Maggiore (1689-1690) et l'*Héliodore chassé du Temple* du Gesù Nuovo (1725), l'une et l'autre à Naples ; le second a peint vers 1703-1704 le plafond de San Marziale à Venise et diverses pièces au palais Marucelli de Florence vers 1706-1707. Giordano a également créé un type destiné au plus grand avenir, principalement en Allemagne du Sud : un plafond moins conçu comme une trouée ou comme le prolongement de l'architecture murale que comme un monde en soi (galerie du palais Medici-Riccardi à Florence, 1682-83).

Sur une surface claire, les personnages allégoriques de l'univers chrétien ou de la mythologie planent maintenant plus légers, moins denses, souvent disposés en arc. Divers artistes ont exprimé avec cette manière des solutions personnelles très réussies : par exemple Giuseppe Maria Crespi (1665-1747) au palais Pepoli de Bologne (1691), Amigoni à Schleissheim près de Munich (1720) et Giambattista Grosato (1685-1758) au château de chasse de Stupinigi près de Turin (v. 1733). Des scènes de l'Ancien Testament (Udine, palais archiépiscopal, 1725-1728) à la *Gloire de l'Espagne* (plafond de la salle du trône, Madrid, Palais Royal, 1762-1764), la variété des formes de Tiepolo et l'ampleur de son œuvre sont d'un maître

au-dessus de ses contemporains. Dans le répertoire de ses personnages et des groupes, il introduit des formes bizarres ainsi que des rythmes plus libres dans leur assemblage. Sa meilleure période s'étend de l'exécution des fresques du palais Clerici de Milan (1740) à celles du *Palais Labia* de Venise (1745-1750), dont l'architecture peinte est de Girolamo Mengozzi Colonna, et jusqu'au plafond du grand escalier et de la salle de l'empereur de Würzburg (1750-1753).

Johann-Michael Rottmayr (1654-1730), Cosmas Damian Asam (1686-1739) et Paul Troger (1698-1762), les trois plus importants fresquistes d'Allemagne du Sud vivant dans la première période qui s'achève vers 1740, ont étudié à Venise et à Rome. Pourtant, la rhétorique d'un monde idéal n'exerce qu'une influence limitée : elle compte surtout dans le domaine autrichien impérial, chez Troger (église et monastère d'Altenburg, 1732-1742 ; escalier de l'empereur de l'abbaye de Göttweig, 1739). Rottmayr montre un certain équilibre (palais Liechtenstein à Vienne, 1706-1708 ; l'église du monastère de Melk, 1716-1723). Dans l'église du monastère de Fürstenfeld (1722-1731), dans la cathédrale de Freising (1723-24), dans l'église-salle d'Ingolstadt (1734), Asam inaugure la fresque baroque bavaro-souabe, plus tard introduite en Autriche par Franz Anton Maulbertsch (1724-1796), originaire du lac de Constance. Chez Rottmayr et plus encore chez Asam apparaissent des personnages comiques, populaires, réalistes, voire frustes. La représentation perd de sa primauté, laissant place à la narration avec des paysages et des éléments architecturaux, des personnages plus petits et des scènes multiples. L'intemporel cède la place à l'identification des lieux de l'histoire du salut par des relations historiques et typologiques ; la vision céleste se concrétise en devenant celle d'une personne présente dans la composition.

La liste des peintres en Bavière et en Souabe après Asam est imposante : en Bavière, Johann Baptist Zimmermann (1680-1758, Nymphenburg, la Wies), Johann Evangelist Holzer (1709-1740) et Matthaus Günther (1705-1788 ; paroissiale de Wilten à Innsbrück, 1745), les deux derniers originaires d'Augsbourg ; en Souabe, Franz Joseph Spiegler (1691-1757 ; abbaye de Zwiefalten, 1747-1753), Johann Zick (1702-1762 ; château de Bruchsal, 1751-1754) et Gottfried Bernhard Göz (1708-1774 ; église de pèlerinage de Birnau, 1749-50), enfin Martin Knoller (1725-1804 ; abbaye d'Ettal, 1769 ; église de pèlerinage de Neresheim, 1770-1775) et Christian Winck (1738-1797). Johann Evangelist Holzer renoue brillamment avec la tradition de la Renaissance en peignant les façades des maisons bourgeoises d'Augsbourg selon une pratique qui s'étendra aux fermes de Haute-Bavière et du Tyrol jusqu'au XIXe s. (dessins au musée d'Augsbourg).

Maulbertsch clôt dans une certaine mesure la tradition allemande. Sa carrière, commencée à Vienne avec les fresques de la Piaristenkirche (1752-53), atteint son apogée vers 1760 (église paroissiale à Heiligenkreuz Gutenbrunn, 1757 ; église paroissiale de Sumeg, 1757-58 ; salle des Vassaux à Kroměřiž, 1759). Il travaille surtout dans les régions retirées : Hongrie, Moravie, Tyrol.

Tableaux religieux

Tous les artistes, sans en être spécialistes, perpétuent, au moins en Italie et en Allemagne du Sud, la peinture d'autel. Le modèle le plus répandu et le plus représentatif est celui de la *Sacra Conversazione* en composition pyramidale, baroque, qui se réfère surtout à Véronèse et à Rubens (Ricci, Tiepolo, Maulbertsch, Batoni). Il est assez caractéristique qu'en France, au contraire, parmi les grands noms, seul Carle Van Loo (1705-1765), le peintre le plus en vue vers le milieu du siècle, ait créé des œuvres religieuses significatives (particulièrement le cycle de saint Augustin à Notre-Dame-des-Victoires de Paris, 1748-1752). Par contre, deux peintres importants doivent être considérés comme des spécialistes du genre : Jean Jouvenet (1644-1717) et son neveu Jean Restout (1692-1768). Le premier, issu de l'école de Le Brun, se place

en parallèle des grandes « machines » napolitaines de Solimena ; ses meilleures réussites sont quatre tableaux tirés de la vie publique de Jésus (1704-1706, musée de Lyon). Le second atteint au meilleur de lui-même dans deux tableaux dans lesquels il suit une tradition puriste du XVIIe s., avec peu de personnages, qui évoluent intensément dans un espace vide (l'*Extase de saint Benoît* et la *Mort de sainte Scholastique*, 1730, musée de Tours).

Une semblable intensité archaïque du sentiment religieux et de la tendance mystique est atteinte à Venise par Giovanni-Battista Piazzetta (1683-1754 ; l'*Apparition de la Vierge à saint Philippe de Néri*, Venise, Santa Maria della Fava, v. 1725-1727 ; l'*Extase de saint François*, v. 1732, musée de Vicence) et par Federico Bencovich (1677-1753), à Mantoue par Giuseppe Bazzani (1690-1769 ; le *Rêve de saint Romuald*, Santa Barnaba, v. 1750), en Autriche par Troger et Maulbertsch (cycle des Martyres des apôtres, Vienne, Österreichische Galerie, 1760).

Mais généralement domine un ton de fête, gai et somptueux, ou un classicisme tempéré allant jusqu'à un certain relâchement décoratif. C'est justement dans ce domaine de la peinture religieuse que, vers le milieu du siècle, on peut constater un effort de renouvellement dans la dernière flambée de l'emphase et du dynamisme baroques à Rome, avec la *Chute du mage Simon* par Pompeo Batoni, réalisée pour la basilique Saint-Pierre (1755, Sainte-Marie-des-Anges), et en France avec *Saint André contraint d'adorer les idoles* (1759, musée de Rouen) par Jean-Baptiste Deshays (1729-1765) et le *Miracle des ardents* (1765, Saint-Roch, Paris) par Gabriel François Doyen (1726-1806).

Ces généralités sur les fresques et les peintures d'autel rendent aussi peu justice à la diversité de la peinture italienne que la tentative de décrire à grands traits l'évolution de ce style. La phase finale de la grande tradition nationale est caractérisée par des multiples influences réciproques de diverses écoles, par des reprises mais aussi par des élans de renouveau surprenants. Or, cette situation atteint ses pôles habituels dans un Baroque tardif teinté d'académisme classique que l'on observe à Rome chez Maratta et à Bologne chez Carlo Cignani (1628-1719), et dans des approches spontanées du Rococo. Cela, pourtant, n'explique totalement ni la vague de fond du Baroque authentique, ni un fort courant réaliste, ni surtout le grand déploiement décoratif de Venise. Notons enfin qu'un classicisme raffiné s'associe à une préciosité proche du Rococo chez Donato Creti de Bologne (1671-1749 ; *Danse des Nymphes*, 1724, Rome, palais de Venise) ou que, en tant que force ordonnatrice des compositions, il se marie à une construction baroque pathétique : ainsi chez Solimena, Corrado Giaquinto et Francesco de Mura (1696-1782 ; *Vie de la Vierge*, Naples, chartreuse de San Martino, chez Marcantonio Franceschini (1648-1729 ; décoration de l'église du Corpus Domini, 1689-1696), chez Ubaldo Gandolfi (1728-1781 ; *Madone et saints*, église paroissiale de Vigorso di Budrio, v. 1774), chez Gaetano Gandolfi (1734-1802 ; peintures à San Lorenzo di Budrio, 1795-1797, à Bologne) et Antonio Balestra (1666-1740).

À Rome, les « histoires » élégantes, douces et pathétiques du Vénitien Francesco Trevisani (1656-1746 ; cycle de la Passion, Rome, Saint-Sylvestre, 1695-96 ; le *Repos pendant la fuite*, Dresde, Gg, v. 1715) et du Florentin Benedetto Luti (1666-1724 ; l'*Enfant Jésus apparaissant à saint Antoine de Padoue*, 1723, Rome, Saints-Apôtres) furent des réussites artistiques très remarquées. On doit également à ces deux maîtres des « mythologies » à Pommersfelden (1710). À Rome, il faut citer après eux le Napolitain Giaquinto, dont le Rococo garde un certain classicisme (les *Martyrs*, Rome, San Giovanni Calabita, 1741) ; et Benefial, qui veut allier nature et classicisme (*Histoire de sainte Marguerite de Cortone*, Rome, Santa Maria in Aracoeli, 1729) ; enfin Subleyras, avec un classicisme calme et sûr (*Actions de saint Benoît*, Santa Maria Nova, Rome, 1745).

Mythologie

La mythologie antique n'est plus un moyen d'exprimer les mystères de la nature et de la vie. Mais elle subsiste comme fiction, élément théâtral, décoration ; elle tombe même dans le banal, le travestissement, la parodie. Ainsi avec des portraits d'acteurs dans leur rôle, *Mlle Prévost en Bacchante*, de Jean Raoux (1723, musée de Tours), ou *Mlle Clairon en Médée*, de Carle Van Loo (1759, Potsdam, Sans-Souci).

En revanche, à partir de la Régence, on peut considérer comme les gardiens légitimes de la mythologie à la fois les *Fêtes champêtres* de Watteau et de ses élèves, peintures baignées dans l'atmosphère poétique d'une intemporelle actualité, et le comique grotesque de Don Quichotte, dont la version pour les Gobelins (1714-1751), de Charles Antoine Coypel (1694-1752), est célèbre.

La commande pour le Trianon a probablement été l'occasion du dernier cycle mythologique important dans l'ancienne manière. Plus tard, on tissera des tapisseries telles que l'*Histoire de Jason* (1742-1748) de Jean-François De Troy (1679-1752). La représentation des Grands et la décoration profane ne peuvent pourtant pas renoncer au répertoire des motifs mythologiques pour la peinture des plafonds, les tapisseries, les dessus-de-porte ; pas davantage le *morceau de réception* académique (*Jason et Médée*, 1715, de Coypel ; *Apollon faisant écorcher Marsyas*, 1735, de Van Loo).

Seule, cependant, la mythologie érotique garde sa vivacité et s'imprègne, au temps du Rococo, d'expériences de la vie contemporaine. Les thèmes les plus fréquents sont l'empire de Vénus, les amours de Jupiter, l'histoire de Psyché, les bergeries, l'épisode de Renaud et Armide du *Roland furieux* du Tasse. Charles-Antoine et Noël-Nicolas Coypel présentent au Salon de 1725 des tableaux sur le thème de Renaud et Armide. Après son mariage en 1732, le prince de Soubise fait redécorer son hôtel parisien : la mythologie amoureuse y domine ; les peintures sont signées de Boucher, Natoire, Van Loo et Trémollières. Le marquis de Marigny, « ministre de l'Art », orne, en 1752-53, de tableaux de Boucher, de Natoire, de Van Loo et de Pierre son « Cabinet des nudités ».

Grâce aux envolées ornementales, aux

guirlandes de corps planant devant un fond ondulé de ciel et de nuages, la terre étant absente comme tout autre élément solide, Noël-Nicolas Coypel (1690-1734) préfigure en 1727 avec l'*Enlèvement d'Europe* (coll. priv.) l'œuvre la plus réussie de Boucher, le *Triomphe de Vénus* (1740, G. N. de Stockholm). On ne saurait oublier De Troy avec des œuvres telles que le *Repos de Diane* (1726, musée de Nancy) et *Diane et Actéon* (1734, musée de Bâle). Dans ses deux grands tableaux *Lever* et *Coucher du soleil* (1753, Londres, coll. Wallace), Boucher atteint une fois encore le souffle véritable de la mythologie.

François Boucher est l'artiste clé de la peinture de son époque : son disciple et successeur, Fragonard, plus libre de style et plus puissant, est moins représentatif. Il exalte à un niveau presque mythique les sujets licencieux chers à l'époque et de caractère privé, par la concentration absolue sur l'événement érotique, le dynamisme et la vitalité des petits tableaux (le *Feu aux poudres*, la *Résistance inutile)*, et le mouvement, qui gagne aussi la nature dans ses grandes peintures (les *Hasards heureux de l'escarpolette*, v. 1768-69, Londres, coll. Wallace, et la série de quatre panneaux les *Amours bergers*, exécutée pour le pavillon de Mme du Barry à Louveciennes, 1771-72, New York, coll. Frick).

Dans ce même domaine de la mythologie galante, l'aisance, le dynamisme, le brio du pinceau des maîtres italiens accompagnent le Rococo français : citons les Vénitiens Pellegrini (*Vénus, Bethsabée*, deuxième décennie du XVIIIe s., coll. priv.) et Pittoni (*Diane et les Nymphes*, 1723, musée de Vicence) et aussi Michele Rocca, Italien du Nord qui travaillait à Rome dans la première moitié du XVIIIe s. L'érotisme des miniaturistes contemporains de Fragonard, Pierre-Antoine Baudoin (1723-1769), Frédéric Schall (1752-1825), Philibert-Louis Debucourt (1755-1832), est facile et souvent « voyeuriste » : ces maîtres pratiquent la gouache et l'estampe. De Troy anticipe du « genre galant » de près d'un demi-siècle et le pratique encore comme de la grande peinture (*Déclaration au boudoir*, la *Jarretière détachée*, 1724-25, Metropolitan Museum).

L'art du Valenciennois Antoine Watteau, à la frontière du mythologique et du galant, onirique, artificiel, magnifie le monde réel en un monde poétique, insaisissable, transcendé par la danse et la conversation, la musique et l'amour. Il prend sa source dans la peinture flamande du XVIIe s. ; sa couleur et sa liberté de facture viennent de Rubens, redécouvert par la génération précédente ; son charme mystérieux est celui des figurines isolées des ornemanistes, comme Claude Gillot (1673-1722), qui fut son maître.

À ses débuts, Watteau peint des scènes de la vie militaire : les *Fatigues de la guerre*, les *Délassements de la guerre* (v. 1715, Leningrad, Ermitage), des fêtes paysannes et des panneaux décoratifs : les *Saisons*, la *Balanceuse, Pierrot*, (1708-1710). Mais surtout paraît déjà son thème dominant des assemblées d'amour : l'*Embarquement pour Cythère* lui ouvrit les portes de l'Académie en 1717 au titre de « peintre de fêtes galantes » (Louvre, variation à Berlin, Charlottenburg, préfiguration à l'Inst. Städel de Francfort). La sorte de mélancolie qu'indique le rythme, l'alternance entre rencontre-séparation des couples, devient manifeste dans le *Gilles* du Louvre, personnage vu de face, immobile (1719). Grâce à une atmosphère transparente et vaporeuse, Watteau transforme en images de rêve les vues de bois, de prés et d'eaux de la tradition poétique vénitienne, devenus chez lui des parcs. Les gestes des personnages restent souvent contenus en eux-mêmes ; on sent la proximité du monde du théâtre (Gillot), que Watteau présente aussi directement (l'*Amour au Théâtre-Italien* et l'*Amour au Théâtre-Français*, v. 1718, Berlin-Dahlem). Puis l'artiste évoluera. Ses personnages, petits d'abord et juxtaposés, gagnent en présence sensuelle et auront des rapports plus pressants (*Fêtes vénitiennes*, 1717, Édimbourg, N. G.).

Un demi-siècle plus tard, souvenirs du Rococo déclinant, deux tableaux de Fragonard, successeur le plus incontestable de Watteau, semblent un renouveau de ses rêves : ce sont la *Fête de Saint-Cloud* (v. 1775, Paris, Banque de France) et la *Fête à Rambouillet ou l'Île d'amour* (Lisbonne, coll. Gulbenkian). On en sent aussi quelque chose dans le *Mall* (1783, New York, coll. Frick), un Gainsborough tardif, d'intention, toutefois, plus réaliste.

La poésie singulière de Watteau sera ramenée imperceptiblement au genre traditionnel avec Nicolas Lancret (1690-1743 ; la *Danse à la campagne*, 1732, Berlin, Charlottenburg) et Jean-Baptist Pater (1695-1736 ; la *Foire de Bezons*, New York, Metropolitan Museum).

Peintures de genre

La poésie s'efface en même temps que la prééminence des grands genres traditionnels, histoire et allégorie. Reste l'immanence, avec la peinture de genre et le portrait. Le caractère si spécifique de l'époque amène un nouveau type de peintures, qui se situe entre les deux : la « conversation piece », comme on l'appelle dans le pays où elle s'est imposée, et qui est un type de tableaux se situant entre le portrait, la scène de genre et le paysage.

Lancret la représente en France (par exemple avec la *Famille de Bourbon-Conti*, musée Champaign, Illinois) ; un autre successeur de Watteau, Philippe Mercier (1689-1760), l'introduit en Grande-Bretagne. William Hogarth (1697-1764) y est plein de bonhomie, qu'il s'agisse des enfants (le *Théâtre pour les enfants dans la maison Conduit*, 1731-32, coll. part.), des familles ou des réunions d'amis. À côté de Hogarth pratiquent ce genre Joseph Highmore (1692-1780), Thomas Gainsborough (1788) avec *M. et Mme Andrews* (1749) et la *Promenade matinale* (1785) [tous deux à Londres, N. G.], jusqu'à Joseph Wright of Derby (1739-1797) et George Stubbs (1724-1806) dans des œuvres proches de 1770, d'une délicatesse relevant encore presque du Rococo.

Les frontières sont floues : on passe des arrangements plus ou moins artificiels de l'ancien portrait de groupe à la peinture de genre : que l'on pense à la *Tasse de chocolat* (1742, coll. part.) de Lancret ou au plus brillant des tableaux de mode, la *Lecture de Molière* par De Troy (1728, Londres, coll. Cholmondeley). Pietro Longhi (1702-1785) brosse dans les an-

nées 40 et 50 d'aimables portraits au charme naïf de la bourgeoisie et de la petite noblesse vénitiennes, dans leur vie publique ou privée (la *Modiste*, Metropolitan Museum ; le *Rhinocéros*, Venise, Ca' Rezzonico). En Hollande, Cornelis Troost (1697-1750) lui est comparable (*Et rumor erit in casa*, 1740, Mauritshuis).

À ces images statiques s'opposent les peintures de genre critiques qui font l'importance de l'art de Hogarth : de ses premières toiles (*The Herlots Progress*, 1731) aux tableaux surchargés de personnages, en passant par ses meilleurs cycles (*The Rake's Progress*, 1733-1735, et le *Mariage à la mode*, 1744). Il choisit non sans raison de développer son thème dans des toiles successives. Highmore produit une peinture de genre lénifiante (le *Cycle de Pamela*, 1744, Londres, Tate. Gal.) d'après le roman de Richardson. À l'opposé de Hogarth, Gaspare Traversi, qui travaille à Naples entre 1749 et 1776, puise encore dans la tradition du Caravage : il ne se moque pas d'une société à la mode, mais ridiculise son propre milieu.

Le désordre et l'anarchie de ses compositions, en partie seulement volontaires, symbolisent la société représentée et se font sentir même dans le seul type de peinture de genre admis à la cour (à part le genre militaire) : les déjeuners de chasse (le plus célèbre est celui de Van Loo pour Fontainebleau, 1737, Louvre) et autres scènes de repas (pour Versailles, en 1735, *Déjeuner d'huîtres* par De Troy et *Déjeuner de jambon* par Lancret, l'un et l'autre à Chantilly).

La peinture de genre, c'est aussi l'évolution vers un monde semi-mythologique de bergers et de bergères chez Lancret, Boucher et Fragonard ; puis l'évasion du monde contemporain et de ses contraintes sociales vers le monde innocent de l'enfance et l'étrangeté de l'Orient. Et c'est justement cet ancrage si total dans la vie qui a permis la floraison aussi bien de la peinture de genre que de la recherche de l'évasion. Pourtant, les enfants n'y sont pas totalement innocents, ce qui donne un charme supplémentaire ; ils font du théâtre ou regardent un spectacle (Hogarth, Fragonard) ; quand ils grandissent, leurs jeux ont un caractère érotique (la *Balançoire* et *Colin-maillard* de Fragonard, av. 1760). L'Orient aussi est traité comme un monde raffiné et souvent de pacotille. Carle Van Loo, à Paris, et Giuseppe Bonito (1707-1789), à Naples, brossent des toiles de cette veine, et Gianantonio Guardi peint même, en 1742 et 1743, une série de 43 tableaux inspirés de la vie au harem. Avec les « chinoiseries » et les « singeries », la peinture de genre devient totalement décorative, occupant le plus souvent le centre de panneaux muraux ou ornant des portes ou des carrosses. Boucher a aussi pratiqué ce genre (ses cartons de 1742 pour des tapisseries, musée de Besançon). Au milieu des années 60, Jean Le Prince (1734-1781) lance les « Russeries ».

En dehors de ces catégories, l'Italie du Nord, par sa grande tradition réaliste, offre quelques cas difficiles à classer : Giuseppe Maria Crespi, surnommé il Spagnoletto (1664-1747), utilise le clair-obscur du Caravage pour amplifier le réalisme, non seulement dans ses toiles misérabilistes (*Femme à la puce*, v. 1710, Louvre ; Offices), mais aussi dans l'interprétation du mystère du sacrement (la série de la Gg de Dresde, v. 1710-1712). Giacomo Ceruti, dit il Pitocchetto (première moitié du XVIIIe s.), fixe dans ses toiles les individus les plus misérables : mendiants et vagabonds, infirmes et demeurés, seuls, isolés dans leur dure réalité.

Francesco Guardi illustre les institutions de la vie à Venise (le *Ridotto* et le *Parloir des nonnes*, les deux v. 1740-1750, Venise, Ca' Rezzonico). Chez lui, la réalité semble irréelle, comme d'ailleurs chez Giandomenico Tiepolo (1727-1804), le fils de Giambattista, dans ses évocations de paysans, de promeneurs, de spectateurs et de personnages de la commedia dell'arte (dans l'aile des invités à la villa Valmarana de Vicence, 1757).

Et enfin, le genre bourgeois est compris comme la représentation de l'austérité et du secret des existences simples, de l'observation tranquille à la limite de la nature morte dans les tableaux de Chardin entre 1733 et 1740. Citons seulement le *Château de cartes*, la *Fillette au volant*, le *Bénédicité*, généralement exécutés en plusieurs variantes. À l'opposé se situent les intérieurs rococo de Boucher, où l'ambiance à la mode joue le rôle principal (le *Déjeuner*, 1739, Louvre).

Chez Chardin comme chez Greuze, qui lui doit beaucoup, on voit particulièrement combien ce genre dominant de la peinture au XVIIIe s. doit à la peinture hollandaise du siècle précédent.

Le portrait

Le maintien assuré, calme et digne des portraits de la Renaissance et du Baroque disparaît peu à peu ; il devient artificiel et suffisant ; puis on privilégie l'expression fugitive, l'étude psychologique limitée au visage.

Les portraits de Nicolas de Largillière (1656-1746) montrent déjà, à l'orée du siècle, une insistance sur le détail, une riche palette, des habits chatoyants et des fonds de paysage, et aussi la préciosité des gestes, bref un climat fortement théâtral, mais qui reste poétique (par exemple *Élisabeth de Beauharnais*, 1701, musée de Grenoble ; la *Belle Strasbourgeoise*, 1703, musée de Strasbourg).

Hyacinthe Rigaud (1659-1743), très classique en 1701 dans le portrait officiel de Louis XIV du Louvre, pousse l'artificialité à l'extrême dans le portrait de 1735 (musée d'Aix-en-Provence) de *Monsieur de Gueidan jouant de la musette*, qui apparaît presque comme un danseur. Puis il faut citer les portraits de Jean-Marie Nattier (1685-1766), généralement des femmes peintes sans grande plasticité ; les attributs dont elles sont parées ne sont plus de plaisants symboles, mais de simples accessoires (par exemple la *Duchesse d'Orléans en Hébé*, Stockholm, Nm). Par la composition en diagonale, la représentation à mi-corps, l'exécution froide et brillante, le peu d'expressivité, Nattier donne à ses personnages une grâce inimitable. Naturellement, il fait aussi, particulièrement pour la famille royale, des portraits en pied étonnamment intimistes (*Marie Leszczyńska*, 1746, Versailles). Boucher est le portraitiste de Mme de Pompadour dans toute sa splendeur en 1756 (Munich, Alte Pin.) et détendue dans la nature en 1758 (Londres, V. A. M.).

Jacques-André Joseph Aved (1702-1766), formé à l'école hollandaise, tient au réalisme du détail précis qui caractérise les situations de la vie courante (*Mme Crozat tissant*, 1741, musée de Montpellier). Jean-Hubert Drouais (1727-1775) est au contraire le successeur de Nattier comme portraitiste de cour ; l'élégance et l'expressivité de la pose font une réussite du portrait en pied du *Comte de Vaudreuil* (1758, Londres, N. G.). Toutefois, ses toiles les plus connues sont les portraits en « Savoyards » d'enfants de familles nobles (Bouillon, Choiseul).

Les portraits d'enfants et de femmes donnent surtout une impression de charme un peu vague qui place au même niveau décoratif la personne, les vêtements et les lieux. Boucher et Nattier excellent dans les représentations de femmes. Rosalba Carriera aussi : cette Vénitienne lance à Paris, pendant son séjour de 1720-21, la mode des pastels de têtes, d'une séduction un peu conventionnelle et imprécise. Les deux plus grands virtuoses de cette technique travaillent dans un tout autre esprit : chez le Genevois Jean-Étienne Liotard (1702-1789), la fixation de la réalité va jusqu'à la raideur (par exemple la *Belle Chocolatière*, 1744, Dresde, Gg ; *Madame d'Épinay*, 1759, Genève, M. B. A.) ; Maurice Quentin de La Tour (1704-1788) saisit avec précision les expressions fugitives et les plus personnelles (*Mademoiselle Fel*, 1757 ; nombreux tableaux au musée de Saint-Quentin). Si La Tour peut être considéré comme le peintre de la sensibilité et de la vivacité intellectuelle, Louis Tocqué (1696-1772) et Jean-Baptiste Perronneau (1715-1763) sont estimés comme peintres de l'énergie virile.

En Grande-Bretagne, Hogarth peint, d'un large pinceau, de vigoureux portraits de bourgeois. À la génération suivante, l'histoire du portrait, toujours en vogue, suit un cours inverse. D'une part Joshua Reynolds (1723-1792), peintre des classes actives et dominantes, des politiciens et des militaires, retravaille à ses débuts l'éloquence baroque (*Commodore Augustus Keppel*, 1753-54, musée de Green-

wich). D'autre part, Thomas Gainsborough (1727-1788), surtout portraitiste de femmes, garde, jusqu'à la fin de sa carrière, une facture fine et délicate (*Blue boy*, v. 1770, Huntington Art Gallery, San Marino, Californie ; *Lady Brisco*, 1776, Kenwood). L'un et l'autre réalisent surtout, dans la tradition nationale de van Dyck, de grands portraits en pied. Leur contemporain, l'Écossais Allan Ramsay (1713-1784), en faisant vers 1755 le portrait de sa femme, tout empreint de la plus fine sensibilité, a réalisé l'une des meilleures réussites de l'époque (Édimbourg, N. G.).

En Italie, on trouve un peu partout, peu nombreux mais de valeur exceptionnelle, des portraits signés de Maratta, Benefial, Solimena, de Mura, Tiepolo ou Piazzetta. Mais, sans être un des plus grands, le portraitiste le plus intéressant est sans doute Giuseppe Ghislandi, surnommé Fra Galgario (1655-1743), de Bergame ; le maintien de ses personnages, posant de face, le buste singulièrement raide jusqu'à la taille et élancé, a quelque chose d'étrange.

Il y a des thèmes intermédiaires entre les portraits en buste, les personnages groupés et isolés, d'une part, la peinture de genre et les « capricci » (« portrait historié », « figure de fantaisie ») d'autre part : les déesses de Nattier, les fumeurs, buveurs et pèlerins d'Alexis Grimou (1678-1733), les visages rêveurs des adolescents de Piazzetta (le *Porte-drapeau*, Dresde, Gg ; le *Jeune Sculpteur*, musée de Worcester, les deux v. 1735-1740) et les visages de jeunes filles sentimentales de Pietro Rotari. Vers 1770, les visages de Fragonard, vivants et expressifs, sont le sommet du genre (par exemple *Monsieur de La Bretèche ou la Musique* et *Mademoiselle Guimard*, au Louvre).

Le paysage

À ce grand intérêt pour l'homme s'oppose un moindre souci de la nature. Le panthéisme de Rubens et des Vénitiens semble étrange ; il a fait place au rêve, irréel et poétique chez Watteau, excessif, théâtral et décoratif chez Largillière. L'un et l'autre ouvrent la voie de l'art de l'artifice de Boucher et de Fragonard. Les paysages de Boucher (les deux plus importants, de 1756 et 1758, à Toledo et à Barnard Castle, Durham) associent artificiellement des thèmes bucoliques des Hollandais du siècle précédent. En revanche, Natoire donne à ses dessins repris de sujets romains une légèreté rococo originale. Les fonds de fleurs et de feuilles de Boucher gagnent chez Fragonard une nouvelle vitalité par l'expérience des parcs romains ; le frémissement et la grandeur dévorante des masses de feuillages, traitées par petites touches uniformes, ont une place particulière entre Rococo et Romantisme (ainsi des fêtes déjà citées). D'autres tableaux de Fragonard et encore plus ceux de Gainsborough, avec leurs paysages ondulés modestes et variés, résultant d'une confrontation avec ceux de l'école hollandaise du XVIIᵉ s. : signalons par exemple, de Gainsborough, la *Forêt de Gainsborough* (1748, Londres, N. G.) et le *Chariot de foin* (1767, musée de Birmingham).

François Desportes (1661-1743), peintre de cour, spécialisé dans les *tableaux de chasse*, doit être signalé pour l'objectivité parfaite de ses études de paysages. Dans la peinture de cour, le paysage se justifie surtout comme élément des tableaux de chasse. Dans ce genre, Jean-Baptiste Oudry (1686-1755) est plein de virtuosité et d'effet (le meilleur ensemble de ses œuvres est au musée de Schwerin). Van Loo, De Troy, Boucher, Lancret et Pater peignent en 1736-1739 pour Versailles une suite de tableaux de chasses exotiques.

Le nouveau goût du jour ne va pas à la « natura naturans », mais à la ville, créée par l'homme. La « vue » moderne est développée par Jan van der Heyden (1637-1712) et Gerrit Berckheyde (1638-1698) aux Pays-Bas et surtout par Gaspar van Wittel, surnommé Vanvitelli (1653-1736), en Italie. À Rome, le genre est exploité par Giovanni Paolo Pannini (1691-1758), peintre d'architectures de types variés.

Mais l'influence de Vanvitelli se répand si fortement à Venise qu'une école s'y forme à sa suite avec Luca Carlevaris (1663-1730), le grand maître Antonio Canal, dit Canaletto (1697-1768), puis son neveu Bernardo Bellotto (1720-1780), également surnommé Canaletto. Une perspective conçue quasi scientifiquement avec l'aide de la « camera optica », des personnages petits mais vifs, bientôt réduits à des taches de couleur, caractérisent les toiles de Canaletto. Au début de son œuvre, on trouve des « capricci » et des vues encore modestes (l'*Église de la Charité avec la cour du tailleur de pierres*, v. 1727, Londres, N. G.) ; puis viennent ensuite ses très nombreuses vues de Venise (un suite de 24 toiles de 1731-32 est dans la coll. du duc de Bedford, à Wobburn Abbey). Après un séjour fructueux en Grande-Bretagne, de 1745 à 1757, son art tend visiblement à la formule. Son successeur Bellotto cherche des contrastes de lumière plus accentués. Virtuose itinérant, il peint des vues de Turin, Munich, Vienne, Dresde et Varsovie. Mais le goût de la représentation urbaine décline, tourne à l'onirisme, la ville bâtie de Venise cède progressivement la place au ciel et à l'eau chez Francesco Guardi (1712-1793), surtout dans ses œuvres tardives : *Santa Maria della Salute et la Dogana*, Londres, Wallace Coll. ; le *Grand Canal avec San Simeone Piccolo*, Philadelphie, M. A., et Lugano, coll. Thyssen-Bornemisza.

La nature morte

À cette époque, pas plus que le paysage, la nature morte ne peut se flatter d'être à son apogée. Nous retenons de la fin du siècle précédent les somptueuses natures mortes de fruits et de fleurs de Jean-Baptiste Monnoyer (1634-1689), puis celles de Largillière en France, de Rachel Ruysch (1664-1750) et de Jan van Huysum (1682-1749) en Hollande, de Andrea Belvedere (1642-1732) à Naples ; plus tard, de rares études de la nature et les remarquables trophées de chasse surprennent chez Oudry.

Une exception cependant : Chardin. Son art, tout de silence et de clarté, est totalement voué à l'approfondissement de la vie secrète de la matière, ennoblie de lumière et enveloppée de mystère. Diderot parle de « magie » et d'« harmonie ». À l'origine, les sujets de Chardin se trouvent dans la peinture hollandaise, mais chez lui le clair-obscur devient couleur et l'isolement des objets, puriste. Depuis son morceau de réception (la *Raie*, 1728, Louvre), à la composition à grand effet, le purisme s'affirme progressivement, les objets sont de moins en moins nombreux, leur distribution plus simple et affinée. Citons quelques chefs-d'œuvre : *Menu de gras* et *Menu de maigre* (1731, Louvre), *Corbeille de pêches* (1758, Winterthur, coll. Reinhart). Par sa touche archaïque mais vigoureuse, Louis Meléndez (1718-1780) peut être situé dans la tradition du réalisme espagnol.

Capricci

Un terme s'impose lorsqu'on traite de l'art du XVIIIe s., celui de « capriccio ». Il peut résulter d'un naturalisme isolé aussi bien que d'un art fondé sur un autre art. Le « capriccio » peut aussi consister en un jeu avec des thèmes traditionnels. L'*Enlèvement* de Maulbertsch (v. 1758, musée de Brno) est un tableau de cabinet brillant comme l'éclat d'une pierre précieuse dans un lieu obscur, mais auquel aucun sujet précis ne semble être assigné. Diderot, qui reconnaît à l'œuvre de Boucher toutes les valeurs de l'art, critique essentiellement son aspect artificiel, qu'il entend comme absence de vérité. C'est que dans ses toiles le décoratif devient partie intrinsèque du tableau et diminue d'autant la fonction du sujet. Même la peinture de genre, description de la vie quotidienne, qui est donc réaliste, peut devenir jeu par le biais du « déguisement », comme chez le Napolitain Filippo Falciatore (1728-1768) dans les scènes napolitaines du musée de Detroit. Le « capriccio » gagne du terrain et finit par devenir un genre. De lui relèvent aussi les toiles et les gravures de Lajoue (1616-1761) : avec des paysages de parcs, des éléments architecturaux, des escaliers, des fontaines, des personnages qui composent des ensembles sans sujet

et mettent à l'épreuve les lois habituelles de la logique. Il en est de même dans les gravures de Boucher. Des peintures de sujets architecturaux combinent arbitrairement toute sorte d'éléments et rendent énigmatique l'aspect de l'ensemble. On peut aussi admettre dans la définition de « capriccio » les paysages de Marco Ricci (1676-1737) : ils comportent des ruines classiques aussi bien que des éléments déchaînés, bref une recherche d'associations singulières. L'œuvre entier d'un des plus singuliers peintres de l'époque, le Génois Alessandro Magnasco (1667-1749), se conçoit le mieux comme « capriccio ». Dans ses toiles agissent, de manière ridicule ou angoissante, des personnages à peine esquissés, grotesques et maniérés : moines, mendiants, sorcières (*Réfectoire ; Étude de capucins*, v. 1720-1726, couvent de Seitenstetten, en Basse-Autriche). Au même domaine appartiennent deux séries d'eaux-fortes du grand Tiepolo : *Scherzi di Fantasia* (1735-1740) et *Capricci* (1739-1743).

Gravure et illustration

Art graphique, gravure ornementale et vignette d'une part (on peut penser à Saint-Aubin avec ses *Papillonneries humaines*, v. 1760), d'autre part reproductions gravées (d'après Watteau, depuis 1721, le *Recueil de Jullienne*) et illustrations de livres sont parmi les performances les plus marquantes du siècle. De belles éditions de Molière et de La Fontaine se succèdent, illustrées par Boucher (1734), Oudry, Eisen (1720-1778), Hubert Gravelot (1699-1773), Cochin fils (1715-1790). La gravure anecdotique se développe aussi comme un genre autonome, tels les diptyques *Au moins soyez discret* et *Comptez sur moi* d'Augustin de Saint-Aubin ou la suite *Monument du costume physique et moral* de Jean-Michel Moreau le Jeune (1741-1814). À cela s'ajoute une plus haute appréciation du dessin : de grandes collections naissent en France (Crozat, Mariette) et en Grande-Bretagne. L'édition gravée des dessins de Watteau, depuis 1726, joue un rôle important dans le développement du Rococo. Enfin, on réussit alors à imiter, en estampe, le dessin au fusain. Fragonard est un des meilleurs représentants du dessin conçu pour lui-même.

Technique picturale

L'émancipation du dessin est un aspect du processus d'émancipation des moyens de la peinture. Il s'ajoute à l'autonomie des esquisses des fresques, surtout en Allemagne du Sud, et à l'exécution des « capricci » comme esquisses chez Fragonard. Déjà chez Watteau et ensuite chez Corrado Giaquinto, Antonio Guardi (*Histoires de l'archange Raphaël*, Venise, Angelo Raffaele, v. 1750) et Gainsborough, la touche « impressionniste » est un facteur important du charme d'une toile.

À côté du monde des objets modelés dans l'espace et dans la lumière, la surface picturale elle-même devient un sujet primordial de la peinture. On juxtapose des formes intéressantes, d'où le rôle exceptionnel dévolu à la draperie, aux pans de vêtements flottants. Tiepolo est un virtuose de tels jeux. Si les vêtements se gonflent, ils semblent souvent boursouflés et vides, comme parfois chez Solimena et de Mura. En revanche, le clair-obscur devient en lui-même un « capriccio » (par exemple, l'*Enlèvement* de Maulbertsch) ou le moyen recherché d'un effet particulier : une poésie lourde de mystères chez Tiepzetta ; une extase religieuse chez Bencovich ou Bazzani ainsi que chez Maulbertsch, influencé par les précédents ; un approfondissement de l'expérience humaine chez Crespi, le maître de Piazzetta. Mais l'image du monde est en général lumineuse et claire, sans ombre, chez Boucher et bien plus encore chez Liotard. Des tonalités claires remplacent la lumière, sans profondeur, associant seulement des plages de couleurs (le pastel, d'ailleurs, ne peut pas vraiment rendre des effets d'ombre et de lumière). Les coloris caractéristiques sont donc : peu de brun, sauf pour les fonds, jamais pour les matières ou les profondeurs, où prédominent des valeurs froides et claires ; du

rouge (rose) et du bleu (bleu pompadour ou turquoise) — couleurs majeures du pastel — et en outre du vert et du jaune. L'aspect artificiel en est renforcé.

Peindre le motif blanc est une préoccupation de l'époque. Chardin est renommé pour ses nuances de blanc, et Oudry essaie de le surpasser avec la virtuosité de sa toile : le *Canard blanc* (1753, Londres, coll. Cholmondeley). Déjà les principaux personnages de Sebastiano Ricci, dans les fresques du plafond des Saints-Apôtres, à Rome, sont traités en blanc ; après lui, Subleyras (le *Cycle de l'ordre des Bénédictins* à Santa Maria Nova, à Rome) utilise aussi beaucoup le blanc. Piazzetta harmonise de manière variée ses blancs crème avec d'autres couleurs chaudes *(La Madone apparaît à saint Philippe de Néri)*. *Madeleine Barberie de Courteille*, de Greuze (1759, musée de Brunswick), est un enchantement de blanc avec une pointe de rose.

La primauté accordée à la couleur, facteur de sensualité, caractérisait déjà les créateurs de la peinture du XVIIe s., Giordano et Baciccio en Italie, les « rubénistes » Coypel et Largillière en France. Par rapport à l'apogée du Baroque, la composition devient plus calme. Les groupes de personnages sont disposés harmonieusement dans les fresques de Tiepolo, les élans gestuels sont en général limités, mesurés et ils dépassent rarement l'ordonnance du tableau (De Troy, Natoire, Boucher, Pittoni) ; des surfaces légèrement inclinées, en perspective fuyante en diagonale, donnent aux portraits de Nattier une légèreté singulière. La bizarrerie des formes remplace pour ainsi dire leur dynamisme.

Mais le côté artificiel du Rococo fascine par sa tendance à « l'art pour l'art », à un absolu de la peinture qui ne ferait plus fonction de révélateur du monde.

Les derniers feux du Rococo

Vers 1770, le Rococo n'est plus qu'un genre désuet, caduc, déjà reconnu tel par la critique spécialisée. Pourtant, il se pratique encore assez largement comme expression artistique d'un heureux temps passé. On le trouve encore dans des régions où les peintres ont gardé le goût de l'art traditionnel : Januarius Zick (1730-1797) et Wind en Allemagne du Sud, Maulbertsch et Johann Martin Schmidt, surnommé Kremser Schmidt (1718-1801), en Autriche ; en Espagne, Luis Paret y Alcazar (1746-1799) et, dans ses débuts, même Goya (1746-1828, des cartons pour des séries de tapis de commande royale, 1777 et 1786) ; les fresquistes Pietro Bardellino (1728-1810), Fedele Fischetti (1732-1792) et Giacinto Diana (1731-1804) à Naples. Mais aussi Fragonard, qui est au centre de ce courant dans les années 1770, et Gainsborough jusqu'à sa mort, enfin les genres mineurs de la peinture exotique et de mœurs en France.

En opposition au doux sentiment mélancolique de la vanité des choses qui se cache derrière charme et gaieté, les retours au Baroque tendent à faire revivre la majesté passée. Ces tentatives débouchent sur le Néoclassicisme, qui entraîne des résultats contraires. Si le retour au Baroque est une dernière flambée de la tradition pour les grands thèmes religieux, pour les sujets profanes il marque une réaction à l'abandon au décoratif. Pourtant, Jean-Baptiste Pierre (1713-1789), peintre médiocre du décor baroque tardif, succède en 1770 à Boucher comme « premier peintre du Roi ». Le morceau de réception de Fragonard de 1765 (*Corésus et Callirhoé*, Louvre) annonce la tendance qui se poursuit jusque dans les œuvres du jeune David : la *Mort de Sénèque* (Paris, Petit Palais) et *Funérailles de Patrocle* (Dublin, N. G.), l'une et l'autre de 1773. L'héritage baroque est évident dans les œuvres les plus importantes des nouveaux sujets nationaux, confiés par le surintendant d'Angivillier après 1774 à Brenet (1777) et Vincent (1779). Il existe un point commun entre ce phénomène et le Rococo tardif : la référence à l'art d'une époque révolue. Fragonard prend exemple sur Rubens, van Dyck, Rembrandt, Hals, Ruysdael, Watteau ; Gainsborough sur van Dyck et les paysagistes hollandais ; Maulbertsch et Kremser Schmidt sur Rembrandt. Le cycle se referme.

Bibliographie de ce chapitre

CHÂTELET (A.), THUILLIER (J.), *la Peinture française*, Skira, Genève, 1964. CONISBEE (Ph.), *Painting in Eighteenth Century France*, Phaidon, Oxford, 1981.

DU NÉOCLASSICISME À LA FIN DU XIXᵉ SIÈCLE

L'ARCHITECTURE NÉOCLASSIQUE

Jörg Garms

LE NÉOCLASSICISME NE SE SITUE PAS DANS LA CONTINUITÉ « naturelle » du cycle des périodes précédentes issues de la Renaissance, bien qu'il se réclame comme elle de l'Antiquité et utilise son répertoire de formes, c'est-à-dire des ordres hérités de Vitruve. Il apparaît d'abord comme un courant qui saisit tout, unifie tout : jamais auparavant l'architecture européenne n'avait présenté autant d'unité qu'entre 1770 et 1820 environ. Les frontières de cette Europe à l'unisson du même style inclurent, pour la première fois, des régions périphériques : la Russie, les États-Unis d'Amérique, l'Irlande, la Norvège, la Finlande et la Grèce doivent au Néoclassicisme l'architecture nationale de leurs édifices publics. Des villes comme Washington et Philadelphie, Dublin et Édimbourg, Londres, Paris, Bruxelles, Oslo, Helsinki, Saint-Pétersbourg, Berlin, Cassel, Karlsruhe et Munich, Bordeaux et Nantes en témoignent.

Les origines du Néoclassicisme

En réaction à la redondance, à l'emphase et à l'agitation du Baroque, ainsi qu'à la légèreté et à la bizarrerie du Rococo, on se réfère d'abord aux périodes et aux artistes « classiques » de la Renaissance et du XVIIᵉ s. Ils donnèrent deux leitmotive au Néoclassicisme : le Portique de Palladio et la Colonnade de Perrault (façade est du Louvre). Au tournant du XVIIIᵉ s. surviennent des mouvements de réforme plus systématiques, qui prennent expressément Palladio pour référence : dans sa patrie, en Vénétie (façade de l'église San Nicolo da Tolentino à Venise, 1706-1714), et, par affinité élective, en Angleterre. Les villas de Palladio deviennent des modèles pour les « country-houses », et Colen Campbell, dès 1715, dans son *Vitruvius Britannicus* (en trois tomes, 1715-1725), invite les architectes et les profanes à les imiter. Lord Burlington (1694-1753) édite les œuvres de Palladio et fait élever deux bâtiments exemplaires, sa villa à Chiswick près de Londres (1725) et l'*Assembly Hall* à York (1730), qui s'inspirent respectivement de la Villa Rotonda et de la « salle égyptienne » de Vitruve.

L'étape suivante est la Rome du pontificat de Clément XII (1730-1740), où — à côté de Nicolò Salvi (1697-1751) et de Luigi Vanvitelli (1700-1773) — l'architecte Alessandro Galilei (1691-1737) crée, avec la façade de la basilique du Latran, l'œuvre la plus évoluée. Alors qu'à Rome l'idée de réforme se réfère à la Renaissance romaine (le « neocinquecentismo »), en France c'est la « grande » époque « classique » de son histoire — le style Louis XIV — qui joue ce rôle pour le courant qui se dessine vers 1745. Le premier architecte de Louis XV, Jacques-

Ange Gabriel (1698-1782), s'attache à suivre cet idéal, que Jacques-François Blondel (1705-1774) consacrera par son rôle d'enseignant et de théoricien. En Angleterre, William Chambers, formé par Blondel et considéré comme l'architecte « officiel », fait écho à leurs préoccupations. Le but de tous ces créateurs est une réforme non par le rejet du passé, mais par un choix critique et judicieux dans les modèles qu'il peut proposer. Cette phase initiale est appelée « premier Néoclassicisme » ou « Néoclassicisme baroque ».

Le Néoclassicisme, à sa maturité, remonte encore plus loin, à l'Antiquité elle-même : caractéristique est l'adoption par Ledoux, en 1775, de la colonne dorique sans base, tenue pour « masculine » et plus « primitive » que les autres colonnes. Le livre du jésuite Marc-Antoine Laugier *Essai sur l'architecture* (1753) est l'ouvrage clé pour cette recherche des origines que le respect de la tradition ne vient plus entraver. À côté de l'antique, ce théoricien reconnaît dans le style gothique une des expériences fondamentales de l'architecture et en vient même à présenter comme fondement de l'architecture la hutte primitive des premiers hommes.

Tandis que l'idéal gréco-gothique inspire l'œuvre maîtresse de la période de transition, Sainte-Geneviève (Panthéon) à Paris (1756-1790) de Germain Soufflot (1713-1780), le temple grec représente la pure traduction en pierre des éléments fondamentaux de construction de la hutte : supports (colonnes), poutres (entablement) et fronton. La légèreté gothique et l'ouverture de l'espace, l'économie calculée du matériau et la virtuosité technique, alliées sans parti pris à l'ordre antique dans la colonnade libre et l'entablement (au lieu de l'arcade de la Renaissance), font bien le caractère exceptionnel de Sainte-Geneviève.

Beaucoup plus répandue est l'attitude d'érudition archéologique, qui exige, pour bâtir de façon nouvelle, des recherches sur les sources « pures », la publication des résultats et l'exécution de copies fidèles. Un voyage entrepris par des représentants officiels de la France marquera à la fois le « retour aux sources » et un tournant : celui que le frère de Mme de Pompadour,

le futur marquis de Marigny, entreprend pour se préparer à sa future tâche de directeur général des Bâtiments du roi et qui, à travers l'Italie, l'amène lui-même, en 1751, jusqu'à Herculanum et Pompéi et conduit même son compagnon Soufflot jusqu'à Paestum.

Au même moment, James Stuart et Nicholas Revett ébauchent déjà tout un programme en annonçant la publication de *The Antiquities of Athens*. Peu rapides dans la réalisation de ce projet, ils se laisseront prendre de court par leur concurrent et imitateur Julien David Leroy, dont les croquis sont suggestifs : *les Ruines des plus beaux monuments de la Grèce* sont ainsi publiées en 1758, alors que le premier tome des Anglais ne paraît qu'en 1762. C'est en Angleterre, pourtant, que sont édités les ouvrages les plus importants de ce genre : *Ruins of Palmyra* (1753), *Ruins of Baalbec* (1757) de Robert Wood, *Ruins of Paestum* (1758) de Thomas Major.

La France, sûre de sa propre tradition artistique, peut se permettre un développement à multiples facettes. En Angleterre, en revanche, la figure dominante est celle du profane cultivé et de l'amateur d'antiquités, conseiller et parfois même concepteur (Society of Dilettanti), ainsi que celle de l'architecte qui se qualifie par ses mérites archéologiques : de l'« Athénien » Stuart à Robert Adam, qui, en 1764, prépare consciencieusement à cet effet son ouvrage sur le palais de Dioclétien à Split ; ou encore C. R. Cockerell et H. W. Inwood, qui, entre 1810 et 1820, voyagent en Italie du Sud et en Grèce et en rapportent d'importantes connaissances nouvelles. Stuart et Revett font connaître deux petits monuments d'Athènes, la *Tour des vents* et le *Monument à Lysicrate*, qui deviennent, un peu partout, des modèles favoris pour des « fabriques » de parcs ou des clochers d'églises (clocher de Saint-Pancras à Londres, par Inwood, 1819-1822).

Suivre un exemple considéré comme intemporel — celui de l'Antiquité —, mettre en relief la simplicité et la monumentalité, la clarté et la sérénité ne constituent qu'un seul des aspects de cette époque profondément mouvementée. À l'absolu de la raison s'oppose le sentiment. Chez les trois architectes « révolutionnaires », Boullée, Ledoux et Lequeu, rationalisme et irrationalisme s'entremêlent chaque fois de façon très personnelle et contradictoire.

La méfiance envers l'héritage culturel de la tradition entraîne à jouer avec des formes empruntées aussi bien au monde classique qu'à des domaines étrangers (chapelle gothique, pagode chinoise), ou encore à tenter de retrouver les structures originelles soit dans la nature (grotte), soit dans l'architecture (la hutte). La frivolité du Rococo côtoie ici la joie de l'expérimentation et la recherche d'associations suggestives. Dans les parcs anglais d'abord, puis dans ceux de toute l'Europe s'installent des « fabriques » inspirées des modèles puristes de temples doriques et de petits temples ronds ioniques ou constituant, au contraire — sans aucune prétention formelle —, des ensembles modestes, pittoresques, irréguliers : telle la « ferme ornée » dont le *Petit Trianon*, construit pour Marie-Antoinette par Mique, dès 1783, avec hameau, belvédère et temple d'Amour, est l'exemple le plus célèbre. Le contraste entre la géométrie la plus sévère des dessins d'architecture et la végétation exubérante correspond au « culte de la raison et de la nature » de Boullée.

En Angleterre, au milieu du XVIIIe s., la villa, conçue comme un corps essentiellement cubique, voisine avec un parc qui se veut naturel. Après 1763, après l'achèvement de la guerre contre l'Angleterre, la France prend goût au jardin « anglochinois », qui triomphe au *Parc Monceau*, à *Ermenonville*, à *Méréville*. Pour rythmer l'espace dans la *Laiterie de Marie-Antoinette* à Rambouillet (1785-1788), Thévenin fait alterner avec bonheur coupole, voûte en berceau et grotte mythologique.

L'expérimentation et la recherche de formes extrêmes (cube, sphère, pyramide) ouvrent la voie aux conceptions artistiques des XIXe et XXe s. Pourtant, le Néoclassicisme débute comme un mouvement conservateur, et son courant principal finit par s'orienter vers une néo-Renaissance, la voie la plus praticable pour les besoins utilitaires. Ce conservatisme mérite une juste reconnaissance,

aux côtés de la fougue pathétique et révolutionnaire des romantiques. De fait, par « style Louis XVI », on définit une architecture fidèle aux normes conformistes, qui s'applique plus facilement au décor intérieur, plutôt que des réalisations d'avant-garde. Cela est encore plus vrai pour les périodes suivantes, le Directoire et l'Empire. Le style Louis XVI, en effet, apparaît comme le comble du raffinement pour la décoration intérieure dans l'histoire de l'art européen, particulièrement pour les appartements privés (par exemple ceux de Marie-Antoinette à Fontainebleau, aménagés en 1785 par les frères Rousseau) ; De Wailly, Ledoux et Bélanger sont également de brillants décorateurs. Malgré une évolution vers une somptuosité et une solennité plus grandes, l'Empire conserve beaucoup de cette élégance ; les tissus et toute la gamme des arts appliqués jouent alors un rôle primordial dans la décoration des espaces.

Les types de monuments

Notre vision historique de cette époque est pourtant marquée avant tout par l'architecture monumentale. Les réformateurs, qui réclament dignité et gravité, pensent d'abord aux édifices publics, et les « piranésiens » romantiques recherchent une grandeur inédite. L'idéologie des Lumières exige non seulement que l'État érige en plus grand nombre des bâtiments publics, mais que ceux-ci soient élevés au plus haut rang des symboles architecturaux. Palais et églises se font moins nombreux, bien que celles-ci, influencées par les temples antiques et les basiliques paléochrétiennes, offrent assez tôt des traits propres au Classicisme le plus sobre (par exemple Saint-Philippe-du-Roule, de Chalgrin, à Paris et Saint-Symphorien à Montreuil, de Trouard, toutes deux à partir de 1764). Les théâtres, qui font concurrence aux églises en devenant écoles de morale, sont les constructions les plus fréquentes et les plus fastueuses de l'époque (tels la *Comédie-Française* — l'*Odéon* — de Peyre et De Wailly, projeté dès 1767 et en chantier à partir de 1779 à Paris, le *Grand Théâtre* de Victor Louis à Bordeaux, 1773-1780, et le *Théâtre* de Ledoux à Besançon, 1775-1784).

Un tournant surprenant est pris en 1748 lorsqu'un concours est ouvert pour l'aménagement d'une nouvelle *Place Royale* à Paris en l'honneur de Louis XV : une large participation fait surgir des propositions le plus souvent conçues autour de l'association de l'Hôtel de Ville et d'une statue royale. Il en résulta l'actuelle place de la Concorde. Le classicisme des projets s'inspire des courants d'idées du temps, y compris des contributions de profanes en architecture (écrivains, philanthropes, administrateurs, hommes de science et techniciens). Le nouveau formalisme abstrait peut tout à la fois s'opposer et s'associer à un fonctionnalisme non moins nouveau, ce qui montre une nouvelle fois le double visage de cette période ambiguë. Cette dualité s'élabore au sein des académies, en premier lieu dans celle de Paris : ici, à l'occasion des grands concours annuels (prix de Rome), sont proposées les solutions idéales pour l'édification de musées, de bibliothèques, d'hôpitaux, de prisons, de Bourses et de douanes (les *Greniers publics* de L. A. Dubut, 1797), qui ne tiennent compte d'aucune limite spatiale ou financière pour laisser libre cours à la grandiloquence des ordres et de la géométrie. Nicolas Durand (1760-1834), élève de Boullée et professeur à l'École polytechnique — nouvellement fondée —, systématise ses projets et les transmet comme schémas pour l'avenir (*Précis de leçons d'architecture données à l'École polytechnique,* 1802-1805). Les nouveaux thèmes correspondent pourtant à des besoins nouveaux, comme en témoignent les discussions à propos de la reconstruction de l'Hôtel-Dieu à Paris, après l'incendie de 1772 (projet Poyet, 1785), ou les publications italiennes, anglaises et françaises sur les établissements pénitentiaires.

Les lieux de divertissement, dès le XVIIIᵉ s., connaissent une première apogée comme motifs d'architecture : les *Jardins de Vauxhall* à Londres constituent un modèle type pour l'aménagement de ceux de Paris. Parmi les plus célèbres, il convient de citer le *Panthéon* de l'Oxford Street à Londres (J. Wyatt, 1770-1772), inspiré de Sainte-Sophie de Constantinople, et le *Colisée* des Champs-Élysées à Paris (Louis-Denis Le Camus, 1769).

Musée et bibliothèque sont des thèmes centraux chez Boullée. Le *Museum Fridericianum* à Cassel (1769-1776) et le *Prado* à Madrid (1785-1787), le *Museo Pio-Clementino* (1770-1787) et le *Braccio Nuovo* (1817-1822) au Vatican, l'*Altes Museum* de Berlin (1823-1830) et la *Glyptothèque* de Munich (1816-1834) sont des exemples significatifs du genre.

Les deux chefs-d'œuvre en France de ce Néoclassicisme en plein essor, tenus pour tels par les contemporains, sont, à Paris, *la Halle au blé* de Nicolas Le Camus de Mézières (1763-1767) et l'*École de chirurgie* de Gondoin (1769-1775). Les architectes « révolutionnaires » portent les utopies typologiques au summum d'une « architecture parlante » : Louis Étienne Boullée (1728-1799) est le plus proche de la tradition académique dans le choix des thèmes et la composition de ses dessins des années 1780 (B. N., Paris), mais l'immensité des dimensions et l'architecture des ombres font ressentir la puissance d'une fantaisie débordante d'images.

Claude Nicolas Ledoux (1736-1806) part de son projet destiné aux Salines d'Arc-et-Senans (1774) pour concevoir — seulement vers 1800 — son plan idéal pour la ville de Chaux (*l'Architecture considérée sous le rapport de l'art, des mœurs et de la législation,* 1804) avec de curieuses allégories architectoniques (la *Maison des gardiens des fontaines,* en forme de tonneau ; la maison close *Oikema,* sur plan phallique). Jean-Jacques Lequeu puise les inventions obscures de ses dessins dans une psychologie qui peut côtoyer par certains aspects le monde de l'anormal.

Jean-Nicolas Durand compose aussi bien le plan que l'élévation à partir d'un module carré, et cette homogénéisation de l'architecture constitue, en un certain sens, le terme du développement du Néoclassicisme, dont les débuts tendaient à rejeter les formes évocatrices de la vie organique, la courbe, la fluidité et la versatilité, chères au génie dynamique de l'époque précédente.

On peut proposer une interprétation

symbolique des caractéristiques formelles du Néoclassicisme : l'abandon des formes liées et des structures en gradins étagées en pyramide autour d'un point central correspondrait à la mise en cause de la hiérarchie sociale ; l'isolement des formes, à l'individualisme naissant ; leur géométrisation et leurs dimensions colossales, aux phénomènes de masse ; la recherche de formes originelles et du patrimoine grec, au *Contrat social* et à la démocratie.

Le Néoclassicisme triomphe dans les ouvrages dont le caractère utilitaire est négligeable et le monument : par exemple la *Porte de Brandebourg* de C. G. Langhans (1788-1789) à Berlin, les *Barrières parisiennes* de Ledoux (à partir de 1785), les monuments (jamais érigés) dédiés au Génie, tel le *Cénotaphe* de Boullée (1784) pour Newton, évoquant une sphère cosmique, le temple dorique surélevé de Gilly (1786) pour Frédéric le Grand à Potsdam, enfin, à Paris, sous Napoléon, l'*Arc du Carrousel* de Percier et Fontaine (1806) et l'*Arc de triomphe* de Chalgrin (1806-1836).

Le traitement des formes

Le Néoclassicisme recherche la ligne droite ininterrompue et la surface nue, immaculée ; le blanc est sa couleur préférée pour les extérieurs. Il a un rapport d'une nature presque érotique avec la colonne, avec les « files immenses de colonnes », avec le « spectacle de l'immensité » (Boullée) : que l'on pense au projet de De Wailly pour le concours de 1752 ou à l'Amirauté de Saint-Pétersbourg, au palais de justice de Lyon de Baltard (1835) ou aux édifices gouvernementaux américains de la même époque. La domination de la ligne droite n'est guère rompue que par le cercle, la coupole (Panthéon) ou leurs moitiés traitées comme exèdres (aux angles du carré), conques, berceau ou arc plat. L'envolée altière et légère du Baroque tardif cède le pas à l'horizontalisme et à la pesanteur.

Les proportions basses peuvent même donner l'impression d'une architecture « ensevelie ». Le Néoclassicisme montre une prédilection pour le souterrain (Piranèse, Desprez, Boullée, Lequeu) et même un penchant pour la nécrophilie et le romantisme des ruines. Le corps de bâtiment doit se présenter comme une masse la plus compacte possible et montrer des surfaces planes. La colonne doit moins lui apporter du relief que s'y insérer ou s'appliquer en file devant lui comme dans un temple grec, ou encore former un écran (formule fréquente depuis le projet de Peyre pour l'*Hôtel de Condé* à Paris, 1762) ; les reliefs sculptés se trouvent de préférence en retrait, des éclairages zénithaux remplacent volontiers les percées des fenêtres.

Dans la pratique, cependant, ce purisme, cette nudité idéale vont de pair avec une grande attention portée aux charmes de la surface : elle est divisée en petites parties ornées avec peu de matière et de manière couvrante, sans laisser paraître aucun accent ou mouvement ; elle est d'abord délicatement teintée, puis, plus tard, accusée par des couleurs plus franches et plus foncées. Tout le répertoire des ornements de l'Antiquité est pleinement utilisé, ceux de l'entablement et des murs tels qu'ils avaient déjà été adoptés par l'école de Raphaël ou révélés par les dernières fouilles archéologiques. En ce domaine, Kent est un précurseur important, suivi — à partir des années 60 — par Robert Adam, qui se montre d'une activité débordante, et, enfin, par Percier et Fontaine, qui excellent dans la décoration.

Les plans évitent la liaison fluide des pièces et lui préfèrent la juxtaposition d'espaces de formes originales, en les individualisant les uns à côté des autres. Dans ce domaine également, Adam est passé maître (*Syon House*, 1763-1764). L'inspiration vient des thermes et des palais impériaux romains : Marie-Joseph Peyre (1730-1785), au cours de ses études à Rome (1753-1756), conçoit des compositions idéales, publiées dès 1765 dans ses *Œuvres d'architecture*, qui suscitent une foison de projets à l'Académie. Ce type de composition, même là où les espaces sont limités, se retrouve, dans des exemples sophistiqués, pour des hôtels particuliers et des pavillons, tels le *Château de Montmusard*, construit par de Wailly près de

Dijon (1764-1772), la *Folie* de Brongniart pour le duc d'Orléans à Paris (1773) et surtout l'*Hôtel de Montmorency* de Ledoux (1769) et les maisons du même architecte pour Mlle Guimard (1770) et Mme du Barry (1771).

La densité des compositions de Ledoux atteint un point culminant, mais on trouve aussi une manière presque artisanale d'associer les formes, notamment dans des œuvres de la première phase, qui a ouvert de nouvelles voies. C'est à celle-ci qu'appartiennent un meuble, le bureau de Louis Le Lorrain pour M. La Live de Jully (aujourd'hui au musée Condé de Chantilly), la façade — divisée en simples panneaux — de l'hôtel de Chavannes à Paris par P. L. Moreau-Desproux (1727-1793) et enfin le *Recueil élémentaire d'architecture* de J. F. Neufforge, qui eut une grande influence (tous commencés en 1757) ; la grecque est le leitmotiv de ces trois œuvres.

Dans les phases tardives, après la Révolution, survient de nouveau un relâchement des structures. John Nash (1752-1835), dans ses vastes ensembles urbains de Londres, assemble des éléments classiques de manière pittoresque ; le temple grec offre une formule toute faite pour les contenus et les fonctions les plus divers. Cette conception quelque peu sommaire du Néoclassicisme vaut pour toute l'Europe, mais se manifeste surtout en Angleterre, où elle est appelée *Greek Revival* et où elle s'affirme à partir de 1804, date de la polémique au sujet du *Downing College* de Cambridge, pour lequel un gentleman-amateur, Thomas Hope, préconisait comme modèle le Parthénon et avait imposé comme architecte un mathématicien, le Dr Wilkins. Ce sont de telles considérations — d'ordre déjà historicisant — que résultent d'autres œuvres, aussi bien de Wilkins (le *Manoir de Grange Park*, 1809, la *National Gallery* de Londres, 1834) que de Smirke, dont le *British Museum* (1823-1847) est l'exemple le plus illustre, mais aussi la *Bourse* de Paris de Brongniart (1808-1815) et la *Walhalla* de Klenze (1830-1842) près de Ratisbonne, dominant comme le Parthénon le paysage au sommet d'une colline.

Comme la colonne, qui était devenue depuis longtemps une formule vide — déjà Blondel et Rondelet emploient le terme technique abstrait de « point de soutien » —, le temple grec lui-même perd de son exemplarité. Dans la phase finale, il est qualifié de paralysant et tenu pour dénué d'intérêt du point de vue de l'art, et inutilement pompeux sur le plan moral. La possibilité d'utiliser les formes de l'Antiquité pour la construction moderne, envisagée depuis Marigny, Laugier et Stuart, et l'intérêt plus général de l'étude de l'Antiquité comme base de l'histoire de la théorie de l'architecture sembleraient aller de soi pour le *Greek Revival*. Il n'en fut rien, bien au contraire. Le Néoclassicisme devint en lui-même un style, dont le caractère représentatif le rend propre à exprimer un prestige politique et culturel pour des buts précis. Signe symptomatique de crise, c'est vers la fin des années 1820 que s'ouvrit une discussion sur l'aspect polychrome des édifices grecs (Hittorff), qui portait ainsi atteinte au rêve de pureté absolue de cet art.

La géographie du Néoclassicisme

ITALIE

L'Italie est le point de départ et la référence du Néoclassicisme, mais elle est peu créatrice elle-même. La ville et l'Académie de France à Rome favorisent le développement et les échanges d'idées nouvelles. À Venise, dans un monastère franciscain, le père Carlo Lodoli enseigne le fonctionnalisme le plus rigoureux (diffusé par les écrits de Francesco Algarotti en 1753, de Francesco Milizia en 1768 et 1785, d'Andrea Memmo en 1788). À Rome, le Vénitien Giovanni Battista Piranesi (Piranèse, 1720-1778) — architecte manqué (sa seule réalisation est la transformation de Santa Maria del Priorato, 1764) — excelle comme graveur et joue avant tout un rôle d'inspirateur. Il crée des images évocatrices de la grandeur de l'architecture antique (*Antiquità romane*, 4 vol., 1756) et des fantaisies architecturales qui en sont inspirées et auxquelles s'amalgament même des éléments de l'art étrusque et égyptien (*Prima parte di architetture e prospettive*, 1743 ; *Carceri*, 1745 et 1761). Son message passe en Angleterre par l'intermédiaire d'Adam et en France grâce aux « piranésiens » Legeay, le Lorrain, Clérisseau, Challe, etc.

À l'opposé de cette fantaisie explosive, pleine de contradictions, la pratique italienne est plutôt réformatrice. C'est en Lombardie que cette école connaît son développement le plus riche et le plus continu grâce à un disciple de Vanvitelli, Giuseppe Piermarini (1734-1808), architecte de la cour à Milan (*Palazzo Belgioioso*, 1772-1781, et *Théâtre de la Scala*, 1776-1778) ; grâce aussi à l'intéressant Simone Cantoni (1739-1818 ; *Palazzo Serbelloni*, 1775-1794 ; *Villa Olmo*, près de Côme, 1782-1794) et à l'élégant Luigi Canonica (1762-1844). Leurs thèmes principaux sont, comme dans toute l'Italie, le palais et le théâtre, alors qu'à l'époque napoléonienne Giovanni Antonio Antolini (1756-1841) conçoit pour Milan le projet grandiose d'un *Foro Bonaparte* (1801) et que Luigi Cagnola (1762-1833) y bâtit l'arène et les arcs de triomphe des portes de la ville. À Naples, la situation est assez semblable, car Vanvitelli y fait école (*Résidence royale* de Caserta, à partir de 1751). Après 1800 seulement, un courant nouveau s'annonce avec le *Théâtre San Carlo* (1809-1811) d'Antonio Niccolini (1772-1850).

Dans les États pontificaux, Cosimo Morelli (1732-1812) déploie son activité de réformateur : à partir de 1782, une nouvelle décoration du *Casino de la Villa Borghèse* est entreprise. Les solutions les plus intéressantes concernent l'agrandissement des musées du Vatican. À l'époque de la Révolution, Luigi Valadier (1762-1839) participe aux grands projets napoléoniens pour Rome : la *Piazza del Popolo* et le *Pincio* destiné à devenir les « jardins du Grand César » (1813-1820). Il est caractéristique que, jusqu'à la disparition des États de l'Église, le Néoclassicisme ait survécu à Rome.

Dans la période transitoire sont actifs des centres mineurs comme Parme (Ennemond Alexandre Petitot, 1721-1801) et la Vénétie (Francesco Maria Preti, 1701-

1774). Plus tard travaillent à Venise Gianantonio Selva (1751-1819 ; théâtre *La Fenice*, 1790-1792), *Tempietto Canoviano* à Possagno (1818), à Trieste Matteo Pertsch et Peter von Nobile (1776-1854 ; *église Sant'Antonio*, 1825-1849) et à Padoue Giuseppe Jappelli (1783-1852 ; *Café Pedrocchi*, à partir de 1826). Tardivement, l'architecture révolutionnaire trouve encore un écho vigoureux dans le *Cisternone* (1835) de Francesco Poccianti (1774-1838), à Livourne, dans le cadre de travaux d'urbanisme.

ESPAGNE ET FRANCE

En Espagne, l'histoire architecturale du Néoclassicisme est marquée par deux personnalités bien distinctes : Ventura Rodriguez (1717-1785) et Juan de Villanueva (1739-1811). Rodriguez, tout en ne reniant jamais entièrement le Baroque tardif, réalise après 1760 quelques œuvres d'une sobriété rigoureuse, telles l'*École de chirurgie* de Barcelone (1761) et la façade de la cathédrale de Pampelune (1783). Avec la construction du *Prado*, Villanueva réussit un ensemble plus animé.

En France, l'évolution est apparemment plus logique qu'ailleurs et il est plus facile de distinguer des périodes. Plusieurs événements peuvent en situer les débuts : le retour de Legeay de Rome en 1742, le voyage de Marigny en Italie, le concours pour l'aménagement de la place Louis-XV à Paris, le mobilier de Lalive de Jully ou les plans de Soufflot pour le *Panthéon*. Parmi les prémices se distinguent les projets, pour la façade de Saint-Sulpice à Paris, de l'architecte de théâtre Jean Nicolas Servandoni (1695-1766), élaborés en 1732 et 1736, terminés seulement en 1777 par Chalgrin. La première phase correspond aux années d'activité de Jacques-Ange Gabriel, architecte de la cour. Vers 1750, avec ses pavillons de jardin (*Pavillon français* au Trianon), il élabore des objets parfaits qui s'inscrivent dans la tradition française, tandis que les deux grands palais de la place de la Concorde résument, avec plus de précision et plus de préciosité, l'idée de la façade orientale du Louvre. Lorsque Gabriel réalise le grand ensemble de l'*École militaire* (175

1788), il fait un pas décisif vers le Néoclassicisme et c'est à Versailles que sont ses chefs-d'œuvre : l'*Opéra* (1769-1770) et le pavillon presque carré du *Petit Trianon* (1764-1768) pour la maîtresse du roi, avec un décor intérieur d'une homogénéité exemplaire.

Chacun à sa façon, Germain Soufflot et Pierre Contant d'Ivry (1698-1777) marquent, eux aussi, la transition. Le premier avec ses constructions lyonnaises des années 1740 (*Loge au change* et *Hôtel-Dieu*) et le second avec des formules éclectiques poursuivies jusqu'à la fin de sa carrière (surtout la basilique à colonnes de Saint-Vaast à Arras, à partir de 1755). Pour les hôtels particuliers, les nouvelles formes ne s'intègrent aux typologies anciennes que lentement et souvent superficiellement : ainsi l'*Hôtel Châtelet* par Mathurin Cherpitel (1770), l'*Hôtel de l'Intendance* par Victor Louis à Besançon (1771-1778), l'*Hôtel de Gallifet* par J.-G. Legrand (1778-1785), l'*Hôtel de Monaco* (1775-1777) et l'*Hôtel de Bourbon-Condé* (1780) par Brongniart, l'*Hôtel de Salm* par Antoine Rousseau (1784). Dans les années 1760, des pas décisifs sont faits par Boullée (*Hôtel Alexandre*) et Ledoux (*Hôtel d'Hallwyl* et *Hôtel d'Uzès*), qui proposent une nouvelle conception du rapport entre maison et jardin avec l'*Hôtel de Brunoy* (1772-1779) du premier et l'*Hôtel de Thélusson* (1778-1783) du second.

À partir de 1770 s'implantent dans les nouveaux quartiers parisiens de plus en plus d'architectures de plaisance (pavillons, folies), où les formes se déploient avec plus de liberté et de variété, montrant souvent une préférence pour des plans centraux. Dans ce domaine, à côté de Ledoux, les architectes les plus brillants sont Charles de Wailly (1729-1798), Alexandre-Théodore Brongniart (1739-1813) et François-Joseph Bélanger (1744-1818 ; *Bagatelle*, pour le comte d'Artois, en 1777). Le caractère monumental s'affirme avec des moyens traditionnels — l'ordre colossal et surtout le rustique, traité maintenant plus lourdement. À l'opposé se développe une recherche de nudité, pour la première fois à la *Folie Neubourg* (1762), de Peyre, plus tard au *Couvent des Capucins* (1780-1783), de

Brongniart (*lycée Condorcet*). Victor Louis (1731-1800) conçoit cette monumentalité de façon assez libre, plutôt décorative, lorsque, aux galeries du *Palais Royal* (1781), il combine des pilastres cannelés colossaux avec des arcades en rez-de-chaussée. Quelques édifices publics offrent à l'intérieur une monumentalité décorative de haute qualité, tels les vestibules et les escaliers de théâtres à Paris (l'*Odéon*) et à Bordeaux, ou la grande salle de *la Monnaie* (Paris, 1768-1775), due à Jacques-Denis Antoine (1733-1801). Pour la cour travaillent encore Richard Mique (1728-1794 ; *Couvent de la Reine* à Versailles, 1767-1772) et Pierre-Adrien Pâris (1745-1819). À la veille de la Révolution, même des immeubles de rapport présentent un intérêt architectural, par exemple les *Maisons Hosten* de Ledoux (1782-1792) et la *Cour Batave* de Sobre et Happe (1791).

En dehors de Paris et à côté de Bordeaux, où Victor Louis bâtit de nombreuses maisons d'habitation, se distingue Nantes, entièrement transformée par Jean-Baptiste Ceineray (1722-1811) et Mathurin Crucy (1749-1826). À l'exemple de la *Place de la Concorde,* conçue selon la formule d'une place ouverte, d'autres places royales s'édifient dans plusieurs villes (Reims, Rennes, Lyon) et à Metz et Strasbourg, elles s'intègrent dans le plan de restructuration de la ville dressé par Blondel. Des bâtiments publics sont également édifiés dans de nombreuses villes, telles Caen, Nantes, Châlons-sur-Marne. Le Néoclassicisme en France, après avoir atteint, dès 1770, l'expression la plus pure à l'*École de chirurgie* de Gondoin, la plus sûre et la plus puissante dans les édifices de Ledoux, déploie ses énergies galvanisées par la Révolution pour des fêtes révolutionnaires. Il doit aussi répondre aux exigences des nouvelles institutions démocratiques en proposant pour leurs sièges une architecture appropriée. Aucun des plans idéaux conçus par Boullée, Legrand, Molinos pour l'Assemblée nationale ne sera réalisé.

Transformer les châteaux royaux est également la tâche principale de Charles Percier (1764-1838) et de Pierre-François Léonard Fontaine (1762-1853) sous Napoléon : avant tout, les salles d'apparat au Louvre et aux Tuileries ainsi que des appartements à Compiègne. Ces architectes ne s'intéressent pas vraiment à des effets spatiaux ou plastiques, ni à l'utilisation, d'ailleurs réduite, des ordres, mais ils développent un système décoratif couvrant murs et voûtes dont la conception syncrétique est d'une ampleur étonnante. Le chef-d'œuvre de ce genre, bien que de dimensions modestes, est le château de *Malmaison*, construit pour Joséphine de Beauharnais (1800-1802).

Si l'architecture napoléonienne compte également, parmi ses réalisations principales, des ponts *(Pont des Arts, Pont d'Austerlitz, Pont d'Iéna)*, il convient de rappeler que la science des ingénieurs était déjà très développée et indépendante dès l'époque de Louis XIV. Le fondateur de l'École des ponts et chaussées (1747), Jean Rudolphe Perronnet (1708-1772), remporta un succès sensationnel avec l'audacieuse courbe arquée du *Pont de Neuilly* (1768-1772) et, grâce à son appui, Jean-Baptiste Rondelet (1743-1829) put mener à bien les travaux de *Sainte-Geneviève*. Il deviendra plus tard le représentant d'une architecture essentiellement définie par les fonctions et la technique *(Traité théorique et pratique de l'art de bâtir*, 1802).

À l'époque de la Restauration, on construit surtout des églises qui prennent pour modèle la basilique paléochrétienne. La plus importante de cette série très cohérente est *Notre-Dame-de-Lorette* à Paris, de Louis-Hippolyte Lebas (1823-1826) ; la plus monumentale, l'église de *la Madeleine*, enfin achevée, avec une apparence extérieure de temple due à Alexandre-Pierre Vignon et un intérieur à l'imitation de thermes par Jean-Jacques-Marie Huvé (1807-1845).

ANGLETERRE

Dans l'évolution de l'architecture anglaise au xviiie s., une large part doit être faite aux *country-houses*, aux formes extraordinairement variées : façade à portique ou comprimée dans un bloc cubique au château de lord Bessborough à *Roehampton* et dans les constructions de Chambers des années 1760, ou de grands ensembles s'étendant en longueur en un rythme complexe (projets de Campbell pour *Wanstead House*, 1725-1730, de Paine pour *Kedleston Hall ; Holkham Hall* de Kent, 1734, et *Heaton Hall* de Wyatt, 1772). Les éléments les plus importants des intérieurs sont maintenant les vestibules (par exemple à *Syon House*, d'Adam) et les escaliers, qui s'ouvrent sur plusieurs étages et sont entourés de colonnes et surmontés d'une coupole comme à *Wardour Castle*, de Paine (1770-1776), à *Culzean Castle*, d'Adam, et à *Herrington Hall*, de Holland (1778) ; les salons (fréquemment circulaires sous une coupole et pourvus de niches, comme ceux de *Kedleston Hall* et de *Heaton Hall*) ainsi que les salles à manger et les bibliothèques *(Kenwood House*, d'Adam, 1764-1768), sans oublier les galeries *(Syon House)*. Partout l'utilisation d'éléments décoratifs antiques joue un rôle primordial *(Etruscan Room* à *Osterley Park*, d'Adam, 1775-1777 ; *Painted Room* à *Spencer House*, de Stuart, 1758 ; *Galerie Pompéienne* à *Packington Hall*, de Joseph Bonomi, v. 1786). Robert Adam, de retour d'Italie en 1758, propose des exemples impressionnants de l'intégration du portique *(Osterley Park*, 1761) et de l'arc de triomphe *(Kedleston Hall*, 1765) comme des formes préconçues dans des façades autrement organisées. Bâtir en plan massé ou en composition par éléments demeure l'alternative jusqu'à la fin de l'évolution, au début du xixe s. Les deux formules correspondent l'une à un sévère *Revival*, l'autre à une recherche de pittoresque : d'un côté *Belsay Hall*, de sir Charles Monck et ses amis (1806-1817), de l'autre *Grange Park*, de Wilkins, et *Dodington Park*, de Wyatt. Voici d'autres exemples des deux tendances : le portique en sinistre style dorique primitif devant les manoirs de *Stratton Park* (Dance, 1803-1804) et de *Chester Hall* (Thomas Harrison, 1793-1820) ; la composition libre s'accompagne d'abord d'une attitude anticlassique chez Horace Walpole (aménageant *Strawberry Hall* en style gothique à partir de 1750) et ensuite, dans le même esprit, chez Nash *(Luscombe Castle*, 1799-1804), Jeffrey Wyatville *(Ensleigh*, 1810-

1811) et Thomas Hope (*Deepdence,* 1818-1823). Dans ce domaine, les architectes éminents se détachent plus clairement. Collaborateur de lord Burlington, William Kent (1685-1748) est riche d'idées et illustre les aspects les plus divers dans la période de transition : il invente jardins et « fabriques » (Rousham, Stowe), expérimente tôt le Néogothique ; il est ingénieux pour les extérieurs et subtil dans les aménagements des intérieurs, avec un syncrétisme raffiné (par exemple dans la combinaison de modèles antiques dans le grand vestibule de *Holkham Hall,* 1730). Alors qu'un praticien comme William James Paine (1716-1789) n'apporte presque rien de nouveau, Robert Adam (1728-1792) — en quelque sorte l'héritier de Kent — excelle dans ses célèbres décorations d'intérieurs, élégants et délicatement ornés de minces pilastres, pour des manoirs, des habitations urbaines (la suite des pièces de *Derby House ;* au *20 Portman Square,* la salle de musique avec ses décors), des immeubles de rapport à Londres (*Adelphi Terrace,* 1768-1772) et un château fantaisiste (*Culzean Castle,* 1777-1790, à l'extérieur vaguement moyenâgeux et à l'intérieur néoclassique).

Plus jeune, James Wyatt (1747-1813) est un architecte à la mode aussi brillant qu'Adam, dont il adapte la manière dans un sens quelque peu puriste (*Heaton Hall, Heveningham* à partir de 1788) ; mais il sait davantage encore aller aux extrêmes stylistiques (le *Panthéon* à Londres et le plus célèbre des *fake castles, Fonthill Abbey,* construit pour William Beckford en 1795). Henry Holland (1745-1806) paraît plus rigoureux et plus français (chef-d'œuvre détruit, *Carlton House,* à Londres, 1783-1795, pour le duc de Galles ; et, également important, la *Country House de Berrington,* en 1778).

Un peu à l'écart de cette lignée se situe le rival d'Adam, l'un des cofondateurs de l'Académie en 1768, William Chambers (1723-1796). Théoricien et expert incontesté de l'architecture chinoise (les *Kew Gardens,* 1757-1776), il représente le Classicisme le plus strict et remporte des succès avec des projets mineurs (en particulier le *Mausolée à Marino,* près de Dublin, 1758-1776).

George Dance II (1741-1825) et sir John Soane (1753-1837), issus de la tradition académique, s'orientent vers des conceptions romantiques révolutionnaires tout en adoptant la délicatesse et la minceur du décor mural d'Adam. Dès son retour de Rome (1763), Dance tente une première approche d'« architecture parlante » avec la façade compacte et lourdement rustique de la *Prison de Newgate,* à Londres (détruite). Les intérieurs, chez l'un comme chez l'autre, sont caractérisés par la réduction des ordres — en particulier des entablements — et par des voûtements sans ouvertures qui donnent l'impression d'une voûte suspendue, dont l'effet est accentué par des baies dissimulées très haut, au point de suggérer parfois l'atmosphère d'une grotte. Dance bâtit à Londres l'église de *All Hallows* (1765-1767). Soane, de son côté, aménage les nombreuses salles nouvellement créées ou restructurées de la *Banque d'Angleterre,* formant un conglomérat de pièces et de cours intérieures (1792-1824) ; il édifie aussi à *Lincoln's Inn Fields,* à Londres, sa propre demeure, qui l'occupe sa vie durant, et, dans son espace des plus exigus, il accentue encore plus le raffinement presque névrotique des lignes, la tension des surfaces et l'isolement du lieu. Comme Boullée, Soane souligne la « poésie de l'architecture », dont la lumière est la source principale.

John Nash (1752-1835) introduit le pittoresque dans ses constructions par d'autres moyens. Il groupe des bâtiments de façons variées et utilise avec une certaine négligence les formes classiques. Ses « Terraces » et « Places » cernent *Regent's Park* (1811-1827), et *Regent Street* forme un axe qui s'avance vers le centre de la ville, dont il articule magistralement les carrefours et les courbes. À la campagne, châteaux et villas *(Cronkhill)* attestent le rôle capital de Nash vers 1800 dans le *Picturesque Movement.* Il collabore avec Humphrey Repton (1752-1811), le principal représentant de la dernière phase du parc paysager. Depuis les réalisations dues à l'esprit inventif de Kent, les « fabriques », disposées selon des principes picturaux, s'étaient répandues un peu partout (par exemple *Stuart,* à Shugborough,

1764-1770) et, vers le milieu du siècle, Lancelot « Capability » Brown (1715-1783) avait développé le jardin animé en parc paysager. Non moins remarquable est Henry Hoare (1741-1783), qui créa *Stourhead*. Avant 1800, la théorie du parc anglais développée par les esthéticiens William Gilpin, sir Udeval Price et Richard Payne Knight était parvenue à sa forme définitive. En Grande-Bretagne, l'architecture des édifices publics est pour une bonne part le produit de la phase tardive et se trouve donc marquée par le *Picturesque Movement*. Les architectes du *Greek Revival* en subissent l'influence aussi bien en Angleterre qu'en Écosse ; parmi les chefs de file figurent William Wilkins (1776-1839) et Robert Smirke (1780-1867) : la *General Post Office* (1824-1829), le *British Museum*. Harvey Londsdale Elmes (1813-1847) exerce, pendant la courte durée de son activité, à Manchester et à Liverpool, où, avec *Saint George Hall*, à partir de 1840, il crée l'œuvre peut-être la plus intéressante du mouvement. En Écosse, on trouve quelques réalisations remarquables (*High School* à Édimbourg, 1825-1829, de Thomas Hamilton, et la *Caledonia Road Free Church*, à Glasgow, 1856, d'Alexander Thompson). Par contre, à Dublin, des édifices tels que *The Four Courts* (1776-1796) et *Customs House* (1781-1791), de James Gandon (1742-1823), plus heureux que son maître Chambers, appartiennent encore au courant réformateur du Néoclassicisme.

PAYS GERMANIQUES

Dans les pays germaniques, la vieille capitale de l'Empire, Vienne, comporte des œuvres notables qui, pour autant, ne se distinguent pas comme chefs-d'œuvre. Le Néoclassicisme à son début est représenté par Johann Ferdinand Hetzendorf von Hohenberg (1732-1806 ; la *Gloriette* au-dessus de *Schönbrunn*, 1775), à son apogée par Isidor Canevale (1730-1786 ; l'*Arc du Augarten*, à Vienne) et à sa phase tardive — *Biedermeier* — par Joseph Kornhäusel (1782-1863 ; le *Weilbourg*, à Baden près de Vienne, 1820-1823). Les petites villes de résidence princière s'illustrent encore avant de céder le pas

aux nouvelles villes royales comme Munich et Berlin. À Vienne, mais plus encore à l'ouest, dans cette première phase, l'influence française prévaut (Pierre-Michel Ixnard, avec l'église abbatiale de Sankt-Blasien en Forêt-Noire, 1768-1783, Nicolas de Pigage, Simon Louis de Rey). À Wörlitz, dès les années 1769-1773, Friedrich Wilhelm von Erdmannsdorff (1736-1800) édifie tout un ensemble comprenant un palais, avec ses décors intérieurs, un parc anglais et des pavillons de jardin pour le duc d'Anhalt-Dessau ; à Weimar (1802-1804), Gentz aménage une série de pièces d'apparat dans le château ducal. Heinrich Gentz (1766-1811 ; la *Monnaie*, 1798-1800) devint avec David Gilly le véritable fondateur de l'école berlinoise et de l'Académie (1799). Le rôle de grand novateur revient au fils de celui-ci, Friedrich Gilly (1772-1800), grâce à ses dessins inspirés par le Néoclassicisme révolutionnaire. Leur disciple, Friedrich Schinkel (1781-1841), dominera la vie artistique en tant qu'architecte, peintre, scénographe et théoricien : à partir de 1810, il utilise concurremment les formes gothiques et les formes classiques ; vers la fin des années 1830, il leur préfère celles de la Renaissance, mais reste toujours en quête d'un « style pur ». Entre ces termes, il réalise des édifices d'un style classicisant des plus dépouillés et des plus limpides, comme la sévère *Neue Wache* (1816), le *Théâtre dramatique* (1818-1821) et, près du *Château de Berlin*, l'*Altes Museum* (1823-1830), aussi parfait dans le caractère quasi pictural de son extérieur que fonctionnel dans ses dispositions. Au *Charlottenhof* (1826-1835) de Potsdam, il réalise l'idée d'un ensemble d'architecture pittoresque dans des formes classiques avec une précision toute particulière ; d'autres projets de châteaux royaux à Orienda en Crimée et sur l'Acropole d'Athènes demeurent à l'état de projets — rêves attardés d'un monde éternellement classique ; d'un autre côté, il développe un fonctionnalisme tout à fait inhabituel (au lieu de fenêtres, des fentes entre des pans de murs en forme de pilier).

Le Néoclassicisme munichois connaît son épanouissement avec Leo von Klenze (1784-1864), encouragé par le prince héri-

DU NÉOCLASSICISME
À LA FIN DU XIXᵉ SIÈCLE

La Barrière du Trône, *à Paris,*
Bâtiment construit par Claude Nicolas Ledoux en 1788.

Mausolée *(auj. Dulwich College Picture Gallery de Londres),*
de sir John Soane : vue extérieure.

Monticello, *demeure construite*
par Thomas Jefferson en Virginie.

Prisons, *planche VII. Eau-forte de Giovanni Battista Piranesi (1761).*
Bibliothèque nationale, cabinet des Estampes.

Marat assassiné, *par Louis David (1793).*
Bruxelles, musées royaux des Beaux-Arts.

Portrait de l'impératrice Joséphine, *par Pierre Paul Prud'hon (1805).*
Paris, musée du Louvre.

Le Pont du Gard, *par Hubert Robert (1787).*
Paris, musée du Louvre.

Saturne dévorant un de ses fils, *par Francisco Goya. « Peinture noire »
de la « maison du sourd » (1819-1832). Madrid, musée du Prado.*

Voyageur contemplant une mer de nuages,
par Caspar David Friedrich (1815). Hambourg, Kunsthalle.

La Charrette de foin, *par John Constable (1821).*
Londres, National Gallery.

Goethe dans la campagne romaine,
par Wilhelm Tischbein.
Rome, musée Goethe.

41

La Grande Odalisque,
par Jean Auguste Dominique Ingres (1814).
Paris, musée du Louvre.

Le Colisée vu des jardins Farnèse,
par Jean-Baptiste Corot (1825-1828).
Paris, musée du Louvre.

45

L'Enterrement à Ornans,
par Gustave Courbet (1850).
Paris, musée du Louvre.

L'Hiver, les bûcheronnes,
*par Jean-François Millet (1868-1874).
Cardiff, National Museum of Wales.*

tier de Bavière, Ludwig, à partir de 1816. Son Classicisme est historico-romantique et traduit la volonté allemande de s'identifier avec l'Hellénisme : la *Glyptothèque* comme lieu de culte réservé aux statues, les *Propylées* et enfin le *Walhalla,* conçu comme temple en l'honneur du génie allemand.

À Karlsruhe, Friedrich Weinbrenner (1766-1866) donne à la *Place du Marché* (1804-1824) une forme fermée, très librement équilibrée. À Würzburg, la *Caserne* (1809-1810) construite par Peter Speeth reste un exemple isolé du Néoclassicisme révolutionnaire.

PAYS SCANDINAVES

Les néoclassiques scandinaves puisent d'abord directement aux sources du mouvement. Les « piranésiens » Nicolas-Henri Jardin (1720-1799) et Jean-Louis Desprez (1743-1804) sont appelés, l'un, à la cour de Copenhague, l'autre, en 1784, à celle de Stockholm. La salle à manger installée par Jardin pour le comte de Moltke à Amalienbourg (1755-1757) est un des tout premiers exemples d'un intérieur néoclassique. Sont aussi à retenir les projets romantiques du Suédois Carl August Ehrensvärd (*Portail pour les docks de Karlskrona,* 1785) ; à Copenhague, des constructions très pures de Christian Frederik Hansen (1756-1845) : la *Vor Frue Kirke* (1808-1810), et celles de Gottlieb Bindesbøll (1800-1856), créateur du *Thorvaldsen-Museum* (1837-1848). La nouvelle capitale Helsinki reçut également ses édifices : la *Cathédrale Nikolai* (1818-1852), le *Sénat,* l'*Université* — aux abords de la place du Sénat — et particulièrement la *Bibliothèque universitaire,* tous de Carl Ludwig Engel (1778-1840).

RUSSIE

Cependant, l'occasion de réaliser les plans les plus grandioses s'offrait surtout en Russie, où Catherine II et ses successeurs continuèrent les efforts de Pierre le Grand pour donner une noble dignité à la capitale, Saint-Pétersbourg et ensuite Moscou, en s'inscrivant toujours dans le goût néoclassique. Clérisseau et Charles Cameron (v. 1740-1812) établissent des liens avec les origines romaines ; Giacomo Quarenghi (1749-1817), de son côté, introduit dès 1779 un art profondément marqué par Palladio. Cameron se distingue surtout par ses décorations intérieures (*Tsarskoïe Selo,* 1779-1784), tandis que Quarenghi assume n'importe quelle tâche architecturale (*Palais anglais* à Peterhof, 1781-1789 ; *Banque d'État,* 1783-1789 ; *Institut Smolnyï,* 1806-1808). L'influence française l'emporte pourtant, grâce à des architectes français ou russes formés en France. Le pathos révolutionnaire et des dimensions gigantesques caractérisent à Saint-Pétersbourg l'*Amirauté* (1806-1815) d'Andrejan Dimitrievitch Sacharow (1761-1811) et, non loin, la *Bourse* (1801-1804), à laquelle Thomas de Thomon (1754-1813) a donné la forme d'un temple dorique. Carlo Rossi, formé en Russie (1775-1849), synthétise ses tendances — auxquelles la capitale doit son cachet — dans le *Palais du prince Michel* (1819-1823), le *Sénat* et le *Synode* (1829-1834), le *Théâtre d'Alexandra* (1827-1832) et le Quartier général, dont un immense arc de triomphe constitue le centre, comme à l'*Amirauté.*

À Moscou, la série des architectes commence avec Vassili Ivanovitch Bajenov (1737-1799) et continue avec Matvei Fedorovitch Kasakov (1738-1812), qui rejoint Quarenghi dans son respect pour Palladio et devient son collaborateur (*Palais Chermentev* à Otankina, 1791-1798).

En Pologne, le Classicisme s'épanouit tôt, sous le roi Stanislas Auguste Poniatowski (1764-1795), lors de l'agrandissement du *Palais Royal* à Varsovie et de l'édification du *Palais Lazienki* en dehors de la ville (Domenico Merlini).

GRÈCE

Avec la fondation de la monarchie grecque, en 1832, le style officiel se voulut classicisant et le restera jusqu'au XXe s. Comme la dynastie, les architectes venaient d'abord de Bavière — Friedrich Gärtner pour le plan d'urbanisme et le *Palais Royal* —, puis du Danemark. Hans Christian Hansen (1803-1883) et Theophil Hansen (1813-1891) bâtirent l'*Université*

(1839-1849), l'*Académie des sciences* (1859-1887) et la *Bibliothèque* (1888-1891) ; Theophil transmit ensuite l'idéal grec au *Parlement de Vienne* (1873-1883).

ÉTATS-UNIS

Nulle part ailleurs pourtant l'idée d'une architecture grecque ne fut plus lourde de conséquences qu'aux États-Unis, où elle devait symboliser la renaissance de la démocratie (les parlements des États fédéraux). Et personne n'éleva de façon aussi exclusive le temple grec au rang de modèle que le président Thomas Jefferson (1743-1826). En Virginie, il érigea sa propre demeure, *Monticello*, à l'exemple d'une villa antique (1771-1809), puis le *Capitole* de Richmond (1785-1789) en s'inspirant de la *Maison carrée* de Nîmes et l'*Université de Virginie* à Charlottesville (1804-1827), en forme de place entourée de colonnades et de temples à portique.

L'architecte le plus éminent de la véritable période néoclassique est l'Anglais Benjamin Latrobe (1764-1820), dont le style est avant tout marqué par celui de Soane. Lui aussi imposa le modèle du temple à la *Bank of Pennsylvania* à Philadelphie, comme plus tard son élève William Strickland (1783-1854) à la *Second Bank of the United States* (à partir de 1818) et à la *Bourse* de Philadelphie (1832). Vient ensuite le disciple de ce dernier, Thomas U. Walter (1804-1887), pour le corps principal du *Girard College* (1833-1847) de la même ville. Tous trois sont remarquables pour leurs ingénieux aménagements d'intérieurs dans de pareilles enveloppes. Latrobe installe les salles d'assemblée du *Capitole* à Washington, mais son chef-d'œuvre est la *Cathédrale de Baltimore* (1804-1818). Strickland et Robert Mills (1781-1855), avec leurs longues colonnades devant les bâtiments du gouvernement à Washington, instaurent le style administratif national. D'un remarquable niveau, le Néoclassicisme du nouveau monde a survécu dans les œuvres de Charles Follen McKim (1847-1909 ; *Bibliothèque de la Columbia University* à New York, 1893) et de son disciple John Russel Pope (*National Gallery* à Washington, jusqu'en 1941).

Bibliographie sommaire

BRAHAM (A.), *The Architecture of the French Enlightenment*, Thames & Hudson, Londres, 1980. HUSSEY (Ch.), *English Country Houses*, Country Life, Londres : *Early Georgian 1715-1760*, 1955 ; *Mid Georgian 1760-1800*, 1956 ; *Late Georgian 1800-1840*, 1958. KAUFMANN (E.), *l'Architecture au siècle des Lumières*, Julliard, Paris, 1963. MIDDLETON (R.), WATKINS (D.), *Architecture moderne. Du néo-classicisme au néo-gothique 1750-1870*, coll. Histoire mondiale de l'architecture, Berger-Levrault, Paris, 1983.

RAISON
ET SENTIMENT :
L'ÂGE
DU NÉOCLASSICISME

Daniel Ternois

LES NOTIONS DE NÉOCLASSICISME, DE ROMANTISME ET DE RÉALISME correspondent à un découpage traditionnel et commode. Mais si ces courants se succèdent, ils coexistent aussi et se recouvrent partiellement. La première période (env. 1750-1815) comprend la fin du règne de Louis XV, celui de Louis XVI (1774), la Révolution et le premier Empire. Elle est complexe, traversée de courants contraires : le retour à l'antique est l'un d'eux ; mais, dès le début, le Néoclassicisme comporte de forts éléments romantiques et il arrive que les mêmes artistes puisent dans les deux courants. Il y a place aussi pour le drame bourgeois, moralisant et sentimental, de Greuze, commenté par Diderot ; pour l'évocation des passés nationaux, du Moyen Âge et de la Renaissance ; pour l'art « gothique », que l'Angleterre met à la mode ; pour l'histoire contemporaine, où la Révolution et l'Empire trouvent de nouveaux exemples d'héroïsme ; pour le rêve, l'imagination, le fantastique de Füssli et de Goya.

Le Néoclassicisme n'est pas seulement une mode décorative antiquisante, qui n'en est qu'un effet superficiel. Sa nature est plus profonde. C'est une réaction contre la frivolité de l'art et des mœurs de la première moitié du XVIIIe s. et contre les complications du style « rocaille » ou « rococo », condamné pour des raisons morales autant qu'esthétiques. Les philosophes des « Lumières », les auteurs de l'*Encyclopédie* s'efforcent de transformer la société soit par le progrès scientifique et technique (dans lequel l'Angleterre a une grande avance), soit par un retour à la simplicité et à la pureté « primitives » : on rêve d'un monde meilleur, d'une sorte d'« âge d'or », gouverné par la raison naturelle et par la justice. Ce bouillonnement d'idées généreuses aboutit aux révolutions politiques et sociales, américaine, puis française, d'où émergera le monde moderne.

On propose aux jeunes gens des exemples de vertu civique, de dévouement au bien public et à la patrie, d'énergie et d'ascèse, qui se traduisent dans l'art par la force plastique, le dépouillement de la composition, du dessin et de la couleur, l'appauvrissement volontaire du métier. Le retour à l'antique n'est qu'un moyen de parvenir à cet idéal : on demande des sujets moraux à l'histoire de la Grèce et de la République romaine, un langage formel à l'art gréco-romain.

L'Italie est le centre de cette renaissance classique. Les fouilles de Rome viennent enrichir les collections des papes et des particuliers. L'« étruscomanie » naît à Florence et en Toscane. La redécouverte en Campanie des villes ensevelies par l'éruption du Vésuve en 79 apr. J.-C., Herculanum à partir de 1738, Pompéi un peu plus tard, révèle l'existence d'une peinture antique et d'objets d'usage quotidien, témoins d'une Antiquité vivante, étonnamment proche. Des recueils de planches gravées font connaître ces œuvres, ainsi que les temples doriques de la Grande-Grèce.

Rome est plus que jamais une ville cosmopolite. Peu d'artistes européens se dispensent du voyage de Rome. Des théoriciens allemands (Winckelmann, Mengs), italiens (Milizia), français (Caylus, Quatremère de Quincy) élaborent la nouvelle doctrine. Les *Réflexions sur*

l'imitation de l'art grec en peinture et en sculpture (1755) font sensation : leur auteur, Winckelmann (1717-1768), estime que la sculpture grecque est la forme d'art la plus proche du « beau idéal » et que les artistes modernes doivent s'en inspirer. Neuf ans plus tard, il publie son *Histoire de l'art antique* (1764), dans laquelle il retrace, pour la première fois, l'évolution de l'art grec. Les *Études sur le beau et le goût dans la peinture*, de Mengs, sont dédiées à Winckelmann ; l'essai de Lessing *Laocoon* (1763) et les écrits de Goethe, converti au Classicisme au cours de son voyage en Italie, s'inscrivent dans la même direction.

Beaucoup d'éléments romantiques ou préromantiques sont mêlés au courant néoclassique : c'est l'aspect irrationnel et subjectif de cette époque complexe. Le mot « sublime » tient une grande place dans l'esthétique du temps. Pour Diderot, le sublime est ce qui échappe à la raison et aux règles classiques de la beauté, ce qui exprime une grandeur surhumaine. Il se confond avec le « génie », auquel l'*Encyclopédie* consacre un article avant que les romantiques de 1830 ne s'en emparent : le génie de Shakespeare s'oppose à la beauté de Virgile.

D'Angleterre viennent les rêveries sentimentales, la mélancolie des ruines et des jardins « pittoresques », le goût du Moyen Âge, les émotions extrêmes, les thèmes horribles tirés de Shakespeare, de Milton, de Young ou du pseudo-Ossian (une supercherie littéraire de Macpherson qui connut un succès considérable). D'Allemagne vient le mouvement du *Sturm und Drang* (« orage et lutte »), illustré par Schiller et par le jeune Goethe, qui exprime des sentiments violents, en réaction contre le rationalisme. En France, même des élèves de David sont sensibles à ces courants.

Au musée Napoléon du Louvre, où se concentrent les chefs-d'œuvre de la sculpture antique et de la peinture conquis en Italie, s'oppose le musée des Monuments français, où Alexandre Lenoir rassemble dans l'ancien couvent des Petits-Augustins, entre 1795 et 1815, les sculptures et objets médiévaux sauvés des destructions révolutionnaires. Leur disposition en salles de styles et d'atmosphère médiévaux frappe les imaginations : c'est là une des origines du « style troubadour ».

Sculpture

Pour les théoriciens, la sculpture est l'art suprême parce qu'elle est le plus apte à imiter la sculpture antique, considérée comme le sommet de l'art de tous les temps. Mais les modèles proposés ne sont que des copies romaines. Canova ne connaîtra qu'à la fin de sa carrière les reliefs du Parthénon, rapportés à Londres en 1804 par lord Elgin, et c'est en 1811 que Thorvaldsen restaure à Rome les groupes du temple préclassique d'Égine (Munich, Glyptothèque).

Si la Révolution a manqué de temps, Napoléon, qui domine l'Europe entière, a su mettre la sculpture au service de sa politique et de sa personne. Les changements de régime entraînent des destructions et des altérations, mais aussi de nouvelles commandes. Mieux que la peinture, cachée dans les palais ou chez les collectionneurs, la sculpture publique joue un rôle social important. Elle bénéficie du développement urbain, qui s'accélère au XIXᵉ s., et des embellissements de prestige décidés par les gouvernements et les municipalités.

ITALIE

C'est dans le milieu cosmopolite de Rome, au contact des œuvres de l'Antiquité, que se produit le renouvellement classicisant de la sculpture. Canova (1757-1822) est encouragé dans cette voie par Quatremère de Quincy, qui ne cessera de le maintenir dans le « droit chemin », dont sa nature sensuelle et réaliste, son goût de la vie tendaient à l'écarter. Le *Tombeau de l'archiduchesse Marie-Christine* (1798-1804, Vienne, église des Augustins) exprime la douleur avec sobriété. *Psyché ranimée par le baiser de l'Amour* (1787-1793, Louvre) a la grâce de la sculpture hellénistique, avec un souci nouveau de la simplicité des plans et de la pureté des profils. Adopté par Napoléon, Canova

sculpte la statue colossale de l'Empereur, nouvel Auguste, dont la nudité « héroïque » ne plaît toutefois pas au souverain (1811, Milan, Brera). Plus heureuse est l'effigie de *Pauline Borghèse*, sœur de Napoléon, transformée en Vénus victorieuse à demi nue, d'une sensualité contenue (1808, Rome, galerie Borghèse). Canova domine, de haut, son époque, et son influence s'exercera dans toute l'Europe pendant une grande partie du XIXᵉ s. À sa suite, le Florentin Bartolini (1775-1850) répudie le « beau idéal » en faveur d'un naturalisme épuré, d'une grande fraîcheur de sentiment, et recommande l'étude du quattrocento florentin (*Tombeau de la princesse Czartoryska*, apr. 1837, Florence, Santa Croce).

FRANCE

Avant même qu'il fût question de retour à l'antique, Bouchardon avait donné l'exemple avec l'*Amour taillant son arc dans la massue d'Hercule* (1740, Louvre). Pajou (1733-1809), au théâtre de Versailles (1768), est un décorateur classicisant, tandis que sa *Psyché abandonnée* (Louvre), au corps souple et vivant, exprime un sentiment passionné.

Mais la partie la plus durable de l'œuvre de Pajou, de Pigalle, de Caffieri, de Houdon, ce sont leurs bustes des célébrités contemporaines. L'intelligence brille dans les regards des modèles de Houdon (1741-1824) : *Diderot* (1771, terre cuite, Louvre), *Voltaire* et *Rousseau* (1778). Sa statue de *Voltaire drapé à l'antique* est célèbre. Il modèle à Paris, entre 1778 et 1781, les bustes de célébrités américaines avant d'être appelé aux États-Unis pour réaliser la statue de *Washington* (1785, Capitole de Richmond). Sa *Diane* (1777-1781, marbre, Lisbonne, Fondation Gulbenkian) est d'une élégance épurée, mais ses formes fines et élancées ne sont guère antiques. Seuls ses reliefs funéraires comme le *Monument du comte d'Ennery* (1781, Louvre) s'inscrivent dans le goût nouveau, dont il se réclame en théorie. Le « style Louis XVI » se répand dans l'art décoratif et le mobilier.

Tout change avec la nouvelle génération, née autour de 1750-1760. L'idéal républicain favorise le retour à l'antique, dans le fronton (détruit) de Moitte (1746-1810) au Panthéon ou dans les allégories révolutionnaires du Lyonnais Chinard 1756-1813), jacobin convaincu, qui sut traduire plus tard la séduction de *Madame Récamier* (bustes, musées de Lyon et de Berlin-Dahlem, 1802). Il y a place encore pour des effigies fortes et vraies comme le buste du jeune général *Bonaparte* par Corbet (1802, Versailles). L'esthétique antique, adoptée par l'Empereur comme le style du régime, triomphe dans la décoration monumentale sous la direction des architectes Percier et Fontaine, qui publient des recueils inspirés de Pompéi. Les ébénistes Jacob et le bronzier Thomire créent le mobilier « Empire », qui se répand dans toute l'Europe. Des équipes de sculpteurs ornent d'allégories, de scènes militaires, de statues de grands hommes et de maréchaux les nouveaux monuments de la capitale : l'arc de triomphe du Carrousel, le Palais-Bourbon, les ponts de la Concorde et d'Iéna, les fontaines égyptiennes du Châtelet et de la rue de Sèvres. Cartellier (1757-1831) sculpte au fronton de la colonnade du Louvre un char conduit par une Victoire. L'influence de Canova est visible dans *l'Amour au papillon* de Chaudet (1763-1810) au Louvre (1802).

SCANDINAVIE

Le Suédois Sergel (1740-1814) découvre à Rome les antiques, mais aussi l'imagination fantastique du peintre suisse Füssli, qui marque ses dessins. L'Académie de Copenhague forme de nombreux artistes scandinaves et allemands. Le Danois Thorvaldsen (1770-1844) vit plus de quarante ans à Rome. Il y fréquente les peintres allemands et l'archéologue danois Zoega. Le *Cortège d'Alexandre*, frise du palais du Quirinal (1812), évoque celle de Phidias au Parthénon. Son art, qui recherche la beauté idéale et élimine les traits individuels, convient peu au portrait. Rival et successeur de Canova, il est accablé de commandes. Pour l'apprécier, il faut voir ses marbres originaux, ses maquettes, ses œuvres de petit format au musée Thorvaldsen de Copenhague.

PAYS DE LANGUE ALLEMAND

Danneker (1751-1841), de Stuttgart, subit à Rome l'influence de Canova ; mais son buste de *Schiller* (1794, musée de Stuttgart) traduit, avec vivacité, le génie du poète. À Berlin, Schadow (1764-1850) défend lui aussi les nouvelles théories, mais sait unir le style antique au charme et au naturel dans le *Groupe des princesses Louise et Frédérique de Prusse* (1795, N. G. de Berlin-Est). Rauch (1777-1857), formé à l'Académie de Berlin, puis à Rome, est fortement marqué par Thorvaldsen. Établi à Berlin, il réalise le *Monument funéraire de la reine Louise* à Charlottenburg (1812-1813), des statues et des bustes de grands hommes. En Bavière, Wagner (1777-1858) est l'auteur de la frise du Walhalla et de la *Bavaria*.

GRANDE-BRETAGNE

Si les sculpteurs britanniques rapportent de leur séjour obligé à Rome une esthétique classique, l'intérêt précoce des Anglais pour l'art gothique explique en partie leur prédilection pour la ligne épurée et le dessin au trait. Banks (1735-1805) étudie la sculpture anglaise du Moyen Âge, puis fait connaissance, à Rome, avec David et Füssli. Son relief de *Thétis et les nymphes consolant Achille* (Londres, V. A. M.) témoigne de cette fusion des deux tendances. Flaxman (1755-1826) atteint une renommée internationale. Attiré par l'art gothique, lié avec Blake, mais familiarisé à Rome avec l'Antiquité et avec l'art de Canova, il réalise les monuments funéraires de *Nelson* à Saint Paul de Londres, de *Reynolds* à Westminster, dans un style classique élégant et pur. Il agit sur les arts décoratifs en donnant des dessins inspirés des vases et des camées antiques pour les poteries à figures blanches sur fond bleu de Wedgwood. Mais c'est dans les recueils, gravés à partir de 1793 d'après ses dessins au simple trait de contour, sans modelé, qu'il montre l'originalité la plus féconde *(l'Odyssée, l'Iliade, la Divine Comédie)*. Les gravures de Flaxman suscitèrent des imitations et provoquèrent un grand engouement chez de jeunes peintres comme

Ingres. Les frères Adam ont répandu en Grande-Bretagne un style décoratif antiquisant, aux légers reliefs de stuc.

Peinture
et arts graphiques

ITALIE

La peinture simple de Batoni (1708-1787), les tableaux d'architectures et de ruines de Pannini (1691 ou 1692-1765) sont des signes avant-coureurs du retour au Classicisme et à l'Antiquité. Les gravures de Piranèse (1720-1778) connaîtront une immense fortune dans toute l'Europe néoclassique.

La génération suivante fut largement employée par Napoléon. À Rome, Camuccini (1771-1844) suit les préceptes de Mengs. Giani (1758-1823) peint, dans toute l'Italie et à Paris, des fresques dont la facture, comme improvisée, est des plus entraînantes. Le Milanais Appiani (1754-1817) est plus classique dans son *Histoire de Psyché* de Monza (rotonda de la Villa Reale). Peintre de cour de Napoléon, il est un des principaux représentants du Néoclassicisme international.

FRANCE

Le retour à l'antique s'affirme, en France, dans les sujets avant de se manifester dans le style. Le mouvement est soutenu par le mécénat royal et par les directeurs des Bâtiments, Marigny (de 1751 à 1773), puis D'Angiviller (de 1774 à 1791), qui sont pénétrés de l'esprit des Lumières. Sous Louis XVI, d'Angiviller renforce l'enseignement et la discipline à l'Académie de France à Rome, où le nouveau directeur, Vien, favorise les sujets et le style antiques. La critique d'art naît au Salon de 1747 avec La Font de Saint-Yenne et l'abbé Leblanc. Diderot sera, de 1759 à 1781, le représentant le plus talentueux et le plus personnel de ce nouveau genre littéraire, dans lequel s'expriment nombre d'idées nouvelles. En même temps, l'idée de musées ouverts à tous, lancée par La Font de Saint-Yenne

en 1747, aboutit d'abord à la présentation au Luxembourg, en 1750, d'une centaine de toiles des collections royales, tandis que le directeur des Bâtiments applique une véritable politique d'acquisitions. Les réflexions théoriques et muséologiques, qui se prolongent, n'aboutiront qu'en 1793 à l'ouverture du Muséum central des Arts au Louvre. Les grandes capitales européennes ouvrent aussi au public les collections princières ou pontificales.

Marigny, puis d'Angiviller prennent des mesures administratives pour relever la « peinture d'histoire », négligée pour les sujets galants et les genres « mineurs », ou traitée sans noblesse. Ils estiment que la peinture doit instruire et traduire des idées morales : d'où le choix très réfléchi des « programmes » iconographiques pour la décoration des palais royaux et des édifices publics. Pour le château de Choisy sont commandés en 1764 des traits de justice et d'humanité des empereurs romains ; pour la chapelle de l'École militaire, en 1773, des scènes de la vie de Saint Louis ; pour le Salon de 1775, quatre sujets « vertueux » de l'histoire nationale (médiévale et moderne) : du Guesclin, Bayard Coligny et Molé. Dans les sujets grecs et romains, les plus nombreux, le style devient progressivement plus antique et plus sévère.

Le Néoclassicisme a connu plusieurs phases en France. La première est le « style Louis XVI », qui apparaît, en fait dès la fin du règne de Louis XV. La plus rigoureuse — la plus haute selon certains — est la phase prérévolutionnaire (1780-1795) : un grand élan idéaliste d'intégrité intellectuelle et morale, de dévouement à la patrie et à la république, enflamme alors les esprits Aux héros de Plutarque succèdent ceux de la révolution de 89. Les jeunes artistes se révoltent contre l'Académie, jugée aristocratique et injuste, et David la fait supprimer en 1793.

Après le 9-Thermidor, il se produit une détente : des tableaux font l'éloge de la paix et de la réconciliation. Mais certains élèves de David accusent leur maître de timidité : ce groupe des « Primitifs », ou « Barbus », n'admet que les littératures les plus anciennes, la Bible, Homère, Ossian où ils puisent leurs sujets, et les formes d'art préclassiques les plus sévères, l'art grec archaïque ou la peinture italienne antérieure à Raphaël. Ils ont plus discouru que réalisé, mais leur influence est sensible.

Une nouvelle tension survient avec l'Empire : Napoléon détourne à son profit l'idéal primitif du Néoclassicisme, qui devient un art de propagande en même temps qu'un style décoratif pompeux. Les exemples proposés sont Alexandre et les empereurs romains. Canova et David, convertis, se mettent au service du souverain. En même temps, la naissance d'une grande peinture d'histoire contemporaine est le fait le plus riche d'avenir : David se surpasse avec le *Sacre*, tandis que Gros magnifie le héros moderne dans une série de chefs-d'œuvre novateurs dont s'inspireront Géricault et Delacroix.

LA PEINTURE D'HISTOIRE. Deshays (1729-1765) et Doyen (1726-1806) représentent un courant néobaroque, notamment dans la peinture religieuse : le *Miracle des ardents* du second (1767, Paris, Saint-Roch) est une œuvre hardie et fortement colorée. Le retour à la simplicité apparaît avec L. Lagrenée (1725-1805) et Lépicié (1735-1784). Vien (1716-1809) dépasse leur purisme aimable pour atteindre à un style plus antique : sa *Marchande d'amours* (château de Fontainebleau), œuvre mièvre imitée d'une peinture d'Herculanum, est un manifeste du « goût grec » et fait sensation au Salon de 1763. Peintre de second ordre, Vien fut cependant considéré comme le père du Néoclassicisme français. Brenet (1728-1792) est plus vigoureux dans la *Continence de Scipion* (1789, musée de Strasbourg). Le *Bélisaire* (1776, Montpellier, musée Fabre) de Vincent (1746-1816), tiré d'un conte moral de Marmontel, devance ceux de Peyron et de David. Durameau (1733-1796) peint avec fermeté *Saint Louis lavant les pieds aux pauvres* (1773, Paris, École militaire). Tous traitent indifféremment des sujets antiques ou modernes.

L'épisode décisif est la rivalité entre Peyron et David. Peyron (1744-1814) remporte en 1773 le prix de Rome devant David. Son *Bélisaire* (1781, Toulouse, musée des Augustins) confirme sa rigueur

antiquisante. Mais le Salon de 1785, où il présente son chef-d'œuvre, la *Mort d'Admète* (Louvre), est aussi celui des *Horaces* de David, qui s'affirme alors comme un peintre d'un tempérament plus vigoureux.

Louis David (1748-1825) fait triompher définitivement le Néoclassicisme pur et dur. Mais ce choix n'est pas immédiat et l'artiste n'est pas exempt de contradictions. Delacroix dira de lui : « C'est un composé singulier de réalisme et d'idéal. » Ses premiers essais, malheureux, pour le prix de Rome, qu'il obtiendra finalement en 1774, sont encore de style rococo. Ses œuvres romaines révèlent ses hésitations. Mais le milieu romain, les collections d'antiques, les conversations et l'exemple de Peyron et de camarades sculpteurs, la rencontre de Quatremère de Quincy, un voyage à Naples enfin le convertissent au style antique. De retour à Paris, il réussit un coup de maître en exposant au Salon de 1781 toute sa production italienne, complétée par *Bélisaire reconnu par un soldat* (1781, musée de Lille) : il s'impose alors comme le chef de la nouvelle école. Deux ans plus tard, il est reçu à l'Académie avec la *Douleur d'Andromaque sur le corps d'Hector* (Paris, E. N. B. A.). Ayant reçu de d'Angiviller la commande d'un tableau, il choisit le *Serment des Horaces* et décide de l'exécuter à Rome, dans un milieu en accord avec le sujet. Exposé à Rome, puis à Paris en 1785, l'œuvre (Louvre) est accueillie triomphalement, comme un manifeste.

L'effervescence politique contribua, en 1789, au succès des *Licteurs rapportant à Brutus les corps de ses fils* (Louvre), œuvre dans laquelle on voulut voir une allusion à la défense de la république. David fut membre de la Convention et du Comité de sûreté générale. Chargé de perpétuer par un grand tableau ce qui serait gravé le *Serment du Jeu de paume*, il exécute un dessin d'ensemble (Louvre) et ébauche une immense toile (Versailles). Il est aussi le metteur en scène des fêtes révolutionnaires. Il offre à la Convention des œuvres représentant les martyrs de la Révolution : le réalisme sans concession et la sobriété de *Marat assassiné* (1793, Bruxelles, M. R. B. A.) sont destinés à frapper le peuple d'horreur et d'admiration. Le 9-Thermidor conduit David en prison, où il conçoit *les Sabines,* achevées en 1799 (Louvre).

Des Romains, il vient aux Grecs. Dans *Léonidas aux Thermopyles* (1804-1814, *ibid.*), il ose la nudité héroïque.

Entre-temps, Napoléon demande à David de peindre sa personne et les faits marquants de son règne. Nommé premier peintre, ce dernier est chargé de commémorer les fêtes du couronnement. Deux immenses toiles (sur quatre prévues) sont exécutées : le *Sacre* (1805-1810, Louvre) et la *Distribution des aigles* (1810, Versailles). Le coloris du *Sacre* est somptueux. Exilé volontaire à Bruxelles en 1815, il ouvre un nouvel atelier et dirige de loin celui de Paris, confié à Gros. S'il a, par ses idées et par ses nus mythologiques des dernières années, d'un néoclassicisme glacé, favorisé l'académisme de la Restauration, il a, par la grandeur de ses conceptions et par la vigueur de son tempérament réaliste, jeté les bases de la peinture d'histoire du XIXe s.

Regnault (1754-1829) eut un atelier rival de celui de David. Il peignit des allégories révolutionnaires et des épisodes napoléoniens, mais il fut surtout un peintre de nus mythologiques. Au Salon de 1799, le *Retour de Marcus Sextus* (Louvre) de son élève Guérin (1774-1833) dut son immense succès à l'allusion au retour des émigrés. Sous l'Empire et la Restauration, Guérin fut apprécié pour ses compositions raciniennes et virgiliennes, dont la froideur apparente cache l'émotion : *Phèdre et Hippolyte* (1802, Louvre), *Énée et Didon* (1819, *id.*). De son atelier sortirent plusieurs des principaux peintres romantiques : Géricault, Delacroix, A. Scheffer.

Prud'hon (1758-1823) représente une forme de Néoclassicisme tournée vers la grâce hellénistique. Sa sensibilité et sa sensualité appartiennent encore au XVIIIe s., tandis qu'il annonce le Romantisme par sa mélancolie et son inquiétude. Un clair-obscur enveloppant, emprunté à Léonard de Vinci et à Corrège, donne à ses formes une douceur mystérieuse (*Enlèvement de Psyché,* 1804-1814, Louvre). Prud'hon peignit aussi des allégories politiques ou morales : le *Triomphe de Bonaparte* (esquisse à Lyon, M. B. A., 1800), aux coloris francs, la *Justice et la Ven-*

geance poursuivant le Crime (1808, Louvre), camaïeu sombre et tragique.

Plus de trois cents élèves venus de toute l'Europe ont fréquenté l'atelier de David. Le préféré était J. G. Drouais (1763-1788), mort jeune. Son *Marius à Minturnes* (1786, Louvre) est une composition simple et forte. F. Gérard (1770-1837) se consacre surtout au portrait et à l'histoire contemporaine. Girodet (1767-1824) est « un romantique d'intention » : il s'éloigne bientôt du davidisme pour créer un art où le sentiment poétique et le rêve s'expriment par des formes glacées, auréolées d'une lumière d'apparition : le *Sommeil d'Endymion* (1791, Louvre) obtient un succès prodigieux. Une composition politique, étrange et spectrale, inspirée d'Ossian, l'*Apothéose des héros français morts pour la patrie* (1801-1802, château de Malmaison), vaut à Girodet les éloges de Bonaparte. Les *Funérailles d'Atala* (1808, Louvre) traduisent avec sobriété la scène émouvante du roman de Chateaubriand les *Natchez.*

Beaucoup plus fécondes sont les innovations picturales de Gros (1771-1835). Le Premier consul décide de sa carrière en le chargeant de glorifier ses hauts faits militaires. Avec les *Pestiférés de Jaffa* (1804, Louvre), Gros s'affirme comme le plus grand coloriste de son temps et comme l'un des initiateurs de l'orientalisme. Dans le *Champ de bataille d'Eylau* (1808, Louvre), la magnanimité de l'Empereur renoue avec les sujets « vertueux » pré-révolutionnaires, tandis que le réalisme des cadavres annonce les temps nouveaux. Après 1815, il dirige l'atelier de David et s'efforce loyalement de faire appliquer les principes dont il s'était éloigné. Il revient aux sujets antiques. Mais, découragé, il se suicide en 1835. Géricault et Delacroix ont dit leur dette envers lui.

Un petit groupe d'élèves plus jeunes de David se tourne vers le passé national et se familiarise avec le Moyen Âge au musée des Monuments français. Richard, Revoil, Bergeret créent un nouveau type de petits tableaux de « genre historique » qui traitent des anecdotes de l'histoire médiévale ou de la vie des artistes de la Renaissance avec le souci de l'exactitude archéologique et avec une facture minutieuse imitée des

Hollandais. Quant à Granet (1775-1849), peintre des cloîtres et des moines, il a laissé aussi des dessins et de fines aquarelles de Rome et de la campagne romaine (Aix, musée Granet).

LA PEINTURE DE GENRE. Fragonard (1732-1806) appartient encore, par sa gaieté insouciante, au Rococo, mais on discerne chez lui la part du rêve et du sentiment : ses fêtes galantes dans des parcs évoquent Watteau, mais annoncent aussi les rêveries romantiques. Ses tableaux attendrissants de la vie familiale sont inspirés de Rousseau (la *Visite à la nourrice*, Washington, N. G.), et sa belle-sœur Marguerite Gérard en peindra bientôt à son tour. La facture lisse du *Baiser à la dérobée* (Leningrad, Ermitage), peint dans les années 1780, suggère un effet superficiel du Néoclassicisme. Mais l'évolution de Fragonard est plus nette dans des tableaux lyriques et déjà romantiques comme le *Chiffre d'amour* (Londres, coll. Wallace).

Greuze (1725-1805) connaît son premier grand succès au Salon de 1761 avec l'*Accordée de village* (Louvre) : c'est, avec la *Cruche cassée* (id.), son œuvre la plus populaire. Les intentions moralisatrices et les expressions pathétiques, encouragées par Diderot, sont encore plus marquées dans deux pendants, le *Fils ingrat* et le *Fils puni*, dessins du Salon de 1765 (Lille, M. B. A.), qui ne seront exécutés en peinture que douze ans plus tard (Louvre). Son « morceau de réception » à l'Académie, *Septime Sévère reproche à Caracalla son fils d'avoir voulu l'assassiner* (1769, Louvre), fut injustement reçu comme « tableau de genre » : c'est en fait une composition classique, inspirée de Poussin. Greuze est un harmoniste délicat qui joue comme personne avec les gris-bleus, les roses et les blancs : on ne fait pas nécessairement de mauvaise peinture avec de bons sentiments.

LE PORTRAIT. Ce genre occupe une place considérable dans la production artistique. Duplessis (1725-1802), froid coloriste mais dessinateur rigoureux, pénètre avec intensité la vérité de ses modèles (*Gluck*, 1775, Vienne, K. M.). Vestier (1740-1824) est soucieux des individualités (*Latude*,

château de Versailles). Le Suédois Roslin (1718-1793), habile à peindre les satins comme les visages, évolue vers un art plus sobre (*J. Vernet*, 1767, Stockholm, N. M.). « L'expansion de l'art français » conduit de nombreux portraitistes à l'étranger : Ducreux (1735-1802) voyage à Londres et à Vienne avant de devenir peintre de la reine. Danloux (1753-1809), réfugié à Londres pendant la Révolution, adopte l'élégance sobre de Romney dans ses portraits d'intellectuels et d'artistes.

Deux femmes peintres rivales ont laissé des images de la haute société. Adélaïde Labille-Guiard (1749-1803) fut peintre de la Cour (*Mesdames Élisabeth, Adélaïde et Victoire*, Versailles), mais ne quitta pas Paris pendant la Révolution (*Robespierre*, coll. part.). Élisabeth Vigée-Lebrun (1755-1842) laissa plus de trente portraits de la reine (*Marie-Antoinette et ses enfants*, 1787, Versailles) et peignit la Cour et les milieux artistiques. Son métier brillant sert la sensibilité nouvelle (l'*Artiste et sa fille*, 1787, Louvre). Réfugiée à l'étranger et jusqu'en Russie pendant la Révolution, elle y connut de grands succès auprès de l'aristocratie locale et des émigrés.

On doit à Greuze quelques-uns des meilleurs portraits du siècle, solides et vrais : le *Libraire Babuti* (1759 ?, coll. part.). Prud'hon a représenté des Conventionnels (*Saint-Just*, 1793, Lyon, M. B. A.). Réfugié en province après Thermidor, il a laissé de *Monsieur Anthony* (1796, musée de Dijon) et de *Mme Anthony et ses enfants* (1796, musée de Lyon) des portraits aux douces harmonies de bleu, de rose et de blanc. *L'Impératrice Joséphine* rêvant dans le parc automnal de Malmaison (1805, Louvre) a la grâce mélancolique du premier Romantisme.

David est cependant le plus grand portraitiste de la fin du XVIIIe s. Après le coup d'éclat du *Portrait équestre du comte Potocki*, peint à Rome en 1780 (Varsovie, M. N.), les effigies réalistes de *Monsieur Pécoul* et de *Madame Pécoul* (1784, Louvre) rompent définitivement avec la tradition du portrait mondain. Celles de *Lavoisier et sa femme faisant une expérience scientifique* (1788, Metropolitan Museum) sont dans l'esprit de l'*Encyclopédie*. *Marat assassiné* (Bruxelles, M. R. B. A.) est un portrait réaliste en même temps qu'un tableau politique. *Monsieur Sériziat* et *Madame Sériziat* (1795, tous deux au Louvre), *Madame Récamier* étendue sur un lit de repos (1800, *ibid.*) sont d'un art plus détendu. La rencontre décisive avec Bonaparte donna lieu à deux tableaux « héroïques » : l'étude peinte du Louvre (1797) et le portrait équestre de *Bonaparte au mont Saint-Bernard* (1800, Versailles). Le portrait, en détournant David de l'idéal antique, le ramène à sa nature profonde, l'observation et la traduction énergique du réel.

De nombreux élèves de David ont été d'excellents portraitistes, qui font une place plus grande que leur maître à la sensibilité préromantique : Gérard a représenté *Laréveillère-Lépeaux tenant un livre parmi les fleurs* (1797, musée d'Angers), la *Marquise Visconti* dans un parc (1810, Louvre), plus poétiques que les séries officielles de l'Empire et de la Restauration (Versailles). Girodet est surtout connu pour son romantique *Chateaubriand* (1809, musée de Saint-Malo). Gros annonce les temps nouveaux avec l'ardente esquisse de *Bonaparte au pont d'Arcole* (1796, Louvre), la mélancolique *Christine Boyer* (1801, *ibid.*) et de brillants portraits de généraux chamarrés.

LE PAYSAGE. De longs séjours à Rome ont profondément marqué les principaux paysagistes français de cette période. Joseph Vernet (1714-1789) passa près de vingt ans en Italie, peignant pour une clientèle internationale des vues de Rome et de Naples, mais surtout des marines, sa spécialité, aux différentes heures du jour (le *Ponte Rotto*, 1745, Louvre ; *Vue du golfe de Naples*, 1748, *id.*). À son retour en France, en 1753, Marigny lui commande une série des *Ports de France* (quinze toiles en douze ans, Louvre et musée de la Marine de Paris), où la précision topographique est compensée par la notation sensible de la lumière et des phénomènes atmosphériques et par l'animation des figures. Ses nombreux *Naufrages*, qui enthousiasment Diderot, représentent l'aspect préromantique de son talent.

Hubert Robert (1733-1808) rencontre à Rome Fragonard et Pannini. Il devient vite célèbre comme peintre d'achitectures et de ruines, mêlées à la vie quotidienne et animées de lavandières ou d'autres figures prestement enlevées. À Paris, où il revient en 1765, il peint pour Fontainebleau les *Antiquités du Languedoc* (1787, Louvre), mais devient surtout le chroniqueur de la vie parisienne (*Démolition des maisons du pont au Change*, v. 1788, Paris, musée Carnavalet), le peintre des jardins de Méréville et de Versailles, aménagés par lui dans le goût « pittoresque » venu d'Angleterre. Ses compositions montrent une science consommée de la mise en scène et des effets de perspective et de clair-obscur.

L.-G. Moreau l'Aîné (1739-1805) représente avec sincérité des vues paisibles de l'Île-de-France. Bruandet (1755-1803), paysagiste naturaliste et imitateur de J. Ruysdael, est un des premiers à s'inspirer des sites de la forêt de Fontainebleau. G. Michel (1763-1843), le peintre de Montmartre, au faire large et nourri, est un autre de ces paysagistes indépendants, indifférents à l'Italie et aux préceptes académiques, tournés (comme certains peintres de genre et de natures mortes) vers la Flandre et la Hollande.

Une étude sincère de la nature se rencontre jusque chez les représentants du « paysage historique » issu de Poussin. Valenciennes (1750-1819) veut hausser le paysage au rang de la peinture d'histoire, tant par la noblesse du style que par les actions des personnages antiques qui donnent leurs titres à ses tableaux (*Cicéron découvrant le tombeau d'Archimède*, 1787, Toulouse, musée des Augustins). Ses études à l'huile (Louvre) révèlent une sensibilité très moderne aux aspects changeants du ciel et de la lumière. À la fois précurseur de Corot et « David du paysage », il a exposé sa doctrine dans un traité (1800) et formé toute une génération de paysagistes classiques.

ALLEMAGNE, SUISSE, SCANDINAVIE

Peintre et théoricien, ami de Winckelmann, Mengs (1728-1779) quitte la cour de Dresde pour s'établir à Rome en 1747, où il passe le reste de sa vie, à l'exception d'un séjour de dix ans à Madrid. Sa fresque du *Parnasse* à la villa Albani

(1761), inspirée par Raphaël et par les peintures d'Herculanum, fait sensation. Mais ses portraits valent mieux que ses allégories. Angelica Kauffmann (1741-1807), portraitiste d'origine suisse, vécut en Italie, puis passa quinze ans à Londres. De retour à Rome en 1781, elle devient une portraitiste mondaine recherchée de toutes les cours européennes. Son talent, dérivé du portrait anglais contemporain, est élégant et sobre (la *Famille de Ferdinand IV*, 1783, Naples, M. N. Capodimonte).

Après les années tumultueuses du *Sturm und Drang*, Goethe, initié à l'art dans sa jeunesse, se convertit au Classicisme lors de son long séjour en Italie (1768-1788). Entouré d'artistes, il élabore une doctrine fondée sur l'antique et sur la nature. Il admire beaucoup Çarstens, dont il collectionne les œuvres. À l'Académie de Copenhague, rivale de celle de Berlin, Carstens (1754-1798) fut l'élève du Danois Abildgaard (1743-1809). Ce dernier, qui avait connu à Rome Sergel et Füssli, mêle à son Néoclassicisme des éléments préromantiques et s'intéresse à la mythologie nordique, à Ossian, à Shakespeare (œuvres à Copenhague, S. M. f. K.). Carstens s'établit définitivement à Rome en 1792. Il ne dessine que la figure humaine et élimine la couleur. Ses œuvres principales sont des « carton » dessinés où se combinent, de façon un peu forcée, les formes antiques et celles de Michel-Ange (la *Nuit et ses enfants*, musée de Weimar). W. Tischbein (1751-1829), surtout portraitiste (*Goethe dans la campagne romaine*, 1787, Francfort, Städel. Inst.), a cependant gravé les vases grecs de la collection Hamilton et illustré Homère au trait. C'est à Naples, où Tischbein dirigeait l'Académie, que le paysagiste Ph. Hackert (1737-1807) connut Goethe. La lumière de ses vues d'Italie évoque Vernet et les Hollandais « italianisants » du XVIIe s.

D'autres peintres allemands sont des adeptes du paysage classique, mais conservent du *Sturm und Drang*, auquel ils ont adhéré dans leur jeunesse, le goût des compositions héroïques et du tumulte des éléments. Reinhart (1761-1847) fut l'ami de Schiller avant de gagner Rome, puis Naples. Le Tyrolien Koch (1768-1834) fut impressionné en Suisse par les sublimes beautés des Alpes, puis en Italie par la région pittoresque d'Olevano. Il s'intéresse aussi aux sujets littéraires chers au préromantisme, consacrant à Ossian deux séries de dessins au trait (Copenhague, S. M. f. K., et Vienne, K. M.), et à Dante des fresques au Casino Massimo de Rome, où il travaille aux côtés des Nazaréens allemands.

GRANDE-BRETAGNE ET ÉTATS-UNIS

La Grande-Bretagne, peu atteinte par l'esprit baroque, offre des exemples précoces du retour à l'antique. Les paysages classicisants de Wilson, les portraits de Reynolds et ses *Discours* à la Royal Academy de Londres annoncent le nouveau style, mais contiennent aussi des éléments de ce Préromantisme précoce qui est le caractère le plus marquant de l'école et qui se répand bientôt sur le continent. L'Écossais Gavin Hamilton (1723-1798) visite Rome et les fouilles de Campanie, fréquente Mengs et Winckelmann. *Andromaque pleurant la mort d'Hector* (1761, perdu mais gravé) était une sorte de manifeste et servit peut-être de modèle à David. J. Hamilton Mortimer (1741-1799) puise dans Shakespeare d'étranges scènes d'horreur et peint des suites moralisantes issues de Hogarth. L'Irlandais Barry (1741-1806) est préoccupé par l'idée du sublime, qui sous-tend sa suite des *Progrès de la civilisation* (Londres, Société des arts). L'Écossais Alexandre Runciman (1736-1785) connaît Füssli à Rome et décore de légendes celtiques tirées des « Poèmes d'Ossian » le château de Penicuik (peintures détruites, dessins à Édimbourg, N. G.). Son frère John (1744-1768), mort jeune, est connu surtout par le *Roi Lear dans la tempête* (1767, *ibid.*). La littérature et le théâtre nationaux inspiraient les peintres : l'éditeur Boydell fait bâtir à Londres la Shakespeare Gallery, destinée aux peintures et aux sculptures qu'il commande, à partir de 1786, à une trentaine d'artistes.

Mais c'est un Suisse, Füssli (1741-1825), qui fait faire à la peinture anglaise le pas décisif. À Zurich, il découvre les anciennes littératures germaniques et britanniques et fait la connaissance de Winckelmann et de Lavater : sa culture est double, néoclassique et romantique. À Rome, il s'intéresse toutefois à Michel-Ange plus qu'à l'antique. Il y rencontre Abildgaard et Sergel et contribue à infléchir l'art scandinave. En 1779, il s'établit définitivement à Londres, où il ouvre la voie au rêve (souvent érotique) et au fantastique avec le *Cauchemar*, de 1781 (Detroit, une version au Inst. of Art), et avec de nombreuses toiles destinées à la Shakespeare Gallery et à la Milton Gallery. Füssli, qui a le sens du tragique et du surnaturel, eut une influence décisive sur Blake, qui fut son ami.

Wright of Derby (1734-1797), un provincial, illustre les progrès sicentifiques de l'ère industrielle avec des toiles comme l'*Expérience de la pompe à air* (1768, Londres, Tate Gal.), à l'éclairage étrange.

Pendant ce temps naissait aux États-Unis l'école américaine, obligée cependant d'aller chercher sa consécration en Europe. B. West (1738-1820) est considéré comme son fondateur bien qu'il ait fait toute sa carrière en Angleterre : son atelier londonien fut le rendez-vous de tous les jeunes peintres de son pays. Ses sujets de l'histoire américaine (*Mort du général Wolfe devant Québec*, 1770, Ottawa, N. G.) ont été répandus par la gravure. Copley (1738-1815) obtient lui aussi de grands succès avec des tableaux d'histoire contemporaine (la *Mort de Chatham*, 1782, Londres, Tate Gal.). Allston (1779-1843), considéré comme le chef du Romantisme aux États-Unis, puise ses thèmes dans la Bible (le *Déluge*, 1804, New York, Metropolitan Museum). On aura garde d'oublier les « naïfs » américains comme Hicks (1780-1849) et le peintre des Indiens, Catlin (1796-1872), remarqué par Baudelaire à Paris, au Salon de 1846.

Ces débuts du Romantisme américain nous ramènent à Londres, où Blake (1757-1827) s'exprime dans un double langage, littéraire et pictural. Ses aquarelles, ses peintures *a tempera* (Londres, Tate Gal.), ses eaux-fortes coloriées sont des illustrations de ses poèmes, d'une totale originalité. Si les formes évoquent Michel-Ange, elles sont soumises à des rythmes tourbillonnants. Nourri des idées de Swedenborg, de Lavater, de Böhme, il exalte l'imagination et l'intuition, d'essence divine, qu'il oppose à la raison, comme le bien au mal. Dans les *Chants de l'Innocence et de l'Expérience* (1789-1794) et dans le *Mariage du Ciel et de l'Enfer* (1790-1791) comme dans ses interprétations de la Bible, de Dante et de Milton, Blake apparaît comme un visionnaire et un mystique.

Le portrait est une des gloires de l'école anglaise. Romney (1734-1802) avait connu à Rome Füssli, dont l'influence est visible dans ses dessins romantiques ou néoclassiques. Mais il est surtout connu comme un portraitiste qui campe avec brio la haute société britannique, comme la future lady Hamilton diversement costumée (*Miranda*, v. 1786, musée de Philadelphie), en s'attachant plus aux vêtements et au paysage qu'à la psychologie. Hoppner (1758-1810) imite avec bonheur Reynolds et Romney et devient le rival de Lawrence, Raeburn (1756-1823) leur répond en Écosse : sa touche très libre, ses coloris sonores, ses contrastes d'ombre et de lumière donnent une vie saisissante à *Sir John et Lady Clerk* (v. 1790, coll. part.). Opie (1761-1807) est à la fois portraitiste, peintre de genre et d'anecdotes historiques.

Après Gilpin et Stubbs, la peinture animalière reste un genre apprécié : Ward (1768-1855) aime les effets grandioses (*Cirque de Gordale*, 1811-1815, Londres, Tate Gal.) ; Morland (1763-1804) peint des scènes paysannes.

Le paysage a beaucoup plus d'avenir. John Crome l'Ancien (1768-1821) imite d'abord J. Ruysdael et Hobbema, mais étudie la nature et atteint la grandeur avec des toiles comme le *Chêne de Poringland* (v. 1818, Londres, N. G.). Il est le fondateur, en 1803, de l'« École de Norwich », sa ville natale, dans l'East Anglia, d'où est originaire aussi Cotman (1782-1842). Celui-ci découvre les côtes et les monuments médiévaux de Normandie bien avant les Français et rapporte de ses voyages (1817-1820) de petites peintures à l'huile et surtout des aquarelles. Si elle n'est pas une invention anglaise, l'aquarelle devient entre les mains des paysagistes britanniques la technique qui permet de fixer rapidement, d'après nature, les impressions dans toute leur fraîcheur et avec la transparence de l'atmosphère. Il faut remonter à Alexandre Cozens (v. 1717-1786), qui élargit les possibilités de l'aquarelle, en la séparant de la topographie, et affirme dans son traité (après Léonard de Vinci) qu'une simple tache peut donner naissance à une composition. Son fils, John Robert Cozens (1752-1799), a laissé des souvenirs aquarellés de son voyage dans les Alpes et en Italie (*Lac de Nemi*, v. 1783-1788, Londres, Tate Gal.) qui impressionnèrent Girtin et Turner. La Société royale des aquarellistes est fondée à Londres en 1804.

L'ESPAGNE : GOYA

Le tournant du siècle est marqué à Madrid par la fondation de l'Académie de San Fernando, sur le modèle français. G. B. Tiepolo, appelé par Charles III, succède en 1762 à C. Giaquinto pour la décoration baroque du palais royal, tandis que Mengs y peint des fresques allégoriques dans un style classique. Mengs, dictateur des arts à Madrid de 1761 à 1770, transforme la manufacture de tapisseries, à laquelle il fait tisser des scènes de la vie madrilène, et exerce une forte influence sur les frères Bayeu, peintres de tableaux religieux et de genre, et sur Lopez, décorateur académique et portraitiste sincère. Quelques artistes sont plus indépendants : Paret (1746-1799) illustre avec esprit et dans le goût français la chronique de la Cour, tandis que Meléndez (1716-1780) continue, avec force, la tradition des natures mortes de Zurbarán et de Cotan.

Nul plus que Goya ne fait mentir le déterminisme historique : le plus grand génie de cette époque naît dans une nation politiquement et économiquement épuisée. Isolé, inclassable, il est à la fois un homme des « Lumières », un romantique et un réaliste. Francisco de Goya et Lucientes (1746-1828) exécute, à Saragosse, où il est né et a été formé, ses premières décorations dans le goût de Giaquinto, puis s'établit à Madrid. Il n'y obtient que de succès académiques, mais peint pour la manufacture de tapisseries (de 1774 à 1792) plusieurs séries de « cartons » inspirés de la vie populaire (l'*Ombrelle*, 1778, Prado), sujets joyeux aux couleurs vives.

Des portraits de puissants personnages qui deviennent ses protecteurs facilitent sa nomination comme peintre de chambre en 1786. Ses portraits du roi et de la reine (Prado et palais royal), de la haute société madrilène (*Marquise de la Solana*, Louvre), des intellectuels (*Ceán Bermúdez*, coll. part.) le classent parmi les plus grands portraitistes de son temps, au métier souple et brillant, aux coloris raffinés.

Une grave maladie qui le rend progressivement sourd à partir de 1792 transforme radicalement sa vie matérielle et morale et fait du peintre mondain un homme solitaire et tragique : les scènes de *Tauromachie* (1793, coll. part.), le *Préau des fous* (1793, musée Dallas) sont les premiers signes de ce changement. Les fameux pendants du Prado, la *Maja vestida* et la *Maja desnuda* (1798-1805), sont d'un érotisme provoquant et d'un réalisme plébéien, bien éloigné des *Vénus* idéalisées de Giorgione et de Titien et même de celle de Velázquez. À la coupole de San Antonio de la Florida (Madrid, 1798), une foule populaire et colorée assiste à la résurrection d'un mort par saint Antoine. Entre-temps, Goya prépare par de saisissants dessins au lavis (Prado) la série des *Caprices*, gravée à l'eau-forte et à l'aquatinte et publiée en 1799, où il fustige la folie des hommes. Le portraitiste est à son apogée : en 1799, il compose la *Famille de Charles IV* (1800, Prado), tableau officiel et grinçant. Les portraits des « afrancesados » (intellectuels espagnols touchés par les Lumières venues de France) indiquent qu'il était un libéral épris de liberté, souhaitant pour son pays des réformes profondes. Dans la suite gravée des *Désastres de la guerre*, à laquelle il travaille vers 1810, mais qui ne sera publiée qu'en 1863, il apparaît comme un patriote révolté par la cruauté de la soldatesque napoléonienne et accumule les scènes de violence et de torture. Après 1814, il peint deux grands tableaux, le soulèvement du *Deux Mai* (*Dos de Mayo*) et la fusillade du *Trois Mai* (*Tres de Mayo*) (Prado) : aucun « tableau d'histoire » de cette époque n'ébranle aussi fortement la sensibilité du spectateur. Lors de la Restauration, Goya se rallie à

Ferdinand VII et peint des portraits royaux aux couleurs violentes. Mais, d'une façon générale, sa peinture s'assombrit autant par les teintes que par les sujets : le terrifiant *Colosse* du Prado est contemporain des deux *Autoportraits* (Prado et Acad. de San Fernando), de *la Junte des Philippines* (1815, musée Goya, Castres). Goya, très malade, couvre entre 1820 et 1822 les murs de sa propre maison, la « Maison du sourd », de *Peintures noires* (Prado), scènes hallucinantes de cauchemar et de mort, exécutées de façon totalement personnelle. Quand le roi abolit la Constitution, les libéraux sont persécutés, et Goya doit quitter l'Espagne en 1823 pour s'établir définitivement à Bordeaux. C'est de là qu'il va passer deux mois à Paris, en 1824, l'année du fameux Salon romantique.

Bibliographie sommaire

GRAF KALNEIN (W.), LEVEY (M.), *Art and Architecture of the Eighteenth Century in France*, Penguin Books, Harmondsworth et New York, 1972. HONOUR (H.), *Neo-classicism, id.*, 1968. LOCQUIN (J.), *la Peinture d'histoire en France de 1747 à 1785. Étude sur l'évolution des idées artistiques dans la seconde moitié du XVIII⁰ siècle.* 1ʳᵉ éd., Paris, 1912 ; réédd. Arthéna, Paris, 1978. NOVOTY (F.), *Painting and Sculpture in Europe, 1780-1880*, The Pelican History of Art, Penguin Books, Harmondsworth, 1960. PARISET (F.-G.), *l'Art néoclassique*, P. U. F., Paris, 1974. ROSENBLUM R., *Transformation in late Eighteenth Century Art*, Princeton, Princeton University Press, 1967. Catalogues d'expositions : *l'Âge du Néoclassicisme*, Conseil de l'Europe, Londres, 1972. *De David à Delacroix*, Réunion des musées nationaux, 1974.

L'ÂGE DU

ROMANTISME

Daniel Ternois

La notion de Romantisme

LE MOT « ROMANTIQUE » VIENT DE L'ANGLAIS et a d'abord désigné les aspects de la nature, sauvage ou arrangée par l'homme de façon à favoriser la rêverie et l'approfondissement des sentiments (abbé Leblanc, 1745). Il contient aussi l'idée de « roman » : un homme romantique est d'abord un héros de roman sentimental ou sombre, comme les héros de Richardson, de Walpole, de Rousseau ou de Goethe. La notion de « Romantisme » peut également être tenue, avec la philosophie allemande, pour une « catégorie » psychologique qui se rencontre au cours de toutes les périodes de l'humanité et que l'on oppose, de manière antithétique, à celle de « Classicisme ».

Le « Romantisme » désigne encore, plus couramment, une période de l'histoire de l'art comme de l'histoire littéraire. Sa définition chronologique diffère, naturellement, selon les auteurs et demeure toujours arbitraire. Les limites de 1815 et de 1848 correspondent, à peu près, à la principale période d'activité des artistes nés entre 1780 et 1815 environ, qui présente, elle aussi, des aspects divers et contradictoires. L'abdication de Napoléon, en 1815, marque une césure aussi significative pour les arts que pour la politique : l'idée d'une unité européenne sous l'hégémonie française a vécu, le congrès de Vienne restaure les monarchies conservatrices, appuyées par l'Église ; une bourgeoisie d'affaires, sans grand idéal, s'empare du pouvoir réel. Après l'exil à Bruxelles de David, qui avait réalisé une sorte d'unité artistique européenne, tandis que certains artistes demeurent fidèles à l'esthétique néoclassique, d'autres se révoltent et, selon les cas, se tournent vers les événements contemporains, la nature ou les arts du passé, donnant la primauté à la ligne ou à la couleur. Si les gouvernements continuent à jouer un rôle directeur, les artistes tendent, de plus en plus, à créer librement. La période se clôt avec la révolution de 1848, qui libère des forces nouvelles, celles du réalisme social.

Le Romantisme est un mouvement européen, mais essentiellement septentrional, antilatin et antiméditerranéen. Né en Angleterre, dans les pays germaniques et scandinaves, c'est surtout en Grande-Bretagne et en France qu'il invente de nouveaux moyens d'expression picturale.

On s'intéresse au Moyen Âge « gothique », aux « primitifs » allemands, flamands, italiens des XIV⁵ et XV⁵ s. Le « Primitivisme » passe de l'atelier de David à celui d'Ingres, unit entre eux les Nazaréens allemands pour gagner, enfin, l'Angleterre. Mais le Romantisme est, d'abord, un mouvement moderne qui trouve son inspiration dans les événements contemporains comme la guerre de libération des Grecs contre les Turcs.

La spontanéité, l'expression sincère et authentique de la vérité intérieure individuelle sont désormais, hors de milieux académiques, les critères de jugement de toute œuvre d'art, qui, dans son caractère unique, doit traduire l'expérience personnelle de son créateur. Les peintres diffèrent des poètes en ce que leur romantisme n'est pas seulement mélancolie, mais aussi violence et passion, sinon dans l'action, du moins dans l'acte de peindre ou de modeler, qui redevient une joie.

Plus que jamais, les artistes puisent leur inspiration dans la littérature. Aux auteurs préférés du Préromantisme du XVIII⁵ s. viennent s'ajouter Dante et *la Divine Comédie*, Goethe et son *Faust*, Byron, l'« Ossian » moderne qui unit, dans ses poèmes, mélancolie et action violente, Walter Scott, dont les romans d'aventures historiques sont traduits en français à partir de 1816 et sont notamment lus par Delacroix. Plusieurs artistes romantiques sont à la fois peintres et écrivains : William Blake, Otto Runge, Delacroix, Victor Hugo. L'idée de l'unité profonde des arts est exprimée par Friedrich Schiller, Friedrich Novalis, Théophile Gautier et surtout par Charles Baudelaire.

À la fin de l'âge néoclassique, la plupart des thèmes du Romantisme étaient trouvés. Il restait à découvrir un nouveau langage pictural pour les exprimer. Dans un premier temps, la facture glacée — néoclassique — est en contradiction avec une inspiration chaleureuse. La disparition des traditions avec la Révolution entraîne chacun à se livrer à des expériences techniques plus ou moins heureuses (bitume). Tandis que les Allemands et l'école d'Ingres peignent de façon appliquée, les Anglais et les autres Fran-

çais affectionnent une touche libre et les matières riches, étudient les coloristes du passé, Vénitiens et Flamands. La facture d'esquisse, l'usage fréquent de l'aquarelle posée en taches (en Angleterre), du lavis, voire de matériaux de rencontre (Hugo), du pastel permettent de fixer rapidement l'impression première dans toute sa fraîcheur et sa spontanéité. Le coloris se fait plus vif et plus varié. Des effets d'éclairage, des déformations voulues contribuent à l'expression de la vie et des sentiments. La composition, si elle conserve quelques principes classiques, résulte du sujet et de l'idée à traduire.

La peinture

ITALIE

La peinture se prête mieux que la sculpture ou que l'architecture, plus matérielles, à l'expression romantique. L'Italie n'est plus, au XIX⁵ s., le grand foyer créateur qu'elle a été. Si Rome reste un des lieux de rencontre d'artistes de tous pays et le siège d'institutions officielles, elle est concurrencée par Londres et par Paris. La campagne romaine et le site de Naples, les mœurs des paysans et des brigands chers à Leopold Robert, le pittoresque et la couleur de Venise constituent pourtant des thèmes nouveaux, surtout pour les étrangers. Mais les Italiens restent fondamentalement classiques : Hayez (1791-1882) évolue du Néoclassicisme au Romantisme en traitant avec élégance des sujets historiques médiévaux sans modifier sa manière lisse et linéaire (le *Baiser*, 1859, Milan, Brera) ; Minardi (1787-1871) subit à Rome l'influence d'Overbeck, s'inspire des primitifs ombriens dans ses compositions religieuses et prend la tête du mouvement « puriste ».

PAYS GERMANIQUES

La peinture romantique allemande est loin d'être uniforme, mais elle présente certains caractères communs : l'art est pour les peintres germaniques une conception du monde ; il est étroitement lié à la philosophie et à la littérature, tandis que son morcellement politique accentue la diversité régionale et individuelle. L'Allemagne vaincue et conquise par Napoléon cherche à affirmer son identité nationale et son originalité par un renouvellement à la fois spirituel et formel. Les œuvres sont chargées d'intentions secrètes et de symboles, qu'il s'agisse de paysages (Friedrich) ou de compositions avec des figures humaines (Runge, Overbeck). Les artistes puisent leur inspiration dans le passé national, le Moyen Âge, les légendes germaniques et prennent comme modèles les peintres « primitifs », allemands ou italiens. Le mouvement prend sa source dans la littérature et dans la poésie allemandes : Wackenroder, Tieck, Novalis, Schlegel.

À la sensualité de la couleur, les romantiques allemands préfèrent la pureté abstraite de la ligne, plus apte à traduire leur idéal intellectuel, et ils s'appuient pour cela sur les exemples de Flaxman, de Dürer et de Raphaël : c'est là un point commun avec Ingres et son école en même temps qu'une divergence fondamentale avec Delacroix.

Philipp Otto Runge (1777-1810), un homme du Nord formé à Hambourg et à Copenhague, est un esprit spéculatif qui cherche à traduire des idées philosophiques par le dessin et par la peinture. Il se propose d'exprimer sa conception du monde par une série de compositions qui n'ont été exécutées qu'en partie et devaient constituer une œuvre d'art « totale » : les *Heures du jour* (dessins, gravures et peintures, 1803, musée de Hambourg). Le *Repos pendant la fuite en Égypte* (1805-1806, *id.*) s'y rattache : c'est la fraîcheur du matin du monde et l'innocence de l'enfance.

Caspar David Friedrich (1774-1840), Poméranien comme Runge, qu'il a connu, mais fixé à Dresde, a choisi d'exprimer sa philosophie par le paysage : il l'interprète de manière à la fois naturaliste et symbolique et exécute ses toiles avec une application minutieuse. Une de ses premières peintures, la *Croix sur la montagne*, dite *Autel de Teschen* (1808, Dresde, Gg), provoqua une polémique parce qu'elle fait d'un paysage un tableau d'église. Dans ses toiles, des personnages vus de dos contemplent la nature lointaine, suggérant l'idée du destin de l'homme confronté à l'infini (*Voyageur contemplant une mer de nuages,* 1818, Hambourg, Kunsthalle).

Oehme (1797-1855), Carus (1789-1869) et le Norvégien Clausen Dahl (1788-1857) peignent avec le même soin des paysages d'un naturalisme plus littéral ou des compositions symboliques comme l'*Allégorie sur la mort de Goethe,* de Carus (apr. 1832, Francfort, musée Goethe). L'architecte Schinkel (1781-1841) est aussi un peintre de paysages, célèbre pour ses dioramas et ses projets de décors de théâtre. Sa *Ville médiévale au bord de l'eau* (1813, Munich, Neue Pin.) est une vue imaginaire, synthèse des cathédrales gothiques. Blechen (1798-1840) a connu les artistes précédents et a peint comme eux des paysages ou des architectures d'un romantisme fantastique (*Église gothique en ruines,* 1826, Dresde, Gg) ; mais l'Italie, qu'il parcourt en 1828-1829, lui révèle la lumière méridionale, qu'il note avec un vif sentiment de la réalité.

En 1809, de jeunes peintres en rébellion contre l'Académie de Vienne fondent une confrérie sur le modèle de celles du Moyen Âge, la *Lukasbund.* À leur tête sont Friedrich Overbeck, de Lübeck (1789-1869), et Franz Pforr, de Francfort (1788-1812). Pour rénover l'art allemand, ils veulent retrouver la simplicité, l'innocence et la pureté des primitifs : ils se rendent à Rome, en 1810, pour les étudier et retrouver l'idéal chrétien. De 1810 à 1812, ils mènent une vie quasi monastique dans le couvent de Sant'Isidoro, où ils travaillent en commun. De là le nom de « Nazaréens » qu'on leur a donné, d'abord par dérision.

Parmi les œuvres les plus significatives d'Overbeck, citons le *Portrait de Pforr* (1810, Berlin-Est, N. G.), *Italia et Germania* (1811-1828, Munich, Neue Pin.), qui réunit deux figures symboliques aux types et aux costumes caractéristiques des deux peuples ; plus tard, le *Triomphe de la Religion dans les arts* (1840, Francfort, Städel. Inst.), vaste composition raphaélesque. Les souvenirs médiévaux sont évidents chez Pforr dans *Sulamite et Maria* (Francfort,

Städel. Inst.) ou l'*Entrée de Rodolphe de Habsbourg à Bâle* (1808-1810, *id.*).

Wilhelm von Schadow (1788-1862) arrive de Berlin en 1810, Peter von Cornelius (1783-1867) de Düsseldorf en 1811 après avoir visité, à Heidelberg, la collection de primitifs des frères Boisserée ; Johannes Veit (1790-1854) aussi en 1811 et son frère Philip (1793-1877) en 1816 ; Julius Schnorr von Carolsfeld, de Leipzig, en 1818. Cornelius, autoritaire et organisateur, prend en main la direction de la confrérie, bien qu'il n'en partage pas toutes les idées. Il a dessiné des illustrations pour les *Nibelungen*, Shakespeare, le *Faust* de Goethe. Cornelius et ses amis estiment que la peinture murale et la technique de la fresque sont la condition du salut de l'art allemand. En 1815, le consul général de Prusse, Bartholdy, leur confie la décoration de sa résidence, le palais Zuccari. Le thème choisi par eux est l'*Histoire de Joseph*. Cornelius, Overbeck, Schadow et Veit se partagent les panneaux et les lunettes, Catel peint des paysages. Ces peintures, déposées, sont aujourd'hui à Berlin-Est (N. G.). Une seconde entreprise monumentale réunit plusieurs membres du groupe : la décoration de trois salles du Casino Massimo, près du Latran (à partir de 1817, en place), consacrée aux grands poèmes italiens, *la Divine Comédie* de Dante, *la Jérusalem délivrée* du Tasse et *Roland furieux* de l'Arioste. Ce sont des compositions mouvementées, assez éloignées de l'idéal premier des Nazaréens.

Peu à peu, ils se dispersent et retournent en Allemagne pour y exécuter les grandes décorations monumentales qu'ils veulent donner à leur pays et diriger les académies. Overbeck reste seul à Rome jusqu'à sa mort. L'école de Düsseldorf, qui se développe autour de l'Académie, dirigée par Schadow, a produit de nombreux peintres, parmi lesquels Rethel (1816-1859), qui décore l'hôtel de ville d'Aix-la-Chapelle de fresques relatives à la vie de Charlemagne (à partir de 1847) et publie les gravures sur bois de la *Danse des morts*, imitées de Dürer, mais inspirées par la révolution de 1848. C'est à Vienne que fut formé Moritz von Schwind (1804-1871), auteur de nombreuses peintures murales ; ses illustrations de contes et légendes germaniques sont populaires, comme celles de Richter (1803-1884), qui sont d'un caractère plus intimiste et sentimental (*Volksmärchen der Deutschen* de Musäus).

De nombreux paysagistes allemands et autrichiens ont travaillé au nord et au sud des Alpes : Horny (1798-1824) a laissé des dessins et des aquarelles d'Olevano, solidement construits et lumineux ; Fohr (1795-1818) a dessiné et peint dans les environs de Heidelberg et au Tyrol, puis a travaillé avec Koch à Rome et fréquenté les Nazaréens ; Rottmann (1797-1850) enfin a rapporté d'Italie et de Grèce des études à l'huile et des aquarelles baignées de lumière et de couleur méditerranéennes, à partir desquelles il décora des édifices de Munich.

GRANDE-BRETAGNE

En Angleterre et en Écosse, le Romantisme est plus ancien qu'ailleurs. L'aptitude au songe, le sentiment de la nature, l'intérêt pour le passé, le goût de la solitude et de la liberté y sont solidement ancrés. Issue de Van Dyck, l'école picturale présente une grande unité par la matière, la couleur, la largeur et la ductilité de la facture, mais associe aussi des talents très personnels.

La superbe lignée des portraitistes du XVIIIe s. se poursuit avec Lawrence (1769-1830), continuateur de Reynolds, à qui il succède comme peintre du roi et dont il adopte le « grand style ». Ses images de la haute société anglaise plaisent par la vivacité des attitudes et l'éclat des coloris (les *Enfants Angerstein*, 1808, Louvre). Après 1814, il se rend sur le continent pour portraiturer les hommes d'État étrangers : il est alors le premier portraitiste d'Europe, et sa contribution au Salon de 1824 à Paris est très remarquée.

Son élève Etty (1787-1849) peint des nus féminins aux formes pleines et lumineuses. Wilkie (1785-1841) est surtout un peintre de genre, plein d'humour et brillant coloriste (les *Pensionnaires de Chelsea apprenant la victoire de Waterloo*, 1822, Londres, Wellington Museum). Mulready (1786-1863) applique la scène de genre aux enfants, dans un esprit moralisateur très victorien.

Mais c'est l'école anglaise de paysage qui a joué le rôle le plus décisif dans l'évolution de la peinture européenne. L'école de Norwich et la Société des aquarellistes, fondées en 1803 et 1804, rassemblent les forces les plus créatrices. Girtin (1775-1802), contemporain et compagnon de Turner mais disparu trop tôt, achève de libérer l'aquarelle du dessin, recherche des coloris riches et diversifiés. Il peint de façon sensible et vraie les cathédrales et les abbayes en ruine, des vues de la campagne anglaise. D'autres aquarellistes ont vécu à Paris, comme les frères Fielding, amis du jeune Delacroix, et surtout Bonington.

Richard Parkes Bonington (1802-1828), mort à vingt-six ans, est autant Français qu'Anglais : il étudie l'aquarelle à Calais et la peinture à Paris, chez Gros, visite la Normandie, la Belgique, Venise, passant peu à peu de l'aquarelle à la peinture à l'huile. Il se lie d'amitié avec Delacroix. Il peint de petites scènes historiques vivement enlevées et colorées (*Henri IV et l'ambassadeur d'Espagne*, 1827, Londres, coll. Wallace). Ses paysages (*Vue des côtes normandes*, v. 1824, Louvre) impressionnent les artistes français.

John Constable (1776-1837) puise son inspiration dans la nature de son pays, le Suffolk, étudiée sans convention. Plus naturaliste que romantique, il fait directement ses esquisses à l'huile sur le motif pour fixer l'impression immédiate, l'effet général et les nuances exactes. Il cherche à conserver cette fraîcheur (sans y parvenir totalement) dans les grands tableaux qu'il expose à la Royal Academy, comme la *Charrette de foin* (1821, Londres, N. G.), qui impressionne Delacroix au Salon de Paris de 1824. Un de ses motifs préférés est la *Cathédrale de Salisbury* (1823, Londres, V. A. M.). Ses études de nuages sont d'une exactitude quasi météorologique (Londres, *id.*).

Turner (1775-1851), en grande partie autodidacte, élargit les possibilités de l'aquarelle, grâce à laquelle il note les impressions de ses nombreux voyages en Angleterre, en France, dans les Alpes, à Venise. Ses tableaux à l'huile sont généra-

lement des paysages historiques, dans lesquels il cherche à retrouver la lumière de Claude Lorrain dans un style plus vaporeux. Puis il imagine des visions grandioses, symphonie chromatique à base de rouges, de jaunes et de bleus, irréalistes et tragiques. Le sommet de son art se situe dans les années 1840 avec le *Négrier* (1840, M. F. A. de Boston), un étrange soleil couchant sur la mer, admiré et acquis par Ruskin, le *Vapeur dans la tempête de neige*, composition concentrique et tourbillonnante (1842, Londres, N. G.), et enfin *Pluie, vapeur, vitesse* (1844, *id.*). Cette imagination cosmique s'accompagnait de recherches scientifiques sur la théorie des couleurs : Turner pensait, après Goethe, que les couleurs suscitent des états d'âme. Il légua la majeure partie de son œuvre à l'État (Tate Gallery). Turner exerça une influence posthume sur les impressionnistes.

L'attrait pour le fantastique, hérité de Füssli et de Blake, marque les paysages étranges et les architectures visionnaires de John Martin (1789-1854), qui s'inspire de Shakespeare, d'Ossian (le *Barde*, 1817, Newcastle, Art Gal.), mais aussi de Byron (*Manfred sur la Jungfrau*, 1837, Birmingham, Art Gal.). Dans ses gravures « à la manière noire », il imagine des catastrophes gigantesques.

Samuel Palmer (1805-1881), paysagiste romantique et symbolique à ses débuts (*Champ de blé par clair de lune avec l'étoile du berger,* aquarelle, v. 1830, Londres, anc. coll. lord Clark), évolue dans les années 1830 vers un sentiment pastoral et virgilien de la nature. Ses éclairages lunaires donnent un caractère mystérieux à ses œuvres, d'un graphisme très particulier.

De nombreux peintres français de tendances anticlassiques préféreront au traditionnel voyage en Italie un séjour en Angleterre.

FRANCE

Le Romantisme en France prend une allure de contestation agressive, d'exagération provocante en face du conservatisme « bourgeois » (scandale du *Sardanapale* de Delacroix au Salon de 1827 ou

« première » d'*Hernani* en 1830). D'où, chez certains romantiques mineurs, un art outrancier et tapageur, plus soucieux de pittoresque que d'expression de la vie intérieure.

La peinture à l'époque du Romantisme (si on s'en tient aux règnes de Louis XVIII, Charles X et Louis-Philippe) a revêtu en France plus encore qu'ailleurs des formes diverses et contradictoires. Les uns — Géricault, Delacroix —, doués d'une puissante imagination visuelle et soutenus par les innovations picturales des Anglais, s'expriment par la couleur et par la matière ; d'autres — Paul Delaroche ou Horace Vernet —, plus éclectiques, traitent des sujets « romantiques » sans renouveler les moyens d'expression ; les paysagistes, au contraire, inventent des factures adaptées à leur nouvelle vision de la nature.

Les conditions de la peinture au XIXᵉ s. ne sont pas, en apparence, très différentes de celles de l'Ancien Régime : l'Institut (Académie des beaux-arts) prétend régenter les arts, mais il le fait avec beaucoup plus d'intolérance, au nom d'une doctrine néoclassique sclérosée et anachronique. Toutefois, l'éclectisme succède peu à peu au davidisme, et l'histoire contemporaine rivalise avec les sujets classiques. Le roi répartit les commandes pour les grandes entreprises décoratives comme les plafonds du musée Charles-X, au Louvre (1825-1827), ou la galerie des Batailles, à Versailles (1837). Peu à peu, le fossé se creuse entre conservateurs et novateurs. Le gouvernement provisoire de 1848 amènera sur le devant de la scène les obscurs et les opposants, paysagistes ou réalistes.

LE RÔLE DES SALONS. Les Salons et les expositions privées sont commentés par de nombreux critiques d'art, conservateurs ou ouverts aux avant-gardes : Delécluze, Stendhal, Gautier, Baudelaire, Thoré-Bürger. Gautier, dans *l'Artiste*, s'efforce de tout comprendre avec sympathie. Thoré est l'ami des romantiques. Baudelaire, avec ses *Salons*, qui s'échelonnent de 1845 à 1859, n'intervient que dans la phase tardive du mouvement : il est délibérément passionné et partial et élabore une doctrine esthétique qui fait de lui un des plus grands critiques d'art. Dans ses comptes rendus et dans ses essais, réunis dans l'*Art romantique* et les *Curiosités esthétiques*, il exalte « l'imagination, reine des facultés », la spiritualité et le « surnaturalisme ». Delacroix est pour lui le peintre par excellence, par son imagination comme par son sens de la couleur. Mais les contemporains considéraient comme les principaux acteurs de la révolution romantique trois artistes de tempéraments et de valeurs bien différents : Delacroix, Ary Scheffer et Paul Delaroche, qui ont traité presque exclusivement des sujets modernes, ont rejeté le « beau idéal » et le nu et ont substitué « le beau moral au beau visible ».

Au Salon de 1819, la révolte contre David se manifeste par un coup de tonnerre, le *Radeau de la « Méduse »* de Géricault. À celui de 1822, Delacroix fait une entrée remarquée avec la *Barque de Dante*. Le grand Salon romantique est celui de 1824 : les protagonistes cités ci-dessus attirent l'attention, notamment Delacroix avec la *Scène des massacres de Scio*, inspirée par la guerre de libération des Grecs, dont les œuvres précédentes, d'un linéarisme outrancier, avaient été sévèrement jugées, paraît changer de camp avec le *Vœu de Louis XIII*, inspiré de Raphaël. Pour la première fois, des tableaux anglais de Constable, de Bonington, des Fielding, de Lawrence figurent au Salon et font sensation. Le fossé se creuse en 1827, avec d'un côté l'*Apothéose d'Homère* d'Ingres, profession de foi classique, et de l'autre une série de chefs-d'œuvre des romantiques, parmi lesquels la *Mort de Sardanapale* de Delacroix.

L'année 1830, celle de la révolution bourgeoise, marque le point culminant du Romantisme avec la *Liberté guidant le Peuple* de Delacroix et plusieurs toiles de Scheffer et de Delaroche. Après 1830, le Romantisme continue sur sa lancée, mais perd de sa pugnacité.

INGRES. Le problème souvent débattu du romantisme d'Ingres (1780-1867) n'est pas aisé à résoudre. Si romantisme il y a, ce n'est pas celui de Delacroix, son adversaire, mais une attitude à la fois morale et esthétique très personnelle et anti-conformiste. Ce Méridional ardent, inquiet, sauvage, se révolte contre la doctrine du « beau idéal » et recherche la vérité du caractère individuel. Il accentue le pouvoir expressif de la forme et du contour au moyen d'exagérations et même de déformations, dans un style volontiers archaïsant. Soutenu dans sa jeunesse par les romantiques, il est considéré dans son âge mûr comme le chef de l'école classique. Mais il ne renonce à rien d'essentiel et ses rapports avec l'Institut, dont il est membre, demeurent orageux.

Après une solide formation chez David, au contact de camarades attirés par l'archaïsme, il obtient le prix de Rome en 1801 et peint des portraits avant de pouvoir gagner la Villa Médicis (1806). Il veut être peintre d'histoire. Son dernier « envoi de Rome », *Jupiter et Thétis* (1810, Aix, musée Granet), provoque des quolibets à Paris à cause de ses outrances formelles et de l'aplatissement des volumes. La stylisation linéaire de *Romulus vainqueur d'Acron* (1812, Louvre) est empruntée aux vases grecs et à Flaxman. Mais le *Vœu de Louis XIII* (1820-1824, cathédrale de Montauban) est un hommage à Raphaël. De retour à Paris pour le Salon de 1824, il persévère dans cette voie avec l'*Apothéose d'Homère* (1827, Louvre). Nommé directeur de l'Académie de France à Rome (1835-1841), il exerce une forte influence sur les pensionnaires et peint *Antiochus et Stratonice* (1839, Chantilly), composition riche en détails archéologiques, où l'émotion est contenue par la rigueur du style linéaire et du coloris, appliqué avec soin. La dernière période parisienne (1841-1867) est marquée par la décoration monumentale, en particulier la peinture murale inachevée du château de Dampierre, l'*Âge d'or* (1842-1849), in situ, évocation, au moyen de nombreuses figures nues, de l'époque mythique où régnaient l'innocence et la justice.

Ingres a peint des portraits toute sa vie, souvent contre son gré. Pourtant, presque chacun d'eux est un chef-d'œuvre par la vérité du caractère, l'autorité du dessin, l'éclat des coloris, en accord avec la personnalité du modèle. Citons l'ardent *Autoportrait à vingt-quatre ans* du musée Condé de Chantilly, les trois portraits de la *Famille Rivière* (1805, Louvre), celui de *Madame de Senonnes* aux courbes presque géométriques (1814-1816, Nantes, M. B. A.), celui de *Monsieur Bertin* au puissant réalisme (1832, Louvre), enfin la série des femmes du monde de la monarchie de Juillet et du second Empire, de la douce et élégante *Comtesse d'Haussonville* (1845, New York, Frick Coll.) à l'opulente *Madame Moitessier* (1856, Londres, N. G.). La partie la plus populaire de l'œuvre d'Ingres, ce sont ses portraits dessinés à la mine de plomb (*Paganini*, 1819, Louvre, cabinet des Dessins ; la *Famille Stamaty*, 1818, *id.*).

Ingres semble avoir été hanté toute sa vie par le nu féminin, dont les principaux prototypes sont fixés dès sa jeunesse et dont on peut suivre tout au long de sa vie les transformations : nus debout de *Vénus Anadyomène* (1808-1848, Chantilly, musée Condé) et de la *Source* (v. 1820-1856, Louvre) ; nus couchés de l'*Odalisque à l'esclave* (1839, Cambridge, Fogg Art Museum) et de la *Grande Odalisque* (1814, Louvre), dont les proportions étirées et les bizarreries anatomiques excitèrent la verve des critiques ; nus assis vus de dos de la *Baigneuse* du Louvre (1808) et enfin du *Bain turc* (1862, *id.*).

Réaliste (« un œil » a-t-on dit) qui préconise une fidélité « naïve » à l'objet, mais aussi styliste qui simplifie et déforme pour mieux exprimer, Ingres, avec son génie et ses contradictions, fascine notre époque.

LES ÉLÈVES D'INGRES ET LE PRÉRAPHAÉLISME FRANÇAIS. Ingres dirigea, de 1825 à 1834, un atelier qui fut fréquenté par une centaine d'élèves. L'« ingrisme » constitue un courant très particulier. À l'exemple du maître (mais plus qu'il ne l'aurait souhaité) et au contact des Nazaréens allemands, ses élèves s'intéressent aux peintres qui ont précédé Raphaël, à la peinture murale et à la technique de la fresque. Le gouvernement de Louis-Philippe s'adresse à ses disciples pour décorer les églises de Paris et de province : Hippolyte Flandrin (1809-1864) travaille à Saint-Germain-des-Prés et surtout à Saint-Vincent-de-Paul à Paris (1849-1853), où défilent des processions de saints inspirées des mosaïques de Ravenne et traitées en aplats. Mottez (1809-1897) orne Saint-Germain-l'Auxerrois et Saint-Sulpice ; Amaury-Duval (1806-1885), Saint-Merry et l'église de Saint-Germain-en-Laye ; Chassériau, Saint-Merry et Saint-Philippe-du-Roule. Des Lyonnais qui ne furent pas vraiment des élèves d'Ingres mais subirent son influence expriment dans leurs décorations et leurs tableaux une religiosité mystique et archaïsante : Louis Janmot (1814-1892) dans les églises de Lyon, Victor Orsel (1795-1850) à Notre-Dame-de-Lorette à Paris. La plupart de ces artistes furent aussi de bons portraitistes, dans un registre austère et mélancolique.

GÉRICAULT. Géricault (1791-1824) est un précurseur du Romantisme et meurt l'année même du Salon décisif de 1824. Son tempérament violent, sa générosité, sa passion pour les chevaux ont déterminé le choix de ses thèmes. Son premier coup de maître a l'*Officier de chasseurs à cheval chargeant* (Louvre), qui fait sensation au Salon de 1812, toile colossale peinte avec hardiesse et de forts empâtements, dans un coloris chaleureux : ses modèles sont Gros et Rubens plutôt que son maître, Guérin. D'un voyage en Italie, il rapporte des études fougueuses pour la *Course des chevaux barbes,* grand tableau qu'il ne réalisera jamais.

Un fait divers qui agite beaucoup l'opinion lui fournit le sujet d'un tableau pour le Salon de 1819 : le *Radeau de la « Méduse »* (Louvre). Il mène son enquête comme un reporter auprès des survivants, reconstitue tous les détails de l'événement, étudie l'expression des mourants, l'aspect des cadavres à la morgue. Mais ce réalisme atroce est dominé par une composition en pyramide qui traduit l'élan d'espoir des naufragés à la vue du navire sauveteur.

De 1820 à 1822, Géricault se rend en Grande-Bretagne pour y présenter la *Méduse,* avec un succès considérable. Il se lie avec des peintres anglais et représente la vie londonienne dans une série de lithographies. Les courses de chevaux lui inspirent le *Derby d'Epsom* (1821, Louvre).

Au cours des dernières années parisiennes (1822-1824), un aliéniste, le Dʳ Georget, lui demande dix études de malades mentaux. Cinq subsistent, et ce sont des œuvres hallucinantes par leur réalisme scientifique, la pénétration psychologique et l'émotion humaine (la *Folle,* Lyon, M. B. A.). Géricault rejoint ici Goya, dont il ignorait probablement jusqu'au nom. Il est passé de la grandeur épique à la peinture de la vie moderne, qu'il a sublimée. Delacroix, puis Daumier et Courbet lui doivent beaucoup.

CÉNACLES, ATELIERS ET PETITS MAÎTRES ROMANTIQUES. Un certain type de romantisme littéraire et pittoresque est né dans les cénacles parisiens. Chez les frères Devéria se retrouvent des lithographes et des illustrateurs : Achille Devéria (1800-1857), qui crée l'image de la Parisienne rêveuse, Alfred (1800-1837) et Tony (1803-1852) Johannot, Célestin Nanteuil (1813-1873), qui dessine des frontispices gothiques hérissés de pinacles pour les œuvres de Hugo. Louis Boulanger (1806-1867) est l'ami de Hugo, de Sainte-Beuve et de Gautier, l'interprète fidèle de leurs imaginations littéraires et un adepte du Romantisme à son paroxysme (*Supplice de Mazeppa,* 1827, Rouen, M. B. A.). Baudelaire reçoit à l'hôtel de Pimodan (ex-Lauzun), dans l'île Saint-Louis, Boissard de Boisdenier (1813-1866), peintre, musicien et poète qui a peu produit en dehors de son tragique *Épisode de la retraite de Russie* (1835, *id.*). Jules Robert Auguste, dit « Monsieur Auguste » (1789-1850), était sculpteur. Géricault fit de lui un peintre épris de couleur et de beau métier. Il rapporta de voyages en Orient des objets que copia Delacroix ainsi que de belles études et des pastels (Orléans, M. B. A.).

Victor Hugo (1802-1885) fut un des plus grands dessinateurs romantiques. Le pittoresque compliqué de ses vues fantaisistes de villes rhénanes médiévales évolue vers des visions ténébreuses et puissantes où le trait de plume et les taches de lavis (sépia ou café renversé) expriment le destin du poète exilé à Guernesey (*Vague, ma destinée,* 1857, Paris, Maison de V. Hugo).

Dans leurs dessins lithographiés, Paul

Gavarni (1804-1866) et Henry Monnier (1799-1877) créent l'un le type sensuel et tendrement humoristique de la « lorette », l'autre celui du petit-bourgeois, Joseph Prudhomme. La lithographie est aussi un moyen de diffusion de la légende napoléonienne, qui renaît sous Louis-Philippe et aboutira au rétablissement de l'Empire : Charlet (1792-1845) popularise le type du « grognard », repris par Raffet (1804-1860).

La vie contemporaine, mondaine ou populaire, attire plusieurs peintres : Eugène Lami (1800-1890) est un chroniqueur de la cour de Louis-Philippe et des fêtes. Comme lui, Alfred de Dreux (1810-1860) est anglomane : il représente les mondanités sportives et les chevaux. Tassaert (1800-1874) est le peintre du plaisir (la *Femme au verre de vin*, Montpellier, musée Fabre), mais aussi de la misère et du désespoir (*Une famille malheureuse*, 1849, Poitiers, M.B.A.).

DELACROIX. Ardent, passionné, Delacroix (1798-1863) conquiert peu à peu la maîtrise de soi. Romantique fougueux dans sa jeunesse, il évolue vers une sorte de classicisme serein sans rien renier d'essentiel. Ce qui l'intéresse, ce n'est pas le pittoresque extérieur, mais la vie de l'âme et de l'esprit. Cet homme cultivé, cet aristocrate d'esprit et peut-être de naissance (on le disait fils naturel de Talleyrand) est nourri de la littérature ancienne et moderne. Son *Journal*, sa *Correspondance*, ses articles de critique d'art sont des œuvres littéraires en même temps que des témoignages sur lui-même et sur son art. Sans être allé en Italie — signe des temps —, il connaît par le Louvre, puis par ses voyages en Angleterre et en Belgique, la peinture des grands coloristes, Véronèse, Rubens, les Anglais. Il renouvelle la peinture, sans esprit de système, par l'usage sensible des reflets, des complémentaires et de la technique du « flochetage » (hachures colorées). Mais c'est avant tout un homme d'imagination, sans cesse ébranlé par ses lectures et par le spectacle de la vie : Baudelaire ne s'y est pas trompé. Tout en étant le dernier des grands peintres d'histoire issus de la Renaissance, Delacroix est le

père de l'école moderne, et les impressionnistes se réclameront de lui.

Delacroix apprend la peinture chez Guérin, mais il est attiré par les œuvres de Gros et de Géricault. En 1824, les *Massacres de Scio* (Louvre) le font saluer comme le chef de l'école romantique, étiquette qu'il refusera toujours : par ses coloris chauds, par sa facture modifiée *in extremis* à la vue des paysages de Constable, par son évocation de l'Orient et surtout par son intensité dramatique, l'œuvre fait date en effet. Déjà lié d'amitié avec les frères Fielding et Bonington, Delacroix va rendre visite l'année suivante à Constable en Angleterre, où il assiste à des représentations de Shakespeare. Toute sa vie, il s'inspirera de la littérature romantique, dans ses lithographies du *Faust* de Goethe, d'un expressionnisme fantastique (1826), dans de nombreuses petites toiles lyriques ou sombres tirées d'*Hamlet* ou d'*Othello*, ainsi que des poèmes de Byron et des romans d'aventures médiévaux de W. Scott (l'*Assassinat de l'évêque de Liège*, 1829, Louvre). La *Mort de Sardanapale* (id.), scène tirée aussi de Byron, déchaîne le scandale au Salon de 1827 par son paroxysme de violence romantique, mais c'est un des sommets de Delacroix coloriste. Il reçoit des commandes officielles de scènes mouvementées de l'histoire médiévale (*Bataille de Nancy*, 1831, musée de Nancy), suivies sous Louis-Philippe de commandes pour Versailles : la *Bataille de Taillebourg* (1837, galerie des Batailles) et l'*Entrée des croisés à Constantinople* (1841, salle des Croisades). Après la révolution de 1830, la *Liberté guidant le Peuple* (Louvre) associe dans un élan épique l'allégorie et la représentation réaliste des cadavres.

Attaché à l'ambassade du duc de Morny auprès du sultan du Maroc, il voyage en 1832 à Tanger, en Andalousie, à Fez, puis à Alger, remplissant ses carnets de croquis et d'aquarelles, dont il tirera par la suite de nombreux tableaux. Il découvre la lumière et la couleur de l'« Orient », mais aussi des modes de vie proches de ceux de la Grèce antique. À son retour, il exploite simultanément deux veines nouvelles : d'une part, il est un des créateurs de l'Orientalisme avec les *Femmes d'Alger* (1834, Louvre) ; d'autre part, sa culture classique, rajeunie par ce voyage, donne naissance à des œuvres à sujets antiques d'un ton moral élevé (les *Dernières Paroles de Marc Aurèle*, 1844, Lyon, M.B.A.).

Delacroix devient aussi un grand décorateur monumental avec les ensembles du salon du Roi et de la bibliothèque du Palais-Bourbon (1833-1847), de celle du palais du Luxembourg (1840-1846), du compartiment central du plafond de la galerie d'Apollon, au Louvre (1850), du plafond du salon de la Paix à l'Hôtel de Ville (1852, détruit) : les deux bibliothèques célèbrent les grands écrivains qui ont fait notre civilisation ; l'inspiration vient des chambres de Raphaël au Vatican, interprétées librement par un grand coloriste. Enfin, la chapelle des Saints-Anges à l'église Saint-Sulpice de Paris (1850-1861) constitue une sorte de testament spirituel de l'artiste.

CHASSÉRIAU. Talent précoce, Théodore Chassériau (1819-1856) fut l'élève d'Ingres, qui mit en lui beaucoup d'espoirs : dans ses portraits (les *Deux Sœurs*, 1843, Louvre) et dans ses nus aux contours fermes et harmonieux (*Vénus marine*, 1839, *id.*), il montre sa dette envers son maître. Mais, dès les années 1840, il subit l'influence de Delacroix et du Romantisme : il est attiré par Shakespeare (peintures et lithographies tirées d'*Othello*, à partir de 1844) et donne à ses figures de femmes une sensualité nostalgique et mystérieuse (la *Toilette d'Esther*, 1841, Louvre). Cette tentative de synthèse entre deux esthétiques contraires aboutit à des peintures murales à la fois monumentales et colorées : l'émouvante *Descente de croix* de Saint-Philippe-du-Roule (1855) et les allégories de l'escalier de la Cour des comptes, incendiée pendant la Commune, *la Paix, la Guerre, le Commerce* (fragments au Louvre, 1844-1848).

LES ÉCLECTIQUES. D'autres ne sont romantiques que par leurs sujets historiques ou littéraires. Ary Scheffer (1785-1858) fait toutefois exception. D'origine hollandaise, il a laissé des études et des aquarelles plus chaleureuses que sa peinture. Il suit d'abord Delacroix : si les *Femmes souliotes*, remarquées au Salon de 1827 (Louvre), sont ruinées par le bitume, l'esquisse peinte (musée de Dordrecht) est pleine de fougue et d'un coloris vigoureux. Scheffer s'intéresse à tout : portrait, actualité, histoire médiévale, littérature (*Francesca et Paolo*, 1822, Louvre). Puis il verse dans un idéalisme mystique assez fade.

Les tableaux historiques de Paul Delaroche (1789-1863), romantiques par leurs sujets mais de facture très sage, plaisent à la bourgeoisie du « juste milieu ». Habilement composés, ils touchent les âmes sensibles. Le *Supplice de Jane Grey* (1834, Londres, N. G.) est son meilleur tableau.

Horace Vernet (1789-1863), troisième et dernier de la dynastie, partage le goût des chevaux avec son père Carle et avec son ami Géricault. Il aborde le Romantisme littéraire avec *Mazeppa et les loups* (1827, Avignon, musée Calvet). Mais il se spécialise dans les scènes militaires contemporaines et patriotiques : l'immense panorama de la *Prise de la smalah d'Abd-el-Kader* (1845, Versailles) fut longtemps populaire grâce aux multiples détails anecdotiques dont il couvre une toile qui ne manque ni de chaleur ni de mouvement.

LES ORIENTALISTES. Si le goût des « turqueries » remonte au-delà du XVIIIe s., il s'agit alors d'un Orient de fantaisie. Au siècle suivant, le thème de l'odalisque ou du bain turc ne sera pour Ingres que prétexte à de sensuelles « arabesques ». Mais dès 1798 la campagne de Bonaparte en Égypte et en Palestine avait procuré à des artistes l'occasion de découvrir l'Orient véritable, ses mœurs, ses costumes, ses monuments, sa vive lumière et ses couleurs éclatantes. La conquête de l'Algérie en 1830 et les missions diplomatiques auprès des pays du Maghreb offrirent à plusieurs peintres l'occasion de découvrir eux-mêmes l'Algérie (Delacroix, E. Isabey, H. Vernet, Chassériau, Fromentin), le Maroc (Delacroix), l'Andalousie (Delacroix, Dauzats). Dauzats (1804-1868) fut par ailleurs l'un des principaux illustrateurs des *Voyages pittoresques* du baron Taylor (1828), et visita l'Algérie et l'Égypte.

Le bassin oriental de la Méditerranée attire d'autres artistes. Marilhat (1811-1847) rapporte d'un voyage en Égypte des études à partir desquelles il peint de nombreux tableaux solidement composés. Tournemine visite l'Asie Mineure et l'Égypte. Mais l'orientaliste qui connut le plus grand succès en son temps est Decamps (1803-1860) : les études et les documents réunis par lui en Turquie en 1828 alimentèrent pendant toute sa vie sa production : scènes de la rue, petits métiers, d'un pittoresque plaisant. Il chercha à traduire la réverbération de la lumière sur les murs blancs par une matière épaisse et grumeleuse qui a mal vieilli (*Enfants turcs à la fontaine*, Chantilly).

PAYSAGISTES ROMANTIQUES. Le paysage se développe en France dans la première moitié du XIXe s. de façon remarquable, au point de devenir autour de 1870 le genre où s'effectuera la révolution picturale. À l'origine de ce mouvement il y a le retour à la nature du XVIIIe s., l'exemple anglais, l'habitude du travail en plein air et quelques précurseurs originaux, comme G. Michel, soutenus par les œuvres des Hollandais du XVIIe s. Parmi les paysagistes français, les uns sont attirés par la mer et par l'eau, les autres par la terre et par la forêt, sans spécialisation excessive d'ailleurs, grâce à leur vie itinérante.

Plusieurs vont étudier sur place les côtes normandes et la mer du Nord, au temps où les Anglais les découvrent aussi. Eugène Isabey (1804-1886) est de ceux qui font le voyage d'Angleterre, mais visite aussi la Hollande et l'Algérie. Comme Bonington, il sait rendre la transparence humide, les nuances subtiles des gris et des coloris brillants (le *Port de Dieppe*, 1842, musée de Nancy).

Paul Huet (1803-1869) invente le paysage lyrique au contact de la nature de l'Île-de-France, avant même de travailler avec Bonington. D'abord inspiré par des poèmes de Hugo (*Soleil couchant derrière une abbaye*, 1831, Valence, M. B. A.), ami intime de Delacroix, il est attiré par la force inquiétante de la nature et par les cataclysmes. Il aime les

contrastes d'ombre et de lumière, les tonalités sombres, les forts empâtements (*Brisants à la pointe de Granville*, 1853, Louvre). D'autres tableaux comme la *Vue de Rouen* (1852, *id.*) expriment une poésie plus paisible. Les aquarelles exécutées au cours de ses voyages ont une légèreté et une spontanéité qui manquent parfois aux grandes toiles, d'un paroxysme un peu forcé, qu'il envoie aux Salons jusqu'à une époque avancée.

Corot, qui pratique le paysage historique et l'étude naturaliste, peut être rattaché au Réalisme.

Sculpture

Le Néoclassicisme, soutenu par les académies, reste longtemps le style dominant de la sculpture, notamment en Italie, en Grande-Bretagne, dans les pays germaniques. Le style néogothique se développe aussi au Parlement de Londres ou à l'abbaye de Hautecombe en Savoie. L'éclectisme et l'historicisme gagnent du terrain. La sculpture se prête peu à l'expression romantique, si ce n'est dans le modelage, dont certains artistes français cherchent à conserver dans le bronze l'aspect d'esquisse spontanée.

La France, pendant la Restauration et surtout la monarchie de Juillet, voit s'élever de nombreux monuments à signification politique et religieuse et se poursuivre les grandes entreprises collectives de la période précédente. Les statues équestres des rois, détruites par la Révolution, sont rétablies, à Paris et à Lyon, par Cortot, Bosio et Lemot. Ces deux derniers sculptent les groupes allégoriques de la Chapelle expiatoire à Paris, David d'Angers et Lemaire les frontons du Panthéon et de la Madeleine. L'arc de triomphe de l'Étoile est achevé en 1836 avec des frises historiques et quatre groupes colossaux de Rude, Cortot et Etex. Des statues des *Villes de France* par Pradier et des fontaines de Hittorff (1836) ornent la place de la Concorde. D'autres fontaines et monuments contribuent aux embellissements de la capitale et des grandes villes en célébrant les grands hommes. Dumont hisse son célèbre *Génie de la Liberté* en bronze doré au sommet de la colonne de Juillet, décorée par Barye, place de la Bastille. Le *Tombeau de Napoléon* (à partir de 1843), sous le dôme des Invalides, se compose d'un sarcophage de porphyre rouge entouré d'une galerie qu'ornent douze *Victoires* de Pradier et des reliefs de Simart, l'auteur de la statue colossale de l'Empereur placée dans la cella. Dans les cimetières (Père-Lachaise, Montmartre), certains tombeaux sont parfois confiés à des sculpteurs en renom comme David d'Angers ou Rude.

La statuaire indépendante demeure le plus souvent classique, avec quelques hardiesses ici ou là : Pradier (1792-1852) est surtout connu pour ses nus mythologiques, œuvres aimables et sensuelles ; mais ses études naturalistes annoncent celles de Degas (la *Repasseuse*, v. 1850, musée de Genève). Etex (1808-1888) ne manque pas d'énergie dans ses deux groupes de l'Étoile ni dans son *Caïn* de Lyon (M. B. A., 1833). Clésinger (1814-1883) obtient un succès de scandale avec sa *Femme piquée par un serpent*, jugée trop lascive (v. 1864, Louvre).

Trois grands sculpteurs, Rude, David d'Angers et Barye, retiennent davantage l'attention. François Rude (1784-1855) reçut à Dijon, puis à Paris, une formation néoclassique. Établi d'abord à Bruxelles, il enseigne à ses élèves à étudier le corps vivant, à voir les ensembles. Rentré en France en 1827, il se fait connaître par le *Petit Pêcheur napolitain jouant avec une tortue* (1831-1833, Louvre), dont le naturel, la fraîcheur et le pittoresque lui valent la sympathie des romantiques. Il exécute ensuite l'un des quatre hauts-reliefs de l'arc de l'Étoile, le *Départ des volontaires de 1792,* plus connu sous le titre de la *Marseillaise :* l'élan héroïque, souligné par le mouvement d'ensemble et par le jeu des lignes directrices, la fureur guerrière de la *Victoire,* la transposition des soldats de la Révolution en guerriers antiques font de cette œuvre une sorte de synthèse grandiose du Néoclassicisme et du Romantisme. On doit aussi à Rude des statues pleines de vie et de vérité, le *Maréchal Ney* de la place de l'Observatoire (1850) ou le *Réveil de Napoléon* de Fixin

(Côte-d'Or), où l'esprit épique et le sens des allégories expressives (l'aigle aux ailes brisées) s'associent à un réalisme familier.

Pierre-Jean David, dit David d'Angers (1788-1856), appartient au mouvement romantique par le milieu intellectuel qu'il a fréquenté et représenté plutôt que par son style, souvent sec. Ses statues d'hommes célèbres, ses bustes sont innombrables *(Goethe, Hugo),* mais il est surtout connu pour ses 531 médaillons de grands hommes, modelés et fondus en bronze entre 1814 et 1854. Barye (1796-1875) fut à la fois sculpteur et peintre. Élève de Bosio et de Gros, il compléta sa formation au Jardin des Plantes en dessinant les animaux aux côtés de Delacroix : comme beaucoup de romantiques, il était passionné par la liberté sauvage des bêtes, l'expression puissante de leurs muscles. Il se fit connaître au Salon de 1831 par le *Tigre dévorant un gavial* (Louvre), qui provoqua enthousiasme ou réprobation selon les convictions esthétiques de chacun. Sous le second Empire, il participa à la décoration du nouveau Louvre par des figures de *Fleuves* et des allégories. Mais sa popularité tient surtout à ses figurines d'animaux, en terre cuite ou en bronze, étudiées d'après nature et ciselées avec soin.

Le goût du Moyen Âge se manifeste par les nombreuses statues de Jeanne d'Arc et par la restitution, sous la direction de Viollet-le-Duc ou de Lassus, des statues détruites des cathédrales.

Quelques sculpteurs indépendants et un peu marginaux sont des romantiques plus authentiques parce qu'ils ont su trouver un langage plastique en accord avec leur inspiration. Auguste Préault (1809-1879) fut un des plus ardents combattants de la « bataille d'Hernani » en 1830. Ses débuts furent soutenus par ses amis romantiques, mais les *Parias,* l'*Enfer* furent refusés par le jury. Ses médaillons d'écrivains et d'artistes ont une liberté de facture plus grande que ceux de David d'Angers *(Delacroix, Corot).* Mais ses œuvres les plus romantiques sont des bas-reliefs tardifs, *Ophélia* (Marseille, M. B. A.) et surtout la *Tuerie* (1854, musée de Chartres), d'une force et d'une violence impressionnantes. Jehan du Seigneur (1808-1866) est aussi un jeune romantique qui gravite autour de Hugo, dont il sculpte le buste en 1833, et de Gautier, qui célébra sur le mode lyrique son *Roland furieux* du Salon de 1831 (Louvre), œuvre passionnée aux modelés vibrants. Giraud (1783-1836) est un artiste rare et original, auteur d'une œuvre émouvante, la maquette en cire d'un tombeau d'une femme et de deux enfants (Louvre). *Velléda* (1839, *id.*) est la meilleure réussite de Maindron (1801-1884), qui encouragea les débuts de Rodin.

Certains peintres ou dessinateurs, non sculpteurs de métier, modelèrent en terre des figurines qui ne furent moulées en bronze et connues que plus tard, œuvres intimes et parfois érotiques comme le groupe *Nymphe et satyre* de Géricault (Art. G. Buffalo).

Bibliographie sommaire

ANDREWS (K.), *The Nazarenes, a Brotherhood of German Painters in Rome*, Oxford, Oxford University Press, 1964. BAUDELAIRE (Ch.), *l'Art romantique ; les curiosités esthétiques*, Lévy, Paris, 1868. FOCILLON (H.), *la Peinture au XIXᵉ siècle. Le retour à l'antique, le Romantisme*, Laurens, Paris, 1927. HONOUR (H.), *Romanticism*, Harper and Row, New York et Londres, 1979. MAYOUX (J. J.), *la Peinture anglaise, de Hogarth aux préraphaélites*, Skira, Genève, 1972. LEYMARIE (J.), *la Peinture française, le XIXᵉ siècle*, Skira, Genève, 1962. NOVOTNY (F.), *Painting and Sculpture in Europe, 1780 to 1880*, Pelican History of Art, Harmondsworth et New York, 1960. Catalogues d'exposition : *The Romantic Movement*, Conseil de l'Europe, Londres, 1959. *Die Nazarener*, Francfort, 1977.

LE RÉALISME

Daniel Ternois

LE RÉALISME, MOUVEMENT SPÉCIFIQUEMENT FRANÇAIS, est lié au courant d'idées républicain et socialiste qui aboutit à la révolution de 1848 (européenne, celle-là). Mais si la IIᵉ République a favorisé les artistes réalistes, leurs attitudes politiques et sociales sont très diverses, de la combativité de Daumier à l'adhésion tardive de Courbet et au refus de tout engagement de Millet et de beaucoup d'autres qui se consacrent à la peinture.

Le terme de *Réalisme* lui-même ne s'est pas imposé, pour les arts, avant 1848 et ce n'est pas avant 1855-56 qu'il a été invoqué pour définir un programme, sans d'ailleurs jamais aboutir à la constitution d'un groupe. Cependant, les aspirations réalistes avaient devancé les propos. Le développement de l'intérêt pour le paysage, avec Corot, les peintres de Barbizon et les véristes italiens, ouvre la voie. Si aucun de ces peintres ne s'est jamais affirmé comme « réaliste », ils l'étaient tous certainement de pratique en échappant pour l'essentiel au Néoclassicisme ou au Romantisme et il n'est donc pas abusif de les rapprocher de leurs cadets que la révolution de 1848 a consacrés.

La peinture française de paysage

COROT

Le paysage a joué un rôle décisif dans la transformation de la peinture du XIXᵉ s. Chez plusieurs précurseurs apparaît une nouvelle vision de la nature. Rien de plus opposé au Romantisme de Huet et de Hugo que l'art mesuré et la sensibilité discrète de Corot, un classique authentique, débarrassé des théories académiques, annonciateur des paysagistes naturalistes de Barbizon et des impressionnistes. Ses maîtres, à peine plus âgés que lui, étaient des adeptes du « paysage historique », mais aussi du travail d'après nature : Michallon (1796-1882) avait obtenu en 1817 le premier prix de Rome du « paysage historique », mais son art est vivifié par les études sincères qu'il peignit en Italie et dans la forêt de Fontainebleau. Édouard Bertin (1797-1871) travaillait sur les mêmes sites et en Grèce. Les paysages de Caruelle d'Aligny (1798-1871), animés de figures antiques, ont une élégance un peu sèche.

Corot (1796-1875) apprit d'eux à composer un paysage et à travailler sur le motif. Les études directes d'après nature, qui conservent toute la fraîcheur de l'impression première, sont préférables aux compositions plus élaborées à l'atelier qu'il envoya toute sa vie aux Salons. Mais certaines d'entre elles sont vigoureusement peintes et équilibrées (*Homère et les bergers*, 1845, musée de Saint-Lô). La distinction entre tableau et étude perd pour lui de son importance : l'habitude de travailler en plein air devient générale en Europe, notamment à Rome et dans la campagne romaine, où se rencontrent des artistes de toutes origines. De son premier séjour en Italie (1825-1828), Corot rapporte nombre de peintures fermement construites et empâtées : le *Forum*, le *Colisée*, où la lumière, les valeurs, les nuances du coloris et de l'atmosphère sont notées avec une justesse comparable à celle de Constable dans ses études peintes (les œuvres citées sont toutes au Louvre, sauf indication contraire). Corot revit l'Italie à deux reprises, en 1834 (deux *Vues de Volterra, Florence vue des jardins Boboli*) et en 1843 (les *Jardins de la Villa d'Este*). Entre-temps, il parcourt la France, de la Bretagne à la Provence, sachant toujours saisir la lumière et l'atmosphère propres à chaque région (*Port de La Rochelle*, 1852, Yale University ; *Villeneuve-lès-Avignon*, 1836, Reims, musée Saint-Denis). Il peint souvent à Barbizon, à l'orée de la forêt de Fontainebleau.

Un changement se produit dans son art autour de 1850 avec les grands paysages lyriques et vaporeux comme le *Souvenir de Mortefontaine* (1864), dont le succès aux Salons provoqua une production trop abondante. Mais les toiles plus intimistes de la dernière période sont parmi les plus lumineuses, les plus sensibles et les plus poétiques et annoncent celles de Sisley : le *Beffroi de Douai* (1871), l'*Intérieur de la cathédrale de Sens* (1874).

Corot fut aussi un peintre de figures pensives qui évoquent parfois Vermeer comme la *Dame en bleu* (1874) ou les diverses versions de l'*Atelier* avec un modèle au corsage rouge (v. 1866) ou à la robe de velours noir (1870, Lyon, M. B. A.). Corot, dont les œuvres non exposées aux Salons ne furent connues que peu à peu, est l'un des peintres qui impressionnèrent le plus profondément les jeunes générations.

L'ÉCOLE DE BARBIZON

« L'école de Barbizon » tient à la fois du Romantisme et du Réalisme : ses paysagistes et animaliers ont en commun une certaine inquiétude, l'amertume d'être incompris, le refus de la civilisation urbaine, l'attirance pour la nature vierge et sauvage. Mais ils refusent l'imagination romantique qui exagère l'émotion et altère la sensation. L'événement décisif se situe cependant en pleine période romantique : le refus de la *Descente des vaches dans le Jura* de Théodore Rousseau par le jury du Salon de 1835 ; la critique académique le ridiculise (« la descente des vaches aux enfers »). Rousseau cesse alors d'exposer en public et séjourne de plus en plus souvent à Barbizon. D'autres artistes l'imitent bientôt. Les peintres de Barbizon peignent ainsi ignorés de tous, jusqu'à ce que la réforme du Salon et la sympathie du gouvernement provisoire de 1848 leur permettent d'exposer et d'obtenir quelques commandes. L'Exposition universelle de 1855 consacre certains d'entre eux, notamment Théodore Rousseau.

Depuis 1822, l'auberge Ganne à Barbizon accueillait Michallon, Aligny, Brascassat, Huet, puis Corot, Français, Hervier. D'autres y eurent des maisons. Rousseau séjourna à Barbizon à partir de 1833 avant de s'y établir pour toute sa vie en 1846. Courbet et Barye le découvrent en 1849. Dupré et Daubigny ne viennent que de temps en temps, mais exposent avec Rousseau et ses amis. Beaucoup d'étrangers, comme Jongkind, Liebermann ou Grigorescu, fréquentent le village. Des critiques parisiens comme Thoré, des amateurs comme Sensier (le biographe de Millet), des écrivains comme Gautier se joignent parfois à eux : ce village est le lieu privilégié où se constitue le paysage naturaliste du XIXe s. ; Monet, Sisley, Renoir, Bazille le fréquenteront aussi plus tard.

Rousseau et ses amis dessinent et peignent « sur le motif » avec le souci de traduire fidèlement le site et l'impression éprouvée, en réaction à la fois contre les recettes du « paysage historique » et contre les outrances romantiques. D'après leurs notes et leurs études, ils exécutent à l'atelier des « tableaux » plus élaborés qui sacrifient parfois à l'effet par des compositions en « coulisses » de théâtre, des contrastes d'ombres et de lumières, des tonalités sombres. Ils sont encouragés dans la voie naturaliste par l'exemple de Georges de Michel (1763-1843), par la peinture anglaise (découverte en France ou en Angleterre) ; mais leurs modèles sont les Hollandais du XVIIᵉ s., qu'ils vont étudier au Louvre : Hobbema, J. Ruysdael, Potter, les van Ostade.

Rousseau (1812-1867) compléta une formation académique par des visites au Louvre et par des études d'après nature aux environs de Paris. Son évolution est jalonnée par de nombreux voyages qui le conduisent d'abord en Auvergne (*Paysage d'Auvergne*, 1831, Rotterdam, B. V. B.), puis en Normandie avec Huet. Du Jura, pendant l'été 1834, il rapporte l'idée de deux grandes compositions tumultueuses, *Tempête sur le Mont-Blanc* (Copenhague, N. C. G.) et la *Descente des vaches* (tableau rongé par le bitume, La Haye, musée Mesdag, où se trouve aussi une belle esquisse très colorée). Puis ce sont les variations de l'atmosphère et de la lumière qui l'attirent dans le Berry et dans les Landes, parcourues avec Dupré (le *Marais dans les Landes*, 1844-1852, Louvre). Aux environs de Paris, dans les forêts, il esquisse des paysages de neige en camaïeu blanc qui aboutiront à la fin de sa vie à la *Forêt en hiver au coucher du soleil* (Metropolitan Museum).

Justice lui est enfin rendue sous la IIᵉ République : il présente au Salon de 1850 la *Sortie de forêt à Fontainebleau* (Louvre), commandée en 1848 par le gouvernement. Établi à Barbizon, où il vit pauvre et solitaire, il s'attache à représenter avec une poésie souvent sombre les sites les plus sauvages de la forêt, les arbres centenaires, les rochers, les étangs, les soleils couchants, les nuances du ciel et de la lumière (*Soleil couchant sur la lande d'Arbonne*, v. 1863, Metropolitan Museum).

Rousseau a une conception panthéiste de la nature et des intentions philosophiques, d'ailleurs discrètement exprimées. Du Romantisme, il tient son lyrisme, son goût des contrastes et des effets de lumière et de couleur. Mais il est surtout un naturaliste sensible qui n'est jamais si grand que dans ses études d'après nature. Il fut le maître à penser et à peindre de tout le groupe de Barbizon, et les futurs impressionnistes apprirent beaucoup de lui dans les années 60.

Jules Dupré (1811-1889) fut l'ami et le compagnon de voyage de Rousseau jusqu'en 1849 et ils s'influencèrent mutuellement (la *Vanne*, 1846, Louvre). Lui aussi s'inspire des Hollandais et des Anglais, qu'il va voir sur place en 1834. Ses sous-bois sont simples et sans artifices (le *Plateau de Belle-Croix*, 1830, musée de Cincinnati). Établi à L'Isle-Adam, dans la vallée de l'Oise, il voisine avec Daubigny (Auvers) et avec Daumier (Valmondois).

Diaz de La Peña (1807-1876), d'origine espagnole, fut d'abord un admirateur de Delacroix et du XVIIIᵉ s. et connut un certain succès avec ses sujets mythologiques, vivement enlevés et colorés. Sa rencontre avec Rousseau en 1837 fait de lui un paysagiste de Barbizon épris de la lumière, qu'il fait scintiller par de petites touches papillotantes posées sur les feuillages (les *Hauteurs de Jean de Paris*, 1867, Louvre).

Charles Daubigny (1817-1878) a eu une formation plus complète et une évolution différente : il a reçu des leçons de Delaroche, a voyagé en Italie et copié les Hollandais au Louvre. Il séjourne à Barbizon et dans le Morvan et voyage beaucoup quand, après 1850, les achats de l'État le lui permettent. C'est à Optevoz, dans l'Isère, qu'il fait la rencontre décisive de Corot, avec qui il travaille côte à côte sur des motifs très humbles (la *Vanne d'Optevoz*, 1855, Rouen, M. B. A.). D'Auvers, où il peint les rives de l'Oise dans l'atelier flottant aménagé sur son bateau (comme fera Monet plus tard), il fait des expéditions en Normandie, à Trouville en 1866, où il rencontre Courbet, Boudin et Monet ; il va en Angleterre la même année, puis en 1870, en même temps que Monet. Peignant en plein air et en pleine nature, entre la terre et l'eau, il en donne une traduction très directe, notant ses « impressions » (le mot est de Gautier) avec franchise, dans des tons clairs et un peu crus : les *Péniches* (1865, Louvre) ; la *Mer à Villerville* (Amsterdam, Stedelijk Museum). Il a connu Pissarro et Cézanne, ses voisins.

D'autres familiers de Barbizon sont des animaliers en même temps que des paysagistes. Barye (1795-1875) utilise ses études de forêt et de rochers comme fonds pour ses animaux sauvages. Charles Jacque (1813-1894), le peintre des troupeaux de moutons, ne passa que six ans à Barbizon et s'éloigna ensuite du groupe, mais ces années comptèrent beaucoup pour lui. Troyon (1810-1865) a plus de vigueur. Il a connu les œuvres de Potter et de Berchem lors d'un voyage en Hollande en 1847. Il représente volontiers des troupeaux à contre-jour, dans la lumière matinale ou au coucher du soleil, et ne craint pas les grands — trop grands — formats. Son vérisme trop littéral est sauvé par la finesse de la lumière dans des œuvres plus modestes comme le *Matin* (Louvre) et dans des paysages purs, où il excelle à rendre les vastes espaces ou les effets atmosphériques (*Avant l'orage*, Moscou, musée Pouchkine).

Beaucoup d'autres paysagistes s'attachent, en province, à saisir les caractères de leurs régions respectives : les formes aux arêtes vives de la Provence (Guigou, 1834-1871) ou les brumes colorées des étangs dauphinois (Ravier, 1814-1895).

Le « Vérisme » italien

Divers courants naturalistes naissent en Italie dans plusieurs foyers régionaux. À Naples, l'« école du Pausilippe » prolonge la tradition des *vedute*, que réclament les touristes étrangers, mais Gigante (1806-1876) et van Pitloo (1790-1837) y apportent une sensibilité nouvelle. Les frères Palizzi (Filippo, 1818-1899, et Giuseppe, 1812-1888) s'inspirent des peintres de Barbizon. La vision de De Gregorio (1829-1875) est plus lumineuse.

L'école piémontaise, très riche et variée, s'adonne aussi au paysage avec Fontanesi (1818-1882), qui a connu à Paris Corot,

Daubigny et Rousseau, à Lyon et à Morestel Ravier, à Londres les œuvres de Constable et de Turner ; ses paysages sont paisibles et mélancoliques.

Rôle des institutions françaises de la IIe République et du second Empire

Le puissant développement technique et industriel de l'Angleterre, suivie par la France, accuse les déséquilibres économiques et provoque de profonds bouleversements sociaux. Des théoriciens humanitaires et utopistes, Fourier, Saint-Simon, le Père Enfantin, V. Considérant, Proudhon, propagent des théories économiques et sociales, veulent mettre le progrès technique et même l'art (Proudhon) au service de l'homme et de la justice. Marx et Engels publient le *Manifeste communiste* en 1847, Marx, *le Capital* en 1867. Des catholiques libéraux, Lamennais, Lacordaire, Montalembert, proposent un christianisme généreux et moderne, une Église séparée de l'État.

Tout ce mouvement d'idées aboutit à Paris au soulèvement populaire de février 1848. La classe ouvrière prend le pouvoir sur les barricades, mais sa victoire est de courte durée : Louis Napoléon Bonaparte est élu président de la République et fait proclamer l'Empire en 1852. L'enrichissement rapide des classes aisées, les grands travaux d'Haussmann à Paris, la construction et la décoration de grands édifices publics à Paris et en province, la vie de cour et les fêtes, la vie mondaine évoquée par les lavis de Constantin Guys ou les toiles d'Eugène Lami, le mécénat de la famille impériale et du gouvernement, une politique artistique somme toute assez tolérante et éclectique procurent aux artistes de nombreuses commandes. Le musée du Luxembourg accueille les œuvres contemporaines acquises par l'État. Les Expositions universelles de 1851 et de 1862 à Londres, de 1855 et de 1867 à Paris suscitent une émulation et des confrontations internationales entre les productions de l'industrie et de l'art ; des œuvres des Préraphaélites anglais et des

Nazaréens allemands sont vues à Paris en 1855.

Les institutions artistiques sont profondément modifiées à plusieurs reprises au cours de cette période. En 1848, le jury du Salon (annuel depuis 1831) est supprimé et tous les artistes sont admis à exposer sans examen : Courbet présente sept toiles, Millet le *Vanneur,* que Ledru-Rollin lui achète pour une somme élevée. Millet et Rousseau reçoivent chacun une commande du gouvernement provisoire. Celui-ci institue en mars 1848 un concours pour la figure de la *République :* seule l'esquisse puissante de Daumier (Louvre) échappe à la banalité générale.

Le gouvernement commanda à Chenavard (1807-1895) une vaste décoration murale pour le Panthéon : ce Lyonnais avait rencontré à Rome Overbeck et Cornelius, et Baudelaire relèvera les affinités de sa « peinture philosophique » avec la pensée germanique. Le programme de cette décoration est l'histoire du progrès de l'humanité, qui s'élève, par ses efforts, à travers les civilisations, renaissantes les unes des autres, et les fausses religions, jusqu'au triomphe de la raison, le christianisme étant présenté comme une religion parmi d'autres. Ces compositions, plus intéressantes par leurs idées que par leurs formes classicisantes assez banales, devaient être exécutées en grisaille sur tout le pourtour intérieur de l'édifice. Les événements politiques empêchèrent la réalisation peinte des « cartons » conservés au musée de Lyon.

Pour le Salon de 1849, le jury est rétabli afin d'éviter les désordres de l'année précédente, mais il est élu par tous les exposants. C'est Courbet qui fait cette fois une entrée en force : sept œuvres sur onze sont admises. L'État lui achète *Une après-dînée à Ornans* et lui décerne une médaille qui le dispense désormais d'examen. Puis l'Académie des beaux-arts redevient seul juge, mais, en 1863, l'empereur la réforme et lui retire certaines de ses attributions. En 1870, enfin, le jury est entièrement élu par les anciens exposants : le gouvernement renonçait ainsi à diriger la création artistique, sinon par les commandes et les achats de l'État. Mais le Salon fut, pendant la plus grande partie du XIXᵉ s., d'une

importance vitale pour les artistes : le fait d'être reçu ou refusé, bien ou mal placé, récompensé ou non, bien ou mal traité par les critiques détermine les achats officiels et privés ainsi que les prix de vente.

Il convient de nuancer l'opposition traditionnelle entre la « peinture officielle » et l'« avant-garde », termes qui prêtent à discussion. Le second Empire est jalonné par des manifestations spectaculaires de diverses natures qui posent ce problème : consécration d'Ingres, de Delacroix et de Horace Vernet au Salon de 1855 (confondu avec l'Exposition universelle) ; mais aussi réhabilitation de Corot et de Rousseau, qui présente treize tableaux : « pavillon du Réalisme » organisé par Courbet seul en marge du Salon (où il expose aussi onze toiles) à la suite du refus de ses plus importants tableaux ; « Salon des refusés » en 1863 à côté du Salon officiel et scandale du *Déjeuner sur l'herbe* de Manet ; présence de Courbet dans la salle d'honneur du Salon de 1866, mais point de récompense ; nouvelle exposition particulière de Courbet, et aussi de Manet, en 1867.

Un artiste engagé : Daumier

Des trois grands artistes considérés comme « réalistes », Honoré Daumier (1808-1871) est celui qui a le plus précocement et le plus complètement répercuté dans son art les événements politiques et les problèmes sociaux. Il fut en effet un ardent républicain. La révolution de 1830 décida de sa vocation. Il débuta comme caricaturiste et utilisa le procédé de la lithographie, qui permettait l'illustration rapide des journaux à grand tirage qui naissaient à cette époque et agissaient sur l'opinion d'un vaste public. De 1830 à 1835, dans le journal satirique de Philippon, *la Caricature* (auquel collaborent aussi Granville et Traviès), il tourne en dérision les membres du gouvernement de Louis-Philippe. Puis la répression sanglante des émeutes de 1834 lui inspire une série de pièces terribles aux légendes éloquentes : *Ne vous y frottez pas !,* le *Ventre législatif,* et surtout la *Rue Trans-*

nonain, image insoutenable d'innocents massacrés dans leur chambre par la troupe, rendue furieuse par les tireurs isolés. Après la loi sur la presse de 1835 et la disparition du journal, il donne au *Charivari* des caricatures de mœurs où il se moque des *Bons Bourgeois,* des *Bas-bleus* et des *Gens de justice;* 1848 le ramène à la caricature politique, mais l'Empire autoritaire le cantonne de nouveau dans l'étude des mœurs et des faits divers. Il prend sa revanche en 1871 avec *les Châtiments,* où le livre de Hugo foudroie l'aigle impérial : il atteint ici à la grandeur épique de l'allégorie historique.

Dessinateur parfois négligé, mais toujours inventif et expressif, Daumier fut aussi un aquarelliste et un peintre. Ses aquarelles représentent surtout des scènes et des types populaires. Dans son œuvre peint (à partir de 1848 env.), on retrouve les mêmes thèmes : le *Wagon de troisième classe* (Ottawa, N. G.), les *Deux Avocats* (Lyon, M. B. A.), l'*Amateur d'estampes* (Paris, Petit Palais) et aussi des scènes d'une émotion profonde comme la *Blanchisseuse* (Buffalo, Albright Art G., et Louvre), le *Fardeau* (coll. part.), l'*Émeute* (Washington, coll. Phillips), les *Réfugiés* ou les *Émigrants* (Minneapolis, Inst. of Arts ; Paris, Petit Palais).

Découvert comme peintre seulement vers 1900, Daumier ne fut apprécié que d'un petit nombre de contemporains. Il dépasse la caricature et le fait divers par sa faculté d'atteindre au général, au type social, en dégageant avec force le caractère dominant, dans son expression juste. Son métier de peintre est sommaire : Daumier est peu coloriste et procède par grands contrastes de terres d'ombre et de blanc ; mais il a le sens du mouvement et de l'efficacité dramatique.

Le Réalisme : critiques, théoriciens, artistes

Le Réalisme est un mouvement artistique défini historiquement, même si son contenu est sujet à discussions et à confusions. Le terme est employé pour la première fois en 1833 par le critique Gustave Planche, qui ne tardera d'ailleurs pas à condamner le mouvement. Celui-ci se prépare avant 1848, mais se manifeste au grand jour à cette date par la transformation profonde de l'art de Courbet, de Millet et même de Daumier, qui commence, alors, à peindre. Le Réalisme se propose de réagir, par l'observation objective, contre les excès de l'imagination et de la littérature dans l'art romantique, jugé dépassé. La philosophie positiviste d'Auguste Comte et plus tard de Taine, l'idée du progrès scientifique et matériel expliquent ce nouveau courant esthétique, au moins autant que les idées humanitaires.

Dès 1843, un petit cénacle se réunit au café Momus, puis, à partir de 1849, à la brasserie Andler, à côté de l'atelier de Courbet, et dans divers autres cafés. En font partie les critiques Champfleury, Duranty, Baudelaire, l'écrivain Max Buchon, ami de Courbet, le philosophe Proudhon, les peintres Courbet, Bonvin, Amand Gautier, Corot, Decamps, les caricaturistes Daumier et Traviès, les sculpteurs Barye et Préault. Plusieurs sont passés par le Romantisme et par la bohème et tous sont en quête du vrai. Champfleury, Baudelaire et Courbet publient en 1848 *le Salut public,* puis Baudelaire s'éloigne, à la recherche du « surnaturalisme ».

Champfleury (1741-1889) était le chef du cénacle de la brasserie Andler, tout en se défendant d'être l'inventeur du Réalisme et en affirmant son aversion pour tout système. Courbet, lui, n'accepte le terme qu'avec réticence, en 1855, dans le catalogue de son exposition. Le point culminant de la querelle théorique se situe autour de 1855-1857, au moment de la *Lettre à Mme Sand,* de Champfleury (2 sept. 1855), sorte de manifeste qui provoque une violente polémique. La revue *Réalisme* paraît de 1856 à 1857 (six numéros) sous la direction de Duranty, et Champfleury réunit en 1857 ses articles en un volume, *le Réalisme.* Mais la doctrine ne se serait pas aussi fortement constituée sans les œuvres puissantes de Courbet, qui joue un rôle déterminant dans la naissance de la nouvelle école : parmi les artistes considérés comme réalistes, seul Courbet correspond (dans une certaine mesure) à la définition élaborée par les critiques. Champfleury et Courbet étaient très liés et voyageaient souvent ensemble. Leurs relations se distendirent quand Champfleury accusa Courbet, à tort ou à raison, d'abandonner la simple représentation du vrai pour une peinture chargée d'intentions politiques et sociales, sous l'influence de Proudhon, ou d'intentions anticléricales, destinées à faire scandale.

La personnalité de Champfleury est d'une remarquable cohérence : collectionneur et érudit, il recherche dans les arts du passé ce qui peut renforcer son esthétique, ressuscite les frères Le Nain et travaille selon une méthode documentaire encore admirée aujourd'hui. Vers le même temps, un autre critique, Thoré-Burger (1807-1869), étudiait les musées de Hollande et redécouvrait Vermeer. Les réalistes avaient aussi connu avant 1848 les tableaux espagnols de la collection de Louis-Philippe et pouvaient encore en voir quelques-uns dans la collection Pourtalès.

Duranty, Castagnary et (avec plus de réticence) Thoré soutinrent Courbet et le Réalisme. Mais la plus grande partie de la presse et du public les condamna, autant pour des motifs idéologiques que pour des motifs esthétiques et fit facilement l'amalgame. L'*Enterrement à Ornans* de Courbet, l'*Homme à la houe* de Millet sont jugés non seulement laids et grossiers, mais subversifs, dangereux pour l'ordre public, bien que beaucoup admettent chez Courbet les qualités du bel ouvrier.

Le mouvement réaliste n'est pas une école homogène, mais artistes et critiques ont en commun la volonté de rompre avec la hiérarchie académique des genres, avec la suprématie de la peinture d'histoire et avec l'idéalisme conventionnel qui persistent au même moment chez Gérôme, Cabanel, Baudry, Bouguereau et même chez Couture, artistes chéris du second Empire et d'ailleurs non dénués de talent. Les réalistes revendiquent le droit de choisir n'importe quel sujet, beau ou laid, noble ou trivial, dans la réalité et de représenter « la vie moderne » comme le réclamaient depuis longtemps Baudelaire et Thoré : celle des villes (Daumier) ou surtout celle des campagnes (Courbet, Millet, Breton). Manet, Degas et les impressionnistes s'intéresseront davantage à la vie urbaine, les réalistes de la seconde génération découvriront tardivement le monde ouvrier. Mais les sujets ne sont pas tout : l'artiste reste peintre avant tout et réagit selon son tempérament devant les formes, les couleurs, la lumière, les matières. La photographie, qui se répand alors, est une auxiliaire et non une rivale de la peinture.

COURBET

Gustave Courbet (1819-1877) est né à Ornans, petite ville du Jura, où, chez les habitants et dans la campagne proche, il puisera l'essentiel de son inspiration. Son père est propriétaire terrien, son grand-père est républicain. Sa formation est en partie celle d'un autodidacte : il travaille surtout dans les ateliers libres et au Louvre. Ses premiers envois au Salon, entre 1841 et 1846, pour la plupart des portraits de famille ou d'amis, sont presque tous refusés, à l'exception de deux *Autoportraits* marqués d'un caractère romantique qui est encore plus développé dans les *Amants dans la campagne* (1844, Lyon, M. B. A., et Paris, Petit Palais). Puis il prend part aux débats de la brasserie Andler et peint plusieurs allégories sur l'homme et la politique.

Probablement sous l'influence de Champfleury, Courbet peint *Une après-dînée à Ornans* (Lille, M. B. A.), qui obtient un grand succès au Salon de 1849 : c'est un portrait de ses amis dans un intérieur paisible et intime, comme les tableaux de genre hollandais, mais avec des personnages grandeur nature. Courbet est reçu en triomphe à Ornans, où il trouve les sujets de ses envois au Salon de 1850.

Si les *Paysans de Flagey revenant de la foire* (Besançon, M. B. A.) sont une scène campagnarde fortement peinte qui ne se prête guère à interprétations, il n'en va pas de même des *Casseurs de pierre* (Dresde, détruit en 1945), peu remarqués sur le moment, mais considérés ensuite comme une sorte de manifeste socialiste. D'autres voient dans ce tableau, qui montre le travail d'hommes de condition misérable, un simple constat. La même remarque vaut sans doute pour l'*Enterrement à Ornans* (Louvre), que Courbet appelle dans le livret «tableau de figures humaines. Historique d'un enterrement à Ornans» : il a voulu en faire un «tableau d'histoire» contemporain en même temps qu'un portrait collectif, à la manière de Hals ou de Rembrandt, des habitants de toutes conditions sociales qui composent sa petite ville. Cinquante personnes sont venues poser : ce n'est donc pas «une caricature ignoble et impie», comme l'écrit la presse parisienne. Champfleury présenta l'œuvre comme le manifeste du Réalisme et comme l'«enterrement du Romantisme», sans intentions politiques.

Les *Baigneuses* (1853, Montpellier, musée Fabre) ont été jugées vulgaires et équivoques. Elles furent cependant achetées par un mécène courageux de Montpellier, A. Bruyas. C'est pour lui que Courbet peint la *Rencontre*, dite aussi *Bonjour, monsieur Courbet !*, ou encore *La fortune saluant le génie* (1854, *id.*), où, au-delà d'une vanité naïve, il faut voir une affirmation de la dignité de l'artiste face à l'argent. Tout en envoyant onze tableaux au Salon de 1855, parmi lesquels les *Cribleuses de blé* (Nantes, M. B. A.), il organise à ses frais une exposition concurrente où il présente quarante toiles, et notamment deux immenses compositions refusées, l'*Enterrement* et l'*Atelier :* c'est la première rétrospective d'un peintre organisée de son vivant en dehors des institutions officielles.

L'*Atelier du peintre* (Louvre) est une «allégorie réelle» et un second manifeste dont l'artiste explique le sens dans une lettre à Champfleury, sans toutefois éliminer toutes les obscurités : l'artiste, accosté d'une femme nue (la Vérité ou la Nature ?), peint un paysage et occupe une position médiane entre le monde des arts, à droite, où l'on reconnaît des partisans du Réalisme, et, à gauche, des représentants, riches et pauvres, des différentes composantes de la société.

Après ces œuvres de combat qui suscitent tant de polémiques, Courbet ne cher-che plus qu'à exprimer la vie puissante de la nature grâce à son superbe métier de peintre : les *Demoiselles des bords de la Seine* (1857, Paris, Petit Palais) annoncent des thèmes impressionnistes. Il modèle avec sensualité des nus féminins (le *Sommeil*, 1866, Petit Palais) ou de rousses chevelures (*Jo l'Irlandaise*, 1865 [?] : Metropolitan Museum) ; grand chasseur, il évoque la vie et la mort des animaux dans les forêts ou dans la neige (l'*Hallali du cerf*, 1855, Besançon, M. B. A.) ; il aime à représenter les sites sauvages des environs d'Ornans. Il fréquente aussi la côte normande, Trouville, où il rencontre Boudin, et maçonne à l'aide du couteau à palette la *Vague* ou les *Falaises d'Étretat après l'orage* (1869, Louvre) ; il compose de somptueux bouquets et de solides «natures mortes» qui semblent vivantes.

Au cours de voyages en Allemagne et en Belgique, il expose ses idées sur l'art et sur la société et suscite des adhésions au Réalisme. Délégué aux Beaux-Arts sous la Commune, il est accusé ensuite d'avoir provoqué la destruction de la colonne Vendôme, emprisonné et condamné à payer la restauration. Il meurt en Suisse en 1877.

MILLET

D'abord incompris et injurié, Jean-François Millet (1814-1875) connut ensuite un fabuleux succès populaire. Les critiques du Réalisme soulignent la signification sociale de ses œuvres dans le climat de 1848. La presse conservatrice les condamne avec violence. Millet se borne à peindre avec vérité les paysans de son Cotentin natal et de la plaine de Chailly, proche de Barbizon. Il montre la dureté de leur condition, acceptée avec fatalisme, mais aussi la noblesse et la vertu du travail. Tout en représentant des hommes et des femmes de son temps, il se réfère à la tradition, à la Bible, à Virgile, à Poussin, ce qui finira par rassurer le public. Ami fraternel de Rousseau, il appartient au groupe de Barbizon pour une large part de sa vie et de son œuvre, mais c'est à l'homme qu'il s'intéresse plus qu'au paysage, et il préfère une vie rurale primitive au travail dégradant des cités industrielles.

Né près de Cherbourg dans une famille de paysans aisés, formé dans cette ville puis à Paris, il peint d'abord des portraits, des nus et des idylles pastorales dans le goût du XVIIIe s. En 1846 et 1847 ont lieu des rencontres décisives avec Rousseau, Daumier et le groupe de Barbizon ; au Salon de 1848, le *Vanneur* (coll. part.) est très admiré ; mais il est à l'origine du malentendu dont l'artiste fut victime toute sa vie. En 1849, il s'établit définitivement à Barbizon pour y peindre les travaux ancestraux de la ferme et des champs, en partant de l'observation pour atteindre une signification générale. Ses lettres à Sensier disent son amour de la nature et sa pitié pour la misère humaine.

Le *Semeur* du Salon de 1850 (Philadelphie, A. M.) provoque des polémiques renforcées par la présence des *Casseurs de pierre* et de l'*Enterrement* de Courbet. Le *Paysan greffant un arbre* (1855, coll. part.) évoque Virgile. Mais les *Glaneuses* (1857, Louvre) suscitent de nouveau des critiques violentes de la part de ceux qui redoutent les luttes sociales. C'est pourtant un beau tableau, composé comme une frise antique avec une cadence savante et les trois couleurs primaires, chères à Poussin, des fichus de femmes. L'*Angélus* (1855-1857, *id.*), d'une religiosité sentimentale, est plus faiblement peint. L'*Homme à la houe* (1860-1862, coll. part.) fait à Millet des ennemis dans les deux camps, car il effraie par sa laideur et sa bestialité en même temps qu'il semble nier toute possibilité d'élévation sociale. On lui préféra des œuvres pleines de grandeur et de poésie rustique, moins susceptibles de polémiques, comme la *Grande Tondeuse* (1860, coll. part.), la *Bergère gardant ses moutons* (1862-1864, Louvre) ou la *Bouillie* (1861, Marseille).

Venu tard au paysage, Millet sait exprimer le mystère de la nuit ou le tragique de l'hiver (la *Nuit étoilée*, 1855-1867, Yale Univ. ; l'*Hiver aux corbeaux*, 1862, Vienne, K. M.). Contrairement au peintre, le dessinateur n'a jamais cessé d'être admiré, dans ses figures et ses paysages au crayon noir, d'un style très dépouillé, dans ses pastels, dont la technique se libère progressivement, dans ses gravures à l'eauforte, technique qu'ont utilisée aussi les artistes de Barbizon. Seurat, Puvis de Chavannes et Van Gogh lui doivent beaucoup.

AUTRES PEINTRES RÉALISTES. Amand Gautier (1825-1894) est injustement oublié. Lié avec le Dr Gachet (le futur médecin de Van Gogh), il observa les malades mentaux (les *Folles de la Salpêtrière*, 1857), participa au Salon des refusés en 1863 avec la *Femme adultère* et fut arrêté comme Courbet après la Commune. Bonvin (1817-1887), autre habitué de la brasserie Andler, fut un sympathisant du mouvement réaliste, mais non un militant. Il affectionna les scènes intimistes inspirées de Chardin et de P. de Hooch (la *Cuisinière*, 1846, Mulhouse, M. B. A.) Antigna (1817-1878), lié avec Courbet et Bonvin, applique les principes classiques de la composition dramatique à des thèmes sociaux et donne de la grandeur aux faits divers (l'*Incendie*, 1850, l'*Inondation de la Loire*, 1852 ; Orléans, M. B. A.) Théodule Ribot (1823-1891), qui se fit connaître par ses figures de cuisiniers, se tourne vers les Espagnols et surtout vers Ribera, à qui il emprunte ses coloris sombres (l'*Amour de l'or*, Toulouse, musée des Augustins). On doit à Ribot et Bonvin de solides natures mortes, genre dans lequel se sont spécialisés Philippe Rousseau (1816-1887) et Antoine Vollon (1833-1900). C'est aussi vers les Espagnols que s'est tourné Legros (1837-1911) dont l'*Ex-Voto* (1860, Dijon, M. B. A.) évoque l'*Enterrement* de Courbet, mais dans un esprit plus recueilli et religieux. Invité à Londres par Whistler, il s'y fit apprécier par ses portraits peints ou dessinés à la pointe d'argent (Université de Londres) et s'y établit définitivement.

Les sujets paysans attirent de nombreux peintres. Jules Breton (1827-1906) rassure le public en lui montrant, contrairement à Millet, des paysans heureux, fiers et beaux ; il sait exploiter ses succès, qui lui valent beaucoup d'honneurs (les *Glaneuses*, 1854, N. G. de Dublin ; le *Retour des Glaneuses*, 1859, musée d'Arras). La veine régionaliste, chère à Champfleury, alimente de nombreuses toiles anecdotiques sur la vie des paysans limousins (Jeanron), bretons (les frères Leleux

Hédouin) ou lorrains (Brion). Le monde industriel, encore peu représenté, est le domaine de Bonhommé, qui décore l'École des mines de Paris de vues de houillères et d'ateliers.

Le cas de Fantin-Latour (1836-1904) est bien différent. Après des séjours à Londres avec Whistler, au cours desquels il connut les Préraphaélites et particulièrement Rossetti, il participa au Salon des refusés à Paris, puis régulièrement au Salon officiel, avec des portraits et des scènes intimistes traités dans des gammes sombres de noirs et de gris, finement modelés dans une lumière tamisée (la *Lecture*, 1877, Lyon, M. B. A.). Ses *Fleurs* plus colorées ont les mêmes qualités délicates. Amateur de musique, il a peint ou lithographié des compositions allégoriques ou féeriques évoquant Berlioz ou Wagner (l'*Anniversaire*, 1876, Grenoble, M. B. A.). Représentant ses amis impressionnistes du Café Guerbois, l'*Atelier des Batignolles* (1870) est un des portraits collectifs (tous au musée d'Orsay) qui, composés à la manière hollandaise du XVIIᵉ siècle, sont les œuvres les plus célèbres.

La sculpture
réaliste en France
et en Belgique

Les seuls sculpteurs liés de près au mouvement réaliste sont des peintres-sculpteurs. En 1832, Daumier modèle une série de têtes caricaturales des personnalités de l'extrême droite, fondues plus tard en bronze (Lyon, M. B. A.). Le bas-relief des *Émigrants* (1848-49), d'une grandeur tragique, reprend un thème traité aussi par lui en peinture. La statuette de *Ratapoil* fixe le type détesté de l'agent électoral du prince-président.

Mais les deux grands sculpteurs réalistes Dalou et Constantin Meunier, l'un Français et l'autre Belge, appartiennent pour l'essentiel à l'époque de la IIIᵉ République : la sculpture réaliste est en retard d'une révolution. Compromis pendant la Commune et exilé dix ans en Angleterre, Dalou (1838-1902) modela d'abord des figures de femmes dans leurs activités quotidiennes : la *Brodeuse*, la *Boulonnaise*, puis des *Baigneuses* rubéniennes. Son puissant tempérament naturaliste s'épanouit dans le truculent *Triomphe de Silène* (Paris, jardin du Luxembourg). Revenu en France grâce à la loi d'amnistie, il devient l'un des principaux sculpteurs officiels avec le groupe colossal en bronze du *Triomphe de la République* (Paris, 1879-1899, place de la République), où il rejoint la verve baroque. Il rêva un immense *Monument au Travail* (non réalisé), une tour où auraient été figurés tous les métiers de la ville et de la campagne.

Meunier (1831-1905), après avoir peint des scènes religieuses et monastiques au cours d'un séjour de vingt ans à la Trappe, découvre tardivement, vers 1880, la région industrielle de Liège et du Borinage belge. Il se consacre désormais à la représentation du monde ouvrier, en peinture (*Charbonnages sous la neige*, 1899, Ixelles, musée Meunier) et en sculpture : il campe, avec un réalisme rude qui n'exclut pas la noblesse ni la sympathie humaine, des types de mineurs, de dockers, d'ouvriers métallurgistes (le *Puddleur*, 1893, Bruxelles, M. R. B. A.) et réalise pour Paris le *Monument à Émile Zola* (bd Émile-Zola).

La peinture
réaliste
en Belgique

Après les épisodes néoclassique et romantique, Courbet, en présentant à Bruxelles en 1851 ses *Casseurs de pierre*, favorise le retour à une peinture réaliste, dans la vraie tradition du pays. Charles De Groux (1825-1879) illustre bien cette transformation : dans des toiles sobres, en blanc et noir, il représente avec sympathie des paysans et des ouvriers dans la réalité de leur humble condition (le *Brûloir de café*, Anvers, M. B. A.), souvent avec une note religieuse (le *Bénédicité*, 1857, Bruxelles, M. R. B. A.). Son influence s'est exercée sur la génération suivante. Henri de Braekeleer (1840-1888) s'attache au contraire, à la suite d'un voyage en Hollande où il découvre P. de Hooch et

Vermeer, à l'évocation poétique des formes de la vie bourgeoise traditionnelle, des intérieurs familiers et silencieux (le *Géographe*, 1871, *id.*). En 1868, De Groux fonde avec plusieurs artistes indépendants la Société libre des Beaux-Arts, qui rassemble la plupart des réalistes belges.

Les paysagistes, à l'exemple du groupe de Barbizon, se rassemblent entre 1860 et 1870 dans l'« école de Tervueren », du nom d'un village de la forêt de Soignies, près de Bruxelles. Les fondateurs sont Cossemans (1828-1904) et Fourmois (1814-1871), le chef de file est Hippolyte Boulenger (1837-1874) qui a vu à Paris des œuvres de Rousseau et de Corot. Il peint en Brabant (*Allée des charmes à Tervueren*, 1872, Bruxelles, M. R. B. A.) et dans la vallée de la Meuse (*Vue de Dinant*, 1870, *id.*). Tous vivent en pleine nature et étudient en plein air la lumière et l'atmosphère. Bientôt, les impressionnistes trouveront en Belgique des admirateurs chaleureux.

Allemagne

Le voyage de Courbet à Munich en 1869, pour l'Exposition internationale d'art où figurent de nouveau les *Casseurs de pierre* et plusieurs autres tableaux, est un événement important pour le Réalisme allemand. On connaît moins son exposition privée à Vienne en 1873, en marge de l'Exposition universelle. Mais plusieurs représentants de ce mouvement en Allemagne connaissaient déjà l'œuvre de Courbet et des peintres de Barbizon par leurs séjours à Paris.

Adolph von Menzel (1815-1905) est toutefois un cas à part. Il visite les Expositions universelles de Paris en 1855 et en 1867, mais il n'est pas un disciple de Courbet. Ce Berlinois autodidacte se fait d'abord connaître par ses illustrations de la *Vie de Frédéric II* et par ses tableaux historiques sur le même thème avant de devenir le peintre de cour de trois empereurs allemands. Il nous retient davantage par ses études plus intimes comme la *Chambre au balcon* (1845, Berlin, N. G.) ou la *Sœur de l'artiste avec une chandelle*

(1847, Munich, Neue Pin.) et par des scènes de la vie moderne parisienne *(Dimanche aux Tuileries)* ou berlinoise (le *Chemin de fer Berlin-Potsdam*, 1847, Berlin, N. G.). Il s'intéresse aussi, comme Bonhommé en France, au monde industriel et ouvrier (*Vues des forges de Silésie*, 1876-1883). Ce précurseur très personnel annonce avec vingt ans d'avance Degas et Manet, par ses sujets, par son sentiment très neuf de l'espace, par la fraîcheur de ses notations, par sa touche large et par une vibration colorée qui doit beaucoup à Constable et annonce l'Impressionnisme. Wilhelm Leibl (1844-1900) est le principal représentant en Allemagne du Réalisme de Courbet. Impressionné par ses œuvres exposées à Munich en 1869, il le suit à Paris et se fait connaître par son image d'une demi-mondaine parisienne, *Cocotte* (1870, Cologne, W. R. M.). Établi ensuite à Munich, puis dans des villages bavarois, il s'oppose aux peintres d'histoire munichois comme Piloty en peignant des intérieurs paysans à plusieurs figures : les *Politiciens de village* (1876-1877, Winterthur, coll. O. Reinhart), présentés à Paris en 1878 et mieux accueillis par la critique française que par celle de son pays ; *Trois Femmes à l'église* (1878-1882, Hambourg, K. M.). Son réalisme minutieux et un peu sec, qui évoque parfois Holbein (*Femme à l'œillet*, 1880, Vienne), s'élargit au cours de sa dernière période (les *Fileuses*, 1892, Leipzig). Leibl a laissé aussi des portraits d'artistes appartenant au même groupe *(Thoma, Trübner)*.

Dans ce groupe, on trouve, outre ces derniers, Schölderer, V. Müller, Haider, Böcklin, qui sont d'âges et de tendances artistiques différents. Hans Thoma (1839-1924) découvre à Paris en 1868 Courbet et les peintres de Barbizon (*Au soleil*, Karlsruhe Kunsthalle). En Italie, il se lie avec Marées et avec Hildebrandt, un romantique de l'école de Düsseldorf passé à la scène de genre sous l'influence du Réalisme belge. Les portraits de Thoma, ses autoportraits, ses scènes de la vie populaire, où l'influence de Leibl et d'autres amis est visible, ont un caractère noble et une grande fermeté plastique. À la fin de sa vie, il évolue vers le Symbolisme (l'*Artiste avec l'Amour et la Mort*, 1875).

Trübner, plus jeune (1851-1917), est aussi un réaliste, influencé par Leibl, par Thoma et par Courbet. Il a voyagé à Paris, à Londres, en Italie et a peint des paysages de Bavière et de Heidelberg, des portraits et des scènes de genre.

Europe orientale

Si les peintres autrichiens ne sont guère touchés par le Réalisme, malgré l'exposition de Courbet à Vienne, ce mouvement trouve un adepte en Hongrie avec Munkácsy (1844-1900). À Paris, il découvre la peinture réaliste et sociale de Courbet et obtient un grand succès dans cette ville en 1870 avec le *Dernier Jour d'un condamné à mort en Hongrie* (Budapest, M. B. A.). Installé à Paris, puis quelque temps à Barbizon en 1874, il peint des toiles réalistes et sombres, les *Faiseuses de charpie* (1871, *id.*), la *Femme à la baratte* (1873, *id.*), et des paysages plus colorés. La suite de sa carrière, en grande partie parisienne, est celle d'un artiste mondain et consacré qui peint de grandes compositions historiques hongroises et des tableaux religieux.

En Russie, le courant naturaliste est fort et précoce avec une pléiade d'artistes qui traitent des sujets anecdotiques de la vie campagnarde ou urbaine, comme Venetsianov ou Fedotov. Le courant libéral conduit les artistes comme les écrivains à se pencher sur les problèmes sociaux, sur les conséquences de l'inégalité des classes. Comme Proudhon, Tchernychevsky, dans les *Rapports de l'art et de la réalité* (1855), demande que l'art imite fidèlement la nature et se mette au service du progrès social. Tolstoï, en 1898, posera dans le même esprit la question fondamentale : *Qu'est-ce que l'art ?* En 1863 (l'année du Salon des refusés en France, mais pour d'autres motifs), un groupe de jeunes peintres se révolte contre les sujets imposés par l'Académie de Moscou et fonde en 1870 une sorte de phalanstère, le groupe de Peredvijniki ou « Ambulants ». Désormais, le sujet passe pour plus important que la qualité picturale. Le fondateur est Kramskoï, les figures dominantes Perov et Répine.

Perov (1833-1882) séjourne à Paris de 1862 à 1864 et s'intéresse à Meissonier et à Courbet. Là, il peint des mendiants, des chiffonniers. De retour en Russie il montre la vie paysanne, dénonçant la misère et les injustices sociales. Répine (1844-1930) est célèbre pour son premier grand tableau, les *Haleurs de la Volga* (1872, Leningrad, Musée russe). Étant à Paris en 1874 lors de la première exposition impressionniste, il réprouve cet art sans sujet et sans but social. À Moscou, il se consacre à une peinture totalement russe dans laquelle il manie les foules avec puissance, mais avec un réalisme dénué de style (le *Retour du déporté*, 1884, Moscou, Gal. Tretiakov). Il a laissé aussi des portraits de ses contemporains (*Tolstoï*, 1887, *id.*).

Une peinture de genre plus anecdotique, la peinture d'histoire et la peinture religieuse se développent à la fin du siècle, cette dernière dans un esprit évangélique et humanitaire. Polienov (1844-1927) et Verechtchaguine (1842-1904), admirateurs de la *Vie de Jésus* de Renan, vont en Palestine pour y chercher les types populaires juifs et des paysages et donner plus d'authenticité à leurs tableaux religieux. Le mécène des Peredvijniki, Tretiakov, constitue une galerie, aujourd'hui musée. Le portrait, le paysage russe se développent aussi, parfois sous l'influence de l'école de Barbizon ou même de l'Impressionnisme (Polienov).

Ces anciens révoltés, désormais soutenus par Alexandre III, prennent en main à la fin du siècle l'enseignement académique à Moscou et à Saint-Pétersbourg, et leur combativité idéologique s'atténue. La Galerie Tretiakov de Moscou et le Musée russe de Leningrad assurent une continuité entre le Réalisme social du XIXᵉ s. et le Réalisme socialiste du XXᵉ.

Bibliographie sommaire

Bouret (J.), *l'École de Barbizon et le paysage français au XIXᵉ siècle*, Ides et Calendes, Neuchâtel, 1972. Focillon (H.), *la Peinture française au XIXᵉ siècle. Du Réalisme à nos jours*, Laurens, Paris, 1928. Noechlin (L.), *Realism*, Penguin Books,

Londres, 1971. Sloane (P. J.), *French Painting between the Past and the Present : Artists, Critics and Tradition from 1848 to 1870*, Princeton University Press, Princeton, 1951. Catalogues d'exposition : *Corot*, Réunion des musées nationaux, Paris, 1975. *Courbet*, id., 1977. *Millet*, id., 1975.

L'HISTORICISME

DANS

L'ARCHITECTURE

DU XIXᵉ S.

François Loyer

Les principes de l'Éclectisme

LE CONFLIT ENTRE SENSIBILITÉ ET RAISONNEMENT

Que se passe-t-il pour qu'au tournant de 1830, en France, l'Académie, l'école et le conseil des Bâtiments civils vacillent, en même temps que se fissurent l'unité de la doctrine classique et la croyance dans sa perfection ? L'agitation révolutionnaire ne suffit pas à justifier un vent de contestation dont le caractère international est évident. En fait, il faut remonter beaucoup plus loin, au sein du Néoclassicisme lui-même, pour trouver la faille qui depuis les origines minait les fondements de l'esthétique classique : c'est du divorce entre la sensibilité et le raisonnement qu'est venue la rupture de 1830. Or, ce divorce existait déjà, à l'état latent, dans la pratique architecturale après 1750.

Tandis que s'élaborait la doctrine classique chez J. N. L. Durand (1760-1834), chez A. Quatremère de Quincy (1755-1849), chez F. Weinbrenner (1766-1826) ou chez K. F. Schinkel (1781-1841), l'esthétique pittoresque — née à travers la passion que le XVIIIᵉ s. et, tout particulièrement, W. Chambers (1723-1796) ont porté aux fabriques et aux jardins de style *anglo-chinois* — effectuait une transformation

en profondeur de la sensibilité artistique : en valorisant une approche qui est à la fois picturale et littéraire, cette nouvelle esthétique ouvre la porte à l'*émotion* en architecture.

L'ESTHÉTIQUE PITTORESQUE

Le classicisme n'avait connu d'émotion que plastique : c'est par le maniement des formes qu'il créait le choc esthétique.

Dans l'esthétique pittoresque se superpose au discours plastique un discours culturel, latent depuis la Renaissance, où la citation architecturale est de rigueur, mais conduit ici jusqu'à l'extrême : toute forme est citation, directe ou indirecte. Le discours justificatif dont elle s'accompagne désormais ne fait que renforcer ce caractère : l'architecture romantique, privée du commentaire qui l'explicite, deviendrait inaccessible. Ainsi, le temple de l'Amour ou la fabrique néogothique sont-ils, à proprement parler, des allégories : ils ne renvoient pas à eux-mêmes — à leur fonction, à leur construction ou à leur rôle social — mais à la représentation d'une idée, par le biais d'une *image de référence* dont ils sont l'évocation.

LE FANTASME ARCHITECTURAL

Bien des œuvres du XIXᵉ s. ont un caractère flagrant d'inutilité : les coûteux investissements de certaines restaurations — Cologne, Stolzenfels, Pierrefonds, le Haut-Kœnigsbourg —, n'ont aucune justification immédiate, sinon d'ouvrir au domaine du rêve l'espace concret de l'architecture. Belle ambition que partagent bien des gares, des basiliques de pèlerinage ou des palais de justice (en dehors de leur rôle purement pratique) : l'onirisme est une donnée essentielle du Romantisme.

Dès lors que le fantasme l'emporte, il est vain de se conformer aux rigueurs d'une esthétique codifiée comme celle du Classicisme. L'*Historicisme* devient une nécessité : c'est en brisant l'unicité de la référence classique qu'on ouvre la voie à une forme nouvelle de poésie, celle de l'imaginaire. Imiter des œuvres construites en d'autres lieux, en d'autres temps, sous d'autres mœurs et les juxtaposer en une mosaïque bigarrée d'architectures diverses (ce qu'on a appelé l'*Eclectisme*) n'auraient aucun sens s'il ne s'agissait de provoquer l'émotion non par la beauté purement plastique de la forme, mais par l'évasion et le dépaysement qu'elle suggère.

L'ART FACE À L'INDUSTRIE

L'imaginaire romantique se situe aux marges du réel, en conflit avec lui, à une heure décisive de l'histoire culturelle du monde : celle de la révolution industrielle, qu'il accompagne en contrepoint. La vision du monde qui avait été celle du Classicisme ne correspondait plus du tout en effet à l'intense mutation que vivait le XIXe s., affronté au changement radical de valeurs qu'entraînait le dynamisme industriel : bouleversement de l'économie et de la société, altération du paysage, destruction brutale du patrimoine culturel. Le changement était aussi subit que définitif. Face à un monde nouveau dont l'effervescence sauvage était le produit de la loi du marché, le milieu culturel tout entier s'est trouvé menacé.

Si, pour toute une part, l'art du XIXe s. constitue une sorte de « front du refus » contre la modernité économique et sociale dont il est la victime, cette attitude, purement réactionnaire, n'a que peu de chances d'aboutir. Inversement, la soumission aux exigences d'un système nouveau, dont la logique est d'un autre ordre, celui de l'économie, ne laisse plus aucune place aux valeurs culturelles et philosophiques dont la tradition occidentale est pénétrée.

L'HISTOIRE COMME MOYEN

L'art du XIXe s. pose ainsi un dilemme : celui de son rapport à l'histoire. Il va tenter de le résoudre non en le niant, mais en l'assumant totalement : c'est dans la prospection du passé (c'est-à-dire dans l'Historicisme) qu'il cherche les clés du problème, avant de se décider à construire cet « Art nouveau » dont il rêve.

Face aux ruptures idéologiques apportées si brutalement par la mutation industrielle, l'art s'est efforcé de trouver une réponse correcte. Sous cet angle, l'architecture était particulièrement concernée, car son langage était atteint de plein fouet par les transformations industrielles : nouveaux matériaux, nouvelles technologies, mais aussi nouveaux moyens et nouveaux programmes, qui, pour l'architecte, changeaient autant l'échelle que le type de la réponse à apporter. En questionnant l'histoire, le XIXe s. a donc cherché tout à la fois des éléments de comparaison et des modèles de réponse à ses problèmes propres.

Les origines du Romantisme

LES GRANDS COLLECTIONNEURS

Tout a commencé quand l'art et le présent se sont trouvés dissociés : l'exotisme ou le passéisme sont apparus comme des compensations à la platitude et à la brutalité du présent contemporain. Très tôt, l'Angleterre s'était engagée dans cette voie : la célèbre maison d'Horace Walpole, *Strawberry Hill*, était achevée dès 1754 dans un style gothique qui associait librement ses pièces de collection d'un amateur fortuné à un cadre de convention dont les références archéologiques étaient très peu précises. Il en est de même à *Fonthill Abbey* — cette étonnante maison de campagne déguisée en abbaye médiévale, sur les plans de James Wyatt (1746-1813), à partir de 1796 : avec une tour dont la flèche devait dépasser de 17 pieds la hauteur de Saint-Pierre de Rome, le bâtiment était d'une ambition démesurée pour une construction particulière. À l'intérieur, l'oratoire (comportant tribune et monument funéraire à la gloire de son propriétaire, William Beckford, riche homme d'affaires spécialisé dans le commerce du sucre) baignait dans les vapeurs d'encens, pour en renforcer l'effet sur le spectateur. Cette mise en scène théâtrale, faisant du moindre cabinet d'amateur un palais des Mille et Une Nuits, est caractéristique du sentiment romantique qui traverse le Néogothique dès ses origines.

En France, le peintre Alexandre Lenoir (1761-1839) — chargé par la Constituante de la garde du dépôt des Petits-Augustins, en 1791 — devint le créateur d'un étonnant musée, celui des *Monuments français,* où il réunit les débris de sculptures que la Révolution avait chassées des églises ou des abbayes. Ce musée eut la vie courte : fermé dès 1816 et ses collections dispersées, il eut néanmoins une influence décisive sur la sensibilité des artistes et celle du grand public, particulièrement attaché au « jardin Elysée » où Lenoir avait imaginé de regrouper, dans des tombeaux historiques, les cendres des hommes illustres ! Le relais de Lenoir fut pris par des collectionneurs comme Pierre Révoil (1776-1842), dont la collection est aujourd'hui au Louvre, Alexandre du Sommerard (1779-1842), l'initiateur du *Musée de Cluny,* ou Alexandre du Mège (1780-1862), qui, à Toulouse, fut le créateur du *Musée des Augustins.*

L'IDÉALISME PATRIOTIQUE

En Allemagne, ce n'est pas tant au Gothique qu'on s'est intéressé qu'à l'une des notions dont il était porteur, une certaine idée du catholicisme (et de l'Allemagne d'avant les déchirements de la Réforme), dont la dimension patriotique était l'essentiel. Cet idéalisme se cristallise autour d'un projet majeur : l'achèvement de la cathédrale de Cologne, dont seul le chœur avait été terminé et qui, en 1801, se trouvait menacée de destruction. Sulpice Boisserée (1783-1854), l'illustre collectionneur, se consacre sa vie durant à la réalisation de cette entreprise, exécutée finalement de 1842 à 1880. Dans un même esprit, Schinkel effectue, entre 1825 et 1842, la restauration du *Château de Stolzenfels,* sur les ordres du roi de Prusse : l'entreprise monumentale s'assimile au message politique de l'unité allemande, prenant le Gothique pour prétexte.

L'Éclectisme « simultané »

LA RÈGLE DE MULTIPLICITÉ

La génération qui s'affirme vers 1830 bénéficie donc d'une riche histoire culturelle, dont les matériaux ont été réunis par des érudits ou des collectionneurs dans l'Europe entière : ses connaissances archéologiques sont réelles, l'échantillonnage de ses exemples très varié. Dans le vaste champ d'intérêt qui va de Charlemagne à Louis XIII, la culture architecturale s'affirme surtout par sa multiplicité, à l'inverse de la cohérence et de l'unité dont le Néoclassicisme avait fait sa règle. L'expression artistique devient la projection de l'individu dans sa spécificité, elle reflète ses goûts, sa culture, ses volontés. De la même manière, les nations sont individuelles : elles doivent trouver, comme par le passé, une expression artistique propre. L'une et l'autre notion sont à l'opposé de l'idéalisme abstrait du Néoclassicisme, qu'elles combattent violemment. Ce sont elles qui sous-tendront le Romantisme architectural dans la première phase de ce qu'il est convenu d'appeler l'Éclectisme, entre 1830 et 1860 environ.

Notre définition de l'Éclectisme est particulière, d'autant qu'elle sera changeante à travers le siècle. Dans cette conception, que l'on pourrait qualifier de *simultanée,* les différentes expressions stylistiques coexistent et se confortent réciproquement par leurs différences : la variété des genres s'intègre dans une vision plus globale, celle d'un monde éclaté, fait de tensions, de rivalités et d'enjeux. La diversité des styles de référence est donc nécessaire pour révéler les oppositions, pour en donner une traduction visuelle accessible à tous.

LE STYLE, DONNÉE DU PROGRAMME

Le *Walhalla* de Ratisbonne, construit par Leo von Klenze (1784-1864) entre 1831 et 1842, n'était rien d'autre que le Panthéon de la nation allemande : Klenze lui a donné la forme d'un temple grec, au sommet d'immenses emmarchements qui rappellent Agrigente. Mais déjà ce monument néoclassique cohabite avec les ruines d'un château féodal, symboles jumeaux de l'ancienne et de la nouvelle Allemagne (qu'on connaît aussi à travers certaines peintures de Caspar David Frielrich). Or, dans le contexte néoclassique munichois qu'il avait si fortement contribué à établir, Klenze propose au même moment des constructions d'un style tout différent : le *Palais royal* et l'*Ancienne Pinacothèque*, édifiés tous deux entre 1826 et 1833, font chacun à leur manière allusion à la Renaissance : la puissante élévation du *Palais royal* est une synthèse de celle du *Palais Pitti* avec l'écriture de détail du *Palais Rucellai*, dans ce style florentin si proche du romano-lombard qu'il se confond avec lui (par exemple dans la *Bibliothèque* que Friedrich von Gärtner [1792-1847] édifie non loin de là, de 1831 à 1840).

Ce sont les grands néoclassiques allemands qui fondent eux-mêmes l'Éclectisme : Klenze et Gärtner créent à Munich le *Rundbogenstil* (style de l'arc en plein cintre) ; Karl Friedrich Schinkel, lui, propose à la manière des néoclassiques anglais (Nash, Soane ou Wyatt) des projets alternatifs en Classique ou en Gothique, quand il ne s'attache pas au Toscan ou au Paléochrétien, dont le succès est grand en Allemagne : par exemple, la très belle *Friedenskirche* de Postdam (1845-1848), par Ludwig Persius (1803-1845), la *Bonifacius Basilica* de Munich (1835-1850), par Georg Friedrich Ziebland (1800-1873) ou la *Sankt Matthäuskirche* de Berlin (1844-1846), par Friedrich August Stüler (1800-1865).

Cette rupture de langage serait incompréhensible si elle n'avait une signification idéologique : parallèlement au Néoclassicisme, prolongé d'un art public et purement officiel, naissent les expressions diversifiées de l'architecture religieuse ou de la culture bourgeoise et de ses institutions. Certes, les modèles sont flous : l'église a le choix entre le Paléochrétien, le Roman ou le Gothique ; l'architecture privée offre de délicates nuances entre la massivité du palais florentin, la simplicité rustique du Toscan ou les grâces de l'art de la Loire, mais la voie à suivre devient claire : il faudra mettre de l'ordre dans le système de références, en codifier les traits (au même titre qu'on détermine un programme ou une gamme de prix de construction), et l'on pourra alors utiliser ce langage pour clarifier la typologie que l'architecture du Néoclassicisme, dans sa référence unique au temple grec, avait fini par banaliser complètement. Si la maison d'un juge de province, l'église, la banque, l'octroi ou l'entrée de la gare sont tous sur le même modèle, leur fonction et leur rôle deviennent incompréhensibles.

GOTHIQUE ET RELIGION

Dans cette première analyse, typiquement germanique, de l'Éclectisme simultané, la variété ne sert encore qu'à clarifier une ordonnance globale unitaire. En dehors du contexte allemand, les choses sont différentes : c'est en France et en Angleterre que la rivalité des styles est la plus claire, dans des pays où, justement, la révolution industrielle a déjà bouleversé, en peu d'années, les fondements sociaux et politiques de l'État, créant une situation de crise dont l'architecture est aussitôt le reflet.

Le Néogothique anglais du milieu du siècle est dominé par le mouvement ecclésiologique, mouvement d'inspiration religieuse placé sous l'égide des théologiens d'Oxford, qui s'emploient à redéfinir l'image de l'architecture chrétienne en la situant dans la tradition nationale et en insistant sur la relation entre architecture et liturgie. Fondée en 1839, cette société trouve dans la pensée d'un architecte chrétien, Augustus Welby Pugin (1812-1852), le support de ses campagnes : Pugin avait publié en 1836 un ouvrage étonnant qui, sous le titre de *Contrasts*, établissait un cruel parallèle entre la réalité industrielle de l'Angleterre victorienne et la subtilité des anciens paysages dénaturés ; cinq ans plus tard, il conceptualise sa vision d'un Moyen Âge ressuscité en publiant *The True Principles of Pointed or Christian Architecture*, synthèse des articles et conférences qu'il a pu donner à travers toute l'Angleterre. La pensée de Pugin, aussitôt vulgarisée et largement traduite dans le reste de l'Europe, met l'accent sur les qualités du matériau et du détail dans l'architecture médiévale, en même temps qu'elle souligne sa parfaite logique, son adéquation d'échelle et d'intention avec le besoin. Dans les années 60,

John Ruskin (1819-1900) reprendra, avec le talent d'écrivain qui était le sien, la pensée de Pugin, qu'il contribuera à populariser.

Les nombreuses églises que construit A. W. Pugin — bientôt rejoint par George Gilbert Scott (1811-1878) — sont la démonstration de cette architecture simple, modeste dans les dimensions, profondément intégrée au paysage anglais au point qu'elle en paraît indissociable. Puis le mouvement néogothique anglais prend de l'ampleur, il crée son propre langage à la rencontre d'une archéologie attentive et d'une invention tournée (sous l'influence du Gothique italien) vers une polychromie et un graphisme puissants : les églises de William Butterfield (1814-1900) — qu'on a considérées au XXᵉ s. comme le parfait exemple du mauvais goût des classes nouvelles (ce que l'analyse de sa clientèle dément totalement) — ont cette modernité stridente qu'on qualifierait presque de « brutaliste » si le mot avait existé de son temps !

LA VILLE ET LA CAMPAGNE

L'architecture religieuse anglaise tranche si fortement avec le Néoclassicisme ambiant du Londres de Nash qu'elle constitue une rupture définitive avec l'esprit académique. Dans le domaine tout aussi symbolique du château, l'influence de Pugin ne sera pas moins importante : *Scarisbrick Hall*, qu'il édifie de 1837 à 1845, donne du style Tudor une version animée où l'écriture pittoresque trouve sa logique en s'intégrant aux exigences de la distribution. S'appuyant sur un riche patrimoine, le style médiévalisant caractéristique du grand château connaît des variantes secondaires (comme le style élisabéthain) qui font appel aux mêmes types architecturaux.

De ces « châteaux de rêve », les plus tardifs sont les plus beaux. En Allemagne, Eduard Riedel (1813-1885) en donne l'exemple saisissant à *Neuschwanstein* : construit de 1867 à 1881 pour Louis II de Bavière, il porte à la perfection le modèle défini à Schwerin (1844-1857) par F. A. Stüler et Georg Adolf Demmler (1804-1886).

Symboles d'une rupture profonde entre le monde rural et la ville industrielle, l'art de l'église de campagne et celui du manoir, du château ou du « cottage » renforcent leurs traits spécifiques par opposition avec le modèle néoclassique urbain. Une abondante littérature de traités spécialisés dans le domaine de l'architecture pittoresque donne d'ailleurs à ce mouvement son corpus de modèles. Durant ce temps l'architecture urbaine accentue à son tour ses caractéristiques propres : régularité, monumentalité, minéralité, continuité d'ordonnance.

Les deux types d'architecture se repoussent l'un l'autre, quand bien même un seul architecte en serait l'auteur. On a quelque peine à admettre, à première vue, que si Charles Barry (1795-1860) ait pu donner les plans de ce monument gothique qu'est le *Parlement* de Londres (1836-1867) en même temps que du *Reform Club* (1839-1841), dont le modèle est, à l'évidence, un palais romain. Mais les deux édifices ont en commun une forme de monumentalité urbaine — puissance et régularité — très différente de la conception plastique animée des églises et des châteaux de campagne conçus par Pugin (qui était pourtant l'associé de Barry pour le *Parlement !*).

Cette dissemblance caricaturale n'a d'autre explication que l'adaptation étroite et spécifique du *caractère* de l'édifice à son environnement : sans y parvenir toujours complètement, la diversité stylistique s'efforce de clarifier l'image globale du bâtiment. Il vaudrait d'ailleurs mieux parler ici de « genre » que de style, car c'est bien ainsi que la notion est comprise au milieu du siècle. La génération qui apparaît vers 1830 cherche même à créer une forme de style adaptée à la production industrielle : le *Coal Exchange* de Londres (1846-1849, détruit), construction de fonte édifiée par J. B. Bunning (1802-1863) ouvre la voie aux recherches d'Owen Jones ou de Christopher Dresser.

RATIONALISME OU « ARCHÉOLOGISME »

À ce débat entre la fonction et le style, c'est en définitive l'architecture française qui devait donner la meilleure réponse. La contestation y est venue simultanément des deux tendances, gothique et classique. Henri Labrouste (1801-1875), grand prix de Rome, s'affirme comme un rationaliste passionné, pour qui dépouillement de la forme et rigueur de la construction sont les garants d'une grande architecture : la *Bibliothèque Sainte-Geneviève* (1843-1850) à Paris, le *Séminaire* de Rennes (1845-1872) et la *Bibliothèque nationale* (1857-1867) sont des œuvres d'une rigueur austère, dont les formes dépouillées sont toujours des solutions fonctionnelles et constructives, auxquelles leur évidence sert de beauté. Dans cette voie, Labrouste sera suivi par Louis Duc (1802-1879), l'auteur des extensions du *Palais de Justice* de Paris (1857-1868), par Honoré Daumet (1826-1911), collaborateur de Duc avant de construire l'important *Château de Chantilly* (1875), ou par Léon Vaudoyer (1803-1872), dont la cathédrale de Marseille (1844-1870) est l'œuvre majeure de l'art religieux français sous le second Empire.

Une modernité si intellectuelle (même tempérée par la volubilité du langage décoratif de Vaudoyer) ne peut se comprendre que par contraste avec les tendances romantiques du Classicisme, que la génération de Jacob Ignaz Hittorff (1792-1868), Charles Rohault de Fleury (1801-1875) ou Félix Duban (1797-1870) développe au même moment. En se tournant vers l'archéologie, la pensée de Hittorff se dépouille de tout classicisme authentique : il découvre tout d'un coup la beauté de la polychromie antique et celle du spectacle de la Rome moderne, deux images qu'il met à contribution dans l'église *Saint-Vincent-de-Paul* (1824-1844). Rohault de Fleury, pour les *Serres du Jardin des Plantes* (1833), ou Hittorff à la *Gare du Nord* (1861-1864) se passionnent pour les aspects spectaculaires de l'architecture de fer et de verre, à laquelle ils adaptent, avec aisance, le répertoire ornemental du Classicisme. Enfin, Alfred Normand (1822-1909), l'élève de Hittorff, construira à Paris la plus raffinée des reconstitutions romantiques, la *Maison pompéienne* (1856-1860, détruite).

Ce sentiment romantique traverse toute l'architecture néohellénique de la Grèce indépendante : le magnifique *Polytechneion* d'Athènes (1845-1876), par Lysandre Caftanzoglou (1812-1885), le *Zappeion* (1874-1888) de Florimond Boulanger (1807-1875), l'*Académie* (1859-1887) et la *Bibliothèque* (1860-1892), par Theophil von Hansen (1813-1891), appartiennent à cette veine — que Hansen prolongera en construisant à Vienne le *Parlement* autrichien (1873) et dont on trouvera un écho inattendu à Glasgow, chez Alexander Thomson (1817-1875).

Parallèlement, le regard de Félix Duban sur la Renaissance ou le Gothique — à *Blois* ou à la *Sainte-Chapelle,* dont il dirige l'équipe de restauration — avoue ses sources romantiques par l'attachement qu'il met à la reconstitution des ambiances, s'appuyant bien souvent sur le prétexte archéologique pour le dépasser (notamment au Louvre, où son travail, entre 1848 et 1852, s'intègre totalement à l'œuvre du XVIIe s., qu'il a pour ambition de prolonger). Ce qu'avec beaucoup de maladresse, à la génération précédente, François Debret (1777-1850) avait tenté lors de la restauration de Saint-Denis, l'équipe de Duban — avec Jean-Baptiste Lassus et le jeune Viollet-le-Duc — le concrétise à la *Sainte-Chapelle :* une reconstitution totale, incluant l'architecture, les vitraux, les peintures murales, les sols et le mobilier religieux.

LES CONTRADICTIONS DU NÉOGOTHIQUE FRANÇAIS

Il est normal que le mouvement gothique révèle lui aussi de profondes distorsions d'intérêts ou d'intentions. L'opposition qui existe entre le pastiche du XIIIe s. qu'est *Notre-Dame-de-Bonsecours* à Rouen (1840-1847), par l'abbé J. E. Barthélemy (1799-1868), ou *Sainte-Clotilde* à Paris (1846-1857), par François Chrétien Gau (1790-1853), et l'église *Saint-Nicolas* de Nantes (1840-1850), où J.-B. Lassus (1807-1857) fait la preuve de la rationalité des structures gothiques, montre que le Néogothique lui-même est traversé par cette opposition entre état d'esprit romantique et rationalité constructive.

En un même édifice, les deux démarches s'affrontent mais demeurent indissociables : la vision de l'espace intérieur de son église que peut avoir Lassus est profondément émotionnelle, ce qui est pour le moins inattendu chez l'ancien élève de Labrouste. En réalité, ce sont deux tempéraments qui coexistent chez un même individu, deux approches concurrentes, non corrélées, dont l'une ou l'autre triomphera selon la circonstance. On ne pouvait mettre plus en évidence le caractère multiple de cet Éclectisme simultané qui, dans le deuxième quart du XIXe s. et un peu au-delà, provoque une invention foisonnante dispersée.

L'*Éclectisme synthétique*

BOILEAU ET VIOLLET-LE-DUC

C'est contre cette architecture de la concurrence que la génération suivante — autour de 1860 — va se dresser. L'Éclectisme *synthétique* cherche une conciliation toute pratique des oppositions, qui, au plan théorique, deviennent insurmontables. Rien n'est plus typique de ce regard nouveau sur l'Éclectisme que le projet de Louis-Auguste Boileau (1812-1896) pour une « cathédrale synthétique », ouvrage déroutant, longuement étudié et publié par son auteur, qui voulait réunir les traditions gothique et classique (voire byzantine) en y intégrant les données de la technique moderne du métal. Constructeur réputé d'églises en fer et en fonte — *Saint-Eugène* à Paris, 1854-1855, ou *Saint-Paul* de Montluçon, 1863 —, Boileau voyait dans a cathédrale qu'il avait imaginée la résolution de l'Éclectisme de son temps, un Éclectisme ressenti cette fois non comme une concurrence, mais comme un véritable choix des meilleurs aspects de diverses traditions culturelles.

Dans un certain sens, Eugène-Emmanuel Viollet-le-Duc (1814-1879) fait de même en proposant une approche encyclopédique du Moyen Âge par les dictionnaires dont il est l'auteur, en même temps qu'il cherche à tirer de cet ample patrimoine une leçon de modernité, la réponse aux problèmes de son temps. Les *Entretiens sur l'architecture* (1867-1872) représentent la forme théorique d'une activité débordante qui, de chantier de restauration en projet ou en construction neuve, a marqué définitivement le second Empire français. Les restaurations de *Vézelay* ou de *Notre-Dame de Paris*, la reconstruction du *Château de Pierrefonds* (1858-1879) ou l'église *Saint-Denys-de-l'Estrée* (1864-1867) à Saint-Denis forment, avec quelques maisons particulières, des immeubles, des objets d'ameublement ou de décoration, un imposant corpus de créations, qui, à partir de la stylistique néogothique, ouvrent la voie à la modernité. Cette œuvre sera prolongée par tout un mouvement dont les plus brillants représentants en France sont Eugène Train (1832-1903), auteur du *Lycée Chaptal* en 1879, ou Paul Abadie (1812-1884), l'illustre lauréat du concours pour la *Basilique du Sacré-Cœur* de Montmartre à Paris, en 1874 (dans un style qui échappe d'ailleurs totalement au Néogothique). À l'étranger, le Belge Henri Beyaert (1823-1894), constructeur de la *Banque nationale belge* d'Anvers (1872-1879), du *Château de Wespelaer* (1887) ou du *Ministère des chemins de fer* de Bruxelles (1892-1894), ou le Hollandais P. J. H. Cuypers (1827-1921) — à qui l'on doit notamment le *Rijksmuseum* (1877-1885), la *Gare centrale* (1881-1889) et la *Maria-Magdalenakerk* (1887), d'Amsterdam — seront les dignes continuateurs de Viollet-le-Duc et les maîtres des plus grands artistes de l'Art nouveau.

BALTARD ET GARNIER

Pour revenir dans le domaine français, il est important de souligner combien les architectes réputés les plus académiques suivent sous le second Empire des voies parallèles à celles de leurs rivaux de l'école *diocésaine*. Ni les *Halles* de Paris (1845-1870, démolies) ni l'église *Saint-Augustin* (1860-1867) de Victor Baltard (1805-1874) ne peuvent être considérées comme des monuments de l'Académisme.

Cette volonté de synthèse aboutit chez Charles Garnier (1825-1898), brillant prix de Rome et lauréat (devant Viollet-le-Duc lui-même !) du concours pour l'Opéra de

Paris en 1861. L'*Opéra (Palais Garnier)* [qui, par extraordinaire, a même pris le nom de son architecte] est une exceptionnelle synthèse de toute la tradition classique héritée du XVIe s. italien — de Michel-Ange à Palladio —, intégrant au passage le Classicisme français des XVIIe et XVIIIe s. pour donner naissance à une construction logique, rationnelle et monumentale. L'accumulation des sources est ici parfaitement dominée, réalisant cet idéal que Louis Visconti (1791-1853) et, après lui, Hector Lefuel (1810-1881) avaient rêvé pour le *Nouveau Louvre* (1852-1878), œuvre synthétique s'il en est. À la même famille appartient le colossal *Palais de justice* de Bruxelles (1861-1883), dû à Joseph Poelaert et beaucoup plus beau, il faut le reconnaître, que la pompeuse *Bourse* (1868-1873) de la même ville par Léon-Pierre Suys (1823-1887).

Le second Empire est un grand moment : à l'immense œuvre urbanistique de Georges-Eugène Haussmann (1809-1891) et de ses collaborateurs, responsables de la « transformation de Paris », s'ajoutent une multitude de monuments, dont le *Palais Longchamp* de Marseille (1862-1869), par Henri Espérandieu (1829-1874), ou celui du *Trocadéro* à Paris (1876-1878, détruit) — œuvre ultime de Gabriel Davioud (1823-1881), qui avait été l'architecte des *Promenades de Paris* sous le second Empire — sont les exemples caractéristiques.

LE STYLE VICTORIEN

Le *High Victorian Gothic* est l'équivalent anglais du second Empire français. W. Butterfield (*Keble College*, Oxford, 1868-1870) et G. G. Scott (*Foreign Office*, 1863-1868, et *Gare de Saint-Pancras*, 1863-1874, à Londres) donnent à cette époque leurs meilleures œuvres, ajoutant à la sensibilité de Pugin une forme d'invention parfaitement originale et d'une grande puissance d'expression. Ce Gothique « revisité » — qui synthétise deux traditions culturelles, italienne et anglaise, dans une formule unique — dépasse en effet largement le plagiat. On le sent bien à l'*Oxford University Museum* (1853-1859), créé sous l'impulsion de John Ruskin par Thomas

Deane (1792-1871) et Benjamin Woodward (1815-1861) : le dessin gothique italianisant de cette admirable construction en fer et en verre se révèle très proche de celui adopté par Boileau pour l'église *Saint-Eugène*, avec la même élégance et la même légèreté, accentuées ici par la couverture de verre.

George Edmund Street (1824-1881) à l'église *Saint John's* de Torquay (1861-1871), décorée par William Morris et Edward Burne-Jones, William White (1826-1890) à l'église de *Holy Saviour*, Aberdeen Park, Londres (1859), William Burges (1827-1881) à la *Cathédrale Saint Finbar* de Cork en Irlande (1863-1876) ou pour *Trinity College* à Hartford, Connecticut (1873), Alfred Waterhouse (1830-1905) à l'*Hôtel de ville* de Manchester (1868-1877) et au *Musée d'histoire naturelle* de Londres (1872-1880) ou Edward William Godwin (1833-1886), l'auteur de l'*Hôtel de ville* de Congleton (1864) ainsi que du magnifique ensemble de maisons de la *Tite Street* à Londres en 1878 et 1885 (dont la *White House,* pour le peintre Whistler) forment une brillante pléiade d'artistes, dont le rayonnement fut international. Frank Furness (1839-1912), à Philadelphie, ou Russell Sturgis (1836-1909), à Yale, s'en font l'écho sur le continent américain, relayés au Canada par Thomas Fuller (1822-1898) et Herbert Jones (1836-1923), les architectes du *Parlement* d'Ottawa (1859-1867).

Les néogothiques anglais, qui furent à l'avant-garde du mouvement artistique, en relation avec les peintres préraphaélites et des décorateurs du mouvement des *Arts and Crafts,* ne doivent pas faire oublier le développement parallèle d'une architecture victorienne d'inspiration classique dont Cuthbert Brodrick (1825-1905), l'architecte de l'*Hôtel de ville* (1855-1859) et du *New Corn Exchange* (1861-1863), à Leeds, ainsi que de l'impressionnant *Grand Hôtel* (1863-1867) de Scarborough, est le représentant caractéristique. Cette forme d'architecture, qui tend vers le gigantisme et l'indifférenciation (*Victoria and Albert Museum* de Londres, 1866, par Francis Fowke [1823-1865], un ancien officier du génie qui s'était improvisé architecte), est de plus en plus vivement combattue par les artistes, qui, s'en prenant à l'Académisme, visent surtout une forme de systématique indifférente à toute préoccupation artistique.

C'est la banalisation, en effet, qui guette l'architecture classique, comme on peut le voir en Italie, où elle est triomphante. Si la *Galerie Victor-Emmanuel* (1865-1877) de Milan, due à Giuseppe Mengoni (1829-1877), vaut par l'ampleur de sa couverture vitrée et l'élévation monumentale de ses façades — conduisant l'art du décor urbain jusqu'aux limites du paradoxe —, il en est autrement de la *Piazza Buonarroti* (1899-1913), également à Milan, par Camillo Boito (1836-1914), ou de l'*Esedra* de Rome (1880), par Gaetano Koch (1849-1910), dont le langage formaliste est typique du style Beaux-Arts.

LE MÉLANGE DES STYLES

L'Éclectisme synthétique, visant à la sincérité architecturale, échappe à ce défaut, qui sera celui de l'art de la fin du siècle. Artiste classique et théoricien du Rationalisme en Allemagne, Gottfried Semper (1803-1879) le prouve deux fois, à trente ans de distance, à propos du même édifice : c'est en effet sur une base comparable à celle de son premier projet, réalisé en 1838-1841, qu'il réédifiera l'*Opéra* de Dresde, entre 1871 et 1878, après l'incendie qui l'avait ravagé. Les projets viennois de Semper, lors de la construction du Burgtheater, ne sont pas moins aboutis : monumentalité de l'échelle, éclectisme du style et rationalité du parti parviennent à s'y fondre entièrement.

Cette forme de synthèse est également visible, dans le langage gothique, chez Heinrich von Ferstel (1828-1883) à la *Votivkirche* (1853-1879) ou à l'*Université* (1873-74), ou chez Friedrich von Schmidt (1825-1891), auteur de l'*Hôtel de ville* de Vienne (1872-73) et dont l'*Église de Fünfhaus* (1868-1875) se présente sous la forme complexe d'un édifice gothique de plan central couronné par un dôme florentin. À Budapest, le *Parlement* (1882-1902) d'Imre Seindl prolonge cette tendance sous une forme, il faut l'avouer, plutôt saisissante.

C'est à ce moment-là que l'Éclectisme, dans sa seconde définition, devient vraiment mélange des styles, pour parvenir à une forme supérieure : les exemples autrichiens ou français peuvent être facilement relayés par des œuvres allemandes (*Kreuzkirche* de Berlin, 1888, par Johannes Otzen, qui s'inspire d'un très bel édifice néogothique de l'Allemagne du Nord : la *Petrikirche de Hambourg*, 1843-1849, par Alexis de Châteauneuf [1799-1853] et Hermann Peter Fersenfeldt) ou même américaines, la *Trinity Church* de Boston, œuvre réputée du très grand architecte qu'était Henry Hobson Richardson (1838-1886), est bien une synthèse du mouvement ecclésiologique anglais (revu à travers Butterfield et Waterhouse) et de l'école diocésaine française — entre Viollet-le-Duc et Émile Vaudremer (1829-1914), l'auteur de l'église *Saint-Pierre-de-Montrouge* (1864-1870) à Paris —, le tout dans des matériaux typiquement américains, puisque le grès rose dont elle est construite est la pierre ordinaire des entrepôts de Boston.

L'Éclectisme formel

LE STYLE BEAUX-ARTS

La dernière phase de l'Éclectisme, à la fin du siècle, marque le triomphe du style *Beaux-Arts*, sous l'écrasante domination de l'école parisienne, vers laquelle les architectes viennent du monde entier, tout particulièrement des États-Unis, en pleine expansion. Cette période est celle d'un Éclectisme *formel*. En revanche, l'art s'attache à la représentation du pouvoir (retrouvant une fonction d'illustration que le Classicisme avait toujours tenue pour prioritaire), mais manifestant aussi une réussite bourgeoise dont l'opulence du décor est la manifestation parfois naïve. C'est ainsi que l'œuvre de Nigokos Balyan (1826-1866) à Istanbul — *Palais de Domabahçe*, 1844-1856 ; *Mosquée d'Ortaköy*, 1854 ; *Quartier de Bechiktach*, 1860 — se trouvera transposée, à la génération suivante, sous une forme à la fois facile et incohérente, dans les édifices publics que l'Italien Vitaliano Poselli (1838-1918) construit à Salonique pour chacune des communautés — musulmane, catholique, orthodoxe, juive ou arménienne — dans le style qui lui est propre !

Triomphe d'une classe nouvelle parvenue au pouvoir dans les grands pays industriels, l'art « pompier » exprime son autosatisfaction sans grande pudeur ; mais il exprime parallèlement une telle confiance dans le monde qu'il contribue à édifier que l'on tend plus facilement de nos jours à en admettre l'augure. Rien, donc, n'est plus complexe que le style Beaux-Arts (révélant néanmoins, derrière l'emphase d'une rhétorique rompue à tous les exercices de style, des aspects peu plaisants).

LES INCERTITUDES DU CLASSICISME

L'enrichissement décoratif se plaque bien souvent comme un habillage sur une structure stéréotypée : l'architecture anonyme du monde industriel est née, même si elle se cache sous la riche parure du décor. À côté de Gaetano Koch et de Camillo Boito, en Italie, il faudrait citer les architectes Giuseppe Calderini (1837-1916), concepteur du *Palais de justice* de Rome (1887-1910), Pio Piacentini (1846-1928), qui construit le *Palais des Beaux-Arts* (1878-1882), ou Giuseppe Sacconi (1854-1905), dont le *Monument à Victor-Emmanuel* (1884-1922) a mérité l'appellation sarcastique de « machine à écrire ». Cette forme de rhétorique creuse se retrouve aussi chez l'Espagnol E. M. Repulles y Vargas (1845-1922), pour la *Chambre de commerce* de Madrid (1893), ou chez l'Anglais Richard Norman Shaw (1831-1912), qui, au soir d'une brillante carrière illustrée par des bâtiments comme les *Albert Hall Mansions* (1879) ou le *New Scotland Yard* (1887), construit de 1905 à 1908 le *Picadilly Hotel* de Londres en y plaquant une colonnade gabriélienne devant quatre étages d'un empilement de chambres.

Quand on contemple ce décor, il révèle soudain un manque de conviction, une négativité implicite, secrète, dont on finirait par penser qu'elle a pour fonction majeure de détruire l'apparence rassurante du style, d'en saper l'effet.

Pour bien s'intégrer au style Beaux-Arts, toutefois, il ne fallait point s'embarrasser de telles préoccupations ; le sens du commerce était plus utile. Telle est la recette de l'atelier Laloux, dont le patron, Victor Laloux (1850-1937), était un exceptionnel monteur de projets, capable d'apprendre à ses élèves tous les « trucs » du prix de Rome. Laloux n'avait aucun raffinement : le détail de la *Gare d'Orsay* (1898-1900), son œuvre principale, reste d'une insigne pauvreté. Mais personne d'autre que lui n'aurait eu l'audace de copier les pavillons du Louvre et d'y adjoindre cette verrière en forme de thermes romains dont l'immensité est presque surréaliste.

LE TRIOMPHE DES BEAUX-ARTS EN AMÉRIQUE

C'est surtout aux États-Unis que ce style Beaux-Arts connaît le succès : acclimaté par Richard Morris Hunt (1827-1895), qui avait été à Paris le collaborateur de Lefuel pour le Louvre, le style français devient le mode d'expression favori des milliardaires — dont les hôtels ou les châteaux (ainsi, *Biltmore* à Ashville, Caroline du Nord, 1890-1895) se parent de motifs empruntés à la Renaissance française —, tandis que les bâtiments publics ont tous quelque familiarité avec le Louvre.

Quand naissent les premiers gratte-ciel, c'est dans ce langage qu'ils se vêtent : *Western Union Building*, 1873-1875, ou *Equitable Building* (qui, en 1868, a été le premier bâtiment de bureaux équipé d'un ascenseur) de New York, par George B. Post (1837-1913). La firme McKim, Mead & White — dont les membres (et surtout Charles F. McKim [1847-1909], l'ancien assistant de Richardson) avaient fait leurs études à Paris — se fait une spécialité de ce style, reproduisant avec une égale aisance le parti de la bibliothèque Sainte-Geneviève de Labrouste (*Boston Public Library*, 1888-1892), la Rotunda de Palladio (*The Hall of Fame*, New York University, 1896-1900) ou le palais romain de la Chancellerie (*Villard Houses* de New York, 1883-1885). Cet art de formules triomphe à l'Exposition internationale de Chicago, en 1893 — rêve palladien où l'Amérique colombienne revendique ses sources européennes, au même titre qu'elle constitue les impressionnantes collections d'œuvres d'art de ses musées.

Le triomphe du style Beaux-Arts est déroutant : il n'est jusqu'au Reichstag de Berlin qui ne soit construit, dans un style de pièce montée, par le Français Paul Wallot (1841-1912), entre 1889 et 1898. Cette universalité du style français prouve en tout cas la virtuosité des artistes formés à la discipline de l'École. Certains d'entre eux réalisent les fantasmes des grands prix qu'ils avaient dessinés : le *Grand* et le *Petit Palais* ainsi que le *Pont Alexandre-III*, à Paris, sont là pour le prouver, mais aussi la *Gare d'Anvers* (1899), par Louis de La Censerie, celle de Bombay (1878-1896), par Frederick William Stevens, ou, à l'autre bout du monde, le *Pavillon des Beaux-Arts* de l'Exposition internationale de San Francisco (1915), dont l'architecte fut Bernard Maybeck (1862-1957), un ancien élève de l'atelier André.

L'architecture du fer

LÉGÈRETÉ, DIAPHANÉITÉ

L'Éclectisme a sombré dans l'emphase au moment où il devenait le modèle d'un art officiel. L'architecture de fer ouvre une autre voie : les grandes portées et les structures légères qu'elle permet ont fasciné l'opinion dès le milieu du XIXᵉ s. Le *Crystal Palace* de Londres, édifié par Joseph Paxton (1803-1865) pour l'Exposition internationale de Londres en 1851, est peut-être une « gigantesque serre à concombres », mais c'est aussi un bâtiment totalement nouveau dont les parois immatérielles se circonscrivent dans une fine résille de fer et de fonte. À Paris, la *Gare de l'Est* (1847-1852), par François-Alexandre Duquesney (1790-1849), en effectue la transposition dans une enveloppe de pierre, tandis qu'Hector Horeau (1801-1872) multiplie les projets utopiques sur le thème de l'architecture en fer et en verre.

Dans les années 60, on utilise largement les effets de la lumière zénithale et,

surtout, ceux de la pleine lumière (dont la cour couverte est un parfait exemple). Mais la réalisation d'édifices entièrement en métal bute sur un problème technique : la rigidité de la fonte. C'est à Jules Saulnier (1817-1881) que revient, en 1871, le mérite de la mise au point d'un procédé révolutionnaire : la « construction-squelette », inspirée des ouvrages d'art. L'*Usine Menier* à Noisiel-sur-Marne est une œuvre dont l'importance n'a pas échappé à Viollet-le-Duc : il propose sur ce modèle un projet de maison en charpente de fer, qu'il annexe au second volume des *Entretiens sur l'architecture*, parus en 1872.

LES CHEFS-D'ŒUVRE DU FER

Les deux dernières décennies du XIXᵉ s. voient le triomphe du métal : Louis-Charles Boileau (1837-1914) l'utilisera le premier dans un grand magasin, le *Bon Marché* (1872-1874) ; il est suivi par Paul Sédille (1836-1900), qui, pour le magasin *Au Printemps* (1882-1889), porte la formule à sa perfection, ou Juste Lisch (1828-1910) dans l'ancienne *Gare du Havre* (1888, détruite).

Parallèlement, la collaboration des artistes et des ingénieurs donne des résultats aussi spectaculaires que la *Statue de la Liberté* à New York (1884) par le sculpteur Auguste Bartholdi (1834-1904) et l'ingénieur Gustave Eiffel (1832-1923), le *Tower Bridge* de Londres (1886-1894) par John Wolfe Barry et Horace Jones, la *Tour Eiffel* de l'Exposition de 1889 (l'illustre ingénieur y est associé à l'architecte Stephen Sauvestre) ou la *Galerie des machines*, sa voisine, par Victor Contamin (1840-1898) et l'architecte Ferdinand Dutert (1845-1906) — dont on connaît par ailleurs la superbe *Galerie de paléontologie* du Muséum d'histoire naturelle de Paris (1894-95).

GRATTE-CIEL

À côté de ces constructions démonstratives, c'est surtout l'architecture commerciale qui va bénéficier de la nouvelle technologie, adaptée à ses besoins : le gratte-ciel, à ossature d'acier, naît à Chicago dans les années 1880 (*Second Leiter*

Building, par William Le Baron Jenney [1832-1907], en 1889). Daniel H. Burnham (1846-1912) et John W. Root (1850-1891) réalisent d'imposantes constructions habillées de terre cuite et de verre : *Rockery Building* (1885-1886), *Masonic Temple* (1891-1892) et surtout l'élégant *Reliance Building* (1894-1895), dont la charpente est entièrement en acier. Parallèlement, Dankmar Adler (1844-1900) et Louis-Henri Sullivan (1856-1924) ont, en même temps que la formule du gratte-ciel en verre et acier, contribué à créer son style, proche de l'Art nouveau : *Auditorium Building* (1887-1889), sous l'influence de Richardson, puis les admirables *Wainwright Building* (1890-91) de Saint Louis (Missouri), et *Guaranty Building* (1894-95), Buffalo (New York).

Par ce biais, l'architecture du XIXe s. finissant parvient à récupérer le profond mouvement de renouvellement des arts décoratifs qui avait été celui des *Arts and Crafts,* en Angleterre, depuis cette étonnante *Refreshment Room* — d'une perfection japonisante — construite par William Morris (1834-1896) et Philip Webb (1831-1915) au sein du Victoria and Albert Museum de Londres, en 1867. C'est vraiment là qu'a débuté l'Art nouveau, dépassant les contradictions, les incertitudes ou les nostalgies dont l'Éclectisme du XIXe s. s'était fait porteur.

Bibliographie sommaire

HITCHCOCK (H. R.), *Architecture : dix-neuvième et vingtième siècles,* Liège, Mardaga, 1983. LOYER (F.), *le Siècle de l'industrie,* Skira, Genève, 1983. MIGNOT (C.), *l'Architecture au XIXe siècle,* Office du livre, Fribourg, 1983. MIDDLETON (R.), WATKIN (D.), *Architecture moderne 1750-1870,* Berger-Levrault, Paris, 1983.

L'IMPRESSIONNISME

Albert Châtelet

LE TERME D'IMPRESSIONNISME APPARAÎT EN 1874, lors de l'exposition, dans l'atelier du photographe Nadar, d'un groupe d'artistes « indépendants ». L'Impressionnisme conserve une certaine cohésion jusqu'en 1884,

soit une dizaine d'années. Son développement n'en continuera pas moins dans l'œuvre de quelques peintres demeurés fidèles à leurs premières formules : ainsi, on ne saurait guère en fixer la fin avant la disparition de Claude Monet, en 1926. Inversement, il n'est pas né en un seul jour, et ses prémices peuvent être décelées dès le Salon des refusés de 1863, même si ses premières manifestations se mêlent alors étroitement avec les courants réalistes du moment.

Mouvement français, l'Impressionnisme cristallise des préoccupations latentes en des pays variés. Rejeté, méprisé par la bourgeoisie, qui lui préfère un art plus conventionnel, il apparaît rapidement, aux yeux des artistes, comme ouvrant une voie entièrement nouvelle à la pratique picturale.

La situation de l'art à l'avènement de l'Impressionnisme

L'ART OFFICIEL

L'apparition de l'Impressionnisme sur la scène artistique française correspond d'abord à l'aggravation du divorce entre le public et les jeunes peintres, entre les artistes « officiels » et ceux qui cherchent à échapper à la tradition académique. En 1863, lorsque l'empereur décide de faire présenter toutes les peintures refusées par le jury du Salon, il demande au public d'arbitrer entre les tendances. En 1874, année de la première exposition du groupe, est également achevé l'immense foyer de l'Opéra de Paris, dont le décor a été commandé à Paul Baudry.

Entre les artistes, l'opposition était d'ordre esthétique, mais elle traduisait aussi une rivalité entre peintres d'une même génération dont les aînés, arrivés les premiers, s'opposaient aux cadets : en 1863, Gérôme, Bouguereau, Cabanel sont déjà en place et dix années seulement les séparent des deux « vedettes » des refusés : Manet et Whistler. La différence d'âge entre un Baudry et un Monet est du même ordre.

Les peintres officiels du second Empire et des débuts de la IIIe République ne sont pas les disciples d'Ingres : ceux-là, les Amaury-Duval, les Flandrin, sont célèbres et honorés, non les plus en vue. L'une des orientations de l'art académique est donnée par l'un des aînés du groupe, Jean-Louis Ernest Meissonier (1815-1891), qui apporte à ses peintures descriptives, très marquées par l'étude des Hollandais du XVIIᵉ s., une précision méticuleuse qui séduit au premier abord par la qualité du tour de force technique. Le goût du métier « léché » se retrouve chez Jean-Léon Gérôme (1824-1904), dont les scènes historiques se rapprochent de celles de Meissonier, ou chez William Bouguereau (1825-1905), dont la facture lisse est souvent au service d'allégories, prétextes à la peinture de nus. Chez ces trois peintres, la perfection apparente du métier a le plus souvent pour contrepartie une froideur de la composition et une maîtrise très limitée des accords de tons qui parvient rarement à assurer l'harmonie de l'œuvre. Alexandre Cabanel (1823-1889), tant dans ses peintures historiques grandiloquentes que dans ses compositions de nus, comme la *Naissance de Vénus*, consacrée par le Salon de 1863, s'attache également à la précision des détails. Alfred Stevens (1823-1906), Belge installé à Paris depuis 1855, est très proche de cette même pratique dans ses petits tableaux anecdotiques consacrés tantôt à des thèmes historiques, tantôt à des motifs contemporains. Ni son genre ni son succès ne l'empêchent d'entretenir des rapports d'amitié avec Manet.

Une autre orientation de l'art officiel est celle qui, tout en suivant de très loin l'exemple de Delacroix, cherche à retrouver l'esprit du Baroque. Son meilleur représentant est Paul Baudry (1828-1886), qui, au *Foyer de l'Opéra*, a voulu faire une *Galerie des Glaces* en remplaçant l'héroïsation du roi par une aimable mythologie qui cherche son inspiration plutôt du côté de Corrège que dans les parages de Le Brun.

Cette peinture officielle se complaît aux sujets historiques : Meissonier célèbre l'Empire avec *1814* (Louvre) ou des événements contemporains comme la *Barricade* de 1848 *(id.)* ; Gérôme préfère des thèmes plus lointains, tels *Louis XIV* et *Molière*. L'historicité peut être aussi prétexte à peindre des scènes de genre dans un contexte qui les fait échapper à la contemporanéité et leur donne un caractère de curiosité : Meissonier en use avec ses personnages en habits du XVIIIᵉ s. ; Gérôme évoque *Phryné devant l'Aréopage* (Hambourg, Kunsthalle), *Daphnis et Chloé* ou les ventes d'esclaves. Bouguereau, quant à lui, se consacre volontiers aux allégories, mais accepte aussi des commandes de tableaux religieux.

La raison du succès de ces artistes, celle qui attire aujourd'hui ceux qui cherchent à les réhabiliter — avec autant d'excès qu'on en a mis précédemment à les condamner —, c'est précisément la perfection apparente d'un métier qui masque toutes les traces du savoir-faire. C'est aussi ce qui nuit le plus à l'effet final, en proposant la perfection du détail sans imposer d'unité à l'ensemble. Au moment où la photographie se développe, une telle peinture tend à la concurrencer dans la précision du rendu. Que justement, à partir de 1878, Gérôme se tourne vers la sculpture, n'est peut-être pas un hasard : la photographie vient de conquérir la couleur, et l'artiste la dépasse de nouveau en travaillant le volume, qu'il enrichit le plus souvent par une polychromie qui se veut réaliste.

Pour Baudry, au contraire, l'Académisme est essentiellement respect et attachement à la tradition, que l'on retrouve également chez des disciples plus ou moins directs d'Ingres comme un Élie Delaunay (1828-1891).

LE RÔLE DE LA COUR IMPÉRIALE

Napoléon III a voulu mener une politique artistique et s'est entouré d'artistes : son choix n'a pas toujours trouvé grâce devant la postérité. Qu'il ait préféré pour portraitiste officiel Franz Xaver Winterhalter (1805[?]-1873) révèle bien son goût. Cet Allemand du pays de Bade était venu en France dès 1835 et avait déjà été apprécié à la cour de Louis-Philippe : il séduisait en apparaissant comme un héritier du XVIIIᵉ s. Son œuvre la plus célèbre et aussi la meilleure — l'*Impératrice Eugénie entourée de ses dames d'honneur* (1855, château de Compiègne) — se voudrait proche de Nattier, mais ne le rappelle que de loin sans posséder ses grâces d'exécution.

Le rêve du siècle passé, du Rococo, domine dans les arts décoratifs. Le « style Napoléon III » est bien une reviviscence du XVIIIe s., alourdie par un souci de confort : à côté de fauteuils et de chaises légères, on trouve des sièges capitonnés, des poufs, des « causeuses ». L'orfèvrerie prend modèle sur le style Louis XVI quand elle se veut sévère, sur le style Louis XV quand plus de fantaisie s'impose. Les progrès industriels lui apportent malheureusement la facilité des matériaux bon marché et la dorure au cuivre, qui donne souvent aux réalisations de ce temps un petit côté de pacotille.

La grande réussite de l'empereur est d'avoir trouvé un sculpteur qui, tout en s'adaptant à ce goût néorococo, a su affirmer une personnalité de premier plan. Jean-Baptiste Carpeaux (1827-1875) s'identifie au second Empire et le sublime. En face de l'imagerie mièvre de Winterhalter, il a donné des protagonistes du règne des effigies vivantes en même temps que gracieuses : le buste de l'empereur, exécuté après sa mort (1873), celui de l'impératrice (1866), du charmant prince impérial (buste de 1866, statue au chien de 1865) et de la princesse Mathilde (1862), dont il révèle l'autorité.

Prix de Rome en 1856, Carpeaux a beaucoup profité de son séjour romain, qui le voit créer le *Jeune Pêcheur* et l'*Ugolin* (1861) dans lequel transparaît la fréquentation de Michel-Ange. Dès son retour en France, en 1863, les commandes se suivent qui le ramènent à une inspiration plus aimable : en 1863, le fronton du pavillon de Flore (Louvre), en 1865 la *Danse* pour l'Opéra de Paris (achevée en 1869), en 1867 la fontaine de l'Observatoire (achevée en 1874).

Son grand mérite fut d'interpréter dans une facture spontanée, qui conserve souvent un peu du caractère de l'esquisse, le rythme de l'ornement rococo et de l'utiliser pour donner une impression de vie. Chez lui, en effet, tout concourt à rompre le statisme de la sculpture : les attitudes, les expressions brillantes, les groupements, les ornements eux-mêmes, inscrits dans l'envol des figures. La passion de l'artiste transparaît dans tous les matériaux de son travail, heureusement conservés, dessins, peintures, esquisses modelées dans la glaise ou la terre.

À côté de ce génie gracieux, les sculpteurs de sa génération font pâle figure. Carrier-Belleuse (1824-1887), qui connut un grand succès, paraît bien froid. Son œuvre, un peu méconnue aujourd'hui, a touché tous les domaines de la création plastique relevant du métier de sculpteur dans la seconde moitié du XIXe siècle. Il fut un des maîtres de Rodin. Falguière (1831-1900) fut avec Frémiet (1824-1910) l'interprète de la veine historique issue du Romantisme, mais ni l'un ni l'autre ne dépasse guère un caractère illustratif. Quant à l'étonnant Marcello — la duchesse de Castiglione avait choisi ce pseudonyme d'artiste (1836-1879) —, il met une belle technique au service d'une imitation, sans grande personnalité, de l'art italien de la Renaissance *(Bianca Capello)*.

LA PEINTURE DE PAYSAGE

La tradition du travail en atelier et de la lumière limitée et froide qu'elle imposait constituait un obstacle au renouvellement de la peinture. Elle avait conduit les peintres à travailler dans une gamme sourde où les terres dominaient souvent. Seuls les paysagistes trouvaient grâce à manier une palette plus claire. La faveur que leur genre connaît dès la première moitié du XIXe s. favorise le travail des artistes en plein air et la recherche de l'éclaircissement des tons. Encore faut-il rappeler que c'est seulement à partir de 1849 que Corot s'est senti autorisé à présenter en exposition publique ses études peintes sur le site et que ses œuvres tardives, même exécutées sur nature, tendent à rechercher une harmonie plus sourde, qui se rapproche de celle de la vision en atelier.

Le Hollandais Jongkind (1819-1891) a contribué à ouvrir la voie dans ce domaine. Marqué par la tradition de son pays, il apporte à la France — où il s'installe dès 1846, avec un seul retour de cinq ans en Hollande, de 1855 à 1860 — une vision des sites où la qualité de la lumière tend à prendre le pas sur les éléments de pittoresque. Dans la tradition anglaise, connue à travers Isabey, il s'exprime volontiers par l'aquarelle, qui conserve un léger flou propre à traduire la vibration de la lumière. Son cadet Eugène Boudin (1824-1898), Normand de naissance, s'attache surtout aux études de ciel en bord de mer, où les rayons du soleil prennent plus d'intensité en se reflétant dans l'eau. Il abandonne progressivement l'exécution minutieuse de ses débuts pour une peinture qui ne cache pas sa technique. Il conseille le jeune Monet et il n'est pas surprenant qu'il ait été invité à la première exposition des Impressionnistes, en 1874.

Les refusés de 1863

LE RÔLE DE MANET
(1832-1883)

Au Salon de 1863, Édouard Manet avait présenté une toile qu'il avait appelée le *Bain*, connue sous le titre un peu plus récent de *Déjeuner sur l'herbe* (Paris, musée d'Orsay), avec deux toiles hispanisantes, *Victorine Meurent en costume d'espada* (Metropolitan Museum) et un *Jeune Homme en costume de Majo (id.)*. Avec de tels thèmes, le peintre pouvait passer pour réaliste. Mais il offensait la pruderie du temps en présentant une femme nue aux côtés de jeunes gens habillés. La nature du scandale se comprend si l'on compare la *Vénus* de Cabanel, succès du Salon, au *Déjeuner sur l'herbe* : Manet avait eu l'inélégance de peindre son nu tel qu'il le voyait dans la lumière un peu blafarde de son atelier, au lieu de l'idéaliser, comme son rival, par des teintes tendres. Non moins surprenante, la facture picturale non seulement ne présentait pas l'aspect lisse de celle d'un Gérôme, mais encore traitait les formes par plans de couleurs sommairement modelés. Peu de contemporains saisirent alors la puissance des accords de tons et la forte structure de l'œuvre.

Grand bourgeois, Manet n'a rien d'un révolutionnaire de tempérament. Pourtant, il provoque de nouveau son public avec l'*Olympia* (Paris, musée d'Orsay), variation, en apparence réaliste, sur le thème de la *Vénus d'Urbin* de Titien, mais avant tout étourdissant morceau de peinture, et d'une gamme relativement claire, en ce qu'elle tente d'éviter les ombres noires ou terreuses. Ce n'est qu'en 1865 que Manet se rend en Espagne : bien avant, la galerie de Louis-Philippe lui avait permis d'admirer Velázquez et Goya et de chercher à créer, à leur exemple, une pratique picturale fondée sur une gamme de bruns et de gris clairs avec des noirs intervenant comme couleur.

André Malraux et Georges Bataille ont vu dans l'apport de Manet la destruction du sujet. Littéralement, l'interprétation est difficile à retenir : c'est d'abord par ses sujets que Manet a fait scandale. Dans le fond, rien n'est plus juste : les thèmes choquaient d'autant plus qu'ils n'étaient plus que prétextes et qu'ils négligeaient l'anecdote. Jusqu'en 1874, Manet n'est pas impressionniste, il est peintre et restitue toute sa dignité à la peinture elle-même. Était-il « le peintre, le vrai peintre qui saurait nous faire voir et comprendre combien nous sommes grands et poétiques dans nos cravates et nos bottes vernies » que Baudelaire appelait de ses vœux ? Même pas, car, s'il peint fracs et vestons, ceux-ci ne sont que prétextes à des harmonies de couleurs ; leur réalité vestimentaire n'a plus guère d'importance, qu'il en ait, lui-même, conscience ou non.

WHISTLER
(1834-1903)

Le deuxième objet de scandale du Salon des refusés était la *Dame blanche* (Washington, N. G.) de James Whistler. Avec des moyens très différents, elle s'inscrivait dans une esthétique très voisine de celle de Manet. En 1885, dans sa célèbre conférence publiée sous le titre de *Ten o'Clock*, Whistler n'hésitait pas à affirmer : « La nature a très rarement raison, à tel point qu'on pourrait presque dire que la nature a habituellement tort », et il rebaptise son tableau de 1863 *Symphony in white n° 1*. C'est dire que son propos n'était pas de peindre un portrait, mais bien de faire une peinture et, comme Oudry avec son *Canard blanc*, de peindre blanc sur blanc.

Issu lui aussi du Réalisme français, Whistler doit une part de son évolution et de son goût pour une peinture pure à son admiration pour les estampes japonaises, dont il a été l'un des premiers amateurs et qui le conduit à des mises en page fondées sur des silhouettes nettement affirmées. Au métier franc de Manet, il préfère une touche plus fine accrochant le ton aux aspérités de la toile, ou glissant en minces stries parallèles. Ses paysages effacent très tôt tout point de repère spatial pour s'édifier seulement en bandes colorées. Les nuits claires percées par les éclats de quelques lumières sont l'un de ses thèmes préférés, parce qu'elles unifient les plans : en cela sa vision annonce celle de Monet.

Formé en France, élève de Gleyre comme Monet et Renoir, ami de Courbet et de Fantin-Latour, Whistler se fixe pourtant dès 1863 à Londres. S'il n'exerça aucune influence sur les artistes français, sa démarche et la qualité de son art ne l'en situent pas moins au premier rang des peintres de son temps.

Degas

Bien qu'il ait suivi plus directement l'aventure impressionniste, Edgar Degas (1834-1917), l'exact contemporain de Whistler et de deux ans seulement le cadet de Manet, est plus proche à ses débuts de leur esprit. De formation traditionnelle, il aspire d'abord à une carrière officielle : ses projets de tableaux historiques en témoignent. Comme Bracquemond et comme Whistler, il découvre les estampes japonaises et en tire une leçon féconde : ses portraits sont très tôt composés à leur exemple, avec des oppositions de plans, mais il n'adopte pas la domination du graphisme : la *Femme à la potiche* (1872, Paris, musée d'Orsay) en est l'exemple le plus remarquable. Il ne suit pourtant ni

Manet dans sa facture ni Whistler dans ses harmonies et demeure plus attaché à la réalité de vision.

En 1873, Degas, qui vient de faire un séjour de plusieurs mois à La Nouvelle-Orléans, revient à Paris et éclaircira lui aussi sa palette ; ses peintures, comme celles des impressionnistes, seront aussi ordonnées par des effets lumineux, mais leur facture est beaucoup plus précise que celle des autres artistes du groupe.

Le groupe impressionniste

LES DÉBUTS DES IMPRESSIONNISTES ET L'EXPOSITION CHEZ NADAR

En 1861, à l'académie Suisse — une académie librement ouverte à tous pour travailler d'après modèle vivant, mais sans correction —, font connaissance Camille Pissarro (1830-1903), Paul Cézanne (1839-1906) et Armand Guillaumin (1841-1927). Le premier est l'aîné de tous les impressionnistes, mais, né aux Antilles, il n'est arrivé en France qu'en 1855. Essentiellement paysagiste, il est marqué par l'influence de Corot. À l'automne de 1862, Claude Monet (1840-1926) entre à l'École des Beaux-Arts dans l'atelier de Gleyre, où il se lie d'amitié avec Alfred Sisley (1839-1899), Frédéric Bazille (1841-1870) et Auguste Renoir (1841-1919). Les deux groupes se connaissent bientôt et se fréquentent. L'équipe de l'atelier de Gleyre est la plus entreprenante. Le *Déjeuner sur l'herbe* est, pour eux, un thème de réflexion : Monet veut faire mieux en peignant des figures en plein air. En 1865 et 1866, il travaille à un grand *Déjeuner sur l'herbe* pour lequel il fait poser ses amis en forêt de Fontainebleau. Laissé inachevé et conservé seulement en fragments (Paris, musée d'Orsay), le projet aboutit avec les *Femmes au jardin* (Paris, musée d'Orsay, 1867) : les ombres y sont franchement colorées, un visage de femme sous une ombrelle est exécuté en vert, le noir est banni, la lumière semble éclatante.

Avec ce tableau, Monet était le plus novateur. Un an auparavant, il avait présenté au Salon un *Portrait de Camille* (Brême, Kunsthalle) à peine plus audacieux que la *Dame au gant* (1869, Louvre) de Carolus-Duran, et Renoir peignait des œuvres analogues (*Lise à l'ombrelle*, musée d'Essen). Dès 1867, Monet et Renoir se tournent surtout vers le paysage. C'est l'époque où les Parisiens vont le dimanche se délasser au bord de la Seine dans la banlieue proche : le soleil, l'eau, les reflets, les guinguettes sont des thèmes nouveaux qui incitent les peintres à traduire une impression de papillotement des couleurs et des formes. La division des tons — c'est-à-dire la juxtaposition de touches colorées destinées à se marier dans l'œil du spectateur — naît de la description de l'eau et de ses reflets.

Au même moment, Pissarro, Guillaumin et Sisley ne font pas preuve de la même audace : ils s'efforcent de peindre dans une gamme claire, ce qui demeure le premier objectif de tous ces jeunes peintres désireux de se détacher du clair-obscur traditionnel. Bazille, disparu dans les combats de la guerre de 1870, n'a pas pu dépasser cette première étape de l'Impressionnisme. Il a étudié très méthodiquement des figures en plein air auxquelles la lumière du Midi — il est originaire de Montpellier — comme son tempérament personnel donnent une netteté comme marquée d'âpreté.

La guerre de 1870 disperse les artistes. Pissarro et Monet se retrouvent à Londres, où le second découvre les œuvres de Turner et peut-être les nocturnes de Whistler. À son retour en France, Monet s'installe à Argenteuil, où Renoir le rejoint. Une certaine unité s'établit alors parmi les impressionnistes, tout en demeurant assez limitée. Le paysage prédomine dans leur production, ils peignent clair et s'attachent surtout au rendu de la lumière sur les motifs. Ils utilisent une touche qui se laisse voir et qui pose des tons simples.

Du 15 avril au 15 mai 1874 se tient dans l'atelier du photographe Nadar la première exposition du groupe, qui suscite des réactions moqueuses de la critique. À côté de ceux qui vont devenir les impressionnistes exposent quelques aînés comme Boudin et Bracquemond ou des amis comme Lépine ou De Nittis. Beaucoup de peintres exposent des paysages : Boudin, Cézanne (la *Maison du pendu*), Guillaumin, Lépine, Monet, Pissarro, Sisley. Monet présentait aussi une grande composition de figures (le *Déjeuner*, Francfort, Städel. Inst.), et Renoir quatre, parmi lesquelles la *Loge* (Londres, Courtauld Inst.), dont la mise en page et la brillance des couleurs pouvaient bien surprendre. Degas déconcertait encore davantage par ses mises en page avec une scène de course, deux tableaux de danseuses et la *Blanchisseuse* (Paris, musée d'Orsay).

Tout cela peut paraître très modéré, mais il ne faut pas oublier que la peinture claire n'était pas encore admise. Et puis il y avait *Impression, soleil levant* (Paris, musée Marmottan) de Monet, cette vue du port du Havre dans la brume du matin qui noie toutes les formes en les ramenant à un même plan. C'est elle qui suggéra au médiocre critique Leroy de qualifier les exposants d'« impressionnistes ». Au demeurant, la dénomination était bien faite pour leur plaire, en ce qu'elle pouvait signifier la soumission à l'impression visuelle plus qu'à la vision elle-même, avec tout son apport cognitif.

ÉPANOUISSEMENT DE L'IMPRESSIONNISME

Durant les dix années qui suivent, les Impressionnistes vont former un groupe relativement cohérent. Huit expositions les rassemblent jusqu'en 1886, avec parfois des défections dues à des rivalités de personnes. Dès 1884, la fondation du Salon des indépendants et la présentation de *Une baignade à Asnières* (Londres, N. G.) de Seurat marquent le dépassement de l'Impressionnisme par de nouvelles tendances.

Claude Monet est alors le créateur le plus fécond pour le renouvellement de la vision picturale. De 1871 à 1878, il séjourne principalement à Argenteuil, où le fleuve et les voiliers l'attirent. Le groupe de toiles qu'il peint en 1877 sur le thème de la gare Saint-Lazare associe deux de ses préoccupations : évoquer le monde contemporain sans rejeter la machine, qui commence à l'envahir, exalter la poésie de la lumière, à laquelle la vapeur fait créer des irisations surprenantes. À Vétheuil, de 1878 à 1881, Monet retrouve la neige et le givre, qu'il avait déjà admirablement traduits dans sa première manière (la *Pie*, 1868-1869, Paris, musée d'Orsay) ; il tend à affiner sa touche, qui devient presque ponctuelle, comme dans la *Seine à Vétheuil* (Paris, musée d'Orsay).

Renoir suit d'abord de près son ami, mais demeure plus attaché à la figure humaine. Le *Déjeuner des canotiers* (1881, Washington, Phillips Coll.) résume toute une série d'évocations des plaisirs de la campagne. Son *Torse de femme au soleil* (v. 1876, Paris, musée d'Orsay) tire du thème académique par excellence, le nu, une œuvre déconcertante pour ses contemporains où la forme du corps est comme niée par l'alternance des taches de lumière et d'ombre projetées sur le buste féminin par le tamis d'un feuillage épais.

La conversion de Manet à l'Impressionnisme de ses cadets s'était faite progressivement. Le *Balcon* de 1868 (Paris, musée d'Orsay) était encore une variation sur un thème de Goya. Dès 1869, un séjour à Boulogne l'amène à peindre plus clair. La tendance ne se précise qu'en 1873 et ne s'épanouit qu'en 1874, au cours d'un séjour à Gennevilliers et à Argenteuil, dans le voisinage de Monet. Sa touche tend à se diviser, mais à l'approche des formes humaines le dessin retrouve son droit et les tons modèlent les volumes avec une autorité que le caractère plus suggestif des arrière-plans ne combat pas.

Cette conversion est due, pour beaucoup, à l'influence de Berthe Morisot (1841-1895), devenue sa belle-sœur en 1874 et qu'il connaissait depuis 1868. Plus tôt que lui, elle avait adopté la peinture claire et de plein air. Elle demeura cependant elle-même très marquée par l'influence de Manet et préféra les études de personnages aux paysages, en composant ses œuvres dans une palette très harmonieuse, plus précieuse, toutefois, que celle de son aîné.

Les paysagistes poursuivent leur investigation de la nature avec une palette plus claire encore, qui n'hésite pas à affronter le soleil. Sisley connaît sa période la plus brillante, qui l'apparente moins au Monet de ce temps qu'à celui des évocations de la Grenouillère. Plus sensible aux volumes, il s'attache à la fois à des lumières plus douces et à des sites volontiers plus pittoresques (*Inondation à Port-Marly*, 1876, Paris, musée d'Orsay). Pissarro, installé à Pontoise puis au village voisin d'Osny (jusqu'en 1884), peint surtout les coteaux de l'Oise et affectionne les rideaux d'arbres laissant transparaître maisons et vallonnements (les *Toits rouges*, 1877, *id.*) : par là, il avoue sa fidélité à l'organisation spatiale, les branches, brouillant et affirmant tout à la fois les rapports de plans.

La situation de Degas est la plus surprenante : il demeure fidèle à ses œuvres antérieures, mais s'inscrit en même temps dans l'orientation nouvelle. Au retour de La Nouvelle-Orléans, il achève *Aux courses en province* (Boston, M. F. A.) ; son dessin y est toujours aussi précis et l'exécution aussi serrée, mais la palette s'est éclaircie et les notes de lumière ont un rôle déterminant. Les études de danseuses, saisies dans leurs moments de repos ou d'exercices, qui se multiplient alors, présentent les mêmes caractères. Plus décisive encore que son orientation impressionniste, l'attirance de Degas pour l'humanité dans ses aspects les plus humbles demeure essentielle : elle lui fait préférer, chez les danseuses, à l'artiste en représentation, la femme se détendant ; elle lui fait choisir un sujet quasi naturaliste — au sens de Zola — comme l'*Absinthe* (1876, Paris, musée d'Orsay). Tous ces thèmes, il les aborde avec un sens aigu de la notation des gestes, qu'il souligne par des mises en page audacieuses. Sa vision de la lumière n'en demeure pas moins impressionniste et ses peintures s'imposent toujours par une unité formelle.

LA DISPERSION DU GROUPE

À la dernière exposition du groupe, en 1886, l'absence de Monet, de Renoir et de Sisley, la présence d'œuvres de Gauguin, de Seurat et de Signac témoignent d'une orientation nouvelle. Parmi les premiers participants, des divergences s'expriment. Renoir, en 1884, ressent une exigence de dessin sans rapport avec sa pratique antérieure. Pendant quatre années, tout en conservant l'acquis de la peinture claire et des tons chauds qu'il affectionne, il réalise des tableaux où les figures sont définies par des contours nets, parfois même cernés. Cette période « aigre » ou « ingresque » a donné pourtant quelques chefs-d'œuvre comme les *Enfants à Wargemont* (Berlin, N. G.) ou les *Grandes Baigneuses* (musée de Philadelphie).

Pissarro, en 1886, adopte la technique pointilliste de Seurat et de Signac. Degas demeure, comme toujours, à la fois très accueillant et solitaire dans sa démarche.

La pérennité de l'Impressionnisme

MONET

C'est un impressionnisme très pur et très cohérent avec lui-même qui s'épanouit dans l'œuvre de Claude Monet jusqu'à sa disparition, en 1926. Un impressionnisme qui conserve le souci de traduire l'impression de la vision de préférence à la connaissance de ses éléments et, dans la vision, de privilégier ce qui en fait l'aspect le plus fugitif, particulièrement les effets passagers de la lumière.

En 1883, Monet s'installe à Giverny, qu'il ne quittera plus et où, après avoir acquis sa maison en 1890, il crée son célèbre jardin, thème de tant de ses tableaux. C'est la même année que la logique de sa pensée le conduit à réaliser ses séries. Sa recherche de l'instantanéité déplace la notion de motif d'une toile, qui n'est plus un élément de paysage en soi mais une certaine lumière sur un site, dont l'intérêt même devient second. Pour mieux faire percevoir ce transfert, il reprendra donc un même motif — dans le sens traditionnel du mot — sous des éclairages différents. En peignant un monument aussi célèbre que la cathédrale de Rouen, il tend à montrer que la lumière

peut brouiller la vision d'un élément architectural, lequel peut être réduit à ne plus être que le support des effets de couleurs créés par le soleil.

Les tableaux peints à Londres de 1900 à 1914 ne constituent pas vraiment des séries, parce que les motifs ne sont pas homogènes. Ils s'inscrivent cependant dans la même vision en tirant parti du smog londonien comme unificateur des plans. À partir de 1912, Monet ne s'inspire plus guère que de son jardin de Giverny, et plus particulièrement de ses bassins de nymphéas. Le sujet, dès lors, tend presque à disparaître. Les fleurs aquatiques, l'eau ne sont plus que prétextes à peintures. Les grandes compositions qu'il crée de 1914 à 1922 et que, sur l'insistance de Clemenceau, il donne à l'État (Orangerie) constituent deux ensembles cohérents qui enserrent et dominent le spectateur comme naguère les *panoramas* et aujourd'hui les *environnements*. Les formes y sont pourtant à peine identifiables, les limites de l'eau et de la terre ne se distinguent presque plus et le ciel est souvent absent. L'abstraction est proche ici, même si elle n'est pas assumée comme telle, ni dans la démarche créatrice ni dans la présentation finale. Les abstraits lyriques de la seconde moitié du xxe s. ne s'y sont pas trompés qui ont bien su reconnaître, en Monet, leur maître.

RENOIR ET LES PAYSAGISTES

La crise classicisante de Renoir n'a été que de brève durée et le peintre est revenu ensuite à son inspiration première, sans retrouver pourtant tout à fait sa pratique antérieure. Après 1894, il peint dans une gamme très chaude dont il bannit presque entièrement les tons froids. C'est une sorte d'embrasement coloré qui semble alors baigner les formes humaines, son motif préféré, dans une atmosphère floue. Plus que jamais, malgré les rhumatismes qui l'accablent et lui rendent pénible le travail, Renoir, définitivement installé à Cagnes-sur-Mer où il a fait construire en 1903 une maison sur le terrain des Collettes, est le chantre de la joie de vivre.

Pissarro, après quatre années (1886-1890) de pratique pointilliste, revient à un métier plus proche de sa manière impressionniste. Abandonnant alors les paysages, il s'attache à des vues urbaines, comme s'il tentait un retour aux préoccupations de « modernité » qui furent celles des impressionnistes à leurs débuts. Sisley reste fidèle à sa manière et n'évolue guère, mais la mort l'emporte brusquement dès 1899. Quant à Guillaumin, s'il peut, à partir de 1891, se consacrer uniquement à la peinture (grâce à un gain à la loterie !), qu'il pratiquait jusqu'alors seulement en amateur, il ne retrouve plus guère la force de ses premières œuvres et se limite à une peinture un peu facile (paysages de *Crozant, Bords de la Creuse*), qui se voudrait dans la filiation de celle de Monet.

LES DERNIÈRES ANNÉES DE DEGAS

Au premier abord, l'œuvre tardive de Degas semble devenir progressivement plus impressionniste de facture par un abandon de la précision de la forme et l'apparition d'une touche affirmée dans sa nature même. Il s'agit pourtant moins d'un choix esthétique délibéré que de la conséquence d'un affaiblissement de la vue du peintre. Huit ans avant sa mort, dès 1909, il est même contraint d'abandonner toute activité créatrice.

Jusqu'en 1909, sa production demeure intense et toujours d'une extraordinaire humanité. Depuis 1880 environ, son thème favori est devenu celui de la toilette féminine : il aime à saisir l'animalité du corps féminin, choisissant angles et mises en page pour déconcerter plus encore. Entre 1893 et 1908, il pratique surtout le pastel, qui le fatigue moins que l'huile, et modèle, en cire, danseuses et chevaux avec le même souci de saisir l'attitude spontanée. L'instantanéité que Monet poursuit dans la lumière, Degas cherche à la saisir dans le geste. La baisse de sa vue entraîne également chez lui une intensification des couleurs, qu'il pose en tons plus francs.

CÉZANNE OU L'IMPRESSIONNISTE MALGRÉ LUI

Le parcours de Cézanne peut être diversement interprété. Certains voient volontiers en lui un impressionniste, d'autres le situent plutôt dans l'orbe du Postimpressionnisme. Ce qui ne saurait être nié, c'est qu'il appartient bien à la génération des impressionnistes et qu'il a fait avec eux un long bout de route : il a participé à deux expositions du groupe, en 1874 et en 1877, et il est resté fidèle à l'amitié de Pissarro, de Monet et de Renoir.

Ses débuts, sous le second Empire, se distinguent pourtant nettement de ceux de ses compagnons. Il est alors à peine réaliste et s'inscrit plus près d'une inspiration romantique. Les grandes scènes qu'il rêve de peindre et qu'il ne fera qu'esquisser, telles que l'*Orgie* (coll. part.) ou la *Tentation de saint Antoine* (Zurich, coll. Bührle), relèvent de cette inspiration.

Lorsque le paysage commence à prendre de l'importance dans son œuvre, vers 1870, au moment où apparaissent aussi ses premières natures mortes, l'articulation des plans entre eux semble dominer l'effort de représentation. Et quand il se convertit à l'Impressionnisme, en 1873, il conserve le même souci. Le passage par cette étape marque l'apparition de touches plus petites et le changement de gammes de couleurs. Par contre, il ne semble guère se soucier de l'instantanéité chère à Monet. Ses éclairages sont quasi intemporels, même si leur éclat est le plus souvent la traduction de la lumière méditerranéenne.

Dès 1876, ses premières peintures de l'*Estaque* indiquent bien que l'Impressionnisme n'a été pour lui qu'une voie de passage. Avec les moyens acquis — accords de tons et touches divisées —, il reprend ce qui l'attirait dès ses premiers paysages, la traduction de données spatiales. « La nature, dit-il à Émile Bernard en 1904, est plus en profondeur qu'en surface » ; aussi volumes et formes sont-ils ses préoccupations premières. « Faire du Poussin sur nature », c'est, à ses yeux, s'appuyer sur la vision, sur le travail en plein air — la pratique impressionniste — pour atteindre au-delà de l'impression instantanée l'essence du motif plus que sa représentation.

Le travail de Cézanne, dès lors, se poursuit avec une belle régularité. Si son œuvre comporte des motifs récurrents, comme la célèbre montagne Sainte-

Victoire, l'ensemble des tableaux qu'il leur consacre ne constitue pas des séries dans le sens de celles de Monet : ce sont seulement des variations sur différents aspects d'un même site, sur divers rapports de plans. Vers 1890, la figure humaine réapparaît dans son œuvre. Elle est analysée comme forme (la *Femme à la cafetière*, Paris, musée d'Orsay) même lorsqu'elle est l'occasion d'un portrait. Elle devient aussi un élément du type de compositions que Cézanne avait rêvé de peindre dans sa jeunesse. Ce n'est pourtant que dans ses dernières années, entre 1900 et 1904, qu'il ose aborder le grand format avec les trois versions des *Baigneuses* (musée de Philadelphie et coll. Barnes ; Londres, N. G.). Les formes humaines sont alors associées à la dynamique du paysage au prix de déformations anatomiques : l'équilibre pictural prime sur la représentation.

LA PORTÉE DE L'IMPRESSIONNISME

Si Cézanne, malgré son mépris de l'instant, peut appartenir encore à l'Impressionnisme, c'est qu'il parvient aux mêmes conséquences qu'un Monet, voire qu'un Renoir. En fin de compte, un tableau de *Nymphéas* ou les *Grandes Baigneuses* dépendent aussi peu l'un que l'autre de la réalité de vision, qui n'est plus que prétexte. Dans les deux cas, la peinture s'impose d'abord dans son identité picturale même, avant tout autre signifiant. Là s'inscrit l'opposition la plus irréductible entre les peintres « officiels » et les impressionnistes : un Gérôme a pour seul but la représentation, alors que c'est l'affaiblissement du rôle du sujet qui fait l'originalité fondamentale de l'Impressionnisme.

Les mouvements artistiques parallèles à l'étranger

LES MACCHIAIOLI

Prédécesseurs de l'Impressionnisme, les *Macchiaioli* ? On l'a dit et on pourrait être tenté de le redire.

Florence a été le premier centre de leur activité picturale, entre 1858 et 1870 environ. La plupart des Macchiaioli, nés vers 1825, sont un peu plus âgés que les impressionnistes. Ils s'affirment d'abord dans une orientation réaliste et ils ont le souci de s'inscrire dans la contemporanéité, d'être proches de l'idéal que définira Baudelaire. Dans leur pratique, tout en demeurant dans une optique de la représentation, ils s'efforcent de conserver à leurs œuvres la fraîcheur de l'esquisse et surtout de sa construction en taches colorées : d'où ce terme de *macchia*, tache, et de *Macchiaioli* (qui devrait se traduire littéralement par « tachistes », ce qui ferait confusion avec un groupe d'artistes abstraits). Par contre, à la différence des Français, ils sont moins soucieux de peindre « clair » et de peindre en plein air. Ils s'inscrivent donc dans la tradition du XIXe s., sans véritable rupture.

Leurs premiers pas s'insèrent dans le domaine du paysage. Telemaco Signorini (1835-1901), Cristiano Banti (1824-1904) et Vincenzo Cabianca (1827-1902) peignent dans la campagne avec Serafino de Tivoli (1826-1892), qui, à Paris en 1855, avait été frappé par les recherches de lumière de Decamps. Le Romain Giovanni Costa, qui arrive à Florence en 1859, apporte une pratique synthétique du paysage non sans rapport avec celle de Corot.

Giovanni Fattori (1825-1908) est attiré par le groupe et en deviendra la personnalité la plus marquante. De 1861 à 1867, il réside à Livourne et connaît l'une de ses plus brillantes périodes : la *Rotonde des bains Palmieri* (1866, Florence, palais Pitti) est une de ses œuvres les plus connues. Elle se présente comme une petite esquisse, d'une densité colorée remarquable, qui, plus que celui des impressionnistes, semble annoncer l'art des Nabis. Si cette étude n'est pas isolée, elle n'en est pas moins significative d'un art qui demeure attaché à des représentations plus précises.

L'écrivain et critique d'art Diego Martelli attire des peintres à Castiglioncello, près de Livourne, dans un grand domaine dont il vient d'hériter : entre 1861 et 1867 se retrouvent, autour de Fattori, Giuseppe

Abbati (1836-1868), Rafaello Sernesi (1838-1866) et Odoardo Borrani (1833-1905) pour constituer une manière d'école de paysagistes. Au même moment, à Piagentina, au sud de Florence, s'installe Segnorini, qui fait la connaissance de Silvestro Lega (1826-1895) et que rejoignent bientôt Sernesi, Abbati et Borrani. Ce second groupe, à partir de 1865 sous l'influence de Borrani, s'oriente vers la peinture intimiste. Lega donne dans ce domaine ses créations les plus sensibles, qui présentent une certaine parenté avec celles du Français Bazille. Adriano Cecioni (1836-1886) se rallie également à cette tendance.

Le groupe, jamais très uni, se dissout assez rapidement. Sernesi meurt en 1866, Abbati en 1868, Cabianca s'installe à Rome en 1870. Diego Martelli contribue, après 1870, par ses écrits et sa propre collection, à faire connaître l'art des impressionnistes. Lega, Signori et Fattori adoptent alors une technique un peu plus libre et s'attachent à des motifs impressionnistes comme les figures en plein air. Fattori est le plus proche des Français par les finesses de ses notations de lumière, tout en restant toujours fidèle à la représentation du monde visible et en s'attachant souvent à des thèmes un peu anecdotiques.

L'ÉCOLE DE LA HAYE

Une autre « école » picturale connaît également un développement parallèle. Sa floraison se situe entre 1870 et 1890, mais ses membres, pas plus que les Macchiaioli, ne poussent les conséquences de leur position artistique aux limites extrêmes atteintes par certains de leurs contemporains français. Elle est dénommée « école de La Haye » parce que la plupart des artistes qui la composent résident dans cette ville et appartiennent au cercle « Pulchri Studio », fondé dès 1847 mais qui deviendra leur lieu de rencontre et d'exposition.

Quelques peintres de la génération de 1820 avaient ouvert la voie. Le plus important, par son rayonnement, est sans doute Jozef Israëls (1824-1911), qui s'inscrit dans la lignée du Réalisme en s'attachant à évoquer des pêcheurs hollandais dans une veine proche de celle de Millet (*Près de la tombe maternelle*, 1856, Amsterdam, Stedelijk Museum). Plus décisifs pour l'orientation de l'école sont Willem Roelofs (1822-1897), qui travailla à Bruxelles de 1848 à 1887, et, surtout, Jan Hendrick Weissenbruch (1824-1903). L'un et l'autre s'adonnent surtout au paysage et retrouvent, dans l'interprétation des sites, une sensibilité à la lumière qui s'inscrit dans la tradition des maîtres du XVIIe s.

La seconde génération, celle des années 1835-1845, est contemporaine des Impressionnistes et connaît un cheminement voisin : longue maturation durant les années 1860, affirmation vers 1870. Attachés à une vision descriptive de la réalité, ces artistes échappent pourtant à la sécheresse analytique grâce à une grande sensibilité picturale, formée elle aussi à l'exemple des grands maîtres du « siècle d'or ».

Hendrik Willem Mesdag (1831-1915), le plus âgé d'entre eux, assure le lien avec l'école de Barbizon, dont il collectionne les œuvres (musée Mesdag, La Haye). Il reste marqué par l'orientation réaliste, dont on trouve même encore des traces dans son *Panorama* (La Haye), exécuté en 1880-1881. Jacob Maris (1837-1899), qui séjourne à Paris de 1865 à 1871, est très proche dans ses paysages des premières œuvres impressionnistes, qu'il ne semble pas pourtant avoir connues (*Vue de Montigny-sur-Loing*, Rotterdam, B. V. B.). Anton Mauve (1838-1888) atteint dans ses vues de plages une délicatesse de tons remarquable, et son exemple sera suggestif pour son jeune cousin, Vincent Van Gogh, à ses débuts.

L'audience de l'école de La Haye a été considérable à la fin du XIXe s. La participation des artistes aux Salons parisiens, aux expositions munichoises, aux Expositions internationales de Paris et de Vienne leur assure une très large notoriété. La présence de Roelofs et de Paul Gabriël (1818-1903) à Bruxelles fait également de cette ville un second foyer de leur activité. Plus proche de la tradition, leur art est beaucoup plus largement accepté que celui des Impressionnistes.

UN INTERPRÈTE MODÉRÉ DE L'IMPRESSIONNISME : LIEBERMANN

Né en 1847, le Berlinois Max Liebermann est le cadet des Impressionnistes et le contemporain de Gauguin. Qu'il ait débuté dans un esprit réaliste proche de l'art de Millet, voire de Courbet, dit bien la lenteur de la diffusion des idées du groupe. En 1874, l'année de la première exposition impressionniste, c'est vers Barbizon qu'il se dirige pour aller sur les traces des maîtres du début du siècle. Dès 1871, il s'était senti attiré par la Hollande, tant par le caractère du pays que par sa tradition picturale : Frans Hals, qu'il copie aussi au Louvre, lui révèle son métier savoureux.

Liebermann n'aurait découvert les œuvres de Manet et de Degas qu'en 1896. Dès 1880, pourtant, un changement intervient dans son art. L'*Hospice des vieillards d'Amsterdam* (coll. part.) présente des personnages en plein air et s'attache à la lumière jouant sur les formes à travers les feuillages. C'est probablement le fruit d'une évolution personnelle au contact des œuvres hollandaises et des artistes de l'école de La Haye, dont il dépasse les intentions. La *Cour de la maison des orphelines à Amsterdam* (Francfort, Städel. Inst.), présentée au Salon de 1882, s'attache aux détails pittoresques, mais joue aussi avec maîtrise des effets de lumière : entre l'anecdotisme d'un Gérôme et celui d'un Liebermann, la différence est celle d'une sensibilité picturale qui assure l'unité et la force visuelle.

Il est vrai que, après 1891, Liebermann aura tendance à éclaircir sa palette, que sa facture sera moins précise, qu'il empruntera plus directement à Manet, voire à Monet. Jamais pourtant il n'ira jusqu'à pratiquer une touche divisée, et ses thèmes demeureront d'un réalisme un peu bourgeois.

LES IMPRESSIONNISTES AMÉRICAINS

Pour certains, l'Impressionnisme américain serait aisément limité à l'œuvre de Mary Cassatt (1844-1926). Arrivée à Paris en 1866, elle se révèle très proche de Degas et expose en 1879, en Amérique, l'un de ses chefs-d'œuvre, la *Loge*, dont la qualité de modelé rappelle également Manet. En 1891, encore sous l'emprise de l'exposition d'estampes japonaises de 1890, elle réalise dix estampes en couleurs consacrées à la vie quotidienne qui annoncent avec une force surprenante l'art des Nabis. Ses scènes de maternité ont beaucoup contribué à sa gloire.

Son contemporain William Merrit Chase (1849-1916) n'est pas vraiment impressionniste : formé à Munich (1872-1878), marqué par Whistler, il vient timidement à la peinture de plein air à partir de 1887. Theodore Robinson (1852-1896) est plus directement proche des Français : il fait la connaissance de Monet en 1888, mais demeure dans une expression plus proche de celle d'un Pissarro. Childe Hassam (1859-1935) a longuement travaillé à Paris, mais sans jamais avoir de contacts directs avec les Impressionnistes. À partir de 1867, il élabore une vision modérée qui doit beaucoup pourtant à leur exemple. Plus singulier est Frederick Frieseke (1874-1939) : Américain de Paris, vivant à partir de 1906 au voisinage de Monet, il est cependant plus proche de Vuillard dans ses évocations de personnages féminins, situés dans des paysages ou des intérieurs. Sa touche, nettement affirmée, le relie pourtant à l'Impressionnisme. Enfin, si Maurice Brazil Prendergast (1859-1924) peut paraître à ses débuts impressionniste, il évolue à partir de 1907, après un voyage en France, vers un art plus proche d'un Fauvisme modéré.

Par ces artistes, l'Impressionnisme s'est développé aussi aux États-Unis, mais il s'agit d'une interprétation très pondérée des exemples français, même si elle ne s'affirme que tardivement, alors que le Postimpressionnisme a déjà proposé de nouvelles formules en Europe.

Bibliographie sommaire

BLUNDEN (M.), DAVAL (J. L.), *Journal de l'Impressionnisme*, Skira, Genève, 1980. FRANCASTEL (P.), *l'Impressionnisme* (1937), Denoël/Gonthier, 1974, Paris. MONNERET (S.), *l'Impressionnisme et son époque*, Denoël, Paris, 1978, 1981. REWALD (J.), *Histoire de l'Impressionnisme* (1946), Albin Michel, Paris, 1965.

LE SYMBOLISME
ET L'ART NOUVEAU

Albert Châtelet

Le Symbolisme

Le 18 septembre 1886, dans un manifeste publié dans *le Figaro,* Moréas revendiquait le terme de *Symbolisme* pour désigner une école littéraire : « La poésie symboliste cherche à vêtir l'Idée d'une forme sensible qui, néanmoins, ne serait pas son but à elle-même, mais qui, tout en servant à exprimer l'Idée, demeurerait sujette. » Dans le domaine des arts plastiques, le terme n'a guère servi, au XIXᵉ s., que pour désigner quelques artistes contemporains des écrivains de la fin du siècle. Qu'un esprit *symboliste* ait pu pourtant animer bien des créations ne saurait être nié et l'on pourrait être tenté, à l'exemple de certains historiens, d'en rechercher les premières manifestations chez un Füssli (1741-1825) ou un Blake (1757-1827). Cependant, l'insertion de ces deux peintres dans les courants néoclassique et romantique paraît trop évidente pour voir en eux plus que des précurseurs. Avec les œuvres des Préraphaélites anglais s'affirme un art qui se détache du Romantisme et n'a que peu de liens avec le Réalisme, malgré l'affirmation de ses créateurs : il correspond assez bien à la définition de Moréas de 1886.

Tel qu'il tend à être utilisé par l'historiographie contemporaine, le terme de Symbolisme peut alors désigner deux générations d'artistes, celle de 1820-1830 et celle de 1850-1860, qui donnent un rôle prédominant au sujet — à l'inverse des impressionnistes — sans négliger pour autant une élaboration savante de la forme, qui demeure toutefois toujours soumise à une représentation clairement identifiable. Si les thèmes retenus sont en majorité historiques, bibliques, mythologiques ou légendaires, ils entendent bien faire surgir eux-mêmes une idée, agir comme symbole. En même temps, la volonté d'esthétisation est assez ancrée dans la démarche créatrice pour susciter parallèlement toute une recherche appliquée au cadre de vie : ce sera le rôle de William Morris, aux côtés des Préraphaélites, et de l'Art nouveau, à la fin du siècle. Ainsi, à l'encontre de l'histoire littéraire, qui restreint actuellement l'acception du terme de *Symbolisme,* l'histoire de l'art, paradoxalement, préfère l'élargir, alors même qu'il n'a guère été revendiqué par les créateurs eux-mêmes.

LES PRÉRAPHAÉLITES

En 1848 est fondée la *Pre-Raphaelite Brotherhood* (la confrérie préraphaélite) par Holman Hunt (1827-1910), John Everett Millais (1829-1896) et Dante Gabriel Rossetti (1828-1882), associés au sculpteur Thomas Woolner (1825-1892). Cet appel au patronage des artistes antérieurs à Raphaël peut surprendre : volonté d'archaïsme ? de retour à d'anciennes formules artistiques ? L'exemple des Nazaréens a été déterminant : les Préraphaélites ne les connaissaient pourtant que par l'intermédiaire de leur aîné, William Dyce (1806-1864), qui les avait fréquentés à Rome, et aussi de Ford Madox Brown (1821-1893), qui, sans jamais faire partie de leur groupe, fut l'un de leurs compagnons de route. L'exemple n'aurait pas suffi s'il ne s'était intégré dans un large mouvement de retour au Moyen Âge, favorisé par l'Église anglicane, dont l'expansion de l'architecture néogothique est une des manifestations les plus patentes. Le groupe trouvera enfin en John Ruskin (1819-1900) un soutien, un théoricien et un inspirateur. La cohésion du mouvement ne subsistera pas longtemps. Il est d'autant plus remarquable qu'il ait pu publier quatre numéros d'une revue, *The Germ,* en 1849-50. L'art des Préraphaélites fut assez mal accueilli par la bourgeoisie victorienne, choquée surtout par la tentative de renouvellement de l'iconographie religieuse. Dans leurs œuvres, la référence aux artistes italiens du Quattrocento est, en fin de compte, assez limitée. Elle se traduit par une nette affirmation du dessin de contour, parfois discrètement cerné, et par un goût de la précision des détails. Peut-être faut-il voir aussi dans une palette colorée, souvent stridente, qui cherche peu à harmoniser les tons entre eux ou à pratiquer vraiment la perspective atmosphérique, une transposition singulière du coloris des Florentins. Les Préraphaélites se veulent aussi réalistes, c'est-à-dire évoquer le monde contemporain, voire situer dans un contexte contemporain des scènes bibliques ou évangéliques, représenter, enfin, avec une précision minutieuse.

Ford Madox Brown, qui ouvre la voie, avait été attiré par la peinture historique lors de son passage à Paris, et admirait Delaroche. Ses compositions, fruit de longues élaborations, sont souvent un peu étouffantes par la richesse des éléments introduits sans véritable hiérarchie entre eux. À côté de scènes d'intérieur (le *Roi Lear et Cordelia*, 1848, Londres, Tate Gal.), il a peint des paysages en plein air (les *Jolis Agneaux*, 1852, Birmingham, Art Gal.) dans une gamme très dure, assez proche de celle des paysages de Millet. Son tableau le plus célèbre est sans doute le *Dernier Regard sur l'Angleterre* (les *Adieux*) [1853, *id.*], évocation sentimentale de l'émigration.

William Holman Hunt, l'un des animateurs de la confrérie, avait visité Paris et la Belgique avec Rossetti, en 1849 : la vision des primitifs flamands lui a peut-être donné le goût d'un réalisme minutieux dans les détails. Son souci de véracité le poussera à se rendre, en 1854, en Égypte et en Palestine pour peindre les scènes évangéliques dans leur cadre naturel : le *Bouc émissaire* (Port Sunlight, Lever Art Gal.) est le fruit de ce voyage. L'une de ses dernières œuvres, la *Dame de Shalott* (1886-1905, Hartford, Wadsworth Atheneum), trahit dans ses rythmes lourds et la multiplication des détails l'adaptation au goût de la fin du siècle.

John Everett Millais prépare ses tableaux par une recherche graphique qui, dans ses élongations et ses arabesques fluides, annonce l'art de Burne-Jones. Ses peintures sacrifient aussi souvent à la richesse des détails : telle son *Ophélie* (Londres, Tate Gal.), qui s'inscrit dans une atmosphère glauque créée par l'accumulation des plantes cernant l'eau de la rivière.

C'est à la passion de son père, professeur de littérature et Napolitain d'origine, que Dante Gabriel Rossetti doit son prénom prestigieux, si adapté à son style. Le paradoxe de sa vie est de n'avoir jamais visité l'Italie, où tout aurait dû le conduire. On peut, dès lors, comprendre que son italianisme soit plus théorique que réel. Des trois fondateurs du groupe, c'est le plus personnel, qui équilibre avec bonheur les rythmes graphiques et le réalisme en évitant la surcharge des détails. Il eut successivement deux modèles féminins, Elisabeth Siddal, de 1851 à 1862, puis Jane Morris, dont les visages au profil très florentin hantent son œuvre. L'art de Rossetti a un aspect très ingresque par les arabesques savantes et raffinées que dessinent les figures.

Edward Burne-Jones (1833-1898), le plus jeune des Préraphaélites, a été marqué par l'influence de Rossetti, auprès de qui il s'est formé. Trois voyages en Italie, en 1859, 1862 et 1873, l'ont familiarisé avec les Italiens du Quattrocento, et plus particulièrement avec Botticelli, à qui il doit le plus. C'est probablement cette expérience italienne qui a fait de lui le plus peintre des Préraphaélites, en ce sens qu'il construit ses œuvres sur des dominantes colorées en associant les tons entre eux. L'ensemble de huit tableaux sur l'histoire de *Persée* (1875-1898), conçus pour Arthur-James Balfour (Stuttgart, Staatsgal.), est l'aboutissement d'un art savant qui associe des grâces botticelliennes à un climat mystérieux qui n'est pas sans rapport avec celui de William Blake.

Que les préoccupations formelles aient été étroitement associées, chez les Préraphaélites, à l'expression des idées est directement attesté par l'activité, à leurs côtés et avec leur collaboration, de William Morris (1834-1896). Personnage hors du commun, poète et dessinateur, a été marqué par les idées de Ruskin sur la nécessité du retour aux pratiques médiévales et le refus du monde industriel. En 1860, deux ans après son mariage, il fait construire, sur les plans de Philip Webb, une maison d'une conception très nouvelle : le plan de l'intérieur prime dans la conception et se reflète dans les formes extérieures, qui ne sont pas soumises à une organisation traditionnelle des façades. L'idée du fonctionnalisme est ici en germe non seulement dans la construction, mais aussi dans les détails d'exécution comme les cheminées ou les meubles créés par Morris et Webb en tenant compte tant des espaces auxquels ils étaient destinés que de leurs usages. Un an plus tard, avec la collaboration de son architecte, de Ford Madox Brown, de Rossetti et de Burne-Jones, il crée une firme dénommée « les ouvriers d'art en peinture, sculpture, ameublement et vitraux ». Il en sortira des tissus, des meubles, des vitraux où s'associeront des éléments empruntés à la nature, mais soumis à une élaboration graphique et rythmique. Le goût de l'artisanat et de la technique manuelle, exacerbé chez Morris, le conduit à organiser un atelier de tissage de tapisserie et à pratiquer la teinture des fibres avec des colorants naturels. Le livre l'attirera aussi et il ouvre à Kelmscott une imprimerie d'où sortent des volumes dont la mise en page transpose dans un langage moderne les formules des manuscrits enluminés médiévaux.

LA PREMIÈRE PEINTURE SYMBOLISTE EN FRANCE

Les deux peintres français les plus remarquables que l'on puisse qualifier de « symbolistes » appartiennent à la même génération que les Préraphaélites, mais, contrairement à eux, ne connaissent guère de notoriété avant le dernier quart du siècle. Puvis de Chavannes (1824-1898), après des débuts assez difficiles, a connu dans sa vieillesse la plus haute considération, pour ne pas dire la gloire. Le prestige grandissant des Impressionnistes a nui ensuite assez vite à sa destinée posthume, et ses « grandes machines » ont été arbitrairement taxées de « pompiérisme ». Un nouvel intérêt pour son art semble se dessiner, même si la tentative de réhabilitation de l'exposition réalisée en 1976 semble avoir manqué en partie son but.

Passé dans les ateliers de Ary Scheffer et de Couture, Puvis de Chavannes doit surtout son orientation à Chassériau et à l'exemple de son décor de la Cour des comptes (1844-1848). En 1854-55, un hasard heureux lui offrit l'occasion de réaliser son premier décor peint. Six ans plus tard, c'est consciemment qu'il entreprend deux grandes compositions sur le thème de la *Paix* et de la *Guerre*, qui seront incorporées dans l'ensemble de l'escalier du musée d'Amiens sans avoir été pourtant conçues pour lui. En 1863, l'année du Salon des refusés, il présente au Salon le *Travail* et le *Repos*. Vient ensuite la commande du musée de Marseille (1867-1869). La consécration ne lui est cependant apportée qu'en 1874, l'année de la première exposition impressionniste, avec la première commande pour le Panthéon, où il donnera en deux étapes (1874-1878 et 1897-98) le meilleur de lui-même. La décoration du grand amphithéâtre de la Sorbonne (1886-1889) et celle du musée de Boston (1893-1896) confirment l'ampleur de cette reconnaissance.

L'art de Puvis de Chavannes doit encore beaucoup à l'exemple d'Ingres par la recherche de l'arabesque dans les attitudes et par l'importance du tracé des contours de figures. À l'exemple de Chassériau, mais avec plus d'exigence que lui, il s'astreint à rester plus près de la réalité, notamment en ne négligeant pas la traduction des volumes. En même temps, il entend assumer pleinement le caractère allégorique de ses thèmes et imprègne ses groupes de figures d'une solennité qui peut paraître froide. Pour rapprocher ses toiles destinées à être marouflées de l'aspect des fresques, il recherche une matité dans l'exécution et une gamme d'une clarté sourde où les blancs sont à peine réchauffés par quelques tons chauds.

« Comparer M. Puvis et M. Gustave Moreau, les marier, alors qu'il s'agit de raffinement, les confondre en une botte d'admiration unique, c'est commettre une des plus obséquieuses hérésies qui se puissent voir » écrivait J. K. Huysmans en 1883. Et pourtant, le destin a lié assez étroitement les deux artistes. De deux ans plus jeune que Puvis, Gustave Moreau devait disparaître la même année que lui, en 1898. Tous deux ont été marqués par Chassériau, le second plus que le premier puisqu'il a abandonné pour lui son premier maître, François Picot, en se liant d'amitié avec lui. Pourtant, il ne paraît pas avoir été tenté par la décoration monumentale ou, du moins, ne s'est jamais vu offrir l'occasion de la pratiquer.

En 1864, son *Œdipe et le Sphinx* (Louvre) obtient au Salon un succès d'estime suffisant pour entraîner son acquisition par le prince Jérôme Bonaparte. Ses thèmes sont empruntés à la mythologie, à la Bible ou à la légende. Il les pare d'une richesse d'accessoires archéologiques non dépourvue de fantaisie dans les associations réalisées : ainsi de ses *Salomé* dansant dans des temples plus proches de l'Islām que d'Israël. C'est pour lui une manière de « vêtir l'Idée » que de la baigner d'étrange et de lointain, de créer le mystère autour d'elle.

Symboliste ou romantique attardé ? Pour Gustave Moreau, on peut bien hésiter. C'est en plein Romantisme qu'il a forgé son art. Il doit à Chassériau la passion de la couleur, d'une couleur faite de tonalités rares, d'accords sourds et précieux avec des fulgurances de lumière dans la nuit. De Picot, il a gardé le goût de l'œuvre minutieusement polie, de Chassériau et des Romantiques la pratique de l'esquisse rapide, toute de suggestions, qu'elle soit traitée à l'aquarelle ou faite de peinture largement maçonnée. Son invention est si bouillonnante qu'il a laissé tout un monde fascinant de notations brèves. Son exigence de perfection dans l'achèvement ne lui a permis de mener à bien que peu de compositions. Sa participation aux Salons, aux expositions est rare et groupe à peine une trentaine de toiles.

Ce n'est qu'en 1892, alors qu'il est âgé de soixante-six ans, qu'il est appelé à succéder à Élie Delaunay comme professeur à l'École des Beaux-Arts. Pendant quatre années, il y assure un enseignement dont on sait la libéralité : Rouault, Marquet et Matisse seront ses élèves.

Des Symbolistes, on peut rapprocher deux artistes chez lesquels l'idée est moins primordiale, mais dont les ténèbres introduisent au mystère. Jean-Jacques Henner (1829-1905) est issu d'une formation académique dont il ne s'est jamais complètement détaché. Prix de Rome en 1858, il a connu une gloire très officielle dès 1869.

Il aime à détacher des corps féminins laiteux couronnés de longues chevelures rousses dans une ombre bleutée, mais le symbole s'y inscrit plus rarement que la formule académique. Plus original est le Belge Félicien Rops (1833-1898), installé définitivement à Paris en 1874 et l'un des plus remarquables illustrateurs de la fin du siècle. Il pratique aussi bien l'eau-forte, la pointe sèche, l'aquatinte, le vernis mou ou la lithographie. Par les seuls blanc et noir, il fait surgir des nudités troubles et sensuelles, le plus souvent liées à des thèmes allégoriques. Son art est certes lié à la galanterie de la fin du siècle, mais sa maîtrise du trait le fait le plus souvent échapper à l'anecdotisme et trouver des accents farouches.

FEUERBACH ET BÖCKLIN

Il y a sans doute quelque arbitraire à rapprocher Anselm Feuerbach (1829-1880) du Symbolisme. Il ne s'est certainement pas vu comme tel, mais son rêve de classicisme est empreint d'une intellectualité voisine de celle des Préraphaélites et des peintres français. Passé par l'académie de Düsseldorf, il a séjourné longuement à Paris entre 1851 et 1854 : Couture, celui des *Romains de la décadence* (1847, Louvre), qui cherche à associer un réalisme modéré au retour à l'Antiquité, sera son modèle de prédilection. Il dépassera cette étape grâce à l'Italie, où il se rend pour la première fois en 1855 et séjourne de manière quasi ininterrompue jusqu'en 1873. C'est à Rome qu'il trouvera, en 1861, son modèle préféré, Anna Risi, qui lui apporte la pureté d'un visage presque antique et un rare noblesse de port : *Iphigénie* (1855, Stuttgart, Staatsgal.), son tableau le plus célèbre, doit beaucoup à cette inspiratrice.

Il a certainement rêvé de grandes compositions. Deux fois seulement, l'occasion lui en a été offerte : en 1863, avec le *Banquet de Platon* (1863, Karlsruhe, variante à Berlin, N. G.), et avec le plafond de l'Académie des beaux-arts de Vienne (1874-1879), qui l'a confronté à un problème peu compatible avec son style, celui des figures plafonnantes *(Chute des Titans)*. Il demeure surtout peintre de por-

La Pagode des jardins de Kew,
près de Londres,
par William Chambers.

Château de Neuschwanstein, *construit de 1867 à 1881 pour Louis II de Bavière par l'architecte Eduard Riedel.*

Refreshment Room du Victoria and Albert Museum *de Londres,*
par William Morris et Philip Webb.

Le Déjeuner
sur l'herbe,
*d'Édouard
Manet
(1863).
Paris,
musée
d'Orsay.*

Le Déjeuner des canotiers, *par Auguste Renoir (1880-1881).*
Washington, Phillips Collection.

Les Toits rouges, *par Camille Pissarro (1877).*
Paris, musée d'Orsay.

Chevaux de course devant la tribune,
par Edgar Degas. Paris, musée d'Orsay.

Les Meules fin de l'été, effet du matin,
par Claude Monet (1891).
Paris, musée d'Orsay.

La Montagne
Sainte-Victoire
au-dessus
du Tholonet,
par
Paul Cézanne
(1904).
Cleveland,
Museum of Art.

61

La Vision après le sermon.
par Paul Gauguin (1888).
Édimbourg,
National Gallery of Scotland.

Le Corsage à carreaux
(Madame Terrasse),
par Pierre Bonnard (1892).
Paris, musée d'Orsay.

Docteur Tapié de Celeyran,
par Henri de Toulouse-Lautrec (1894).
Albi, musée Toulouse-Lautrec.

L'Italienne *ou* la Segatori,
*par Vincent Van Gogh (1887).
Paris, musée d'Orsay.*

traits ou de figures allégoriques. Il y apporte un sentiment mélancolique servi par un métier exigeant, qui cherche, comme Puvis de Chavannes, un équilibre entre la pureté des lignes et un réalisme modéré. La distinction et la rareté de sa palette pourraient le faire comparer à un Whistler, de cinq ans son cadet, mais il n'en a pas les audaces. Ses œuvres, si elles ne sont pas franchement symbolistes, sont empreintes d'une atmosphère poétique qui dépasse la description et laisse pressentir quelque au-delà.

Plus nette est la situation du Suisse Arnold Böcklin (1827-1901). Il partage avec Feuerbach, qu'il a d'ailleurs connu à Düsseldorf, une culture réaliste alliée à une volonté d'idéal. Le Couture des *Romains de la décadence* et l'Italie sont aussi ses sources premières. Il passe une grande partie de sa vie en Italie et expire dans la somptueuse villa de Fiesole qu'il avait acquise en 1894. Son art est beaucoup plus littéraire que celui de Feuerbach et fait largement appel à la mythologie ou, plus exactement, à des personnages mythologiques. Il peint *Centaures* (Bâle, K. M.) et *Néréides* (Munich, Schackgalerie) en insistant à plaisir sur des formes lourdes qui trahissent sans doute une obsession réaliste. Son admiration pour Grünewald l'entraîne à rechercher des couleurs souvent stridentes. L'une de ses meilleures œuvres et la plus connue, l'*Île des morts* (1880, Bâle, K. M., différentes variantes), pourrait être comprise comme une résurgence du Romantisme. Très largement accueilli de son temps, l'art de Böcklin, par la solennité de son propos et le réalisme de ses personnages, était d'un abord facile.

Le peintre Hans von Marées (1837-1887) et le sculpteur Adolf von Hildebrand peuvent être également situés dans la mouvance du Symbolisme. L'un et l'autre sont fascinés par l'Antiquité, qu'ils voient comme l'image d'un paradis perdu, et cherchent à la retrouver dans leurs œuvres. Hans von Marées poursuit cet idéal avec un métier si scrupuleux, avec sa volonté d'être à la fois noble et réaliste, que la plupart de ses œuvres sont demeurées inachevées : plus encore que Cézanne, à qui Meier-Graefe l'a comparé, il est bien

l'image du héros du *Chef-d'œuvre inconnu* de Balzac. Le seul ensemble important qu'il ait pu mener à bien, avec la collaboration d'Adolf von Hildebrand, est la décoration de la station zoologique de Naples. Il dispose des nus dans des paysages autour de thèmes allégoriques, comme Puvis de Chavannes, mais il en accuse les volumes et affirme les plans de l'espace.

L'exemple de Hans von Marées a été pour beaucoup dans l'élaboration des idées esthétiques de Konrad Flieder (1841-1895) et de celles de Hildebrand, qui devait publier en 1893 un traité intitulé *Das Problem der Form in der bildenden Kunst*. Pour celui-ci, l'art est essentiellement fondé sur des données visuelles, et ses règles sont celles de la forme. Il n'en voit pas moins la création à travers la tradition antique qui a élaboré des canons esthétiques de la forme humaine. L'œuvre la plus célèbre de Hildebrand, la *Fontaine des Wittelsbach* à Munich, malgré un traitement en partie rocaille des éléments architecturaux, est essentiellement antiquisante. De symbolisme, il n'y a plus guère de trace, sinon dans le désir d'idéalisation des personnages et dans le traitement de la forme.

La carrière, en Autriche, de Hans Makart (1840-1884) forme comme un contrepoint des carrières de ses contemporains Marées et Hildebrand. Consacré très tôt, dès 1869, par son appel à la cour impériale de Vienne, il trouve son inspiration en Italie dans les fastes de la peinture baroque, qu'il interprète avec une facture qui se veut réaliste et un sentiment romantique dans de grandes compositions historiques. En face du Symbolisme et de l'Impressionnisme, Makart est le représentant le plus célèbre de l'éclectisme que la haute société préférait.

LES CONTEMPORAINS DU SYMBOLISME LITTÉRAIRE

La publication du manifeste de Moréas de 1884 ne visait nullement les peintres et les sculpteurs. Elle entraîna cependant chez eux aussi bien la confirmation d'orientations antérieures, comme celles de Puvis de Chavannes ou de Gustave

Moreau, que la naissance d'intérêts nouveaux. Autour de Gauguin, à Pont-Aven, en 1888 et dans les années suivantes, nombreux sont ceux qui furent, comme lui, tentés par le Symbolisme : chez ceux-ci, pourtant, la nouveauté de la pratique picturale prend plus d'importance. De même, Munch, symboliste par certains thèmes, traite ses sujets de manière expressionniste.

En France, l'un des peintres les plus proches des écrivains, dont il a souvent fait les portraits, est Eugène Carrière (1849-1906), bien que son orientation symboliste personnelle soit peu accusée. Sorti de l'atelier de Cabanel, il se fait connaître à partir de 1879. Il plonge ses personnages dans un brouillard de gamme brune pour mieux exprimer les « clartés intérieures ». Ses nombreuses variations sur le thème de la maternité veulent traduire l'idée plus que l'anecdote et sont ainsi plus symbolistes qu'intimistes. Malgré son exécution très picturale, qui laisse peu de place au graphisme, Carrière n'a pas été insensible aux arabesques de l'Art nouveau, qui semblent soustendre ses vagues d'ombre.

Moins lié au milieu littéraire, mais plus intimement symboliste, Odilon Redon (1840-1916) est passé par l'atelier de Gérôme, mais a sans doute plus reçu de son amitié avec Rodolphe Bresdin et, pour la technique, de l'exemple de Félicien Rops. Il publie en 1879 un premier album lithographique, intitulé *Dans le rêve*, et expose pour la première fois en 1881 ses dessins au fusain. Jusqu'en 1890, en effet, il ne s'exprime que par le blanc et le noir, à l'exception de quelques « études pour l'auteur », de simples notations de paysages d'une grande densité poétique, et de quelques portraits. Il crée par les lumières émergeant de la nuit un monde mystérieux et presque magique dont les symboles sont parfois clairs, mais souvent plus à imaginer qu'à décrypter : le Surréalisme est proche. Lorsqu'il abandonne progressivement les noirs, à partir de 1890, il adopte une couleur éclatante que l'exemple de Moreau et l'aventure impressionniste ont pu lui révéler. Il l'emploie pourtant avec des éclats profonds plus proches de ceux d'un Delacroix que d'un Monet, et il en fait une composante essentielle de son mystère.

En dehors de ces deux personnalités et des peintres liés également à d'autre courants, le Symbolisme littéraire n'a été accompagné que par des artistes dont les moyens plastiques sont assez limités. On le voit bien dans leurs participations aux Salons *Rose + Croix*, organisés chaque année, de 1892 à 1897, par le singulier personnage que fut sâr Péladan. Lucien Lévy-Dhurmer (1865-1953) se complaît à une atmosphère de mystère qui associe des souvenirs préraphaélites au goût de l'ombre de Carrière et à des recherches colorées plus proches du Romantisme. Son inspiration demeure pleine de sensiblerie, et son métier est très sec. George De Feure (1868-1943) est plus proche du goût de l'Art nouveau. Alphonse Osbert (1857-1939) présente des œuvres aux thèmes typiquement symboliques conçues dans un métier très conventionnel.

LE SYMBOLISME EN BELGIQUE

Le mouvement symboliste prend une grande importance en Belgique parce qu'il y est soutenu par de brillants écrivains, Maeterlinck et Verhaeren, et par un homme moins connu mais remarquable organisateur et animateur, Octave Maus. Dès 1884, ce dernier fonde à Bruxelles le *Cercle des XX*, qui sera remplacé en 1893 par la *Libre Esthétique*, laquelle survit jusqu'en 1914. Sur les conseils de Théo van Rysselberghe seront invités aux expositions bruxelloises non seulement des artistes belges, mais aussi des Français qui font connaître en Belgique les dernières orientations artistiques. Deux peintres sont directement associés à ce groupe si vivant. Fernand Khnopff (1858-1921) demeure marqué par un passage dans l'atelier de Gustave Moreau, sans pourtant suivre les audaces colorées de son maître. Le Hollandais Jan Toorop (1858-1928) est un créateur plus inventif, qui fait surgir un monde étrange dans lequel affleurent les arabesques de l'Art nouveau.

Dans un village proche de Gand, Laethem-Saint-Martin, se regroupent au même moment quelques artistes venus rechercher la nature, comme leurs aînés à Barbizon. Sans former une école, ils sont tous plus ou moins attirés par le Symbolisme. Un seul d'entre eux, Albijn van den Abeele (1835-1918), est originaire du village : c'est aussi le plus éloigné des idées dominantes, quoique, après l'arrivée de ses compagnons, ses paysages se voilent de mystère comme s'il voulait laisser pressentir des forces occultes. Valerius De Saedeleer (1867-1941) est aussi surtout paysagiste, et ses accords glacés rappellent l'ambiance des tableaux de Caspar David Friedrich, dans une veine plus campagnarde. Gustave van De Woestyne (1881-1947) situe ses figures dans une atmosphère bizarre créée par un éclairage qui durcit les formes. La personnalité la plus attachante du groupe demeure le sculpteur Georges Minne (1866-1941). Ces artistes prolongeront jusqu'en plein XXᵉ s. une expression issue du Symbolisme.

LE SYMBOLISME EN ALLEMAGNE

Le retentissement de l'œuvre de Max Klinger (1857-1920) a été considérable. Le grand nombre d'illustrations dues à sa main a contribué à accroître sa réputation. Ses œuvres associent un réalisme des détails, quelque peu anecdotique, à une inspiration symboliste non dépourvue de grandiloquence. Son *Christ dans l'Olympe* (1897, Vienne, K. M.) mélange, dans une surprenante surcharge, peinture et sculpture polychrome. Le Bavarois Frantz von Stuck (1863-1928) est plus proche de Khnopff et situe des éléments décrits avec une grande précision réaliste dans des zones de flou qui introduisent le mystère.

C'est à un Symbolisme plus indépendant qu'appartient l'œuvre d'Alfred Kubin (1877-1959). Dans des dessins au crayon Conté, il crée un monde fantastique qui s'apparente aux « noirs » de Redon, mais dans un esprit encore plus angoissé qui fait penser à Kafka.

HODLER
(1853-1918)

Après une formation réaliste, le Suisse Ferdinand Hodler se rallie au Symbolisme vers 1884 et retrouve une inspiration proche de celle de Puvis de Cha-

vannes, dont l'exemple l'a beaucoup marqué. Il y a chez lui un côté plus rhétorique que chez son aîné. Quand il peint la *Nuit* (1890, Berne, K. M.), il se souvient du *Sommeil* de Puvis (1867, Lille, M. B. A.), mais en centrant toute la composition sur les seuls personnages, dont l'attitude devient elle-même symbole. Bien accueilli en Allemagne, il réalise pour l'université d'Iéna une grande composition évoquant la *Révolte des étudiants*. Il obtient aussi une large audience internationale.

L'Art nouveau

Vers 1890-1895 surgit brusquement des États-Unis à l'Autriche, en passant par l'Angleterre, la France et la Scandinavie, un mouvement artistique international d'une homogénéité relative, mais cependant remarquable. Baptisé selon les pays *Art nouveau, Modern Style, Jugendstil*, cet art, si largement répandu, disparaît presque aussi vite qu'il est apparu : après 1905, on n'en trouve plus que de rares témoignages.

Cette efflorescence subite a été facilitée par les liens que les artistes de cette tendance avaient avec les milieux symbolistes. Dans tous les pays, les écrivains sont les amis des peintres et des architectes et les accueillent dans leurs revues : la stylisation de la forme, surtout lorsqu'il s'agit d'éléments empruntés à la nature, la fait devenir signe et l'apparente au symbole.

L'universalité de l'Art nouveau, qui touche à tous les domaines de l'expression artistique, développe le rêve né avec William Morris du renouvellement de l'artisanat. Dès 1856, d'ailleurs, Léon de Laborde avait présenté un rapport sur les manufactures d'art françaises qui préconisait le recours aux artistes comme inspirateurs. L'Art nouveau doit beaucoup à cette recherche d'un renouveau des « arts industriels » et de sa rencontre avec le Japonisme et le retour au Gothique.

La découverte de l'art japonais, au XIXᵉ s., c'est surtout celle de ses gravures. Vers 1856, les premiers albums d'Hokusai auraient été découverts par Félix Bracquemond (1833-1914), qui devait brillamment les exploiter dans son œuvre : il réalise, notamment, en 1866-67, pour Eugène Rousseau (1827-1891), le décor d'un service de faïence qui utilise des motifs d'animaux et de fleurs traités et disposés à la manière d'Hokusai. Dès lors, la vogue du Japonisme ne cessera de croître jusqu'à la fin du siècle : la publication de la revue *le Japon artistique* par Samuel Bing (1888-1891), les expositions d'art japonais organisées par Louis Gonse en 1883 à l'Union centrale des arts décoratifs et à l'École des Beaux-Arts en 1890 en témoignent. Des peintres comme Manet, Degas, Whistler et plus tard Seurat ou Gauguin tireront de leurs exemples des principes de composition. À l'Art nouveau, le Japon a surtout apporté l'imitation des formes de la nature, en particulier celles du monde végétal, et la recherche de l'arabesque.

Le goût pour la ligne fluide vient aussi d'un autre engouement pour le passé, la redécouverte du Gothique. Avec Viollet-le-Duc, avec le *Gothic Revival* anglais, les amateurs et les artistes du XIXᵉ s. retrouvent les charmes des arcs brisés et tendus, des personnages ployés en d'élégantes arabesques. Aux architectes, Viollet-le-Duc révèle à la fois l'harmonie des courbes gothiques et les premières idées fonctionnelles.

NAISSANCE DE L'ART NOUVEAU

L'Angleterre a probablement ouvert la voie : en 1888 était fondée la société *Arts and Crafts,* qui avait pour but de reprendre les idées de William Morris sur le développement des arts décoratifs. Cinq ans plus tôt, Arthur Heygate Mackmurdo (1851-1942), architecte et décorateur, avait conçu, comme frontispice de son livre sur les églises de Wren, une page décorative utilisant des tulipes stylisées et comme emportées par le vent en courbes gracieuses. Ses dessins postérieurs pour des tissus sont de la même inspiration. En 1893, l'exposition de la société *Arts and Crafts* constituera la première manifestation publique du Modern Style.

L'Art nouveau se développe entre les États-Unis et la France grâce à la collabo-ration de deux hommes, Louis C. Tiffany (1848-1933) et Siegfried Bing (1838-1905). Ce dernier, né à Hambourg, s'installe à Paris en 1871 et ouvre d'abord une boutique spécialisée dans les arts extrême-orientaux. Il s'associe bientôt au verrier Tiffany, dont il sera l'agent exclusif pour l'Europe. Après une mission officielle aux États-Unis en 1893 pour étudier le renouvellement des arts décoratifs, il se tourne vers l'art contemporain et ouvre en 1895 une nouvelle boutique, qu'il appellera l'*Art nouveau.*

Cette nouvelle orientation s'affirme et s'épanouit à Nancy, dans l'œuvre d'Émile Gallé (1846-1904), dont la longue formation technique de verrier lui permet d'innover dans la création de formes. Sa première exposition remonte à l'Exposition internationale de 1878. Ce n'est pourtant qu'en 1884 que son originalité s'affirme et qu'elle est reconnue par Antonin Proust. Il impose sur ses verreries un décor le plus souvent emprunté au règne végétal, dans une facture marquée par le Japonisme, comme l'avait été celle de Bracquemond. En inventeur de formes, il renouvelle aussi les types des objets créés à partir d'élancements ou de gonflements, souvent suggérés aussi par les fruits ou les feuillages. En 1885, il associe à sa verrerie une fabrique de meubles et poursuit dans ce domaine la même recherche de renouveau, aussi bien dans le décor que dans la structure.

L'ÉCOLE DE NANCY

Autour de Gallé devait se constituer un groupe d'artistes qui travaillait dans la même direction. Ce n'est qu'en 1901 qu'il se présente comme ensemble constitué, en profitant de la nouvelle loi sur les associations, comme « l'école de Nancy ou alliance provinciale des industries d'art ». Le mobilier est créé par Louis Majorelle (1859-1929), au style un peu lourd, avec des volumes très accusés, et par Eugène Vallin (1856-1922), moins connu quoique très personnel. L'entreprise Daum, dirigée par deux frères, Auguste (1853-1909) et Antonin (1864-1930), suit l'exemple de Gallé dans la création des verres, mais dans un esprit plus conventionnel. Un relieur, René Wiener (1859-1939), réalise des créations brillantes, le plus souvent sur des cartons de peintres, comme Victor Prouvé (1858-1943). Les artistes nancéiens constituent l'un des groupes les plus originaux de l'Art nouveau. En quelques années, ils ont renouvelé tout le cadre de vie. Ils ont même été suivis par des architectes qui ne sont certainement pas les créateurs les plus remarquables du mouvement, mais qui ont marqué le caractère de leur ville.

L'ART NOUVEAU À PARIS

Paris tint un rôle de premier plan dans le développement de l'Art nouveau, en raison de son prestige de « capitale du bon ton ». En même temps, il est plutôt second, parce que les artistes parisiens sont souvent assez conventionnels dans leurs inventions. Il faut pourtant faire une exception pour l'architecte Hector Guimard (1867-1942), qui, en obtenant, en 1899, la commande des entrées du métropolitain, assurait la plus remarquable publicité pour l'Art nouveau et réalisait l'une de ses créations les plus pures, où le modèle végétal ne se devine plus qu'à peine dans une forme d'une rare élégance. Le *Castel Béranger* (1897-98, Paris) est un témoin de son invention inépuisable, qui s'attache à tous les moindres détails de la construction de cet immeuble de rapport, même si la pauvreté relative des matériaux ne permet pas toujours la mise en valeur de la recherche formelle. Ses meubles, enfin, s'apparentent à ceux d'Émile Gallé par la finesse et la souplesse de ligne de leurs supports.

À côté de lui, des artistes comme Georges De Feure (1868-1928), peintre aussi bien que créateur de meubles, de vitraux et de tapisseries, Alexandre Charpentier (1856-1909), sculpteur et ornemaniste, ou le créateur de meubles Eugène Gaillard (1862-1933) sont plus effacés. Ils sont tous plus ou moins sensibles au goût officiel, attirés par un Néobaroque qui triomphera dans l'Exposition de 1900 avec la construction du Grand Palais.

C'est dans le domaine de l'affiche que l'Art nouveau parisien connaît encore de brillantes créations. Eugène Grasset

(1841-1917), d'origine suisse, installé à Paris à partir de 1871, a une manière un peu précieuse, par l'abondance des détails, mais aussi très équilibrée. Le Tchèque Alfonso Maria Mucha (1869-1939) réussit des créations plus fortes où lignes et couleurs sont mises au service du thème : ses affiches pour Sarah Bernhardt (1894) consacrent son nom.

LE MODERN STYLE EN ÉCOSSE ET EN ANGLETERRE

L'Angleterre, qui avait ouvert la voie, ne connaît plus guère d'affirmation de nouvelles personnalités vers 1890, exception faite pour Aubrey Beardsley (1872-1898), brillant et spirituel illustrateur qui tire parti des graphismes inventés par le Modern Style. L'Angleterre joue également un rôle capital dans la diffusion des formes par la grande audience que connaît la revue *The Studio*, publiée à partir de 1893. L'Écosse prend le relais avec, autour de Charles Rennie Mackintosh (1868-1928), une équipe de créateurs très originale. C'est en 1897 que celui-ci remporte le concours ouvert pour la construction de la *Glasgow School of Arts* et obtient également la commande du mobilier de la chaîne de salons de thé de Miss Cranton. En architecture, il combine de lourds éléments de pierre légèrement modelés et de très larges ouvertures rythmées par des orthogonales. Dans les éléments décoratifs, il associe, de même, des formes orthogonales à des courbes très fines. L'une de ses créations les plus connues sont ses chaises et ses fauteuils aux dossiers élevés. Le rectangle très allongé associé à des courbes tendues constitue la base de son langage, que l'on retrouve chez les autres artistes du groupe de Glasgow comme Talwin Morris ou Margaret et Frances Macdonald.

L'ART NOUVEAU EN BELGIQUE

Quatre architectes belges ont été parmi les meilleurs créateurs de l'Art nouveau, chacun témoignant d'une personnalité très affirmée. Victor Horta (1861-1946) est un étonnant inventeur de formes qui, par l'ampleur de ses accents, fait souvent penser à l'art baroque. L'*Hôtel Solvay* (1895-1900, Bruxelles) associe l'originalité du plan aux structures arrondies à la perfection des détails d'exécution : la rampe en fer forgé renouvelle complètement un motif traditionnel à partir du nouveau répertoire de formes. Gustave Serrurier-Bovy (1858-1910) est surtout un créateur de meubles, dont les formes grêles se rapprochent de celles de Guimard. Henry van de Velde (1863-1957) avait commencé une carrière de peintre et adopté la technique pointilliste. Il se tourne, aux environs de 1890, vers les métiers d'art et l'architecture. Sa propre maison, édifiée et meublée en 1895-1896, lui sert de banc d'essai et lui vaut ensuite de nombreuses commandes, notamment en Allemagne. C'est en 1896 qu'il crée son célèbre bureau en arc de cercle, dont le critique d'art allemand Meier-Graefe eut un exemplaire. Ses réalisations architecturales sont moins originales et présentent un caractère plus massif : le traitement des volumes est très dépouillé et ne fait intervenir qu'un petit nombre de courbes.

Paul Hankar (1859-1901) est le moins connu des architectes belges. Influencé par l'art japonais et par l'Angleterre, il travaille moins le volume que la surface et joue de contrastes de formes circulaires et de rectangles en introduisant fréquemment dans les façades une certaine polychromie.

À côté des architectes, un orfèvre, Philippe Wolfers (1858-1929), applique à la création de bijoux le répertoire de l'Art nouveau dans une veine un peu baroque.

LE JUGENDSTIL EN ALLEMAGNE

En 1895, Julius Meier-Graefe fonde à Berlin la revue *Pan* pour « transformer la doctrine étrangère dans un esprit national ». L'année suivante, la revue *Jugend* commence à paraître à Munich, où devait se former le groupe le plus actif des créateurs de la nouvelle tendance. Hermann Obrist (1862-1927), après avoir fondé un atelier de broderie d'art à Florence, s'installe en 1894 à Munich, où il contribuera à la création des *Vereinigte Werkstätten für Kunst und Handwerk*

(ateliers réunis d'art et d'artisanat). Il affectionne les formes en « coup de fouet ». Otto Eckmann (1865-1902), de peintre, devient illustrateur et créateur de meubles. Richard Riemerschmid (1868-1957) conçoit des meubles d'une pureté de formes rappelant celle de Mackintosh. August Endell (1871-1925) avait créé l'*Atelier Elvira* (1897-98, Munich, détruit), qui retrouvait l'esprit du Rococo avec les formes du Jugendstil.

Un deuxième centre de création, suscité par la volonté du grand-duc de Hesse, Ernst-Ludwig, s'implante à Darmstadt de 1899 à 1914. Sur une hauteur, des faubourgs de la ville, la Mathildenhöhe, est construite une *Künstlerkolonie* (colonie d'artistes). L'Autrichien Joseph-Maria Olbrich (1867-1908) en sera la personnalité dominante : il utilise modérément des courbes associées à des formes orthogonales et incorpore volontiers à ses ensembles des motifs décoratifs répétitifs. Il se rattache au goût d'un Klimt, avec qui il a travaillé à Vienne, et annonce, par le traitement des volumes, un dépassement de l'Art nouveau. Peter Behrens (1868-1940), qui ne reste que trois années à Darmstadt, cherche alors sa voie entre l'arabesque pure (le *Baiser*) et les volumes plus anguleux, notamment dans ses céramiques. La colonie de Darmstadt n'a probablement donné le jour à aucun grand chef-d'œuvre ; du moins a-t-elle travaillé dans une remarquable unité de pensée et tenté de réaliser le vieux rêve du *Gesamtkunstwerk* (de l'art total).

L'aspiration à retrouver le sens d'une vie primitive et collective suscite aussi la création d'une colonie artistique à Worpswede (près de Brême) : en 1889, Fritz Mackensens (1866-1953) et Otto Modersohn (1865-1943) s'y installent et seront rejoints par Fritz Overbeek (1869-1909) et Heinrich Vogeler (1872-1942), la personnalité la plus brillante du groupe, peintre et créateur de talent qui s'inscrit dans l'esprit du *Jugendstil*. À Dachau, près de Munich, se constitue un groupe analogue en 1894 autour de Ludwig Dill (1848-1940) et Adolf Hölzel (1853-1934).

L'ART NOUVEAU EN AUTRICHE

L'Art nouveau prend en Autriche une direction très originale, qui ouvre à son dépassement. Il naît dans l'entourage de l'architecte Otto Wagner (1841-1918), qui avait derrière lui toute une production néorenaissante, mais s'adapte, en 1897, aux formes nouvelles. Il se développe dans le cadre de la *Sezession*, qui présente en 1898 sa première exposition d'arts appliqués. Deux disciples de Wagner, Josef Hoffmann (1870-1956) et Josef Olbrich (1867-1908), s'illustrent dans les voies nouvelles et participent avec Klimt et O. Wagner aux *Wiener Werkstätten*, ateliers viennois créés en 1903 à l'instar des *Arts and Crafts*, pour réunir ouvriers d'art et artistes dans une sorte de coopération destinée à promouvoir l'art décoratif. Le second sera la figure dominante de Darmstadt. Le premier développe une architecture et un art ornemental fondés sur des formes quadrangulaires qui annoncent le dépouillement du style du XXᵉ s. : le *Palais Stoclet* (1905-1911, Bruxelles) n'a guère de liens avec l'Art nouveau que par le style du décor. À leurs côtés, Adolf Loos (1870-1933) est encore moins lié aux formes de l'Art nouveau, qui n'apparaissent que très discrètement dans ses œuvres de jeunesse. Son art, articulant des volumes simples entre eux, appartient au XXᵉ s.

La personnalité la plus marquante de l'Art nouveau autrichien est le peintre Gustav Klimt (1862-1918), l'un des fondateurs et le premier président de la *Sezession*. C'est en 1897 que son style s'affirme. Très soucieux de l'adaptation du décor à l'architecture, il aura la chance de créer plusieurs ensembles monumentaux (plafonds, certains détruits, à l'université de Vienne, 1900-1909 ; mosaïques du *Palais Stoclet*, 1909). Chez lui, des fonds décoratifs de nature non figurative, formés essentiellement d'éléments quadrangulaires, sont associés à des figures traitées de manière très réaliste : la richesse et le scintillement de ces fonds instaurent une ambiance de préciosité et de mystère par l'effacement des repères spatiaux. De l'Art nouveau, Klimt relève par son insistance sur l'élaboration mélodique de la forme, dont le *Baiser* de la mosaïque du *Palais Stoclet* donne un des meilleurs exemples.

L'ART NOUVEAU AUX PAYS-BAS

Le plus brillant architecte hollandais, H. P. Berlage (1856-1934), élève la *Bourse* d'Amsterdam de 1898 à 1903 : il se fonde sur une tradition historicisante — ici de caractère normand — qu'il dépasse en annonçant les volumes simples de l'architecture du XXᵉ s. Pourtant, dans le mobilier qu'il dessine, subsistent quelques inflexions de l'Art nouveau. Ce sont des décorateurs comme Gerrit Willem Dijsselhof (1866-1924) ou Johan Thorn Prikker (1868-1932) qui, dans leurs créations de tissus, notamment, sont les plus proches du mouvement international.

BINDESBFOLL
(1846-1908)

Avec Theodor BindesbFoll, le Danemark s'est enrichi d'un artiste qui ne dépend pas vraiment de l'Art nouveau, mais l'a plutôt, en quelque sorte, devancé. Architecte, il s'est consacré à la création d'objets, surtout de céramiques, plats, vases, pots. Ses décors puissants (notamment incisés) associent des formules traditionnelles scandinaves et des emprunts à l'Extrême-Orient.

ANTONIO GAUDÍ
(1852-1926)

C'est à Barcelone que s'est déroulée toute l'activité de l'un des créateurs les plus inspirés, mais aussi des plus personnels, de l'Art nouveau. Gaudí l'a même précédé (son activité débute dès 1876) et l'a en même temps transgressé. Son inspiration puise ses sources dans l'art gothique, les arts islamiques, mais aussi dans l'art roman. De l'Art nouveau, il relève par son goût de la courbe et de la recherche du pittoresque. Il lui échappe par sa fantastique imagination, par sa complaisance à rompre tous les liens avec la tradition, à rappeler les formes du passé tout en les niant par des variations inattendues de proportions, de rythmes ou de décors. Le parc Güell (1900-1914) retrouve les inventions les plus gratuites des jardins maniéristes. La *Casa Mila* (1905-1910), immeuble de rapport, est d'un plan et d'une structure révolutionnaires par l'utilisation constante de la courbe et des plans incurvés : la plasticité d'une telle création annonce le *Ronchamp* de Le Corbusier. Quant à son grand œuvre inachevé, la *Sagrada Familia* (commencée en 1887), il constitue une variation sur le thème de la cathédrale gothique avec une fantaisie d'inspiration qui retrouve des rythmes baroques.

LE FLOREALE

Ce que les Italiens ont appelé le *Floreale,* le style fleuri, n'est qu'une version très édulcorée de l'Art nouveau. Giuseppe Sommaruga (1867-1917), disciple d'Otto Wagner, au lieu de dépasser son exemple comme Hoffmann, s'attache plutôt à la tradition du XIXᵉ s. en lui apportant seulement l'enrichissement du « fleuri » de l'interprétation italienne. Raimondo D'Aronco (1857-1932) cherche plutôt sa voie dans des souvenirs baroques. L'Exposition de Turin en 1902, qui a marqué le moment le plus brillant du Floreale, est, à bien des égards, très proche de l'Exposition parisienne de 1900.

Bibliographie sommaire

HOFSTÄTTER (H. H.), *Symbolismus und die Kunst der Jahrhundertwende*, Cologne, 1965. DELE-VOY (R. L.), *Journal du Symbolisme*, Skira, Genève, 1977. MADSEN (S. T.), *Sources of Art nouveau*, Oslo, 1956.

LE POST-
IMPRESSIONNISME

(1884-1905)

Albert Châtelet

L'IMPRESSIONNISME DANS SON ACCEPTION la plus limitée n'a survécu, après 1884, que dans l'œuvre de quelques rares créateurs, surtout dans celui de Monet. Depuis quelques décennies, le terme de « Postim-pressionnisme » s'est imposé pour regrouper sous son vocable tous les artistes et toutes les tendances qui, en s'appuyant sur certains apports de l'Impressionnisme, l'ont dépassé en instaurant des expressions artistiques foncièrement différentes sur des points essentiels. L'accord est loin d'être réalisé toutefois sur les personnalités qu'il convient de classer ainsi. Il est plus clair de tenir compte, dans une telle tentative de taxinomie, non seulement des partis pris esthétiques, mais plus encore des générations. De fait, il est difficile de tenir pour « postérieurs » à l'Impressionnisme des artistes qui appartiennent à la génération des créateurs du mouvement, Cézanne par exemple, alors qu'un Seurat, un Gauguin ou un Munch ne pouvaient que voir des aînés, sinon des devanciers, en Renoir, Monet ou Pissarro.

Si la date de 1884 est généralement tenue pour celle de la naissance de ce Postimpressionnisme, c'est qu'elle correspond à un événement significatif qui marque l'entrée en scène d'une nouvelle génération, celle de 1850-1860. Au printemps, un groupe d'artistes qui a porté à sa tête Odilon Redon et dont un des membres les plus actifs est Paul Signac décide la fondation d'un « Salon des artistes indépendants » qui ne comportera aucun jury de sélection. Sa première manifestation a lieu le 15 mai ; avec la *Baignade* (Londres, N. G.), que Seurat expose, c'est bien le Postimpressionnisme qui naît : le tableau présente une apparence impressionniste, mais aussi, tant dans l'exécution que dans la pensée, une rigueur qui a peu à voir avec la spontanéité si souvent recherchée par les aînés du peintre.

Ce que rejettent essentiellement les artistes postimpressionnistes, c'est bien la sujétion à l'immédiateté de la vision, à laquelle Claude Monet, pour sa part, demeurera fidèle jusqu'à sa mort. L'« impression » n'est plus l'élément premier et essentiel de l'œuvre : une volonté de structurer les composants plastiques ou de faire porter à la création un message prime désormais dans l'élaboration et la conception.

Le Néo-Impressionnisme

GEORGES SEURAT
(1859-1891)

Créateur du Néo-Impressionnisme, ou Pointillisme, Seurat l'est certainement : autour de lui se regroupe une véritable école. Ne voir en lui que l'inspirateur d'un groupe amoindrirait pourtant sa personnalité, qui s'impose au premier rang en cette fin de siècle.

De son passage à l'École des Beaux-Arts dans l'atelier de Léon Lehman, qui maintenait vivantes les leçons de son maître Ingres, il a appris le goût d'un dessin ferme. Son génie sera de savoir le marier à l'analyse de la lumière. Dans ses dessins au crayon Conté, il fait surgir la forme d'une ombre dense et peut paraître nier le contour, qui est pourtant présent, même s'il semble se masquer : c'est, pour beaucoup, cette fermeté qui donne sa force à l'étude. Le noir gras du crayon Conté, accroché par les aspérités du papier, offre une large échelle de densités de gris qui permet d'obtenir un *sfumato* très subtil.

La première exigence de Seurat est l'élaboration très méthodique de ses œuvres, c'est-à-dire qu'il retrouve la pratique traditionnelle : des dessins de détails, des études d'ensemble, des notations colorées du site et des figures ont ainsi précédé la *Baignade*. La seconde discipline, adoptée volontairement, est de dépasser l'empirisme des Impressionnistes dans l'utilisation des couleurs pour les soumettre à des règles précises. Michel-Eugène Chevreul, avec sa loi du contraste simultané, lui a offert le principe de l'opposition des complémentaires. Il en déduira l'idée de peindre par points de couleurs élémentaires qui se marieront dans l'œil à une certaine distance. À l'étape première de ce qu'il appelle lui-même des « croquetons », Seurat n'est pas aussi exigeant et pratique une touche plus spontanée, comme hachée, construisant nettement par plans de lumière.

L'emploi de règles aussi contraignantes impose aux créations de Seurat une sorte de raideur, dont il tire parti. Il en accuse même l'effet en élaborant ses compositions sur des schémas établis sur la base du nombre d'or, qui les bride encore plus.

La vie brève de Seurat — il sera emporté à trente-deux ans par une angine infectieuse — ne lui a pas permis de laisser un œuvre abondant. Il n'a pu mener à bien que quelques grandes toiles, en dehors de la *Baignade : Un dimanche après-midi à l'île de la Grande-Jatte* (Chicago, Art Inst., 1886), la *Parade* (1888, New York, Metropolitan Museum), les *Poseuses* (1888, Philadelphie, Barnes Foundation), le *Chahut* (1890, Otterlo, musée Kröller-Müller) et enfin le *Cirque* (1891, Paris, musée d'Orsay). Leurs thèmes évoquent certains aspects de la vie sociale, qui sont choisis, toutefois, pour leur densité poétique et leurs possibilités plastiques. Ses paysages de Grandcamp (1885), Honfleur (1886), Port-en-Bessin (1888), Gravelines (1890) sont d'une ambition moins grande : ils évoquent une nature sans présence humaine et doivent leur expression à la finesse de la notation de la lumière comme à la solennité de leur structure.

LE DIVISIONNISME

Divisionnisme, Pointillisme, Néo-Impressionnisme, les termes ne manquent pas pour désigner la pratique inaugurée par Seurat, et tous se valent, chacun reflétant vraiment l'un de ses caractères, la division du ton, la touche en points, les emprunts à l'Impressionnisme. La formule proposait des règles, elle ne pouvait que séduire et a entraîné dans son orbite de nombreux artistes. Pour beaucoup d'entre eux, ce ne fut qu'une étape avant de retrouver des formes plus conventionnelles, bien que leur passage sous la règle divisionniste ait souvent marqué le meilleur moment de leur production. Albert Dubois-Pillet (1846-1890) avait fait l'inverse : amateur, il est venu d'un métier traditionnel à la nouvelle vision, avec des soucis réalistes. De passage, venus de l'Impressionnisme avant d'y retourner, furent Camille Pissarro et son fils Lucien (1863-1944), Louis Hayet (1864-1940), Charles Angrand (1854-1926), Petit-Jean (1854-1929). En Belgique, cette pratique nouvelle séduira Georges Lemmen (1865-1916), Willy Finch (1854-1930) et surtout

Théo van Rysselberghe, tandis que Henry van de Velde, qui abandonne rapidement la peinture pour l'architecture, ne connaît qu'une très brève époque divisionniste, fort originale au demeurant par son étroite association avec les arabesques de l'Art nouveau.

Quelques peintres seulement demeurèrent fidèles au Divisionnisme et marquèrent sa présence en plein xxᵉ s. : ce sont Henri Edmond Cross, Paul Signac et Théo van Rysselberghe. Le premier (1856-1910) est moins rigoureux que Seurat dans ses compositions et se rapproche davantage d'une vision traditionnelle. Il se distingue pourtant par des dominantes colorées très personnelles.

Le personnage essentiel demeure Paul Signac (1863-1935). Premier apôtre du mouvement, il a joué un rôle décisif non seulement par la qualité de ses œuvres, mais aussi par son charisme personnel, qui a fait de lui l'ami et le conseiller de bien des peintres. Il fut d'abord le plus fidèle interprète de la leçon de Seurat et a trouvé des accents presque aussi puissants que son aîné, comme dans le *Quai de Clichy* (1887, musée de Baltimore), le *Petit Déjeuner* (1887, Otterlo, musée Kröller-Müller) ou le si singulier *Portrait de Fénéon* (1890, coll. part.). Vers la fin du siècle, sa technique et son inspiration évoluent. Ses touches se font plus larges, sa vision retrouve un ton plus impressionniste en ce que la forme se définit moins nettement et que l'atmosphère colorée est plus importante que les tons locaux. Comme Seurat, il prépare ses œuvres par des études, des croquetons exécutés spontanément en larges touches qui définissent les formes en même temps qu'elles colorent : il les peint dans une gamme à dominante très chaude, que la coloration de ses tableaux rejoindra progressivement. Vers la fin du siècle également, il tend à compléter ses études à l'huile par des aquarelles, réalisées dans des gammes voisines : elles deviendront bientôt l'un des aspects les plus prisés de son œuvre et il lui arrivera souvent de se laisser aller, dans ce type de production, à quelque facilité. Si le Divisionnisme a marqué une étape essentielle au tournant du siècle pour de nombreux jeunes ar-

tistes, aussi divers que Matisse, Braque o Metzinger, ils le doivent bien à la ferveu de Signac, à la hauteur de ses créatior et de ses idées esthétiques. Son livr *D'Eugène Delacroix au Néo-Impression nisme*, paru en 1899, fut la bible d beaucoup de peintres.

Le Belge Théo van Rysselberghe (186. 1926) a suivi une route très voisine d celle de Signac. Aussi bien, dès 1898, abandonne son pays d'origine pour s'in taller à Paris, d'abord, puis à Saint-Clai Ce n'est que vers 1910 qu'il adopte un touche plus large, rejoignant en cel l'exemple de Signac. Son art demeur souvent plus conventionnel que celui d son ami. Acceptant fréquemment de commandes de portraits, il est conduit assouplir sa technique pour satisfaire so modèle.

Paul Gauguin
(1848-1903)

Quatre ans après le premier Salon de indépendants, en 1888, se trouvait réur en Bretagne, à Pont-Aven, tout un group de jeunes artistes. Deux d'entre eux dom naient cette colonie artistique d'un m ment, Émile Bernard (1868-1941) et Pa Gauguin. Le premier était arrivé seule ment au début d'août et avait apporté ave lui des tableaux peints à Paris au cour de l'année précédente, dans un esprit d recherche voisin de ce que tentait Loui Anquetin (1861-1932), des peintures qui s voulaient déjà « synthétiques ». Gaugui comprit vite l'intérêt de la formule, encor malhabile, des deux précurseurs. Il ava déjà lui-même expérimenté, dans une d ses premières céramiques, en 1886, u dessin fortement cerné. Dès septembre, peignait la *Vision après le sermon* (188. Édimbourg, N. G.), premier chef-d'œuvr d'un art nouveau. À côté de cette for accentuation des contours — ce qu' appellera le *Cloisonnisme* —, l'œuvre tra hit par sa composition l'influence d Japonisme. Déjà le mois précédent, Gau guin disait de l'une de ses toiles qu'ell était « tout à fait japonaise ». L'emprur ne se limite pas ici à la reprise d'un moti d'Hokusai pour peindre le combat de Jacob avec l'ange, toute la création picturale en est marquée. C'est l'exemple des estampes japonaises qui conduit Gauguin à rechercher le respect de la planéité de la toile, à réduire les indications spatiales à de simples suggestions, à rejeter tout usage de la perspective atmosphérique, à composer par succession de plans simples. La couleur devient aussi un élément essentiel : elle est employée pour elle-même, sans fonction directe de représentation. Quelques semaines plus tard, lorsque Gauguin guidera la main de Paul Sérusier, qui tentait de peindre un coin du bois d'Amour, il lui dira : « Comment voyez-vous cet arbre ? il est vert ? Mettez donc du vert, le plus beau de votre palette ; et cette ombre : plutôt bleue ? Ne craignez pas de la peindre aussi bleue que possible. »

Cette nouvelle pratique picturale s'inscrivait aussi dans un esprit symboliste, hérité notamment de l'art de Puvis de Chavannes, qui restituait à la peinture son droit à traduire une idée. « Je crois avoir atteint dans les figures une grande simplicité rustique et superstitieuse » écrivait-il à Van Gogh, en expliquant que « le contraste entre les gens et la nature » tient à ce que « le paysage et la lutte n'existent que dans l'imagination des gens en prière ». Symboliste, Gauguin sera tenu pour tel, surtout pendant son séjour à Paris entre novembre 1890 et avril 1891, tandis que les écrivains et les poètes le fréquentent et le louent.

Curieux destin que cette consécration de chef d'école pour un homme qui s'était fait d'abord connaître comme un peintre du dimanche. De 1872 à 1883, il était courtier de change à la Bourse et menait une vie bourgeoise auprès de sa femme Mette, une jeune Danoise de bonne famille, épousée en 1873, qui lui donna cinq enfants. Un réel talent pictural l'avait fait remarquer des Impressionnistes, surtout de Pissarro, et lui avait valu, en 1879, une invitation à participer à la quatrième exposition du groupe. Ses débuts n'étaient pourtant que ceux d'un petit maître de qualité, non d'un maître. En 1882, le krach de l'Union générale va lui faire perdre sa situation et il tentera de se tracer une

nouvelle carrière avec ses dons de peintre. Son erreur sera de croire que l'innovation pourrait lui assurer des ventes : le marché de l'art demeurait trop traditionnel pour cela. Il cherchera à trouver une clientèle dans le domaine de la céramique en créant des « sculptures-céramiques » grâce à Ernest Chaplet, qui lui avait ouvert son atelier de la rue Blomet à partir de 1886-87, sur la recommandation de Bracquemond. Ses réalisations sont très neuves et s'inspirent notamment des formes et des procédés de la poterie péruvienne précolombienne, qu'il connaissait depuis son enfance : elles demeurèrent incomprises.

Son ascendance péruvienne — son arrière-grand-père maternel était de cette nationalité — a pesé, effectivement, sur son œuvre. Sa première enfance se déroule au Pérou et lui a sans doute donné le goût de l'aventure et des terres lointaines. À dix-sept ans, il s'engage comme pilotin et pendant six ans bourlingue dans des directions variées. Après ses douze années de vie bourgeoise, l'aventure le tente à nouveau.

En 1887, c'est le départ pour Panamá et, de là, pour la Martinique avec un compagnon de Pont-Aven, Charles Laval (1862-1894). Après l'affirmation à Pont-Aven, en 1888, il séjourne deux fois en Polynésie, à Tahiti de 1891 à 1893 et de 1895 à sa mort, survenue en 1903, à nouveau à Tahiti puis aux îles Marquises.

L'aventure appelait Gauguin, mais aussi la recherche d'un monde primitif qu'il avait déjà essayé de retrouver en Bretagne. En Polynésie, faute de le saisir directement, il le recrée par l'imagination avec l'aide d'anciens récits de voyageurs (Moerenhout) et la transposition habile de sa culture figurative : l'Égypte, la Grèce, le temple de Borobudur, Puvis de Chavannes lui fournissent les structures de ses peintures tahitiennes. En donnant à ses œuvres des titres en langue maorie, en faisant publier *Noa-Noa*, qui se présentait comme le récit de sa découverte des traditions cultuelles maories (toutes, en fait, empruntées à Moerenhout), il entourait habilement sa production de mystère.

Symboliste, il l'est, certes, dans cette recherche de l'évocation des mythes primitifs. Aussi bien, la grande composition qu'il peindra en 1897, après une grave maladie qui lui fait entrevoir la mort : *D'où venons-nous, que sommes-nous, où allons-nous ?* (Boston, M. F. A.), est-elle bien, tant par la composition que par l'inspiration, l'équivalent d'une toile de Puvis de Chavannes, habillée de maori. Ses œuvres exposées à Paris en 1898 chez Vollard, en 1903 et 1906 au Salon d'automne, sont bien reçues comme telles par les écrivains. Pour les peintres, ce qui compte avant tout, c'est la leçon picturale que donne Gauguin et qui renouvelle celle de Pont-Aven : mis à part le mystère exotique, le *Cheval blanc* (Paris, musée d'Orsay) est conçu selon les mêmes principes que la *Vision après le sermon* d'Édimbourg. Et, par ses œuvres tahitiennes, peintures et sculptures, Gauguin a contribué à ouvrir les yeux des artistes sur les expressions artistiques des cultures dites « primitives ».

L'école de Pont-Aven

Émile Bernard, qui a revendiqué tardivement la paternité du Cloisonnisme, l'a pourtant assez vite abandonné : dès 1894, alors qu'il séjourne au Caire, où le passé égyptien aurait pu le rattacher aux idées gauguiniennes, il retourne vers un art traditionnel. Les seuls artistes qui demeureront fidèles à l'exemple de leur chef de file sont ceux que la mort a fauché trop tôt. C'est le cas de Charles Laval, le compagnon du voyage aux Antilles, disparu au cours d'un séjour au Caire où il avait rejoint Émile Bernard. C'est aussi celui du Hollandais Jakob Meyer de Haan (1852-1895), l'un des peintres les plus proches de Gauguin, qu'il a soutenu financièrement à plusieurs reprises. C'est enfin le destin discret d'Armand Seguin (1869-1903), à peine marqué dans ses dernières œuvres du début du XX⁰ s. par une stylisation plus proche de l'Art nouveau.

Émile Schuffenecker (1851-1934), l'ami trop généreux que Gauguin a largement exploité, demeure l'une des petites voix les plus fidèles aux premiers moments. Paul Sérusier (1863-1927) est un interprète plus brillant tant de la Bretagne que de l'enseignement de Gauguin. Il l'abandonne pourtant, au début du XX⁰ s., pour un symbolisme religieux assez fumeux. La voie religieuse semblait attirer particulièrement les artistes du groupe : était-ce un penchant premier qui les avait justement attirés vers la chrétienne Bretagne ? Ou était-ce celle-ci qui les faisait verser dans un renouveau mystique ? Le Hollandais Jan Verkade (1868-1948), dont les débuts à Pont-Aven annonçaient un peintre brillant, deviendra Dom Willibrord, en 1901, en entrant dans les ordres. L'Alsacien Charles Filiger (1863-1928), dès son passage à Pont-Aven, s'exprime dans un langage mystique qui associe des souvenirs des Préraphaélites aux pratiques de Gauguin. Le Danois Jens Willumsen (1863-1958), qui travaille en France de 1888 à 1894, ne suit pas la même voie religieuse, mais il est demeuré l'un des artistes les plus proches de Gauguin, dans sa peinture comme dans la sculpture de sa jeunesse.

Les Nabis

Il y a quelque arbitraire à distinguer le groupe des Nabis de l'école de Pont-Aven. Pourtant, les deux figures de proue de ce mouvement, Pierre Bonnard (1867-1947) et Édouard Vuillard (1868-1940), et même Maurice Denis (1870-1943), n'ont jamais séjourné en Bretagne aux côtés de Gauguin.

C'est à l'automne de 1888 que Paul Sérusier, de retour de Pont-Aven, montra à ses camarades de l'académie Jullian le petit tableau peint sous la dictée de Gauguin qu'ils dénommèrent le *Talisman* (Saint-Germain-en-Laye, musée du Prieuré). Bonnard, Denis, Ibels, Ranson et leurs amis de l'École des Beaux-Arts, Roussel et Vuillard, en furent fortement impressionnés. Ils formeront un groupe aux réunions périodiques, en se dénommant solennellement *Nabis* (en hébreu, prophètes). Prophètes, ils le seront pourtant peu et ne resteront fidèles à l'exemple du leur, Gauguin, que pendant une dizaine d'années tout au plus. L'un d'entre eux, Maurice Denis, devait cependant, dès le mois d'août 1890, dans *Art et critique*, publier une définition toute gauguinienne du tableau, qui est pour lui « essentiellement une surface plane recouverte de couleurs en un certain ordre assemblées ».

Ce précepte, les Nabis l'ont respecté dans leur première période, celle qui correspond à l'unité de leur groupe. Leurs œuvres s'efforcent alors de conserver la planéité chère à Gauguin et donnent un rôle primordial à la couleur disposée en aplats. Leurs thèmes, par contre, sont très différents de ceux de leur inspirateur. Ils se détournent du monde primitif ou des symboles pour évoquer la vie quotidienne de la bourgeoisie. L'activité de ces peintres est alors étroitement liée à *la Revue blanche*, dont la publication (1889-1903) correspond sensiblement à la vie du groupe. Des amitiés les lient également au théâtre des Arts de Paul Fort, au théâtre naturaliste d'Antoine ou à l'*Œuvre* de Lugné-Poe, pour lesquels ils créeront affiches, programmes, voire décors.

L'un des aspects les plus brillants de la production des Nabis est alors leur œuvre graphique, surtout réalisé en lithographie. Plus encore que de Gauguin, il procède directement de leur source commune, l'estampe japonaise. Il a d'ailleurs, en commun avec l'*ukiyo-e*, un intérêt dominant pour la vie quotidienne, évoquée à la fois avec justesse d'observation, sûreté des moyens plastiques et tendre ironie (telles la *Petite Blanchisseuse* [1896] de Bonnard ou la *Cuisinière* [1899] de Vuillard). Mary Cassatt leur avait montré la voie d'un Japonisme moderne en éditant, en 1891, une superbe série de dix estampes en couleurs qui reniait quelque peu la pratique impressionniste de cette artiste. C'est dans un esprit très voisin que Bonnard, Vuillard, Roussel et Ibels créèrent affiches et programmes, à côté de leur œuvre gravé proprement dit.

Les peintures de ces mêmes années, surtout celles de Bonnard et de Vuillard, rivalisaient de rigueur dans la recherche de la planéité et de fantaisie dans le choix du sujet. Montrer un homme paressant au lit (*Au lit*, Vuillard, 1891, Paris, musée d'Orsay) dans la technique de la *Vision après le sermon*, c'est bien ramener sur terre l'ambition symboliste, c'est utiliser cette même facture austère pour souligner plus encore le ton ironique du propos.

Les sujets choisis s'adaptaient mal à une facture aussi sévère : le narré appelait le détail. Il réapparaît d'abord chez Vuillard par le biais de l'ambiance colorée des intérieurs : le chatoiement des papiers peints et des étoffes domine vite les tableaux au détriment des aplats colorés. Les silhouettes demeurent, mais elles sont animées par un papillotement des touches qui pourrait paraître impressionniste, voire pointilliste, s'il ne décrivait un motif essentiel de la réalité bourgeoise contemporaine. Chez Bonnard, le glissement se fait plus directement encore : l'attrait du sujet appelle, vers 1900, un retour à une figuration plus précise, enrichie, toutefois, de la vision colorée des Impressionnistes. On ne trouvera chez lui ni la rigueur du Pointillisme ni même la division du ton des Impressionnistes, mais seulement une facture souple, suggestive, où la touche tantôt circonscrit, tantôt suggère la forme, tout en colorant.

1900 marque bien pour Bonnard, Vuillard et leurs amis les Nabis un premier « retour à l'ordre ». Au moment où vont éclore les recherches les plus audacieuses à l'égard de la réalité de vision, ils reviennent, l'un et l'autre, à cette réalité, même s'ils l'interprètent avec un sens poétique de la lumière qui exclut de voir en eux de simples illustrateurs. Leur audience en est plus largement assurée. Vuillard obtient de nombreuses commandes de portraits, auxquelles il se soumet volontiers. Ce n'est que vers 1930 que Bonnard, quant à lui, s'éloigne de cette pratique un peu facile pour trouver une voie nouvelle dans une incantation colorée.

Le chemin de Ker Xavier Roussel (1867-1944) est si proche de celui de Vuillard, à qui le liait une très étroite amitié, que l'on tend à ne l'en pas dissocier. Il eut quelques velléités de retrouver un grand style, de traduire en un langage moderne les thèmes mythologiques : il lui manquait cependant l'ampleur ou la sensibilité de vision nécessaire pour atteindre un but aussi ambitieux.

L'engagement religieux de Maurice Denis (1870-1943) a pesé très tôt sur son art, puis lui vinrent des commandes de décorations pour des amateurs (Rouché, Morosoff, Gabriel Thomas, le prince de Wagram) et pour le Théâtre des Champs-Élysées (1912), qui le ramènent encore plus à la figuration. Son expérience première des partis de Gauguin le conduit à maintenir une certaine simplification des modelés et à assurer autorité aux silhouettes. Son art ne s'en affaiblit pas moins et se laisse entraîner vers la facilité par la tentation du succès. « Je deviens officiel, écrivait-il dans un émouvant retour sur lui-même, tout en cultivant la secrète inquiétude d'un art qui exprime ma vision, ma pensée, et tout en m'efforçant de mieux réaliser la leçon des maîtres. »

Aux côtés de ces trois personnalités, un Paul Ranson (1864-1909) fait figure de petit maître. L'originalité de sa pratique est d'avoir assimilé des rythmes d'arabesques et des motifs de l'Art nouveau. Quant au Suisse Félix Vallotton (1865-1925), il a vécu, de manière peut-être encore plus rapide que ses amis parisiens, le retour à la forme. Le passage par le respect de la surface plane de la toile ou de la feuille qui a donné naissance à des œuvres très attachantes et spirituelles (l'*Été*, Zurich) semble avoir provoqué chez lui comme une réaction inverse ; à partir de 1900 environ, il traduit les volumes avec une insistance surprenante, tout en conservant un souci remarquable de l'organisation de la surface picturale. C'est dans ses paysages, en choisissant des vues plongeantes, qu'il demeure le plus fidèle à sa jeunesse nabi.

Toulouse-Lautrec (1864-1901)

La forte poussée du Japonisme dans les années 1890 s'illustre le plus spectaculairement dans l'art d'un isolé, qu'il est difficile de rattacher à un mouvement précis, Henri de Toulouse-Lautrec. Impressionniste, il le fut par ses premières tentatives personnelles, après son passage dans les ateliers de Bonnat et de Cormon (1882-83). Le Néo-Impressionnisme ne l'attira jamais et ses contacts avec Gau-

guin furent insignifiants. C'est à Degas qu'il doit probablement son goût d'une certaine trivialité, comme des compositions japonisantes. On peut le tenir pour postimpressionniste parce qu'il met l'accent tant sur l'écriture de ses œuvres que sur leur signification. Le monde du théâtre l'attire, comme Degas, mais non celui des danseuses, auquel il préfère les cafés-concerts, la Goulue et Valentin le Désossé. Par-delà Degas, Toulouse-Lautrec retrouve des accents de Daumier : il a la même cruauté apparente dans son pinceau aigu, aime à jouer des déformations des feux de la rampe ou des efforts du chant ou de la danse. Derrière ce masque, c'est une tendresse profonde qui se révèle à l'égard de ses modèles, dont il dévoile les traits les plus humblement humains.

Toulouse-Lautrec ne fut point nabi, en ce qu'il ne participa jamais aux réunions du groupe, auquel ne le rattachait aucun lien personnel étroit. Tout son œuvre graphique n'en demeure pas moins apparenté à ceux de ses membres. Sa première affiche importante, *Moulin-Rouge*, est de la même année (1891) que *France-Champagne* de Bonnard : elle est cependant plus forte et plus novatrice et inaugure une série impressionnante avec, notamment, *Bruant* (1892), le *Divan japonais* (1892), *May Belfort* (1895), qui allient l'autorité des formes à la puissance de la couleur et à l'efficacité du message. Dans les affiches et les lithographies comme dans les peintures, le dessin demeure le moyen essentiel d'expression : un dessin qui n'est pas descriptif, mais avant tout expressif parce qu'il saisit le caractère au détriment de la précision de la vision. En ce sens, Toulouse-Lautrec pourrait presque être tenu pour expressionniste si son tempérament n'était pas foncièrement gai et sa cruauté apparente, plus une manière de sourire qu'une véritable satire.

Les précurseurs de l'Expressionnisme

VINCENT VAN GOGH (1853-1890)

Les prémices de l'Expressionnisme apparaissent dans les deux dernières décennies du XIXᵉ s. On en relèvera les premiers témoignages dans l'art d'un Vincent Van Gogh, d'un Edvard Munch et, à un moindre degré, aussi dans celui d'un James Ensor (1860-1949).

Ce n'est guère ici le lieu de redire la passion de Van Gogh, qui, après avoir tenté de se donner à la religion en se faisant missionnaire de la foi, s'est voué tout entier à la peinture. Ses débuts hollandais de 1881 à 1886 peuvent être tenus pour réalistes. Son cousin, le peintre Anton Mauve (1838-1888), l'avait introduit à la pratique réaliste de ses compatriotes. Sa passion pour Millet — qui ne le quittera jamais — s'exerce dans le même sens. Sa vie à Nuenen et dans la Drenthe le plonge dans un monde paysan qui lui propose des modèles proches de ceux de son inspirateur parisien. Ses *Mangeurs de pommes de terre* (1885, Amsterdam, M. N. Van Gogh) dépassent pourtant le Réalisme : au-delà d'une description sans complaisance teintée d'un accent de violence, ils entendent bien rendre témoignage et démontrer la vie rude de ces hommes de la terre. Même la *Vieille Tour à Nuenen* (1885, *id.*) n'est pas une représentation innocente : ce n'est pas sans raison que Van Gogh l'évoque dans une de ses lettres à propos de l'*Église d'Auvers* (1890, Paris, musée d'Orsay). Sa peinture demeure cependant embourbée dans la pratique du XIXᵉ s. : elle reste dominée par une gamme sombre et des effets de clair-obscur. Ce n'est guère que dans quelques paysages de La Haye (1881) qu'il éclaire un peu sa palette. Si Vincent Van Gogh en était resté à cette étape, il aurait laissé l'image d'un réaliste hollandais original, mais non d'un grand créateur.

Puis c'est l'arrivée à Paris, le 28 février 1886, et quatre années de production intense, de quête dramatique d'une vérité picturale, jusqu'à sa mort, le 29 juillet 1890, sur un lit d'un petit hôtel d'Auvers-sur-Oise, où il a agonisé près de deux jours après s'être logé une balle dans la poitrine. Les deux années parisiennes le décrassent du XIXᵉ s. L'Impressionnisme et le Pointillisme lui révèlent la couleur pure et lui font rejeter les terres. La progression est très rapide. En 1887, il s'est déjà forgé une technique personnelle, synthèse de celles

de l'Impressionnisme et du Pointillisme : sa touche n'est pas un point, mais une sorte d'accent, elle n'apporte pas seulement le ton, elle crée une forme ou suggère le modelé. Vers la fin de cette même année 1887, il découvre, lui aussi, des estampes japonaises qui lui font repenser sa composition, sa coloration, qui gagne encore en intensité et en chaleur, et jusqu'à sa touche, qui sera plus accusée. *La Segatori* (1887, Paris, musée d'Orsay) est une œuvre prémonitoire : conçue comme un Hokusai, elle transpose la vision et utilise la couleur comme valeur d'expression plus que de représentation.

Lorsque Vincent Van Gogh arrive à Arles, le 2 février 1888, il est prêt à recevoir le choc de la lumière méridionale avec son éclat implacable. On connaît la suite, la conquête d'une couleur exacerbée, la tentative d'un « atelier du Midi » avec Gauguin, entre octobre et décembre 1888, qui s'achève dramatiquement, les soins à l'hôpital d'Arles, puis à l'hospice de Saint-Remy (mai 1889-mai 1890), le retour plus près de Paris et de son frère Théo, marié depuis peu, à Auvers-sur-Oise, son suicide enfin. Entre — et non pendant — ses crises, il peint avec une ardeur farouche.

Ce qu'apporte Van Gogh dans ses deux années de production intense, c'est d'abord l'utilisation de la couleur dans sa plénitude. Il transpose le ton local, comme Gauguin le conseillait à Pont-Aven, mais il lui donne une force plus intense par des contrastes de couleurs qui font dominer les valeurs les plus chaudes. Pour lui, la couleur est « expression » et c'est grâce à sa « science de la couleur » qu'il entend traduire ses sentiments. En cela, il n'est pas tellement éloigné de l'attitude d'un romantique, qui veut traduire ses états d'âme dans sa peinture. À la rêverie, il préfère toutefois une communion avec la nature, une manière de panthéisme.

L'œuvre de Van Gogh ne devait avoir de retentissement que très tardif. En dehors de quelques amis, tels Gauguin, É. Bernard, Signac, peu le connaissaient. Ses tableaux furent rarement montrés de son vivant, un seul fut vendu. Ce n'est qu'en 1901 que la première exposition de quelque importance fut présentée à Paris. Il n'en a pas moins ouvert une voie nouvelle, qui attirera de nombreux artistes à l'aube du XXᵉ s.

EDVARD MUNCH
(1863-1944)

De dix ans plus jeune que Van Gogh, le Norvégien Edvard Munch a pourtant connu presque le même milieu parisien que lui. Il fait un premier voyage à Paris en 1885 avant d'y séjourner plus longuement entre le mois d'octobre 1889 et le printemps de 1892, avec de brèves interruptions pour des retours en Norvège ou des voyages en Italie. S'il fréquente pendant quatre mois l'atelier de Bonnat, bien plus importante pour lui fut la découverte de l'œuvre de Gauguin dans le cadre du café Volpini, en marge de l'exposition de 1889. Son premier séjour lui avait fait connaître l'Impressionnisme et l'avait conduit à éclaircir sa palette. Il n'en était pas moins resté à l'inspiration réaliste de ses débuts. Son second séjour est celui de la maturation. Il eut pourtant peu de contacts personnels avec les artistes parisiens : les œuvres lui suffirent pour lui permettre d'élaborer un art qui prend ses distances par rapport à la représentation traditionnelle.

À son retour de Paris, en 1892, son style est suffisamment affirmé pour que l'exposition de ses œuvres suscite le scandale à Oslo et plus encore à Berlin, mais les protestations lui assurent également l'appui d'artistes et le soutien du critique d'art Julius Meier-Graefe. L'ambiance dramatique qui sera celle de ses tableaux ne s'exprime encore que par un dépouillement de la composition et une suggestion plus qu'une description des formes. Le *Portrait de sa sœur Inger* (1892, Oslo, N. G.) n'est audacieux que par les indications sommaires du fond et du sol. Si un certain climat d'angoisse s'instaure, c'est uniquement par l'harmonie colorée et par cette vacuité même du lieu. De 1892 à 1895, Munch séjourne en Allemagne, surtout à Berlin, où il trouve accueil et compréhension. C'est le moment où il s'affirme pleinement et donne ses chefs-d'œuvre, le *Cri* (1893, Oslo,

N. G.), *Angoisse* (1894, Oslo, musée Munch), la *Madone* (1894-95, Oslo, N. G.). L'unité d'expression est atteinte. Le *Cri* ou *Angoisse*, ce ne sont pas seulement des visages expressifs, ce sont des toiles tout entières dramatiques où les stries sinueuses du soleil couchant, les lacis des routes et des rivières enchaînent les figures dans le drame : cette liberté à l'égard de la réalité n'a été possible que par l'exemple des expériences parisiennes, par la fréquentation de l'œuvre de Gauguin et peut-être de Van Gogh. Elle a trouvé un soutien à la fois dans l'inspiration des écrivains nordiques, Ibsen ou Strindberg, et dans le climat spirituel du Berlin de la fin du siècle.

Lorsqu'il revient à Paris entre 1896 et 1898, Munch fréquente moins les artistes français que Julius Meier-Graefe, alors assistant de Bing, ou Ibsen, pour qui il dessine le programme de Peer Gynt. Son œuvre graphique, qui avait été amorcé en Allemagne en 1894, s'affirme alors avec une nouveauté singulière : il s'appuie sur les expériences de Gauguin, connues dès 1889, pour rechercher à la fois une synthèse essentiellement expressive et tirer parti du caractère fruste de la gravure sur bois, suivant en cela les exemples des planches tirées à Tahiti. Son chef-d'œuvre dans ce domaine, le *Baiser*, ne date que de 1902 : il est l'aboutissement d'une longue méditation sur les procédés gauguiniens, mais aussi sur les arabesques de l'Art nouveau.

En 1897, Munch présente à Paris, au Salon des indépendants, un ensemble de tableaux qu'il appelle *Frise de la vie*, anthologie de ses principaux thèmes : *Puberté, Attraction,* le *Baiser, Désir, Jalousie,* le *Vampire,* la *Madone, Mort dans la chambre de malade.* L'amour et la mort, qui reviennent sans cesse au centre de sa pensée, sont les reflets de ses problèmes personnels autant que d'un climat spirituel très nordique.

Sa production reste saisissante et forte jusqu'en 1905, date à laquelle une grave dépression nerveuse l'oblige à une année de soins. Il se fixe ensuite définitivement en Norvège, où il poursuivra son œuvre jusqu'à sa mort, en 1944. L'élan est cependant brisé. Il se reprend sans cesse, élabore de nouveau ses œuvres anciennes sans plus retrouver vraiment son émotion première. Sa palette se fait plus claire et moins dramatique, son pinceau moins nerveux : l'œuvre reste riche, il n'est plus visionnaire. Même les fresques de la salle des fêtes de l'université d'Oslo, réalisées en 1913-1915, ses créations les plus importantes par leurs dimensions, sont d'un ton plus détendu qui ne justifie plus tout à fait ses élans formels. Son exemple n'en demeure pas moins décisif pour toute l'orientation expressionniste germanique.

JAMES ENSOR
(1860-1949)

Le destin du Belge Ensor est un peu semblable à celui de Munch : une brève et éblouissante période créatrice, suivie d'une longue maturité et d'une vieillesse consacrée à une exploitation un peu appliquée des travaux de jeunesse.

La précocité d'Ensor a de quoi surprendre. À vingt ans, après un bref passage à l'Académie de Bruxelles, il s'affirme déjà. Par lui-même, il étudie les maîtres et exécute de nombreux dessins d'après Rembrandt, Goya, Daumier. Sans doute a-t-il pu connaître l'œuvre de ses aînés belges, tels que Henri De Braekeleer. L'Impressionnisme ne lui est certainement pas inconnu non plus : il peint très tôt avec une palette claire et une touche franche, dont seuls les peintres français ont pu lui donner l'exemple. Ses toutes premières œuvres s'inscrivent dans un esprit de réalisme bourgeois, vers lequel il a pu être orienté par ses prédécesseurs belges mais qui n'est pas sans parenté avec l'art de Degas.

Très vite percent l'ironie et un aspect visionnaire. La *Dame en détresse* (1882, Paris, musée d'Orsay), c'est déjà — son titre l'indique — autre chose que le seul intérieur que l'on distingue d'abord. L'année suivante, en 1883, apparaissent les fantaisies de l'*Autoportrait au chapeau fleuri*, qui fait penser aux extravagances de Rembrandt, ainsi que les premiers masques. En 1888, l'année où Gauguin peint sa *Vision après le sermon*, où Van Gogh gagne Arles et découvre le Midi, Ensor peint son chef-d'œuvre,

l'*Entrée du Christ à Bruxelles* (Anvers, M. R. B. A.).

Sur le seul plan pictural, l'art d'Ensor n'est pas plus audacieux que celui d'un Impressionniste modéré, qui respecte la forme et fait jouer les couleurs claires par contraste entre elles. Son invention formelle n'est pas non plus essentielle et fait souvent référence à la tradition. C'est par ses thèmes que son originalité s'affirme, dans une vision ironique de la société où masques et squelettes jouent un rôle décisif : substituts de l'humain, ils en donnent une image gaie où la critique se fait tendresse amusée. Le réel et le rêve s'emmêlent étroitement dans cette production brillante, un rêve qui surgit souvent à travers les traditions de la vie populaire, comme les entrées de Carnaval. Par ce jeu de l'entre-deux, Ensor peut apparaître comme un précurseur du Surréalisme, bien que les artistes de ce mouvement semblent l'avoir peu regardé. Annonciateur de l'Expressionnisme, il l'est par la déformation expressive, figée dans le rictus que le masque apporte à son œuvre. Son originalité réside dans la gaieté de son ton, qui demeure au niveau du sourire plus souvent que du rire franc et que soutiennent la force et la clarté des couleurs.

Un artiste isolé
August Strindberg
(1849-1912)

À côté des précurseurs que sont ces quelques grands artistes peut être évoquée une personnalité dont la démarche s'inscrit dans une orientation foncièrement opposée à l'Impressionnisme, mais qui demeure sans lendemain. L'écrivain norvégien August Strindberg a pratiqué la peinture, à plusieurs reprises, d'une manière singulière. Contemporain de Gauguin, il ne lui doit rien. Ami de Munch, il ne le suit pas non plus. En 1894, il publie en français un texte singulièrement prophétique, *Des arts nouveaux ou le Hasard dans la production artistique :* il y défend le rôle du hasard de l'instant premier dans la création artistique. C'est pendant un séjour en Autriche en 1893-1895 et à Stockholm entre 1900 et 1907 qu'il a peint ses toiles les plus importantes. Elles se présentent le plus souvent comme des paysages fantastiques, exécutés d'une pâte généreuse, presque sculptée au couteau à palette. Si l'on en croit les théories de leur auteur, qui préfigurent l'automatisme surréaliste, de telles visions n'ont pas été conçues *a priori*, mais sont bien nées de l'assemblage progressif de touches, comme les châteaux forts émergeaient des taches d'encre de Victor Hugo. Ce n'est que dans les dernières décennies que l'œuvre pictural de Strindberg a été remis à l'honneur, car, de son vivant, il ne semble pas avoir eu d'audience réelle.

La génération du Postimpressionnisme en Europe

En 1900 se tenait à Paris une Exposition internationale. Il suffit de feuilleter les photographies des pavillons pour constater quel divorce séparait les forces novatrices de l'art et les milieux officiels. Seule triomphe une architecture historicisante néobaroque, dont le Petit et le Grand Palais, avec le pont Alexandre-III, sont les derniers témoignages. De même, aucun des artistes d'avant-garde, peintres ou sculpteurs, ne fut représenté dans les manifestations officielles.

Un triomphe aussi manifeste de ce goût bourgeois a peut-être contribué à ce qui fut une sorte de premier « retour à l'ordre ». Entre 1900 et 1905 semblent se percevoir une sorte de relâchement dans la création artistique et — pour certains, Bernard, Bonnard, Vuillard, Denis notamment — un retour à une pratique plus traditionnelle. C'est aussi le moment où Matisse cherche sa voie, mais en hésitant encore à se détacher des données de la vision.

La situation parisienne est également le reflet de ce que connaît l'ensemble de l'Europe. En dehors de la France, mis à part les quelques exceptions qui ont été évoquées, on ne trouve pas d'artistes qui puissent être qualifiés de postimpression-

nistes. L'Impressionnisme lui-même n'a touché la plupart des pays que très tardivement et le plus souvent sous ses formes les plus modérées : dès lors, il n'était guère question de le dépasser. L'orientation dominante demeure celle du Réalisme, tout au plus assoupli par une technique moins minutieuse laissant apparaître le faire. C'est ainsi qu'aux côtés d'Ensor, en Belgique, peut s'affirmer avec Henri Evenepoel (1872-1899), pourtant son cadet de douze ans, un artiste très sensible, créateur d'œuvres fort poétiques, mais dont la vision et la pratique picturale se rapprochent surtout de Manet et, timidement, dans ses dernières œuvres, des Nabis.

En Allemagne, à côté de Liebermann, seul vraiment proche de l'Impressionnisme, Lovis Corinth (1858-1925) est un réaliste qui s'exprime par un métier vigoureux dont les touches sabrent la toile avec énergie. Max Slevogt (1868-1932), à Munich, demeure plus proche de la narration et travaille dans une facture plus légère, parfois proche des effets de l'aquarelle.

En Angleterre, Frank Brangwyn (1867-1956) offre des compositions lourdes qui ne sont pas sans liens avec la tradition des Préraphaélites. L'Italie, avec Giuseppe De Nittis (1846-1884), qui appartient à la génération de Gauguin, trouve un charmant paysagiste qui a appris de l'Impressionnisme une légèreté d'écriture très gracieuse.

La Suède a en Carl Larsson (1853-1919) un aimable interprète de la vie des campagnes et des villes et, avec Anders Zorn (1860-1920), un réaliste, chantre du nu féminin, qui a emprunté à l'Impressionnisme son goût d'éclairages ponctuels, mais qui souvent chez lui ceux des flammes de feux de bois.

L'Espagne est, en Europe, le pays le plus traditionnel. Joaquín Sorolla y Bastida (1863-1923) est un réaliste minutieux, dans la veine d'un Bastien-Lepage, et l'on a pu taxer d'audace son cadet, Ignacio Zuolaga (1870-1945), simplement parce qu'il s'essayait à quelques simplifications de modelé dans une écriture qui demeure volontairement sèche.

En Russie s'opposent les extrêmes. Michel Alexandrovitch Vroubel (1856-1910), d'un tempérament très inventif, crée des œuvres puissantes d'un coloris très slave, évoquant le plus souvent des figures légendaires ou mythiques. À l'inverse, Valentin Serov (1865-1911) est un réaliste volontiers intimiste qui utilise prudemment les effets de lumière des premiers temps de l'Impressionnisme. La verve lyrique du premier n'est pas sans parenté avec celle du Polonais Stanislas Wyspianski (1869-1907), qui utilise la richesse des couleurs avec un tempérament très romantique et a créé à Cracovie un ensemble impressionnant de vitraux monumentaux (église des Franciscains, 1894-1897).

Aux États-Unis, l'étonnant portraitiste John Singer Sargent (1856-1925), élève de Carolus Duran, interprète les enseignements de son maître avec une préciosité maniérée et ne se rapproche des Impressionnistes que dans des études de paysage.

Tous ces peintres européens et américains appartiennent à la génération des postimpressionnistes. Pour beaucoup d'entre eux, en ce temps où l'information circulait lentement, emprunter quelques aspects de l'Impressionnisme, que les jeunes artistes considéraient déjà comme dépassé, c'était bien faire œuvre de modernité et même se situer dans l'avant-garde : celle de Paris avait bien, alors, quelques coudées d'avance.

Bibliographie sommaire

JAWORSKA (W.), *Gauguin et l'école de Pont-Aven*, Ides et Calendes, Neuchâtel, 1971. HAMILTON (G. H.), *Painting and Sculpture in Europe 1880 to 1940*, Pelican History of Art, Penguin Books, Harmondsworth, 1972. REWALD (J.), *le Postimpressionnisme, de Van Gogh à Gauguin*, Albin Michel, Paris, 1961. Catalogue d'exposition : *Post Impressionism, cross currents in European painting*, Royal Academy of Arts, Londres, 1979-1980.

L'ART DU XXᵉ SIÈCLE

Mady Ménier

LES ANNÉES D'EXPÉRIMENTATION

(1905-1920)

Albert Châtelet

LES DIX ANNÉES QUI PRÉCÈDENT LA PREMIÈRE GUERRE MONDIALE, plus précisément celles qui vont de 1905 à 1914, sont parmi les plus surprenantes de l'art européen. Si les courants des décennies précédentes poursuivent simplement l'exploitation de leurs formules, on assiste alors à une concurrence effrénée entre les jeunes artistes dans la recherche de nouvelles voies d'expression, du moins dans l'art pictural et — à un moindre degré — dans la sculpture. Paris est alors vraiment le centre où s'élaborent toutes ces recherches. La capitale française n'est pourtant pas le seul lieu de création, mais les artistes qui travaillent à Dresde, à Munich, à Berlin, à Turin, à Londres ont tendance à se référer à elle, à venir fréquenter les ateliers qui s'y multiplient, à créer en suivant tel ou tel courant artistique parisien ou, au contraire, en s'y opposant.

Il ne faudrait pourtant pas perdre de vue que les peintres et les sculpteurs qui nous paraissent aujourd'hui, avec le recul du temps, dominer ce moment exceptionnel sont alors perçus par le plus grand nombre comme des écervelés, dépourvus du moindre goût et que l'art « officiel » — à Paris comme dans toute l'Europe — tient le devant de la scène. Curieusement, alors que les « pompiers » du second Empire ont trouvé ces dernières années des thuriféraires nombreux, rares sont les amateurs qui s'intéressent à ceux du début du siècle. Le Salon d'automne de 1905 est bien révélateur de cette situation : il voit apparaître de nouveaux peintres que l'on dénommera « fauves », justement parce que l'éclat de leur palette et la franchise de leur écriture semblent comme des rugissements, confrontés à la rigueur traditionnelle d'un buste du sculpteur Albert Marque placé dans la même salle que leurs toiles.

La scène officielle

Les peintres impressionnistes encore vivants en France, tels Claude Monet et Auguste Renoir, ou des émules moins audacieux comme Max Liebermann en Allemagne connaissent alors une demi-consécration, mais qui n'est encore le fait que d'un cercle relativement restreint d'amateurs.

En 1904 a disparu Gérôme et en 1905 Bouguereau, les deux symboles de l'art officiel du XIXᵉ s. Leur succession, dans le domaine parisien, n'en est pas moins assurée. La peinture historique refait surface avec des hommes comme Cormon (1845-1924), Alfred Rochegrosse (1859-1936) ou Édouard Detaille (1848-1912), dont les scènes de bataille font fureur.

La nouveauté du monde officiel réside dans son accueil et sa célébration d'artistes dont l'expression s'est timidement ouverte à une vision plus spontanée. Un Léon Bonnat (1833-1922), qui fut compagnon de route du jeune Degas, a un fort beau métier, souvent mis au service du portrait, mais il s'est arrêté aux toutes premières recherches des Impressionnistes. Un Gervex (1852-1929), avec ses nus apprêtés, ou un Carrier-Belleuse (1851-1918) concèdent encore moins à la nouveauté picturale et se contentent d'assouplir la précision de leur exécution en développant des thèmes anecdotiques. L'un des peintres officiels les plus originaux de ce début de siècle, qui en paraît presque audacieux, est Albert Besnard (1849-1934) : ses plafonds du Petit Palais (1907-1910) ou de l'Hôtel de Ville (1905-1913) sont le fruit d'un éclectisme distingué, associant des principes de composition baroques à une inspiration symboliste et une palette qui s'exerce, assez timidement, à quelques audaces chromatiques plus proches de celles de Delacroix que de celles des Fauves.

Cette situation se retrouve dans presque toute l'Europe et même aux États-Unis. L'élégant Boldini (1842-1931), Italien de Paris, est le portraitiste à la mode et se partage la clientèle mondaine avec Jacques-Émile Blanche (1861-1942). À côté de tels peintres, les décorations d'Henri Martin (1860-1943) à la Sorbonne (1906) ou au Capitole de Toulouse (1906) apparaissent très audacieuses par leur emploi d'une division des touches, malgré le conformisme de leurs compositions.

Les Fauves

La présentation, au Salon d'automne de 1905, de toiles où la couleur est employée en tons purs, sans souci d'exactitude du ton local, ne pouvait que faire scandale face aux courants traditionnels.

Les Fauves ne forment pourtant pas un groupe constitué. Henri Matisse (1869-1954) s'était lié d'amitié avec Georges Rouault (1871-1958) et Albert Marquet (1875-1947) dans l'atelier de Gustave Moreau, à l'École des Beaux-Arts. Il avait connu André Derain (1880-1954) à l'académie Carrière et, par l'intermédiaire de

Maurice de Vlaminck (1876-1958), ces derniers s'étaient rencontrés à l'exposition Van Gogh de 1901, puis fréquentés à Chatou. À ces Parisiens étaient venus se joindre trois Havrais, Raoul Dufy (1877-1953), Georges Braque (1882-1963) et Othon Friesz (1879-1949). Depuis plusieurs années, tous avaient travaillé dans une direction voisine, que la présentation commune du Salon d'automne rendra manifeste. Il s'agit bien pourtant d'une orientation analogue, et non d'une doctrine, à laquelle chacun d'entre eux apporte ses variations personnelles. Le chef de file — parce qu'il est le plus âgé et qu'il a une autorité naturelle — est bien Henri Matisse. Il a longtemps hésité sur la voie à suivre. Très tôt, dès 1899, il avait découvert les séductions de la couleur pure (*Nature morte à contre-jour*, coll. part.), mais il ne leur donnera pas de suites immédiates. C'est en 1904-05, après un bref intermède néo-impressionniste, sous l'influence de Signac, chez qui il a passé l'été de 1904, à Saint-Tropez, qu'il en tire les conclusions et peint les deux œuvres principales présentées à l'historique Salon d'automne, la *Femme au chapeau* (USA, coll. part.) et la *Fenêtre ouverte* (Philadelphie, coll. Whitney). Son style s'appuie sur la leçon de Gauguin, celle du *Talisman* de Sérusier ou de la *Vision après le Sermon*, interprétée plus systématiquement que ne l'ont fait les Nabis. La couleur est utilisée dans son éclat, en bannissant toutes les terres. La planéité de la toile, réaffirmée par la formule de Maurice Denis, est également respectée. La *Joie de vivre* (Philadelphie, coll. Barnes), exposée en 1906 au Salon des Indépendants, résume clairement la vision de Matisse : son titre revendique un hédonisme heureux, une vitalité qu'il partage avec les autres Fauves, à l'exception peut-être de Rouault. Son art s'épanouit rapidement dans les années suivantes avec *Luxe I* (Paris, M. N. A. M.) et *II* (Copenhague, S. M. f. K.), la *Desserte rouge* (1909, Ermitage), la *Danse* (1909, New York, M. O. M. A., et 1910, Ermitage). En 1907, la *Grande Revue* publie sous sa signature les *Notes d'un peintre*, l'un des plus beaux textes d'artistes du xxe s. Il y affirme notamment rechercher l'« expression », mais pour lui « elle est dans toute la disposition du tableau : la place qu'occupent les corps, les vides qui sont autour d'eux, les proportions, tout cela y a sa part ». Elle est moins dans le sujet que dans la forme, dans la délectation de la peinture plus que dans le message. Dès lors, qualifier cet art d'expressionniste est difficile, dans la mesure même où ce terme a pris un sens différent, qui s'applique plus aux descendants de Van Gogh qu'à ceux de Gauguin, aux esprits tourmentés qu'aux tempéraments équilibrés. L'aventure fauve ne sera que de courte durée. En 1907, déjà, des divergences se manifestent. Les peintres de Chatou, Derain et Vlaminck, s'expriment dans une facture qui emprunte à Van Gogh son style haché et sa spontanéité. Chez Vlaminck, très tôt semble-t-il, l'expression se traduit en touches rapides, saccadées et comme jetées sur la toile. Derain est plus modéré dans sa facture : un séjour à Collioure, en 1905, aux côtés de Matisse, l'amènera à suivre son aîné en appliquant ses principes, en préférant utiliser la couleur en aplats, surtout dans des paysages. Marquet, l'un des plus modérés dans son adoption des pratiques fauves, ne gardera de cette époque qu'une certaine liberté d'exécution dans les paysages sensibles, dont il se fera une spécialité. Le tempérament délicat de Raoul Dufy ne pouvait pas non plus lui permettre de se plier longtemps à la violence fauve. Il en donnera une interprétation très élégante en recherchant une fraîcheur de tons, même dans ses huiles, qui conservent un peu de la légèreté de son matériau favori, l'aquarelle. Pour Friesz et Braque, l'étape fauve ne sera qu'un bref épisode qui poussera le premier à s'orienter vers un expressionnisme un peu facile.

Il convient de faire une place à part à Rouault. De tous les Fauves, c'est le seul dont l'œuvre ne respire pas la joie, le seul qui ne se limite pas aux seules couleurs lumineuses, mais affectionne les noirs et compose dans une gamme qui, malgré des fulgurances, rappelle la tradition du clair-obscur du XIXe s. C'est le seul aussi qui se penche sur l'homme avec un regard de moraliste, aimant à décrire la déchéance humaine. Dans l'acception la plus courante du thème, Rouault est bien le plus expressionniste des peintres français. Son œuvre postérieur conserve ces caractères picturaux, mais les met surtout au service d'une inspiration religieuse.

Le Douanier Rousseau (1844-1910)

Aux côtés des Fauves, au Salon d'automne, exposait un homme de soixante ans, Henri Rousseau, dit le Douanier Rousseau (1844-1910). Peintre amateur depuis 1880 au moins, il va trouver soudain un appui et une audience auprès des jeunes artistes, de Guillaume Apollinaire, d'Alfred Jarry et de Wilhelm Uhde, qui découvrent dans son œuvre la poésie d'un art naïf. Doué d'une grande sensibilité picturale, sachant tirer un parti expressif d'une pratique fruste du dessin, le Douanier Rousseau contribue alors à faire apprécier un art non soumis à la seule traduction de la réalité de vision. Il n'est pas étonnant que Picasso ait organisé dans son atelier, en 1908, un grand banquet en son honneur.

Naissance de l'Expressionnisme

LE GROUPE DIE BRÜCKE

Au Fauvisme, on associe le mouvement qui se développe à Dresde, d'abord, puis à Berlin sous le nom de *Die Brücke* (le Pont), c'est-à-dire le lien entre les artistes. Les peintres qui en font partie, Kirchner, Schmidt-Rottluff, Heckel, Pechstein, emploient une palette qui fait songer, par ses virulences, aux palettes des peintres français. Leurs pratiques comme leurs inspirations sont pourtant fort différentes.

C'est en 1905 que se forme l'association et en 1906 qu'elle présente sa première exposition à Dresde. L'invitation faite à Emil Nolde (1867-1956) de participer à cette manifestation est significative. Travaillant de manière très isolée, déjà installé depuis deux ans dans l'île d'Alsen, à la frontière danoise, Nolde a devancé ses cadets dans l'utilisation d'une palette très vive et s'exprime avec des touches qui ne cherchent plus à cerner, mais à suggérer, les formes. Il sera pour eux un précurseur et un ami de passage. Sa vigueur expressive s'affirmera aussi à leur contact et il y restera, quant à lui, fidèle toute sa vie, même sous le régime hitlérien, qui lui interdira de peindre et d'exposer. Son tempérament lyrique s'exprime de façon parfois presque farouche, surtout dans la deuxième décennie du siècle, en se servant de la couleur comme valeur émotive.

En 1906, les jeunes peintres de Dresde sont encore très hésitants et cherchent leur voie dans une facture proche de celle de l'Impressionnisme. L'exemple de Nolde, des Fauves aussi — bien qu'ils l'aient toujours nié —, va leur permettre d'évoluer très vite. À cela s'ajoute pour eux la découverte des arts océaniens et africains. Dès lors, les couleurs violentes se mettront au service d'une expression qui se voudra fruste dans sa présentation. Ernst Kirchner (1880-1938) est la personnalité dominante du groupe. Ses premières œuvres sont surtout consacrées à la femme : femmes nues, souvent lourdes, parfois nubiles, et toujours provocantes dans des intérieurs ou des paysages.

En 1911, Kirchner et Erich Heckel (1883-1970) s'installent à Berlin : leur art, comme celui de leurs camarades, auxquels vient se joindre Otto Mueller (1874-1930), le peintre des Tsiganes, évolue alors aussi bien dans sa facture que dans ses thèmes. Les tons se font plus sourds, sans guère perdre de leur force. Les thèmes s'orientent vers la vie citadine et son caractère oppressif, qui est dénoncé par la marque stéréotypée qu'elle impose aux personnages. La suggestion de l'espace, préférée à sa formulation, est le plus souvent de règle.

Dès 1911, l'art des peintres de *Die Brücke* sera qualifié d'expressionniste, par la transposition d'un terme utilisé en littérature pour désigner les collaborateurs de revues comme *Der Sturm*, fondée en 1910 à Berlin par Herwarth Walden, ou *Die Fackel*, dirigée à Vienne par Karl Krauss. L'expression, ils la recherchent dans le drame et l'affirmation de la laideur, dans les déformations expressives

autant que dans la transposition des couleurs. Ils refusent l'arabesque d'un Matisse au profit d'une désarticulation qui traite les formes humaines comme celles de pantins.

Les arts africains et océaniens ont contribué de manière décisive à les détacher de la représentation traditionnelle de la réalité de vision au profit de son interprétation. À l'exemple de Gauguin, les peintres de *Die Brücke* pratiquent aussi la gravure sur bois en conservant volontairement un caractère fruste à la taille du matériau.

L'art de *Die Brücke* connaît ses meilleurs moments dans les années qui précèdent le premier conflit mondial. Dans les années vingt, Kirchner abandonne la richesse de son métier pour une exécution plus sèche, en aplats, qui alourdit les effets recherchés. De tous, c'est sans doute Karl Schmidt-Rottluff (1884-1976), d'origine l'un des plus brillants coloristes, qui reste le plus fidèle à l'inspiration première du groupe. Son goût le porte surtout vers des paysages dans lesquels la marque expressionniste est moins immédiatement sensible.

L'EXPRESSIONNISME EN AUTRICHE

Le mouvement expressionniste se développe aussi en Autriche avec deux artistes importants. Egon Schiele (1890-1918) se dégage progressivement de l'influence de Klimt, vers 1910, pour affirmer une vision dramatique qui torture les corps et les visages, analysés avec un graphisme perçant. Son œuvre, tôt interrompu, n'a pu avoir ni la variété ni l'ampleur de celui de son contemporain Oskar Kokoschka (1886-1980). Chez ce dernier, dès 1907, l'approche de la figure humaine est typiquement expressionniste, par ses déformations et par une facture qui semble d'une violence toute spontanée et sans ambiguïté. La plus brillante période de l'artiste est, comme pour les peintres de *Die Brücke*, celle qui précède la guerre. Il n'en reste pas moins fidèle à sa technique, sinon à son inspiration. Les vues de villes et les paysages, qui l'occupent beaucoup de 1923 à 1944, n'ont pas l'accent mordant de ses portraits ou de ses compositions de jeunesse : ils en gardent la fraîcheur d'exécution.

Le Cubisme

PICASSO ET BRAQUE

La deuxième « révolution » artistique de ce début de siècle commence comme une aventure personnelle, celle de Pablo Picasso (1881-1973). Les *Demoiselles d'Avignon* (1907, New York, M. O. M. A.), que l'on tient couramment pour l'acte de naissance du Cubisme, ont été achevées à l'automne de 1907 et constituent une manière de réponse à la *Joie de vivre* de Matisse, présentée au Salon des Indépendants de l'année précédente : aux nus fluides de cette œuvre, Picasso opposait la représentation cruelle et déformante de ses femmes de bordel.

Espagnol de naissance, fils de peintre, Picasso s'est formé dans le cadre de l'Académisme et apparaissait, à dix-huit ans, comme un génie précoce par le brio de son métier. Le contact avec Paris, où il vient pour la première fois en 1900 avant de s'y installer quatre ans plus tard, l'amène à renier sa formation et à rechercher des voies plus nouvelles. D'abord attiré quelque temps par un art social proche de celui de Théophile Steinlen (1853-1923), il adopte ensuite une manière très influencée par celle du Barcelonais Isidro Noñell (1873-1911) pour évoquer des vagabonds ou des infirmes dans une sorte de camaïeu bleu (période bleue). En 1904-05, il passe à des figures de saltimbanques mélancoliques, peintes dans une dominante rose (période rose). C'est le « Picasso avant Picasso », très recherché des amateurs au goût traditionnel, bien que ses œuvres soient alors souvent proches du mièvre.

Les années 1906-07 sont pour lui celles d'une crise qui débouche sur le Cubisme. De la fréquentation des œuvres de Cézanne et notamment des *Grandes Baigneuses*, dont l'une des trois versions avait probablement figuré au Salon d'automne de 1905, il déduit la possibilité de se

détacher de la réalité de la vision. L'exemple des statues ibériques qui l'avaient impressionné durant l'été de 1906 alors qu'il achevait le *Portrait de Gertrude Stein* (Metropolitan Museum) a déjà joué un peu le même rôle, qui sera amplifié, dans l'exécution des dernières têtes des *Demoiselles d'Avignon*, par la découverte des masques africains. À vrai dire, le tableau de Picasso ouvre moins le Cubisme proprement dit qu'il n'inaugure un art qui prend des libertés à l'égard de la vision et abandonne la traditionnelle représentation.

Après ce coup d'éclat (au demeurant assez discret, car le tableau ne fut exposé publiquement pour la première fois qu'en 1937 et seuls les visiteurs, très nombreux il est vrai parmi les artistes, de l'atelier de Picasso en eurent connaissance), une sorte de duo s'établit entre Braque et Picasso. À l'automne, tous deux en viennent à un art qui se peut dire plus justement cubiste, parce qu'il semble reposer sur le fameux propos de Cézanne tenu à Émile Bernard et publié par celui-ci en octobre 1907 : « Tout dans la nature se modèle sur la sphère, le cône et le cylindre, il faut apprendre à peindre sur ces figures simples. » C'est l'étape « cézannienne » du Cubisme, baptisée à l'automne de 1908, devant un paysage de Braque, par Matisse et Louis Vauxcelles.

L'aventure des deux artistes se poursuit, ensuite, à un rythme rapide. Dès 1910, ils abandonnent cette première étape pour en franchir une seconde, celle du « Cubisme analytique ». Plus que l'étape cézannienne, celle du Cubisme analytique était rendue possible par les *Demoiselles d'Avignon*, qui, en rejetant la *réalité de vision*, ouvraient la possibilité de peindre la *réalité de connaissance* (Guillaume Apollinaire). Les motifs des tableaux sont analysés en plans assemblés sur la peinture sans souci d'une lisibilité directe de la figure formée. Ces plans peuvent correspondre à des aspects d'un objet ou d'une forme humaine qui ne peuvent être perçus dans une même vision : face et dos, par exemple. Ainsi dans le *Portrait de Vollard* (1910, Moscou, musée Pouchkine), Picasso semble avoir allongé le crâne de son modèle : il a simplement juxtaposé le front et, en vue plongeante, le crâne.

Une telle pratique d'analyse entraîne les peintres à assimiler les éléments dégagés à des surfaces picturales. De là à inverser le processus créateur, il n'y avait qu'un pas à franchir. Picasso et Braque l'accomplissent, vers 1912, en partant d'éléments matériels plans — surface du tableau, papiers divers, zones peintes en aplats... — et en les associant pour évoquer une réalité. C'est le *Cubisme synthétique* (env. jusqu'en 1917) et la suite des *papiers collés*. Dans la contemplation de l'œuvre, le spectateur ressent l'ambiguïté des matériaux, à la fois référents de la réalité quotidienne, quand il s'agit de papiers journaux ou d'ameublement, et fragments d'une composition suggérant un autre aspect de la réalité.

Le propre de la démarche des deux peintres demeure ce que l'on a appelé depuis l'*autonomie du fait pictural* : l'objectif est moins — malgré les commentaires des peintres et de leur interprète privilégié, Guillaume Apollinaire — d'analyser une *réalité de connaissance* que de donner à voir une œuvre picturale, fondée sur cette analyse, mais régie d'abord par des impératifs d'unité purement picturaux. Ce n'est pas non plus sans raison que les créations de Picasso et de Braque se cantonnent alors dans une gamme colorée très restreinte, dominée par les bruns et les ocres, parfois relevés de quelques tons de vert. L'ascèse de cette palette est encore un refus de la jouissance de la couleur des Fauves, elle est une affirmation implicite de l'intellectualité de la vision.

LES CUBISTES DU SALON DES INDÉPENDANTS

Le Cubisme ne s'est pas limité à cette étroite collaboration, ou plutôt émulation, de deux peintres. D'autres vont s'engager dans la même voie, mais avec un certain décalage temporel dans l'évolution. Ce sont ceux-là pourtant que leurs contemporains connaîtront le mieux, parce qu'ils se présenteront presque comme un groupe constitué au Salon des Indépendants de 1911, dans la salle 41, qui réunissait des tableaux de Jean Metzinger (1883-1957), Albert Gleizes (1881-1953), Robert Delau-

nay (1885-1941) et Fernand Léger (1881-1955) notamment. Ils sont alors très attachés à la leçon cézannienne, que d'autres encore avaient ressentie : Derain s'est ainsi détaché du Fauvisme, Juan Gris (1887-1927) et Louis Marcoussis (1878-1941) se rallient au Cubisme naissant grâce à leurs contacts personnels avec Picasso pour le premier, Braque pour le second.

De cette seconde vague, deux artistes se dégagent plus nettement. Le premier, Fernand Léger, est très tôt marqué par une recherche plastique. S'il décompose des formes, ce n'est pas en plans, mais en volumes, et son œuvre s'inscrit comme une rigoureuse application du propos de Cézanne : au cube, il préfère cônes et cylindres. S'il traverse, en 1911-12, une période qui l'apparente au Cubisme analytique (la *Noce*, Paris, M. N. A. M.), il en revient vite à la forme pure et envisage tôt l'Abstraction en peignant ce qu'il appelle des *Contrastes de formes*.

Vient ensuite Robert Delaunay. Tenté par les audaces colorées du Fauvisme et par la pratique pointilliste, il aborde le Cubisme avec un goût de la couleur pure que renforceront sa rencontre en 1910 et son mariage l'année suivante avec Sonia Terk (1885-1979), que ses origines russes portaient dans la même direction. À la sévérité des œuvres du duo Picasso-Braque, il oppose l'éclat des tons primaires et des contrastes de complémentaires : en cela, il tente de réaliser une synthèse du Cubisme et du Fauvisme. Guillaume Apollinaire, très lié avec le couple Delaunay, auprès duquel il retrouvait un esprit intellectuel, inventera pour lui le terme d'*Orphisme*. L'accueil cordial que les deux artistes réservaient aux étrangers leur fera également jouer un rôle capital de liaison, notamment avec les artistes germaniques.

Les tendances artistiques avant la guerre de 1914

DER BLAUE REITER (LE CAVALIER BLEU)

Au moment même où le Cubisme s'affirmait à Paris étaient fondées, à Munich, deux associations successives : en 1909, la *Neue-Künstler Vereinigung* et, en 1911, *Der Blaue Reiter*. Dans leurs premiers essais, les artistes de ces groupes semblaient proches de *Die Brücke*, notamment Alexeï von Jawlensky (1864-1941). Leur rencontre avec Matisse — Jawlensky lui avait rendu visite à Paris dès 1905 et la plupart d'entre eux avaient dû visiter l'importante exposition de ses œuvres présentée à Berlin par Paul Cassirer en 1909 — avait confirmé leur goût d'une couleur éclatante. L'Expressionnisme, dans son aspect violent, apparaît peu chez des artistes tels que August Macke (1887-1914) et Wassily Kandinsky (1866-1944). Au contraire, l'exemple de Robert Delaunay les encourage dans leur inclination à structurer les plans et à développer un art plus intellectuel. Kandinsky a fait sa connaissance à Paris dès la fin de 1911 ; il l'invite, en 1912-13, à participer à l'exposition du *Blaue Reiter*, et Herwarth Walden lui organise une exposition personnelle au début de 1913, à Berlin, dans le cadre de *Der Sturm*.

Au moment de la fondation du *Blaue Reiter*, en 1911, Kandinsky n'était plus un jeune homme, il avait quarante-cinq ans (trois ans de plus que Matisse). Il n'était venu à la peinture qu'à trente ans, après des études de droit, et s'était installé en 1900 à Munich. Il avait d'abord tenté de concilier le goût de la couleur des Néo-Impressionnistes avec les inflexions de l'Art nouveau dans des œuvres attachantes, d'un caractère un peu illustratif (sur des thèmes souvent légendaires). C'est après un séjour à Paris, en 1905-06, qu'il découvre sa voie à Murnau, près de Munich, dans des paysages où les formes sont traitées par grandes surfaces planes étroitement imbriquées. Progressivement, ces formes perdent leur rapport à la réalité pour n'être plus que des signes qui, dès 1911, ne sont presque plus identifiables par le spectateur. Vers 1912-13, les formes perdent même la valeur de signes, se détachent de toute réalité de vision ou de connaissance, du moins immédiatement identifiable, et présentent la peinture comme œuvre purement abstraite.

Du groupe, Kandinsky sera seul à aller aussi loin dans le détachement de la vision. Jawlensky, même dans ses œuvres les plus tardives, laisse distinguer ou deviner une structure de visage. Franz Marc (1880-1916), jusqu'à sa mort, permet de reconnaître les silhouettes de ses modèles préférés, les animaux, même lorsqu'elles s'enchevêtrent avec des rayons colorés qui expriment la vibration de l'atmosphère. August Macke, même lorsqu'il s'attache au papillotement des vitrines, peint des objets reconnaissables et ne masque jamais les figures humaines, même s'il les soumet à des rythmes dominant ses compositions. Si Paul Klee (1879-1940) participe aux expositions du *Blaue Reiter*, c'est avec des œuvres surtout graphiques et orientées dans une direction très différente de celle des autres artistes du groupe, plus proches d'une variation expressionniste. Ce n'est guère que pendant le voyage qu'il accomplit en 1914 à Tunis, avec August Macke et Louis Moilliet (1880-1962), qu'il se rapproche de ceux-ci en découvrant avec eux l'éclat de la lumière méditerranéenne, qui lui fait créer des aquarelles d'une grande intensité colorée.

LE FUTURISME

Tandis que se constitue, à Munich, le *Blaue Reiter*, se forme également un groupement italien, directement lié, celui-là, à des écrivains. Si le Futurisme est né autour d'un *Manifeste* — le premier du genre dans le domaine pictural —, c'est un poète, Marinetti, qui le publie, le 20 février 1909, à Paris, dans les colonnes du *Figaro*. Le relais est pris, un an plus tard, par une proclamation des peintres futuristes, suivie, le 10 avril 1910, d'un *Manifeste technique de la peinture futuriste* signé par Balla, Boccioni, Carrà, Russolo et Severini. Tous ces textes définissent des principes vagues et visent surtout à affirmer l'originalité des artistes face à la société. Une seule précision émerge qui puisse orienter le travail des peintres : « Le geste que nous voulons reproduire sur la toile [...] sera simplement la *sensation dynamique* elle-même. »

Le point de départ des Futuristes est la pratique néo-impressionniste, qui lui apporte, comme aux artistes du *Blaue Reiter*, le goût des couleurs fondamentales. Ils se rattachent donc à la tendance coloriste si vivace dans les années qui précèdent la guerre. Au Cubisme, pourtant, ils empruntent la division des formes, mais, aux plans de leurs modèles, Umberto Boccioni (1882-1916) préfère les surfaces incurvées, plus aptes à suggérer la projection d'un objet dans l'espace. Ce peintre, qui devait disparaître pendant la guerre, était l'âme du mouvement. Il proposait une remarquable synthèse de la couleur et de la pratique des Néo-Impressionnistes et de l'analyse cubiste, dominée par l'expression du mouvement. Giacomo Balla (1871-1958), à ses débuts, est encore plus obsédé par la traduction du mouvement et s'inspire des analyses photographiques de Marey et de Muybridge (*Petite Fille courant sur le balcon,* 1911, Milan, M. A. M.). Il en vient, ensuite, à des mouvements plus théoriques, conduisant à des réalisations proches de l'abstraction géométrique ; aussi n'est-il pas étonnant qu'il se soit tourné, après la dissolution du groupe, vers cette forme d'expression artistique. Carlo Carrà (1881-1966), d'abord très marqué par les tendances anarchistes, évolue vers des formes voisines de celles des cubistes et pratique notamment le collage. Gino Severini (1883-1966) est, plus que tous les autres, proche du Néo-Impressionnisme, dont il conserve les procédés presque toute sa vie. Il est aussi le plus parisien des membres du groupe, puisqu'il habite la capitale française à partir de 1906. Il traduit le plus souvent la vie de la ville, dans des formes proches de celles du Cubisme modéré, telles celles d'un Metzinger ou d'un Gleizes. À ces peintres, il faut aussi associer Luigi Russolo (1885-1947), qui est également musicien, et Ardengo Soffici (1879-1964), critique et artiste, qui ne participe que brièvement au Futurisme entre 1912 et 1915, dans une expression proche du Cubisme.

Très soudé, malgré la dispersion de ses membres — Severini travaille à Paris, Balla à Rome, Boccioni, Carrà et Russolo à Milan, Soffici à Florence —, le groupe futuriste disparaît en tant que tel pendant la guerre après la mort sur le front de Boccioni, en 1916, presque en même temps que l'architecte Sant'Elia, dont les projets visionnaires s'apparentent aux ambitions des peintres futuristes.

LA SECTION D'OR

En 1911, le Salon des Indépendants offre l'occasion aux exposants de la salle 41 de rencontrer les trois frères Duchamp : Jacques Villon (1875-1963), Raymond Duchamp-Villon (1876-1918) et Marcel Duchamp (1887-1968), qui y exposaient également. C'est alors que naissent des amitiés et que débutent des échanges qui trouvent un cadre dans les réunions tenues dans l'atelier de Jacques Villon à Puteaux. En octobre 1912, tous ces peintres collaborent à l'exposition intitulée la *Section d'or* à la galerie La Boétie. Leur orientation commune est tournée vers une réflexion théorique menée à partir de la pratique cubiste et d'écrits comme le *Traité de la peinture* de Léonard de Vinci, publié en français en 1910. La dénomination de leur manifestation dit bien le fondement intellectuel de leur démarche.

Même s'il n'apparaît pas au premier plan, l'animateur du groupe est Jacques Villon, qui inaugure son œuvre délicat et austère, fusion méthodique des apports du Cubisme et du Fauvisme, à laquelle il demeure remarquablement fidèle jusqu'à sa mort. Son frère, Marcel Duchamp, ne le suit guère dans l'adoption d'une palette haute en couleur, mais donne, par contre, de 1911 à 1913, ses créations les plus brillantes dans le domaine pictural proprement dit. Ses différentes variations sur le thème du *Nu descendant un escalier* s'apparentent au Futurisme par la volonté de traduire le mouvement, tout en s'exprimant dans une gamme plus proche de celle du Cubisme, avec de grandes qualités de finesse dans l'exécution. Présentée à New York dans le cadre de l'Armory Show, en 1913 (Philadelphie, M. A.), la version la plus achevée apparaît aux amateurs américains comme le *nec plus ultra* du Cubisme, dont le peintre cherchait pourtant alors à se détacher.

LE RAYONNISME À MOSCOU

Après 1910, Moscou, pourtant dominé, dans le cadre officiel, par une tradition purement académique, se révèle un centre actif de recherches picturales. Michel Larionov (1881-1964) était venu en 1906 à Paris, où il participait à l'exposition de l'Union des artistes russes, accueillie par le Salon d'automne. C'est en 1909, a-t-il affirmé, qu'il aurait conçu les principes du Rayonnisme. Les premières œuvres qui relèvent de cette théorie ne sont pourtant datées que de 1910. La même année, il organise, à Moscou, l'exposition du *Valet de carreau*, à laquelle participent Malevitch et Kandinsky aux côtés de Français comme Gleizes, Le Fauconnier ou Lhote. Larionov rédige alors un manifeste qui n'est publié qu'en 1913. La peinture devrait, selon lui, suggérer la quatrième dimension (on retrouve là une idée très répandue dans les ateliers parisiens de ce temps) et se situer, donc, hors des valeurs spatiales. Pour traduire cette sensation, il utilise des *rayons* de couleurs. Sous une théorisation différente, la démarche picturale, proche de l'Abstraction, était très voisine de celle des courants parisiens. Le groupe ne devait avoir que peu de durée. Nathalie Gontcharova (1883-1962), qui avait débuté par des peintures inspirées des traditions populaires russes, devenue la compagne de Larionov en 1909, le rejoint dans ses orientations sans toutefois aller jusqu'à ses positions les plus extrêmes.

LA NAISSANCE DE L'ABSTRACTION

Les œuvres relevant du Cubisme analytique de Picasso et de Braque se présentaient bien, pour le spectateur, comme pratiquement détachées de toute réalité de vision. Quant à la réalité de connaissance sur laquelle elles étaient fondées, selon Guillaume Apollinaire, elle n'était pas discernable pour tous : ces peintures pouvaient donc être perçues comme purement abstraites. Leur exemple mettait en évidence la possibilité de peindre sans aucun rapport apparent avec la réalité, en mettant en valeur seulement les composants picturaux. Cette idée se développe, plus ou moins confusément, dans de nombreux ateliers, et les premières peintures véritablement abstraites sont réalisées, parallèlement, en des lieux divers.

Kandinsky peint ses premières toiles de ce genre, à Munich, vers 1912-13, Larionov à Moscou vers 1911. Picabia (1879-1953), qui cherchait sa voie au début du siècle dans un Impressionnisme modéré, a revendiqué la création, en 1909, d'une aquarelle abstraite intitulée *Caoutchouc,* composée de formes colorées qui lui ont été suggérées, selon le titre, par l'idée du caoutchouc. Ce n'est cependant qu'après être passé par des expériences très proches du Cubisme qu'il adopte plus systématiquement, en 1913, une expression totalement abstraite dans de grands tableaux où s'imbriquent des structures très souples. *Udnie* (1913, Paris, M. N. A. M.) entend ainsi, sans la moindre référence à la réalité de vision, traduire le souvenir d'une jeune fille américaine rencontrée dans une traversée transatlantique.

La démarche du peintre tchèque Frantisek Kupka (1871-1957) est voisine mais non identique. Familier de l'atelier de Puteaux, comme Picabia, il expose dès 1911 au Salon d'automne un tableau intitulé *Plans par couleurs,* dont le titre ne fait référence qu'à ses constituants formels. Très musicien, il en est venu à cette recherche par la volonté d'utiliser formes et couleurs comme des notes musicales. Aussi son *Nocturne* (1910) ne doit-il pas suggérer quelque vision de la nuit, mais, comme les morceaux de Chopin, un sentiment créé par un moment privilégié. Dès 1911, le tournant est pris pour lui définitivement et il ne peindra plus, jusqu'à sa mort, que des toiles organisées autour de formes généralement curvilignes très fortement colorées.

C'est en 1913 que se concrétisent les diverses positions abstraites et que s'affirme l'Abstraction latente. C'est aussi vrai pour le Hollandais Piet Mondrian (1872-1944), qui, depuis 1908, cherchait à affirmer les lignes de structure dans des peintures issues, elles aussi, du Néo-Impressionnisme. Installé à Paris en janvier 1912 et travaillant sur les thèmes de l'arbre et de l'échafaudage, il aboutit, vers 1913, à des œuvres que leurs formes ont suggérées, mais où il ne reste plus d'éléments qui puissent permettre de les identifier. Il les dénommera, d'ailleurs, *Compositions.*

L'ÉCOLE DE PARIS

Le rôle international de Paris est alors tellement marqué que de nombreux artistes étrangers viennent s'y installer ou, au moins, y faire des séjours importants. À côté de ceux qui appartiennent aux mouvements les plus novateurs, d'autres demeurent fidèles à un art plus voisin de la tradition et adoptent seulement une technique un peu plus libre. On les appelle parfois les « Indépendants » parce qu'ils ne se rattachent à aucun des grands courants dominants et que chacun d'entre eux s'affirme d'abord comme personnalité.

Deux Français au moins peuvent être rattachés à ce groupe. Suzanne Valadon (1867-1938), ancien modèle des peintres les plus notoires de la fin du XIXᵉ s., pratique un art en apparence réaliste, auquel l'affirmation des contours et la gamme de couleurs donnent une sorte d'âpreté. Son fils, Maurice Utrillo (1883-1955), chantre de la banlieue parisienne, est un des premiers « naïfs », qui peint avec une minutieuse application, en s'aidant le plus souvent de cartes postales.

Marc Chagall (1887-1985), arrivé à Paris en 1910, apporte avec lui la poésie du folklore russe, qui séduit d'autant plus rapidement le public français que les Ballets russes de Serge de Diaghilev ont mis leur pays à la mode. Ses œuvres exécutées dans l'émulation du climat parisien de l'avant-guerre sont les plus denses, tant par leur poésie que par leur force plastique. Il reste pourtant fidèle à son inspiration première, après un retour relativement bref en Russie de 1914 à 1922, et poursuit en France son chant poétique depuis la période du « retour à l'ordre », qui l'a conduit à assouplir son modelé et ses harmonies colorées.

Pascin (Julius Pinkers, dit Pascin, 1885-1930), d'origine bulgare, s'installe en France dès 1905 et deviendra vite le peintre de la femme, qu'il évoque avec une lourde sensualité. Avant 1914, son œuvre comporte des illustrations gravées sur bois qui attestent une passagère influence du Cubisme.

Le plus original, peut-être, de tous ces isolés, est l'Italien Amedeo Modigliani (1884-1920). Installé à Paris en 1906, il travaille de 1909 à 1913 avec Brancusi et laissera des bustes et des cariatides dont la pureté de lignes doit beaucoup à son aîné. Lorsqu'il revient à la peinture, il retrouve la figure humaine avec une maîtrise des contours qui lui permet d'inventer une sorte de hiératisme moderne. Sa période de production la plus intense se situe entre 1914 et 1920.

L'un des derniers arrivés en France, Chaïm Soutine (1893-1943), vient de Lituanie en 1915. Un moment tenté par les exemples de Chagall et de Modigliani, il développera à partir de 1917 un Expressionnisme violent qui traduit ses passions dans des tableaux largement empâtés, dont la couleur semble comme jetée sur la toile.

Les arts après 1914

Le conflit mondial éclate au moment où Paris était une véritable capitale internationale de l'avant-garde. Tous les liens se rompent brusquement. Les artistes français, italiens et allemands sont mobilisés, et nombre d'entre eux ne reviendront pas. Qu'il suffise de rappeler Franz Marc, August Macke, Umberto Boccioni, Raymond Duchamp-Villon... Pour beaucoup d'autres, ce seront quatre années de rupture qui ne leur permettront plus de renouer ensuite avec leur ardeur novatrice. Pour les plus favorisés, ceux que le conflit épargne directement, Henri Matisse, Pablo Picasso, Marcel Duchamp, Kandinsky et les peintres russes, la présence du drame autour d'eux ne peut manquer, directement ou non, de les marquer. Paris s'efface, les manifestations artistiques y sont rares et de peu d'audience. Le théâtre des expériences se déplace et se divise entre Moscou, La Haye, New York et Zurich.

SUPRÉMATISME ET CONSTRUCTIVISME

Deux expositions qui présentent des œuvres nouvelles se succèdent en 1915, en Russie. À Moscou, à la manifestation baptisée *Tramway V*, Vladimir Tatlin (1885-1953), de retour de Paris, expose ses *Constructions*, qui s'inspirent des natures mortes en volume de Picasso. À la fin de l'année, à Petrograd, l'exposition 0,10, qui s'annonce comme « la dernière exposition futuriste », permet à Kasimir Malevitch (1878-1935) de montrer 35 tableaux composés de formes géométriques simples. C'est en 1918 qu'il exposera au Salon d'État à Moscou l'un des aboutissements de l'ascèse qu'il s'impose, *Un carré blanc sur fond blanc* (Moscou, musée Pouchkine). Pendant les premiers temps de la révolution russe, il est mis en vedette par les nouveaux pouvoirs, mais dès 1922 il est éloigné de Petrograd et n'aura pratiquement plus la possibilité de s'affirmer en dehors de la présentation, à Berlin en 1927, d'un ensemble d'œuvres.

L'art de Tatlin, qui s'est brouillé avec Malevitch dès l'exposition 0,10, relève plus de la sculpture que de la peinture. Il contribuera à la naissance du Constructivisme et de l'art de Pevsner et de Gabo.

MONDRIAN ET LE STIJL

C'est pendant la Première Guerre mondiale que Mondrian atteint — parallèlement et sans contact avec Malevitch — le dépouillement géométrique auquel il va désormais vouer sa vie. En 1917, il abandonne les compositions aux petits traits verticaux et horizontaux au profit des premiers rectangles colorés. La structure en damier à laquelle il devait se fixer n'apparaît définitivement qu'en 1921 et n'évoluera plus guère, sinon dans ses toutes dernières années, durant son exil américain (1939-1944), qui lui fera trouver les rythmes plus saccadés des *Boogie-Woogie*. Sa démarche n'est pas purement formelle, même si le spectateur a quelque difficulté à saisir le symbolisme qui la sous-tend : pour lui, l'utilisation des seules lignes verticales et horizontales traduit la structure du monde et ses deux principes, masculin et féminin.

Mondrian présente ses idées en 1917 dans un article de la revue que vient de fonder Théo van Doesburg (1883-1931), *De Stijl* (le Style), et qui deviendra le point de ralliement d'un groupe d'artistes moins extrêmes dans leurs exigences, mais proches de Mondrian par leur pratique géométrique et l'utilisation de couleurs simples pas toujours limitées aux trois fondamentales. Ce sont essentiellement Théo van Doesburg et Bart van der Leck (1876-1958), auxquels sont associés deux architectes, Jacobus Johannes Pieter Oud (1890-1963) et Gerrit Rietveld (1888-1964). Le groupe du Stijl est particulièrement vivace dans les années vingt, aussi bien dans le domaine de la peinture que dans celui du mobilier et de l'architecture. Mondrian s'en détachera en 1924 parce qu'il ne pouvait admettre l'introduction de la ligne oblique proposée par Théo van Doesburg.

LE DADAÏSME

Dès 1913, Marcel Duchamp conçoit le premier de ces objets qu'il dénommera plus tard *ready-made*, une roue de bicyclette montée sur un tabouret. Quatre ans plus tard, à New York, il envoyait une *Fontaine* (un urinoir) à la *Society of Independant Artists*, qui devait d'ailleurs la refuser. Cette critique et cette dérision de la création artistique constituent bien le précédent le plus direct de l'attitude du mouvement Dada, auquel Duchamp participera d'ailleurs.

C'est à Zurich, en février 1916, que se forme un premier groupe qui adopte ce nom, choisi, dit-on, en ouvrant au hasard un dictionnaire. Il réunit à la fois des écrivains comme Tristan Tzara et Huelsenbeck et des artistes, Hans Arp (1886-1966) et Marcel Janco (1895). L'esprit de dérision qui anime les écrivains se manifeste moins chez les artistes, qui, dans un premier temps, créent surtout des œuvres abstraites, peintures ou objets, d'un esprit proche du Cubisme.

Parallèlement, et d'abord sans aucun contact avec Zurich, se constitue, à New York, un autre groupe autour du photographe Alfred Stieglitz : il réunit Marcel Duchamp, Picabia et Man Ray. La liaison ne s'opérera qu'en janvier 1919, à l'occasion d'un voyage de Picabia à Zurich, et l'année suivante par la réunion des deux groupes à Paris. La multiplication de petites cellules ne s'en poursuit pas moins : à Berlin, c'est un « club Dada » qui s'organise autour de Richard Huelsenbeck, venu de Zurich avec Georg Grosz (1893-1959), John Heartfield (1891-1968) et Raoul Hausmann (1886-1971) : à Cologne, en 1919, Hans Arp se rapproche de Max Ernst ; à Hanovre, enfin, Kurt Schwitters (1887-1948) institue *Merz* en 1919 après avoir eu des contacts avec le groupe de Zurich.

Mouvement international et en apparence très dispersé, Dada est avant tout une réaction contre l'absurdité du monde, ou plutôt tend à assumer cette absurdité même. Il est bien, en cela, issu de la guerre. Dans le domaine pictural, les créations présentent peu d'unité et se regroupent autour de deux orientations. La première, toute formelle, est celle de Hans Arp et de Marcel Janco, qui se réfugient dans une Abstraction formelle, rendue parfois dérisoire par la pauvreté des matériaux employés. Hans Arp y restera fidèle tout en orientant sa production vers un lyrisme de la forme.

La seconde est plus fondamentalement critique. Elle est d'abord illustrée par Marcel Duchamp, qui, avec ses *ready-made*, impose avec beaucoup d'esprit et de goût aux États-Unis une réflexion sur la nature de l'art. Pendant huit ans (1915-1923), il travaille à son *Grand Verre*, la *Mariée mise à nu par ses célibataires, même* (musée de Philadelphie), œuvre volontairement mystérieuse et inachevée. La consécration tardive et surtout posthume de l'artiste (exposition inaugurale du Centre Pompidou, 1977) est sa plus belle réussite : son ironie est alors prise en compte pour profondeur, ses jeux intellectuels pour réflexion philosophique. L'art conceptuel trouve en lui une référence.

C'est avec moins d'esprit et de talent que Picabia suit la même démarche après son passage aux marges du Cubisme. Il avait, sans doute, devancé Duchamp avec ses œuvres *mécanomorphes :* avec l'utilisation d'éléments mécaniques, il retrouve ce souci de la prise en compte du monde industriel qui avait déjà été celui des Impressionnistes.

Le mouvement Dada aboutit, en Allemagne, à ses créations artistiques les plus affirmées. Raoul Hausmann et John Heartfield inventent l'utilisation artistique des photomontages, dont le second tirera, dans les années trente, un parti politique avec de remarquables affiches antinazies. Kurt Schwitters (1887-1948), en s'inspirant à l'origine des collages cubistes, conçoit un art d'assemblage qui est, tout

en même temps, dérision du réel par le détournement des formes quotidiennes et art raffiné par la transmutation imposée aux matériaux bruts grâce à l'utilisation de la couleur comme lien formel. C'est probablement le seul artiste Dada qui restera fidèle à son art.

L'EXTRÊME RICHESSE D'INVENTION DE CES QUINZE ANNÉES a peu d'équivalents dans l'évolution artistique de l'Occident. Les concepts fondamentaux de l'art sont remis en cause ; l'imaginaire se détourne du monde visuel pour permettre à l'artiste de se libérer de toutes contraintes autres que celles des matériaux, dont l'éventail s'ouvre en même temps.

Aucun autre bouleversement esthétique n'a été aussi complet et aussi rapide, sinon, peut-être, celui de l'éclosion de la première Renaissance, entre 1400 et 1430 environ, avec l'apparition de la pratique de la perspective mathématique. Or, c'est justement le rejet des acquis même de cette Renaissance qui est alors accompli, pour retrouver des pratiques souvent plus proches de celles des artistes médiévaux, ou des créateurs des mondes dits primitifs.

Bibliographie sommaire

CASSOU (J.), LANGUI (E.), PEVSNER (N.), *les Sources du XXᵉ siècle*, Éd. des Deux Mondes, Paris, 1961. GOLDING (J.), *le Cubisme*, le Livre de poche, Paris, 1968. RICHTER (H.), *Dada art et anti-art*, Éd. de la Connaissance, Bruxelles, 1965. ROSENBLUM (R.), *Cubism and 20th Century Art*, New York, 1960 (1976).

DU RETOUR
À L'ORDRE
À LA SECONDE
GUERRE MONDIALE

Albert Châtelet

Le retour à l'ordre

Les vingt années qui s'écoulent de 1920 au déclenchement du conflit mondial ont été marquées par la « montée des périls », qui se fait rapidement sentir après une courte période d'euphorie. La crise de 1929 bouleverse l'économie du monde occidental, et la prise de pouvoir du nazisme en Allemagne en 1933 menace l'équilibre européen.

La situation de l'art est singulière. En apparence, Paris a retrouvé son rôle de capitale internationale. Deux expositions, celle des Arts décoratifs en 1925 et celle de 1937, où la collaboration d'artistes a été largement sollicitée, semblent le confirmer. L'attirance du milieu parisien est toujours aussi grande pour tous les étrangers. Le climat d'exaltation et de concurrence dans la recherche qui avait régné durant les quinze années précédentes ne s'y retrouve pourtant plus aussi exacerbé. Les aînés développent leurs acquis, quand ils ne reviennent pas en arrière. La relation au public pèse beaucoup plus que dans la période de recherche précédente et provoque ce que l'on a appelé, d'un mot si juste, le « retour à l'ordre ».

Dans la même année 1937 se déroulent à Paris, en marge de l'Exposition internationale, la présentation des « Maîtres indépendants » au Petit Palais, première consécration publique des Cubistes et des Fauves, et, à Munich et à Berlin, l'exposition *Entarte Kunst* (Art dégénéré), par laquelle les autorités nazies entendaient condamner l'art moderne. Le débat sur la réception des expressions nouvelles est ainsi clairement résumé par la reconnaissance timide et discrète de celles-ci à Paris et leur condamnation à l'opprobre en Allemagne.

LES PRÉCÉDENTS ITALIENS : DE DE CHIRICO AU NOVECENTO

Deux des orientations majeures des années vingt, le Surréalisme et le retour à l'ordre, ont été annoncées par des artistes italiens. Le Surréalisme pictural s'est réclamé de l'exemple de Giorgio De Chirico (1888-1978), qui crée des œuvres importantes dès 1913 mais dont la réputation ne s'est guère établie avant 1920. Deux années de formation passées à Munich l'avaient confronté à l'œuvre de Böcklin, qu'il avait commencé par copier et à qui il doit le goût des symboles. C'est en 1910, lors d'un séjour à Florence, qu'il aurait peint ses premières œuvres originales, comme l'*Énigme de l'après-midi d'automne* (Milan, coll. part.). L'année suivante, il gagne Paris, où il réside jusqu'en 1915. C'est le moment le plus fécond de sa vie. Il peint alors ses œuvres les plus fortes, les perspectives, les tours, les « Places d'Italie », les natures mortes. Il crée un monde mystérieux, « métaphysique » dira-t-il, d'espaces vacants, coupés de larges pans d'ombre où sont abandonnés parfois statues ou éléments de natures mortes. Sa facture a retrouvé un métier presque traditionnel, avec une franchise d'écriture qui évite l'exécution minutieuse.

Rentré en Italie en 1915 et mobilisé à Ferrare, Giorgio De Chirico poursuit ses peintures mettant en scène des mannequins. Il est rejoint, en 1917, par Carlo Carrà, qui abandonne le Futurisme pour la *Pittura metafisica* et peint également des espaces animés de mannequins. Ce n'est pourtant pas un véritable groupe qui se forme autour de De Chirico, et si quelques peintres sont également tentés par cette voie, Mario Sironi vers 1919, Giorgio Morandi dès 1918, il ne s'agira pour eux que d'une brève étape. Giorgio De Chirico et ses amis trouvent en Mario Broglio un soutien et un appui grâce à la publication de la revue *Valori plastici*, de la fin de l'année 1918 à la fin de 1921. Sous le label de sa publication, Mario Broglio organise également, en 1921, des expositions en Allemagne. Les articles de cette revue traduisent rapidement une attitude très critique à l'égard des mouvements picturaux contemporains. Giorgio De Chirico, lui-même, publie en 1919 un texte intitulé *Il Ritorno al mestiere* (le Retour au métier), qui se termine par l'affirmation : *Pictor classicus sum* (« je suis un peintre classique »). Son frère, Alberto Savinio (1891-1952), renchérit également dans la même direction.

Cette volonté de retour à l'ordre se concrétise plus nettement encore dans la constitution, en 1922, du groupe de *Sept Peintres du novecento*, qui deviendra quatre ans plus tard le *Novecento italien* (le

La Tour Eiffel, *par Robert Delaunay (1910-1911). Bâle, Kunstmuseum.*

Danse sauvage d'enfants, *par Emil Nolde (1909).*
Kiel, Kunsthalle.

Erst Ludwig Kirchner. Autoportrait avec un modèle, 1907.
150,4 X 100 cm. Hamboug, Kunstalle.

Les Demoiselles d'Avignon, *par Pablo Picasso (1907).*
New York, Museum of Modern Art.

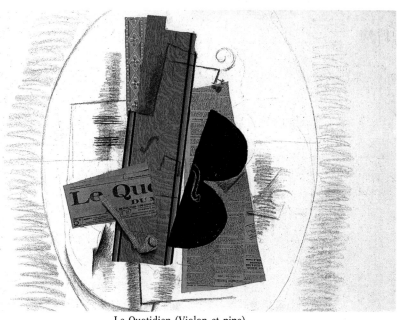

Le Quotidien (Violon et pipe),
*papier collé, de Georges Braque (1913-14).
Paris, musée national d'Art moderne.*

Avec l'arc noir, *par Wassily Kandinsky (1912).*
Paris, musée national d'Art moderne.

Ci-contre : Nu descendant un escalier,
par Marcel Duchamp (1912).
Philadelphie,
Museum of Fine Arts.

NU DESCENDANT UN ESCALIER

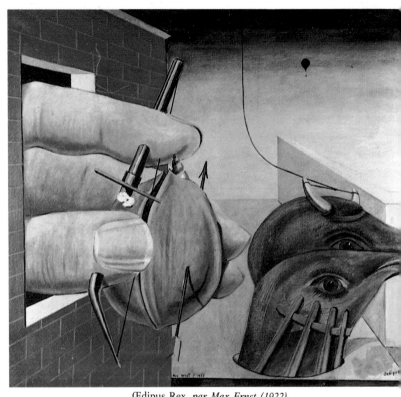

Œdipus Rex, *par Max Ernst (1922).*
Paris, collection particulière.

Ceci n'est pas une pipe.
par René Magritte (1929).
Los Angeles, County Museum of Art.

Villa R, *par Paul Klee (1919).*
Bâle, Kunstmuseum.

La Nuit, *par Max Beckmann (1918-19).*
Düsseldorf, Kunstsammlung Nordrhein-Westfalen.

Nu rose,
*par Henri Matisse
(1935).
Baltimore,
Museum of Art.*

Guernica, *par Pablo Picasso (1937).*
Madrid, musée du Prado.

Le Déjeuner,
par Pierre Bonnard
(1932).
Paris, musée
du Petit Palais.

79

Mademoiselle Pogany, *par Brancusi.*
Paris, musée national d'Art moderne.

« XXe siècle italien »). Il n'y a plus là d'ambiguïté dans le propos, qui est appuyé par Margherita Sarfatti et, par son intermédiaire, par Mussolini, qui inaugure personnellement l'exposition de 1926 ; Achile Funi (1890-1972) et Mario Sironi (1885-1961), tous deux passés par le Futurisme, en sont les personnalités les plus marquantes.

À côté de ce groupe, qui devait devenir presque officiel — Mario Sironi et Achile Funi participeront à l'exposition de la révolution fasciste à Rome, en 1932 —, le retour à la traduction de la vision marque fortement l'Italie de l'entre-deux-guerres. Felice Casorati (1886-1963), installé à Turin, connaît un profond rayonnement par un art nourri de réminiscences du Quattrocento. La personnalité plus discrète de Virgilio Guidi (né en 1892) trouve une voie poétique dans une traduction très dépouillée des formes. À l'opposé, un Cagnaccio di San Pietro (1897-1946) adopte une vision brutale par un rendu impitoyable dans sa précision qui rappelle la facture des artistes de la *Neue Sachlichkeit.*

Cette période voit surtout, en Italie, l'épanouissement d'un grand artiste qui a flirté un moment avec la *Pittura metafisica* et participé aux publications de *Valori plastici,* Giorgio Morandi (1890-1964). La découverte de l'art de Cézanne, en 1909, avait été pour lui une révélation : il a médité longuement le rapport des choses dans ses peintures et, comme lui, il peint essentiellement des natures mortes et des paysages. Pourtant, ni ses formes ni sa palette ne doivent quoi que ce soit à son inspirateur. Ce qu'il a créé, après une longue maturation qui dure jusqu'en 1920 environ, c'est un art plus proche de celui de Chardin par la subtilité des rapports de tons, de celui de Piero della Francesca par la finesse de la lumière, qui semble faire naître les formes. Giorgio Morandi demeurera pourtant quasi inconnu, enseignant la gravure, qu'il pratique avec une sobriété extrême, à l'Académie des Beaux-Arts de Bologne, jusqu'en 1945. Ni cette audience tardive ni la densité poétique de ses dernières œuvres n'autorisent pourtant à rattacher ce peintre à une autre époque que celle de l'entre-deux-guerres.

En 1924, Giorgio De Chirico regagne Paris, où il vivra jusqu'en 1931. D'abord accueilli comme un maître par les Surréalistes, il s'en détache vite, tant sa position critique à l'égard de l'art contemporain les éloignait de lui. Son art perd d'ailleurs de sa force. Ses espaces s'emplissent de personnages, de chevaux qui semblent vouloir justifier son option classique, et sa facture abandonne la sobre vigueur de sa jeunesse pour s'attarder à des enroulements un peu maniérés. On sait que le peintre en viendra même, dans ses dernières années, à renier certaines de ses créations juvéniles en les déclarant fausses.

LES EXPRESSIONS DU RETOUR À L'ORDRE

Tout semble se passer comme si la Première Guerre mondiale avait suggéré à bien des artistes de mettre une sourdine à leurs audaces et de tenter de se concilier, par un art plus proche de la figuration, la faveur du public. Le premier à donner l'exemple est aussi celui qui avait ouvert les voies les plus audacieuses, Pablo Picasso. Dès 1915, il avait rompu avec la continuité cubiste en dessinant dans une manière toute ingresque des portraits comme celui d'Ambroise Vollard. En 1917, il rejoignait à Rome Serge de Diaghilev, et son travail pour les Ballets russes le ramène également à des formules figuratives qui inaugureront celles de sa période « romaine », laquelle s'étend jusqu'en 1925 environ. Il peint alors de puissantes figures aux articulations lourdes, dans une gamme de couleurs claires et aimables. Ce n'est pas pourtant pour lui une voie unique. Il peut ainsi, en 1921, à quelques jours de distance, peindre dans cette manière les *Femmes à la fontaine* (New York, M. O. M. A.) et dans une vision cubiste les *Trois Musiciens (id.).* Dès 1925 aussi, il peint la *Danse* (Londres, Tate Gal.), qui ouvre, pour lui, une direction nouvelle.

Georges Braque ne suit pas exactement la même démarche que son ancien compagnon de route. Il ne revient pas à une réalité figurative aussi précise que celle des Picasso romains : il s'arrête à une transcription très interprétée et structurée de la réalité de vision, dont il ne s'écarte plus guère jusqu'à sa mort. Il apporte ainsi, dès 1920 environ, une voie moyenne où sa distinction naturelle sait trouver un remarquable équilibre.

Avec Matisse, la concession au goût du public est encore plus sensible et se manifeste à partir de 1920. Il se complaît alors à peindre de gracieuses odalisques et fait même tirer, de 1922 à 1930, une série de lithographies, bien propre à contenter un public traditionnel tant par les sujets — danseuses, odalisques, nus — que par l'approche relativement conventionnelle de la réalité. Ce n'est qu'une concession, qui ne l'empêche pas de créer parallèlement quelques œuvres plus exigeantes dans leur propos comme la *Figure décorative sur fond ornemental* (Paris, M. N. A. M.), de 1925.

C'est aussi le temps des triomphes de Derain, soutenu par le marchand Paul Guillaume, du Derain classicisant, peintre de natures mortes sévères, de nus puissants, d'arlequins. Raoul Dufy trouve également son équilibre, vers 1920-1922, avec une verve charmante de conteur qui lui vaut une large audience. À tous ces artistes venus des audaces de l'avant-garde, la faveur du public en associe d'autres qui ont connu un cheminement plus traditionnel et dont Dunoyer de Segonzac (1884-1974) est l'exemple le plus significatif. Avant la guerre, il pratiquait un Réalisme auquel de lourds empâtements et des tons sombres donnaient un accent sourd : il trouve alors une large audience, surtout avec ses aquarelles, ses lavis de paysage et ses gravures légères, poétiques mais d'une vision traditionnelle.

La liste pourrait se prolonger longuement de tous ces artistes qui reviennent à une transcription de la vision tout en conservant quelques libertés acquises dans leurs expériences juvéniles. Le phénomène est cependant plus parisien qu'européen, dans la mesure où seul Paris avait connu de telles audaces et où ses peintres s'alignent alors plutôt sur ceux des autres pays.

Plus singulière encore, parce qu'elle est institutionnelle, est la volte-face des responsables du pouvoir en Russie. Alors que, dans les premiers temps de la révolution, il avait été fait appel à tous les artistes d'avant-garde qui s'étaient fait connaître tant sur le territoire national que dans les pays occidentaux (Malevitch, Tatlin, Kandinsky, Chagall et bien d'autres), soudain, dès le début des années vingt, ils sont mis à l'écart, les uns après les autres. Dès lors, les autorités s'intéressent à un art réaliste d'inspiration révolutionnaire par ses thèmes, l'ère du Réalisme socialiste commence.

Le Surréalisme

MANIFESTES ET EXPOSITIONS

Dada n'avait pas donné naissance à une orientation artistique cohérente. Le Surréalisme, en héritant de lui, créé des liens plus étroits entre les créateurs. À l'origine du mouvement, les écrivains jouent, comme pour Dada, un rôle essentiel. Le premier *Manifeste du Surréalisme* est écrit en 1924 par André Breton, qui s'efforce toute sa vie de conserver la pureté doctrinale du groupe. Les peintres, pourtant, semblent peu soucieux, pour la plupart d'entre eux, de rester fidèles aux idées de celui que l'on a nommé le « pape du Surréalisme ». Leurs créations, tout en gardant la marque de la personnalité de chacun, présentent quelques options fondamentales communes.

La cohésion du groupe est d'abord attestée par ses manifestations régulières. La première exposition d'ensemble date de 1925 et, pendant deux années, à Paris, de 1926 à 1928, une *galerie surréaliste* exposera les œuvres de ses membres. L'année même de la publication du manifeste, en 1924, commence la parution de *la Révolution surréaliste,* qui survit quatre ans et fait une large place aux artistes. Une seconde revue, *Documents,* lui succède en 1929 et 1930 avant que Tériade et Skira ne consacrent l'essentiel de leur somptueuse publication, le *Minotaure,* aux Surréalistes. Les expositions se multiplient de par le monde entre 1933 et 1938 et sont couronnées par l'une des premières manifestations du Museum of Modern Art en 1936 et par l'*Exposition internationale* présentée à Paris à la galerie des Beaux-Arts par Marcel Duchamp en 1938.

Cette vitalité du mouvement lui assure les premiers rôles durant toute cette période. Pendant le second conflit mondial, les personnalités les plus représentatives du groupe se retrouvent à New York et tentent, au retour de la paix, de redonner vie au mouvement. À Paris, les expositions de 1947 à la galerie Maeght — que Marcel Duchamp avait, de nouveau, mises en scène — et à la galerie Daniel Cordier en 1959 attestent certes la permanence d'une activité picturale surréaliste, mais aussi la dissolution manifeste du groupe : après 1945, il y a bien encore des artistes surréalistes, mais le Surréalisme a quasiment disparu. Aussi bien la continuité des manifestations communes ne doit-elle pas faire trop illusion. L'existence d'un groupe avec d'étroits échanges entre ses membres n'a été qu'éphémère : après 1929, déjà, les liens s'étaient beaucoup relâchés et la personnalité de chacun tendait à s'affirmer en toute indépendance.

Pour André Breton, en 1924, « le Surréalisme repose sur la croyance à la réalité supérieure de certaines formes d'association, négligées jusqu'à lui, à la toute-puissance du rêve, au jeu désintéressé de la pensée ». Le rôle de l'inconscient dans la création artistique est ainsi fortement affirmé. « L'absence de tout contrôle de la raison, en dehors de toute préoccupation esthétique ou morale » également revendiquée par le théoricien du groupe, est cependant loin d'être respectée par les peintres ou les sculpteurs : raison et préoccupations esthétiques interviennent toujours, consciemment ou non, dans l'organisation des œuvres.

Un grand nombre de peintres surréalistes réintroduisent la figuration — à l'exemple de leur prédécesseur Giorgio De Chirico —, même s'ils se détournent de la représentation en établissant des situations oniriques par le jeu de relations faussées ou anormales. La réception d'un art de ce genre était pourtant plus aisée pour un large public que celle du Cubisme et l'on peut même considérer l'œuvre de tels artistes comme une variante originale d'un retour à l'ordre.

LES ARTISTES SURRÉALISTES

La première vague des créateurs surréalistes vient surtout du groupe Dada : c'est le cas de Hans Arp, de Man Ray et de Max Ernst. Pour eux, il n'y avait pas de difficulté à s'adapter aux objectifs nouveaux : ils les avaient précédés. Les œuvres de Max Ernst de la période Dada sont déjà surréalistes en ce qu'elles sont fondées sur une association incongrue de certains éléments de la réalité. Dès 1921, il pratique l'incorporation de fragments photographiques dans ses peintures en tirant parti de leur caractère de représentation précise. Il s'installe à Paris en 1922 et trouve alors appui, mais aussi inspiration, auprès de Paul Eluard ; dès lors et jusqu'à la Seconde Guerre mondiale, il est l'un des protagonistes de la vie surréaliste parisienne.

Max Ernst pourtant, malgré l'exemple de De Chirico, malgré son goût de la photographie, ne revient pas, quant à lui, à la figuration proprement dite. En 1925, c'est peut-être l'idée de l'écriture automatique des poètes qui l'amène aux *frottages*, c'est-à-dire à des compositions obtenues par frottage sur de vieux panneaux de bois dont les veines font surgir des tracés labyrinthiques. Si le hasard est bien introduit dans le processus créateur, la formule n'est pas sans rappeler également celle du Cubisme synthétique, qui empruntait des matériaux bruts à la réalité. Les collages qu'il pratique en 1929 (la *Femme 100 têtes*) et en 1934 (la *Semaine de bonté*) utilisent comme composants des éléments d'impression de caractère populaire — catalogue de magasins ou publications similaires — dont la nature première évoque, comme les éléments des papiers collés cubistes, la banalité quotidienne.

Le monde de Max Ernst est l'un des plus riches de ceux des peintres surréalistes. Quelques thèmes récurrents s'y introduisent cependant, surtout celui de *Loplop*, le supérieur des oiseaux, qui apparaît pour la première fois vers 1928. Son nom mystérieux ajoute à la dimension onirique, comme souvent les titres des tableaux eux-mêmes.

La poétique d'André Masson (1896) est très différente. Un peu plus jeune que Max Ernst, il est venu directement au Surréalisme. Il pratique le dessin automatique, et ses premières peintures portent encore quelques marques de l'influence du Cubisme analytique : elles sont conçues sur le principe de la décomposition en plans, même si, aux droites et aux orthogonales de ses modèles, il préfère le plus souvent courbes et arabesques. Masson sera tenté de renouveler les pratiques picturales et réalise ainsi, en 1926-27, des tableaux de sable où la pose de la colle et l'écoulement du sable sont livrés à la dictée de l'inconscient. Le peintre intervient ensuite pour dégager ou souligner les formes qui s'étaient esquissées. Alors qu'il avait débuté dans la gamme austère des Cubistes, il en vient, vers 1928, à une coloration très chaude recherchant les violences de tons. Pendant la Seconde Guerre mondiale, en exil en Amérique, il devient un exemple pour les jeunes peintres d'outre-Atlantique. Le retour à la terre natale, et particulièrement à la campagne aixoise, devait l'amener, un bref moment, à retrouver une réalité de vision plus directe. Très vite, dès les années cinquante, il revient à son inspiration dominante et apparaît comme un témoin privilégié du Surréalisme pour les jeunes générations.

Troisième grand du Surréalisme, Joan Miró (1893-1983) s'installe à Paris en 1920 après avoir rencontré Picabia à Barcelone. Ses premières œuvres parisiennes apparaissent comme une interprétation populaire du Cubisme, enrichie par une palette méditerranéenne exubérante. Dès 1923, les formes de la vision tendent à se voir substituer des signes dont l'abstraction s'accentue rapidement. Parallèlement, l'espace disparaît au profit de fonds colorés qui apportent un élément essentiel de la poétique de ses œuvres. Surréaliste, Miró l'est, en somme, parce qu'il s'exprime par des associations de signes qui lui sont propres et relèvent de son imaginaire, inconscient ou non. Comme Masson, Miró présente un œuvre d'une remarquable continuité, mais, après la Seconde Guerre mondiale, il a tenté d'adapter son style au monumental : son langage tend alors à verser vers le décoratif et perd de la subtilité de ses tableaux de chevalet antérieurs.

Le Surréalisme est vite devenu un mouvement international, même si Paris demeure son centre vivant. L'œuvre de René Magritte (1898-1967) l'atteste bien. Après des débuts à Bruxelles dans la foulée du Cubisme, les rencontres avec les écrivains surréalistes belges, en 1925, le font changer d'orientation. Son art devient alors essentiellement intellectuel et fondé sur les associations imprévues, soulignées sinon suscitées par des titres qui deviennent partie intégrante de leur effet. Un séjour de trois ans à Paris, qui lui permet de nouer des liens d'amitié avec les écrivains français, notamment Breton et Eluard, le confirme dans cette voie. L'ironie joue chez lui un rôle essentiel et a contribué au succès de tableaux comme le célèbre *Ceci n'est pas une pipe* (1929, Los Angeles, County Museum). L'œuvre de Magritte serait parfaitement homogène s'il n'avait tenté, entre 1943 et 1948, de pratiquer ce qu'il a appelé un art impressionniste. Cette période est particulièrement décevante et souligne cruellement la pauvreté de ses moyens picturaux : sa poétique est d'abord intellectuelle et jaillit plus aisément en s'appuyant sur une facture, discrète dans sa facilité, qui suggère le trompe-l'œil sans le créer.

Pour s'être développé sans éclat, le rôle d'Yves Tanguy (1900-1955) n'en a pas moins été essentiel. Contemporain de Magritte, ce peintre découvre le Surréalisme, avec son ami Jacques Prévert, quand il a déjà pris corps. Il s'y engage pleinement et lui apporte cet art du trompe-l'œil que ses aînés n'avaient pas encore pratiqué. Dès 1927, son monde prend forme : plaines qui s'étendent au loin sous des cieux céruléens, parsemés de formes étranges souvent parentes des inventions de Arp et rendues présentes par une finition et des jeux d'ombres portées hérités de De Chirico, qui fut, pour lui, un maître.

Aussi, lorsque Salvador Dali (né en 1904) débarque à Paris avec un métier rompu aux rigueurs d'un réalisme trompeur par sa formation académique espagnole, il trouve en Tanguy un frère d'inspiration avec cet art du presque réel dans l'irréel, qu'il développe désormais. En 1935, à la suite de la lecture des premiers écrits de Jacques Lacan, il définira, dans *la Conquête de l'irrationnel*, la *méthode paranoïa-critique* : « Méthode spontanée de connaissance irrationnelle basée sur l'association interprétative-critique des phénomènes délirants. » Le rôle réservé à la critique, « uniquement liquide révélateur des images », souligne à quel point l'automatisme souhaité par les premiers surréalistes est impossible à pratiquer. On sait le succès, surtout après la Seconde Guerre mondiale, de l'œuvre de Dali, remarquablement orchestré par lui-même. La présence d'éléments de la vision, traités de manière de plus en plus précise, a sans doute facilité sa réception et son attrait : les désordres d'une vision perturbent moins qu'une abstraction ou son approche. Le monde de Dali, dominé par des symboles érotiques, est ainsi plus accessible que celui d'un Kandinsky ou d'un Picasso.

Le Surréalisme est une esthétique qui devait demeurer très vivante. Il a attiré à lui aussi bien des artistes qui l'abordaient consciemment que d'autres qui pouvaient retrouver dans son champ une possibilité d'expression spontanée.

Le deuxième grand surréaliste belge, Paul Delvaux (né en 1897), est de ces derniers. C'est seulement en 1935 qu'il trouve son épanouissement, après la découverte de l'exposition Minotaure à Bruxelles (1934). Son art est très spontané et fondé sur l'exploration de fantasmes personnels, qui l'amènent à peindre d'étranges femmes nues au regard vide errant dans des décors insolites ou, pendant une courte période et à l'exemple d'Ensor, des squelettes.

Plus isolé encore fut Hans Bellmer (1902-1975), Allemand de Pologne installé à Paris en 1938. À Karlsruhe, où il résidait alors, il avait construit, dès 1932, la première de ses étranges poupées. Malgré un article à son sujet, en 1934, dans *Minotaure*, il ne sera vraiment découvert qu'en 1953. Ses dessins et ses peintures sont marqués comme ses poupées de l'obsession du corps, qui invite à le désarticuler « pour recomposer, à travers une série d'anagrammes sans fin, ses contenus véritables ».

Les avant-gardes

LE BAUHAUS ET LES ARTS FIGURÉS

Décisif dans le domaine de l'architecture et de l'aménagement intérieur, le rôle du *Bauhaus* a été moins important pour les arts figurés. Ce fut le mérite de Gropius de faire appel à des peintres, Itten et Feininger en 1919, Klee à la fin de 1920 et Kandinsky en 1922. Le rôle d'enseignant qui leur était proposé les amena à réfléchir sur les fondements de la pratique picturale dans le cadre, notamment, de l'enseignement préliminaire confié successivement à Itten (1919-1923), à Moholy-Nagy (1918-1928) et enfin à Albers (1928-1933). Les réflexions sur la couleur et sur la forme de Itten et de Albers n'orienteront pas seulement leur propre pratique, mais constitueront un corps de doctrine fort utilisé par différents tenants de l'Abstraction géométrique. Kandinsky, de 1923 à 1933, assure un cours sur le dessin analytique et un séminaire sur la couleur, tandis que Klee (1920 à 1931) a la responsabilité du cours de peinture : leurs écrits théoriques sont issus de cette expérience. Ce sont, par exemple, pour Kandinsky *Point, ligne, surface (Punkt und Linie zu Fläche)*, et des études publiées en 1926 par les *Bauhaus-Bücher*, et pour Paul Klee *Wege des Naturstudimus* de 1923 ainsi que l'important *Pädagogisches Skizzenbuch (Esquisses pédagogiques)*, en 1925.

Pour Klee, cette période correspond à son plein épanouissement. L'exemple du Bauhaus ne semble pas du tout l'avoir bridé, peut-être justement parce qu'il était chargé d'éveiller le sens créateur de ses étudiants. Qu'il ait été invité à participer, en 1925, à la première manifestation surréaliste dit bien aussi sa liberté à l'égard de l'établissement auquel il était attaché. Dans une conférence de 1924 qui constitue une véritable profession de foi, il souligne l'importance du subconscient et du rêve. Il serait cependant arbitraire de le tenir pour surréaliste parce que les préoccupations formelles demeurent chez lui un élément essentiel de la création. Elles sont même souvent le point de départ de l'œuvre : « À mesure que l'ouvrage s'étoffe, il arrive facilement qu'une association d'idées s'y greffe, s'apprêtant à jouer les démons de l'interprétation figurative. » Sans doute une telle démarche, qui s'appuie sur des éléments matériels et fait jaillir postérieurement le sens, peut-elle être assimilée à l'écriture automatique. Il importe peu : Klee fut un compagnon de route du Surréalisme tout en dépassant le propos du mouvement. Le plus remarquable, chez lui, est bien que les préoccupations théoriques ne transparaissent jamais dans ses œuvres, où s'épanouit une subtile poésie, souvent teintée d'ironie. Le recours au petit format, la pratique d'un dessin fruste, emprunté aux schématismes des enfants, ne nuisent jamais à l'harmonie de l'œuvre en elle-même : Klee est d'abord peintre et assure à chacune de ses compositions une densité plastique fondamentale. Bien plus, le petit format est plus propice à sa poétique. Les toiles plus grandes, qu'il ne peint que dans les deux dernières années de sa vie, n'ont pas toujours la même densité que les petites aquarelles, aux titres calligraphiés d'une écriture d'écolier attentif.

Pour Kandinsky, au contraire, l'arrivée au Bauhaus entraîne une sorte de systématisation de sa pratique. Aux accents lyriques de sa première manière abstraite, où les couleurs se mariaient harmonieusement, il substitue une écriture précise et nette, enfermant les tons dans des formes plus ou moins géométriques qui apparaissent comme des signes mystérieux d'un langage perdu.

La théorisation du Bauhaus, la recherche de la structure élémentaire, se trouve plus accusée dans l'art mécanique d'Oskar Schlemmer (1888-1943). Ses personnages raides, traduits dans une palette claire qui s'allie à la matité du matériau pictural, semblent comme une application rigoureuse du « cylindre » cézannien à la figure humaine.

LÉGER, LE PURISME ET L'EXPOSITION DE 1925

Ce goût des formes simples que l'on trouve chez Schlemmer est en grande partie un héritage du Cubisme, qui se traduit également, de façon voisine, en France dans le Purisme. Amédée Ozenfant (1886-1960) avait rencontré en 1917, chez l'architecte Auguste Perret, Charles-Édouard Jeanneret, plus connu depuis sous le nom de Le Corbusier (1887-1965). Tous deux publieront, en 1918, un manifeste, *Après le Cubisme,* définissant le Purisme comme un art de *rigueur* et de *précision* où *l'idée de la forme précède la couleur.* De 1920 à 1925, ils publient *l'Esprit nouveau,* revue bimensuelle, « Revue internationale illustrée de l'activité contemporaine, arts, lettres, sciences, architecture » consacrée à l'esthétique. Leur œuvre pictural est directement apparenté aux architectures de Le Corbusier. Il est fondé sur un dessin rigoureux réduisant les formes des objets évoqués à des signes graphiques soulignés par une coloration sobre. À l'exposition des Arts décoratifs de 1925, le pavillon de *l'Esprit nouveau* était une création de l'architecte Le Corbusier, mais le peintre y était aussi présent aux côtés d'Ozenfant et de Léger.

L'ABSTRACTION GÉOMÉTRIQUE

L'Abstraction géométrique dépasse le Purisme dans sa rigueur. Le mouvement De Stijl, né en 1917, en est l'une des sources. Bien que Mondrian soit revenu s'installer à Paris en 1919 et que Théo van Doesburg y ait fait de longs séjours, le développement de l'Abstraction géométrique en France n'advient guère avant les années vingt. En 1929, le Français Michel Seuphor (1901) et l'Uruguayen Joachim Torrès-Garcia (1874-1949) fondent le groupe *Cercle et carré,* qui organise une exposition dans une galerie de la rue La Boétie. Le relais est pris ensuite par la revue *Abstraction-Création,* dirigée par un autre membre du Stijl, Georges Vantongerloo (1886-1965), et qui édita de 1932 à 1936 un album annuel.

Autour de ces animateurs se réunissent des artistes venus de tous pays. Jean Gorin

(1899-1981), Mondrian, Torrès-Garcia participent à la première exposition. Bientôt, d'autres viendront se joindre à eux, l'Anglais Ben Nicholson (1894-1983), l'Américain Alexander Calder (1898-1976), le Suisse Max Bill (1908) et, en 1933, Kandinsky, qui vient de s'installer en France, à Neuilly-sur-Seine.

Le Français Auguste Herbin (1882-1960), déjà parvenu à l'Abstraction géométrique dès 1926, ne se rallie au groupe qu'à partir de 1931. Comme Mondrian, il cherche à appuyer sa démarche créatrice sur une théorie et en arrive à définir, en 1949, un alphabet plastique : chaque lettre peut être transcrite par l'association d'une forme et d'une couleur, et ses tableaux sont littéralement lisibles.

L'une des plus fortes personnalités du groupe est certainement Joaquim Torrès-Garcia, que sa nationalité uruguayenne a fait trop négliger par le public européen. Certes, il est resté peu de temps attaché à l'Abstraction pure et a introduit très tôt sinon des éléments de la vision, du moins des signes formels. L'ordonnance de ses toiles, fortement architecturées, a beaucoup marqué les peintres qui l'ont approché. Il a publié en 1944 un ouvrage théorique, *Universalismo constructivo*.

Malgré la vitalité de ces groupes de peintres abstraits, leur art est demeuré, jusqu'à la guerre, plutôt celui d'une chapelle : après le « retour à l'ordre », leur position apparaissait comme trop extrême, et leur dépouillement comme absence de sensibilité. Seuls deux artistes purent faire connaître plus largement une formule abstraite : Robert et Sonia Delaunay, qui avaient abandonné la figuration en 1930 pour se consacrer à de grands *rythmes* peints avec des couleurs primaires ou exécutés en reliefs, reçoivent, en 1937, la commande de la décoration des pavillons de l'Air et des Chemins de fer pour l'Exposition internationale.

L'EXPRESSIONNISME

La troisième composante des avant-gardes de l'entre-deux-guerres est bien l'Expressionnisme, que le premier conflit mondial n'avait pas fait disparaître. Si le groupe de *Die Brücke* avait été fortement décimé, Emil Nolde, Max Pechstein (1881-1955) et Karl Schmidt-Rottluff maintenaient la vigueur du courant primitif, comme c'était le cas d'Oskar Kokoschka pour l'Expressionnisme autrichien.

Une nouvelle orientation se manifeste, pour la première fois, dans le cadre de l'exposition *Neue Sachlichkeit* (Nouvelle Objectivité), organisée par Gustave Hartlaub au musée de Mannheim, en 1925. On désigne aussi parfois ce groupe par l'intitulé du titre d'un article que Franz Roh lui a consacré, *Magischer Realismus* (Réalisme magique). Il s'agit d'artistes qui présentent une réalité de vision dépeinte avec une grande précision, mais aussi une agressivité visant, par la déformation et la laideur des formes, à suggérer une critique sociale.

Georg Grosz (1893-1959) avait justement pratiqué la caricature, avant la première guerre, pour *Simplicissimus*. Il était passé par les cercles Dada, où ses dessins étaient appréciés comme une dérision de l'art. Otto Dix (1891-1969) est la personnalité la plus marquante du groupe. Il avait traversé, vers 1914, une expérience futuriste et c'est dès 1920 qu'il vient à une représentation féroce de la réalité. Ses portraits sont impitoyables, tant par leur façon de présenter les personnages que par une analyse, en apparence méticuleuse, qui accentue, en fait, les caractères de laideur ou de médiocrité en jouant souvent, pour cela, d'effets de couleurs.

Max Beckmann (1884-1950) avait vécu, dans sa jeunesse berlinoise, une période impressionniste dont il garda, à l'inverse de Dix, le goût d'une facture plus spontanée et moins tributaire d'un dessin précis. Son Expressionnisme se traduit autant dans la composition, qui brise les formes humaines, que dans la couleur, souvent haute mais presque toujours dans des accords durs, et enfin dans la touche, qui donne un aspect fruste à l'ensemble. Ses thèmes, très variés, sont également une composante essentielle du climat de ses œuvres. L'une des premières, la *Nuit* (Düsseldorf, K. N. W.), évoque une chambre de torture. La puissance des formes impose ses visions comme des cauchemars. En 1933, il est déchu de son poste de professeur à Francfort et émigre d'abord aux Pays-Bas avant de s'installer, en 1947, aux États-Unis. Malgré le confort de l'exil et le retour de la paix, ses toiles demeurent jusqu'à sa mort empreintes du même climat de violence et d'angoisse.

L'EXPRESSIONNISME FLAMAND

Après la Première Guerre mondiale, un second groupe d'artistes, installé à Laethem-Saint-Martin, affirme son originalité. Trois d'entre eux, Gustave De Smet (1877-1943), Frits van den Berghe (1883-1939) et André de Ridder, avaient fait la connaissance, à Amsterdam, de Le Fauconnier, réfugié aux Pays-Bas. Permeke (1886-1952), mobilisé, blessé au front, est évacué en Angleterre, où il passe, après une longue convalescence, le reste de la guerre. Tous se retrouvent à Laethem à partir de 1919 et évoluent rapidement vers un Expressionnisme qui demeure cependant très modéré dans ses accents.

La figure dominante est celle de Constant Permeke (1886-1952), qui apparaît entre les deux guerres comme l'artiste belge le plus notoire, même s'il scandalise volontiers par ses outrances. Son art hésite longuement entre des directions différentes. Impressionniste avant la guerre, il avait été tenté, dès cette époque, par le Réalisme. C'est vers 1922 qu'il trouve sa voie — non sans connaître encore quelques retours — et se met à peindre des personnages puissants, figés dans leurs actions, cadrés souvent librement et exprimés par un dessin qui accentue lourdement les contours, tout en étant servi par une palette généreuse en grands accents.

Gustave De Smet est plus attiré par les stylisations issues du Cubisme, et ses personnages présentent souvent une note « Arts déco » sensible. Frits van den Berghe suit un parcours plus hésitant. Il passe d'œuvres vigoureusement construites par des aplats colorés dans une manière voisine de celle de Die Brücke (v. 1922) à des scènes anecdotiques élaborées avec des schématismes proches de ceux de De Smet, pour en venir, finalement, à une sorte de Surréalisme dramatique.

Aux côtés du groupe de Laethem, le Bruxellois Edgar Tytgat (1879-1957) trouve une expression à laquelle il veut conserver un caractère populaire. Sa peinture demeure essentiellement narrative et s'inscrit entre l'art naïf et les vigueurs de l'Expressionnisme.

RÉALISME ET EXPRESSIONNISME EN FRANCE

Les peintres expressionnistes sont rares en France. En dehors de Rouault, que l'on peut qualifier ainsi, on ne saurait guère citer que Marcel Gromaire (1892-1971). Son origine septentrionale, qui aurait pu faire de lui un compagnon de route des artistes de Laethem-Saint-Martin, n'est apparemment pour rien dans ses choix. Son évolution est seulement parallèle et la rencontre de Le Fauconnier, le seul point commun. Le monde du travail, les paysages souvent industriels, les femmes sont ses thèmes favoris, qu'il interprète avec une écriture ferme, utilisant très modérément les déformations et associant étroitement le dessin à une coloration sourde qui marque ses œuvres d'un ton sévère. On pourrait aussi rappeler l'Alsacien Charles Walch (1878-1948), qui penche tôt pourtant vers un Réalisme poétique que ses accents colorés. Une singulière résurgence de la tendance apparaît à la fin des années trente avec Francis Gruber (1912-1948), qui retrouve, avec une sorte de misérabilisme, des accents proches de ceux d'Otto Dix, auxquels se mêlent des notes fantastiques venues du Surréalisme. Son art est souvent tenu pour un témoignage sur les misères de la guerre.

L'EXPRESSIONNISME MEXICAIN ET BRÉSILIEN

Le climat de révolution sociale et agraire que connaît le Mexique depuis 1910 a offert des conditions exceptionnelles d'épanouissement aux artistes. Sous l'influence des syndicats, la décoration des façades des établissements publics leur est confiée. Ils se trouvent alors confrontés à la conception d'un programme monumental dans lequel ils tenteront d'associer les leçons du modernisme à celles de l'héritage précolombien.

José Clemente Orozco (1883-1949) avait vécu aux États-Unis de 1917 à 1919 ; Diego Rivera (1886-1957) avait travaillé en Europe, où il avait successivement subi les influences du Néo-Impressionnisme, de Cézanne, du Fauvisme et du Cubisme ; David Alfaro Siqueiros (1896-1974) avait séjourné également en Europe de 1919 à 1922. La première décoration murale importante est celle de l'*Amphithéâtre Bolivar* de l'université de Mexico, réalisée en 1922, à la cire, par Diego Rivera. Orozco aime les contrastes accusés et les compositions isolant des éléments significatifs. Siqueiros peint également dans une gamme sourde des groupes dramatiques. Rivera utilise avec modération les pratiques synthétiques issues des leçons occidentales. Ces grands ensembles décoratifs, très nouveaux par leur parti qui va jusqu'à couvrir totalement les grandes façades aveugles d'édifices modernes, sont les ancêtres directs des *murals* d'aujourd'hui.

Au Brésil se développe également un Réalisme plus modéré dont le représentant le plus marquant est Candido Portinari (1903-1962) ; c'est à lui que fut confiée la décoration picturale du ministère de l'Éducation et de la Culture de Rio de Janeiro, édifié par Le Corbusier et Niemeyer.

LES RÉGIMES TOTALITAIRES ET L'ART

La prise de pouvoir de Hitler, en 1933, signifiait la condamnation des tendances modernes. Bien des artistes émigrèrent et ceux qui restèrent, tels Nolde ou Schmidt-Rottluff, furent interdits d'exposition. Le nazisme réclame un art réaliste et aime les allégories. Les peintres qui acceptent ces exigences sont les praticiens d'un Académisme pauvre, sans grand esprit ni qualité picturale : tels Ivo Saliger, Adolf Wiessel, Ugo Wendel et Fritz Erler, peut-être le plus personnel.

Le fascisme italien s'est montré moins coercitif que le nazisme. Il a pourtant souhaité une orientation classique de l'art et donné des commandes seulement aux artistes qui s'engageaient dans cette voie. Giorgio De Chirico, en reniant son passé métaphysique, avait préparé le terrain d'un tel revirement. Mario Sironi et Achille Funi, tous deux venus du groupe *Novecento*, sont les plus brillants de ces artistes officiels.

La Russie soviétique avait devancé l'Italie et l'Allemagne en exigeant la glorification de la révolution. Alexandre Deineka (1809-1965) exalte le travail dans des compositions qui ne retiennent de l'aventure moderne qu'une très légère tendance à simplifier les formes. Isaak Brodski (1884-1939) adopte la traduction la plus minutieuse de la réalité de vision, notamment dans son très conventionnel *Lénine à Smolny* (1930, Moscou, Gal. Tretiakov).

LE TOURNANT DES ANNÉES TRENTE : PICASSO, MATISSE, BONNARD

Parmi les aînés qui avaient été tentés par le retour à l'ordre, trois évoluent profondément dans les années trente. Matisse n'avait jamais totalement abandonné ce qu'il dénommait, en 1907, la recherche de l'« expression ». La quatrième version de sa sculpture sur le thème du *Dos*, la plus synthétique de toutes, est précisément réalisée en 1930. La même année, un voyage en Amérique comme membre du prix Carnegie lui vaut de rendre visite au docteur Barnes et de recevoir la commande d'une grande décoration pour la pièce principale de sa fondation. Elle l'occupera de 1931 à 1933 et le voit revenir à son grand style synthétique, qu'il n'abandonnera plus. Le *Nu rose* (1935) de la collection Cone (Baltimore, M. A.), résultat d'une longue élaboration dont toutes les étapes ont été photographiées, est l'un des plus beaux exemples de ce principe d'épuration progressive des éléments anecdotiques de la vision pour ne plus retenir que l'essence des formes. C'est la même pratique qui s'épanouit dans les papiers collés des années 50.

Picasso, dès 1925, avec la *Danse* (Londres, Tate Gal.), avait ouvert la voie d'un « Expressionnisme analytique », si l'on peut avancer ce terme qui rend compte à la fois de la décomposition des formes et de leur portée expressive. Pourtant, il ne s'y fixe pas immédiatement. Il flirtera avec les Surréalistes, qui lui demandent sa participation à leur exposition de 1925 et auxquels il est associé dans *Minotaure*. Pourtant, ce qu'il est convenu d'appeler la période surréaliste de Picasso n'a guère à voir avec ce mouvement. Elle est marquée par une invention plus fantaisiste dominée par des formes incurvées, tantôt de l'ordre d'un dessin fortement accusé par des cernes, tantôt par des assemblages d'éléments traduits en suggestions de volumes et évoquant très librement des structures corporelles. Cette seconde manière est comme une nouvelle variante du Cubisme synthétique, dont les éléments de base ressemblent à des galets. Ces jeux picturaux vont plus ou moins de pair avec les sculptures que Picasso modèle en 1931 et 1932 au château de Boisgeloup. C'est vers 1936 que la pratique expressionniste fait sa réapparition, d'abord avec des portraits de *Dora Maar*, aux visages de profil timbrés de deux yeux vus de face. Elle éclate brutalement devant les drames espagnols et s'exprime dans *Guernica*, exécuté pour le pavillon de la République espagnole de l'Exposition internationale (1937, Prado). Avec des variations selon les périodes, ce genre d'Expressionnisme demeure sa vision prédominante jusqu'à sa mort. Il se fait tantôt dramatique, pendant le conflit mondial, tantôt aimable et parfois même gracieux, comme dans l'immédiat après-guerre.

De son côté, Bonnard est revenu à des œuvres souvent presque narratives avant même 1914. Pourtant, entre sa production publique, sacrifiant aux désirs de la clientèle, et ses créations plus personnelles se marque une différence assez sensible. Les secondes sont enrichies d'une coloration très chaude et exécutées dans une facture qui se contente de suggérer la forme par des lacis de pâtes colorées. Vers 1932, c'est cette pratique qui s'affirme seule et domine désormais : le *Déjeuner* (1932, Paris, Petit Palais) est un des premiers chefs-d'œuvre de cette nouvelle expression. La gamme colorée s'est enflammée et semble parfois retrouver des accords du Monet des *Nymphéas ;* elle fait largement place

aux jaunes et aux orangés. Une sorte d'incantation chromatique semble traduire une luminosité interne des choses. Si la réalité de vision est toujours présente, elle n'est plus guère que prétexte à cette rêverie enchantée que Bonnard poursuit dans sa retraite isolée du Cannet. Pour bien des jeunes peintres qui s'illustreront dans l'Abstraction lyrique, il apparaît comme le maître de la couleur parce qu'il l'utilise avec plus de subtilité que Robert et Sonia Delaunay dans leurs œuvres monumentales.

L'ÉMERGENCE AMÉRICAINE

L'exposition de l'Armory Show de 1913 avait fait connaître l'art moderne européen à l'Amérique, mais peu d'artistes cependant, se sont inscrits directement dans son sillage : le plus remarquable est John Stella (1877-1946), très proche des Futuristes, tant par ses thèmes que par sa pratique.

La forte tradition réaliste américaine pousse bien plus de peintres à rechercher une conciliation entre la structuration des œuvres contemporaines et la représentation du réel. Un groupe de paysagistes décrivent ainsi ville et campagne. John Marin (1870-1953) adopte des formules proches du Fauvisme, mais d'un Fauvisme modéré qui se souvient de l'Impressionnisme. Arthur Dove (1880-1946), qui était passé par l'Abstraction vers 1910, décrit un monde industriel en grands aplats colorés ; Georgia O'Keeffe (1887) trouve des accents monumentaux à partir d'éléments végétaux ou de croix se détachant sur les paysages du Nouveau-Mexique. Tous ces artistes sont soutenus par le photographe Alfred Stieglitz. Plus américains encore apparaissent les Précisionnistes, qui tendent à une schématisation plane, proche de celle des Puristes. Charles Demuth (1883-1935), qui sera rejoint par Stella dans ses dernières années, crée ce qu'il appelle des « abstractions », assemblages de formes réelles qui peuvent un peu rappeler ceux de Léger.

Dans la génération suivante, deux artistes s'engagent dans des voies plus proches de celles de l'Europe. Stuart Davis (1894-1964) adopte un art quasi abstrait haut en couleur et se fera un défenseur de l'Abstraction. Milton Avery (1893-1965) se tourne vers Matisse, dont il suit avec moins de force la stylisation comme l'éclat des couleurs.

La tradition réaliste trouve toujours des interprètes, de Grant Wood (1892-1942), qui a un ton de naïveté dans sa description froide, à Thomas Benton (1889-1975), qui n'est pas sans connaître les stylisations contemporaines. Elle trouve son maître le plus personnel dans Edward Hopper (1882-1967). La banalité des thèmes de ce peintre — maisons quelconques, bars, rues — peut surprendre. Le dépouillement de son exécution, la lumière froide qui rappelle par moments le premier De Chirico introduisent cependant une sourde émotion dans les paysages et les situations les plus humbles.

Bibliographie sommaire

Cassou (J.), *Panorama des arts plastiques*, Gallimard, Paris, 1960. *Le Retour à l'ordre dans les arts plastiques et l'architecture, 1918-1925*, actes du colloque de février 1974, Saint-Étienne, C. I. E. R. E. C., 1976. *Les Réalismes, 1919-1939*, Centre Pompidou, Paris, 1980.

LA SCULPTURE
DE RODIN À NOS JOURS

Mady Ménier

De l'œuvre de Rodin à la fin de la Première Guerre mondiale

LE TEMPS DE RODIN

L'immense gloire de Rodin (1840-1917), qui a fait de lui le héraut de la sculpture moderne, a quelque peu gauchi sa figure. Bien loin de surgir isolément, Rodin s'inscrit dans toute la tradition glorieuse de la sculpture indépendante française, de Rude à Carpeaux, et son œuvre en constitue, aussi, l'accomplissement. Son génie lui fit même ouvrir pleinement les voies tracées par d'autres, qu'il ait un peu connu leur sculpture (Daumier, 1808-1879) ou probablement pas du tout (Degas, 1834-1917). Mais la longévité de Rodin le fit, au commencement du XXe s., le contemporain de la jeune sculpture, qu'il domina de toute sa stature et qui eut à se définir à partir de son œuvre, et souvent contre elle.

Situer Rodin dans une perspective historique ne diminue en rien ce géant, mais le fait au contraire mieux reconnaître pour ce qu'il est : un de ces artistes d'exception, comme en peinture Delacroix, en qui se résume un très long passé culturel qu'ils transmuent en un art neuf. Rodin est l'homme qui réussit pleinement à échapper à l'académisme et à s'imposer contre lui au travers d'une œuvre dont la diversité est peut-être la plus sûre grandeur, ce qui explique l'universalité de son rayonnement. La distance d'un siècle nous rend maintenant évident l'accent classique de l'*Âge d'airain* (Salon de 1877), alors que le *Balzac* (1898) érigé à Paris, seulement vingt-cinq ans après la mort de Rodin, fondait, aux yeux de Brancusi, la modernité en sculpture. Ce que le recul historique met en valeur, c'est que Rodin représente beaucoup plus que ce que l'on a appelé le « rodinisme ». Un tel artiste ne s'enferme pas dans une formule, il ne s'est pas même enfermé dans une œuvre, et l'inachèvement de sa plus grandiose entreprise : la *Porte de l'Enfer*, en est symptomatique. Dans cette somme, paradoxalement entreprise aux débuts de son œuvre personnelle, Rodin avait la volonté de réunir l'inconciliable, les deux pôles de son génie, la passion de l'analyse et l'ambition monumentale. L'une rend, comme il le dit lui-même, les « sentiments intérieurs » par la « mobilité des muscles », le *vibrato* du modelé, la subtilité de la touche sculpturale. La seconde fut sa passion et son tourment, car de tous les grands monuments qu'il rêva, entreprit ou même acheva, Rodin ne réussit à voir élever de son vivant, et au prix de maintes concessions, que les *Bourgeois de Calais* (1884-1895). L'entreprise démesurée de la *Porte de l'Enfer*, commencée en 1880, jamais achevée ni jamais vraiment abandonnée, reste le plus connu de son œuvre et peut-être le plus révélateur. Rassemblant près de deux cents figures en un immense tournoiement, Rodin s'y élève à la hauteur de Dante, qui l'inspira, et évoque Michel-Ange, qu'il admirait tellement, son grandiose échec rejoignant celui du *Tombeau de Jules II.* Il est à souhaiter qu'une étude scientifique exhaustive qui manque encore sur Camille Claudel (1864-1943) permette de prendre la vraie mesure d'un talent largement obéré par l'ombre de Rodin et de discerner ce qui, peut-être, dans la *Porte de l'Enfer,* lui revient.

En face de la stature de Rodin, l'honnête Jules Dalou (1838-1902), son contemporain, son condisciple et, tant qu'il le comprit (jusqu'au *Balzac* exclu, symptomatiquement), son ami, fait assez pâle figure. Heureux et spontané dans les esquisses, son art se refroidit à l'exécution, où réapparaît l'hypothèque de l'académisme. Communard exilé à Londres, Dalou eut, plus que Carpeaux et autant que Rodin, le mérite de réveiller (d'éveiller ?) la sculpture anglaise.

LE RODINISME
ET LA RÉACTION À RODIN

Échapper à Rodin, surpasser Rodin fut la hantise de toute une génération. Il fut le drame d'Antoine Bourdelle (1861-1929), qui y sacrifia de grands dons et, plus encore, y brida un tempérament. Même son grand œuvre, le *Monument à Alvéar* (1914-1919), s'il a du souffle et de la présence, reste entaché des constants défauts de Bourdelle : l'enflure de la « pensée » et le systématisme des moyens plastiques, opposés, terme à terme, à ceux de Rodin.

Une opposition moins crispée au maître de Meudon réussit mieux à d'autres, qui osèrent rester, avec simplicité, eux-mêmes. Parmi la pléiade d'artistes qui peuplèrent les ateliers de Rodin, les meilleurs, parmi les Français, furent sans doute Despiau et Pompon. Charles Despiau (1874-1946), en face de la fièvre rodinienne, est le sculpteur du calme. Mais ce calme est celui d'une vie intérieure traduite, dès son admirable *Paulette* (Paris, M. N. A. M.) de 1907, par la seule vertu plastique de la simplicité des

formes, animée par un modelé dont la subtilité relève de l'exquis. François Pompon (1855-1933) renouvelle la sculpture animalière, qui en était encore à plagier Barye, par l'accent tout moderne d'un beau métier large dont la concision doit beaucoup pourtant à la méditation de l'art égyptien.

Toute l'Europe a défilé chez Rodin. Il est frappant que le premier sculpteur italien qui soit beaucoup plus qu'un technicien soit Medardo Rosso (1858-1928), pétri de culture française. On l'a souvent désigné comme le sculpteur « impressionniste ». Ne s'est-il pas surtout défini par rapport à Rodin, noyant les profils dont celui-ci avait la religion dans des masses savamment imprécisées où s'abolit l'antinomie rodinienne « gangue »/parties achevées ? Il fut porté aux nues par son compatriote Boccioni et n'a sans doute pas laissé indifférent Brancusi.

En Angleterre, l'impact de Rodin fut net, mais plus circonscrit qu'ailleurs, car pris entre des mouvements contraires. Dalou avait, sur place, dignifié, mais aussi conforté la sculpture victorienne. Le *Mémorial national à Victoria Rex et Imperatrix* (1904-1909), en face de Buckingham Palace, de Thomas Brock (1847-1922), en est un significatif exemple. En revanche, l'avant-garde anglaise se montre vite informée du postrodinisme. Ainsi, Jacob Epstein (1880-1959), d'ailleurs né en Amérique, se forme à Paris à l'École des Beaux-Arts, échappe à l'académisme grâce à Rodin, mais fréquente Brancusi, Picasso, Modigliani (*Monument à Oscar Wilde,* Paris, cimetière du Père-Lachaise, 1911) avant d'aller à Londres faire, en sculpture, les beaux jours du *Vorticisme,* mouvement animé par Wyndham Lewis. Il n'est pas jusqu'à Eric Gill (1882-1940) qui ne participe, autant par son spiritualisme chrétien que par sa prédilection pour la taille directe, à la réaction à Rodin, fondée chez lui sur des traditions anglaises.

L'Allemagne a beaucoup admiré Rodin, elle ne lui en a pas moins résisté. En face de Adolf von Hildebrand (1847-1921), ferme pôle classicisant et antirodinien, Max Klinger (1857-1920) cherche à échapper à Rodin par des recherches laborieuses (statue chryséléphantine de *Beethoven*, 1899-1902, musée de Leipzig). À la génération suivante apparaissent de grands sculpteurs : Wilhelm Lehmbruck (1881-1919) dépasse les apports de Rodin, mais aussi ceux de Georges Minne et de Constantin Meunier, par l'élaboration d'un canon allongé qui lui est personnel et surtout d'un style élégiaque, traduction du tourment intérieur qui le conduisit au suicide. Georg Kolbe (1877-1947), dans sa meilleure période, suit le chemin qui a été aussi celui de tant de sculpteurs français, s'appuyant sur Maillol pour échapper à Rodin.

Les pays scandinaves, attachés à la tradition issue de Thorvaldsen, furent sensibles à Hildebrand autant qu'à Rodin. Carl Milles (1875-1955) passa ainsi de celui-ci à celui-là, tandis que Gustav Vigeland (1869-1943) resta fier du titre, quelque peu excessif, de « Rodin du Nord ».

Parmi tous les pays européens, la Belgique de la fin du XIXe s. brille d'un éclat particulier. On y fait grand accueil à l'avant-garde française, mais les lettres et les arts nationaux sont d'une exceptionnelle vitalité. La sculpture marche du même pas que la littérature et la peinture. Georges Minne (1866-1947), parti du rodinisme, est bien loin de s'y réduire. Figure centrale du groupe de Laethem-Saint-Martin, il peut être tenu pour le sculpteur du Symbolisme.

En 1912, année de la mort de l'empereur Meiji, une grande exposition Rodin au Japon laisse indifférent le grand public, mais enthousiasme les artistes, qui, avec une promptitude toute nipponne, s'informent de tout ce qui se fait à Paris. Dès 1913, par exemple, la *Blonde* (européenne) de Fujikawa montre la connaissance parfaitement assimilée non seulement de Rodin, mais de Despiau. Le déclenchement de la guerre ramène au Japon une pléiade de sculpteurs venus se former en Europe et électivement à Paris.

Dans ce concert, les Amériques du Nord et du Sud détonnent. Très admiré des élites de l'Amérique latine, Rodin ne fait pas de vraie percée vers un public plus large. Son audience du Nord ne dépasse guère le monde des collectionneurs, la place du pourfendeur de l'Académisme

étant solidement occupée par Augustus Saint-Gaudens (1848-1907), dont les audaces sont certes plus mesurées et d'autant mieux accueillies.

LES INDÉPENDANTS

Pour écrasante que soit la gloire de Rodin, sa surpématie fut toujours contestée par les tenants d'un art traditionnel, d'un côté, et de l'autre par des sculpteurs indépendants de toutes obédiences. Aristide Maillol (1861-1944) n'eut pas même à leur l'hypothèque du rodinisme. Venu tard à la sculpture, il y donne d'emblée de purs joyaux, de petites *Vénus* rustiques. Il passe au monumental sans plus d'effort et, si sa *Méditerranée* (1905, hôtel de ville de Perpignan) fait tellement événement, c'est que l'antidote à Rodin est là, parfait. Cette statuaire, qui compose en un schéma géométrique simple des volumes et des profils peu nombreux, use d'un modelé presque lisse et prohibe toute expressivité, démode d'un coup l'esthétique et le pathos rodiniens. La figure féminine lui suffit à tout dire, la *furia* de l'*Action enchaînée* (1906, Puget-Théniers) comme la pure splendeur du *Monument à Cézanne* (1912-1925).

Le Roumain Constantin Brancusi (1876-1957) vient à Paris pour y voir Rodin, mais s'en déprend vite. Une mutation radicale amène le surgissement du *Baiser* (1908). Brancusi, lui aussi, y définit d'un coup son art : le volume quintessencié, la compacité close, la forme qui ne laisse pas décider si elle est forme pure et/ou symbole. Hormis dans le travail du bois, Brancusi use d'un registre drastiquement restreint : l'ovoïde (thème de la *Muse endormie ; Mademoiselle Pogany*), la forme érigée (les *Coq*), qu'il combine (thème de la *Maïastra*) ou non et reprend dans des matériaux variés, souvent sur de longues périodes.

La sculpture et les mouvements picturaux

LA MOUVANCE DU CUBISME

La sculpture n'évolue pas dans un monde clos. Les sculpteurs sont d'autant plus informés de ce que font les peintres que ceux-ci sculptent et que c'est indéniablement en peinture, plus tôt qu'en sculpture, que se font alors les avancées décisives, sur la scène parisienne du moins.

Y a-t-il une sculpture cubiste ? Raymond Duchamp-Villon (1876-1918) cherche comme ses frères, les peintres Jacques Villon et Marcel Duchamp, à traduire la nouveauté du monde moderne, son mouvement, son *épos*. Il y atteint pleinement au travers des étapes successives, de plus en plus épurées, de son *Cheval* (1914), grandiose synthèse de l'abstraction et de la figuration comme du mécanique et du vivant. Henri Laurens (1885-1954) entame vers 1912 ce que lui-même appelle une « expérimentation » cubiste. C'est avec une rigueur cartésienne qu'il travaille, abolit le volume, remet en question toute relation établie de la forme de l'espace, rend caduques les notions de profil, de modelé, etc. (le *Clown*, 1914-15). Il réintroduira méthodiquement dans sa sculpture, mais épuré à ce feu, tout ce qu'il en avait évacué, élaborant une des plus hautes œuvres du XXe s., marquée par un libre retour à la figuration et à la valeur monumentale (*Amphion*, 1937).

C'est la rencontre du Cubisme qui galvanise les forces de Jacques Lipchitz (1891-1973), né en Lituanie, venu tôt à Paris. Inventeur non moins que Laurens d'un Cubisme sculptural (*Femme démontable*, 1915), il l'outrepasse rapidement, débouchant un des tout premiers, dès 1916-17 (*Figure de pierre*, 1916), sur l'Abstraction, qui ne le retient pas non plus. Il cherche longtemps la forme même de ce qu'il a appelé les « transparents », et où il donne peut-être ses chefs-d'œuvre (la *Harpiste*, 1928), pour y faire vite succéder leur antithèse : la forme bouillonnante, la matière profuse. Mais l'invasion nazie le chasse de la France, pourtant devenue son pays, vers les États-Unis, où il connaîtra une très grande gloire.

Le passage par le Cubisme d'Ossip Zadkine (1890-1967) a été, pour lui aussi, décisif. Comme Lipchitz, mais plus lentement, il cherche la brisure de la forme, la claire-voie, l'usage du vide actif, qui triomphe dans son chef-d'œuvre *Monu-*

ment à la ville détruite de Rotterdam (1948-1951). En revanche, le Hongrois Josef Csaky (1888-1971) ne fit guère plus que « cubistiquer » un temps, avec talent, au contact des frères Villon, une sculpture en fait traditionnelle, mais pleine de charme.

Otto Gutfreund (1889-1927), venu travailler chez Rodin, adhère très tôt au Cubisme, à l'instar de nombre d'autres excellents peintres et sculpteurs tchèques, mais quand exactement ? (le *Violoncelliste*, 1912 ?, 1913 ?). Gutfreund, qui fut un des plus cubistes de tous les sculpteurs, en fut-il aussi le plus précoce ? Pourtant, rentré chez lui, il ne s'adonne guère qu'à la taille dans le bois de figurines populaires qui tiennent de l'art naïf et préfigurent le Réalisme socialiste.

De tous les artistes venus de l'Est, le plus connu est sans doute Alexandre Archipenko (1887-1964). Venu de sa Russie natale, par Berlin, à Paris en 1908, il y assimile très vite le Cubisme. Osant l'usage conjoint des matériaux les plus inusités, y jetant un joyeux bariolage russe, il fait sensation avec l'affirmation des masses dans *Carrousel Pierrot* (1913) ou au contraire en évacuant le volume dans ses *Medrano I* et *II*. En dix ans, il aura renié le Cubisme et rejoint l'Académisme avant de quitter la France, en 1919, pour faire aux États-Unis une éclatante carrière et revenir, à la fin de sa vie, à l'avant-garde apostasiée de sa jeunesse, quoique de façon peu convaincante.

Le Cubisme et Paris ne recrutent pas moins au sud qu'à l'est. Les Espagnols avaient été nombreux autour de Rodin, ils ne le sont pas moins autour de Picasso, tel Manuel Manolo (1872-1945), avec lui dès 1912 à Céret. Pablo Gargallo (1881-1934) est un Catalan fidèle à la tradition du métal, dont les plaques tiennent avec brio la gageure de remplacer les masses, les profils, le modelé. (Citons seulement ici leur contemporain et compatriote Julio Gonzalez [1876-1942], dont l'œuvre ne prend tout son essor que dans les années trente.)

LES PREMIERS ABSTRAITS

De même que la peinture, la sculpture abstraite naît presque simultanément en divers lieux. Les frères Pevsner, Antoine Pevsner (1886-1962) et son cadet Naum Gabo (1890-1977), viennent s'informer en Occident, à Paris, mais aussi, pour Gabo, à Munich et en Italie, et deviennent très vite des figures de la foisonnante scène artistique moscovite. Ils élaborent une esthétique de la dématérialisation de la forme sculptée, réduite aux plans, compénétrée par des vides et incluant, écrivent-ils dans leur *Manifeste réaliste* (1920), « des éléments cinétiques et dynamiques ». C'est le chant du cygne de l'avant-garde soviétique. Suivant le mouvement général, Gabo quitte Moscou en 1922, Pevsner en 1923. Pevsner se fixe à Paris, où il donnera l'essentiel de son œuvre, fondée sur la soudure de fils métalliques sur des structures faites de l'agencement de quelques plans. Gabo, après avoir erré en Europe, s'installe aux États-Unis, ce qui a valu à son œuvre une audience plus grande qu'à celle de son frère. Il s'y montre fidèle aux intuitions de sa jeunesse : le mouvement, l'usage du plan, celui des matériaux issus de la technologie moderne.

Le Strasbourgeois Jean Arp (1887-1966) vient d'une culture double, allemande et française. Membre à Zurich du groupe fondateur de Dada, il y exécute ses premières sculptures : des reliefs de bois colorés, totalement abstraits. Il préfère pourtant appeler « concret » l'art qu'il développe à Paris dès la paix revenue. Peintre et poète, Arp a été le sculpteur de la grâce, de l'humour, semant de petits éléments insolites sur des supports horizontaux, creusant ou étirant la forme (*Croissance*, 1928) ou bien, à la fin de sa vie, l'ouvrant (*Théâtre, Seuil*).

Le groupe *De Stijl*, fondé en Hollande en 1917 par Mondrian et un groupe d'amis, ne comprend qu'un artiste dont la sculpture se rattache, de façon assez libre, aux principes du Néoplasticisme : Georges Vantongerloo (1886-1965), qui se fixe tôt à Paris, où son influence entre les deux guerres sera importante.

LES AVANT-GARDES NATIONALES

En face de ces mouvements internationaux et du centre cosmopolite qu'est

Paris, on assiste à la multiplication de mouvements nationaux, pour ne pas dire nationalistes, où la peinture entraîne souvent la sculpture. L'Allemagne revendique son passé médiéval en sculpture aussi, ce dont témoigne la statuaire *völkisch* (de tradition populaire) d'Ernst Barlach (1870-1938). Avec une probe sobriété, l'art de Käthe Kollwitz (1867-1945) atteint à une intense expressivité (*Monument aux morts* du cimetière d'Essen, 1932).

L'intelligentsia anglaise, contre les séductions françaises, se grise de nationalisme et de primitivisme. Le grand sculpteur du Vorticisme, qui vitupère le Cubisme et le Futurisme, est pourtant moins Epstein, qui fera carrière en fardant de modernisme son retour à l'académisme, que le Français Henri Gaudier-Brzeska (1891-1915), tué au front à moins de vingt-trois ans et qu'une éblouissante trajectoire a mené de Rodin à l'Abstraction.

La revendication de leur italianité est un trait commun à tous les Futuristes. On ne peut surévaluer l'importance de l'œuvre sculpté, en grande partie disparu, d'Umberto Boccioni (1882-1916), peintre, sculpteur et théoricien. Son impact fut grand sur la sculpture italienne, enlisée dans l'Académisme. Son exemple en détournera Arturo Martini (1889-1949), qui se cherchera un appui plus sûr dans la sculpture antique, renouant avec la grande tradition figurative italienne.

LA SCULPTURE DES PEINTRES

Tout au long du xixᵉ s., les peintres ont puissamment contribué au maintien d'une sculpture indépendante de l'académisme. Si les œuvres sculptés de Daumier et de Degas sont longtemps demeurés confidentiels, celui de Paul Gauguin (1848-1903), plus radicalement coupé de l'art européen que sa peinture, aura valeur d'exemple.

Ce sont les peintres qui ont souvent l'audace de se tourner vers les arts de l'ailleurs et de s'en inspirer directement dans leur sculpture ; il en est ainsi de Ludwig Kirchner (1880-1938), qui pastiche ouvertement la statuaire africaine. Entre 1907 et 1914, l'« art nègre » fut de grande importance pour la sculpture aussi, en Allemagne et en France. C'est à sa découverte précoce qu'André Derain (1880-1954) doit peut-être la précocité et la hardiesse de son travail de jeune sculpteur (*Femme debout*, 1906). Ne revenant ensuite à la sculpture qu'en 1939, il ne retrouvera jamais cette éclatante qualité malgré un constant appel aux arts primitifs et non européens.

Picasso (1881-1973) a sculpté par périodes seulement, mais les avancées décisives de son art se font tantôt en peinture et tantôt en sculpture. Rodinisant encore en 1906 (le *Fou*), il taille au couteau en 1907 de rudes totems brutalement peints. La célèbre *Tête* de 1910 contredit la présence maintenue du volume par la brisure en facettes de l'épiderme. Peu après apparaissent, contemporaines des collages, les constructions en matériaux vulgaires. Par contre, le *Verre d'absinthe* (1914) est classiquement coulé en bronze, mais les six épreuves en sont ensuite peintes, et chacune différemment. Après la guerre, Picasso produit d'arachnéennes constructions en fer, mais aussi les massives figures de Boisgeloup. Dans les années 30, l'artiste fait d'une passoire une *Tête*, et, en 1943, d'un guidon et d'une selle de vélo la célèbre *Tête de taureau* ; puis, après la Seconde Guerre mondiale, une voiture d'enfant devient la tête de la *Guenon et son petit* (1952, Paris, musée Picasso), un couffin, le ventre lourd de la *Chèvre gravide* (1950).

L'œuvre sculpté d'Henri Matisse (1869-1954), riche de soixante-dix bronzes environ, commence très tôt, en 1889. Les exemples de Barye, Rodin, Bourdelle l'intéressent moins que ne le font les arts primitifs, qu'il étudie au Louvre, la statuaire nègre, qu'il collectionne dès 1906 (ses deux *Négresses* sont de 1908). La série des *Jeannette* (1910-1913) et plus explicitement encore celle des *Dos*, qui couvre presque toute la période d'activité de sculpteur de Matisse, le montrent partant de la réalité pour aboutir à une pure construction formelle en un œuvre qui est un des plus importants de la sculpture du XXᵉ s.

Roger de La Fresnaye (1885-1925), entre 1910 *(Ève)* et 1912 (l'*Italienne*), a brièvement pratiqué une sculpture restée inféodée au Cubisme pictural. Georges Braque (1882-1963) a laissé disparaître ses constructions cubistes. Sa première statue conservée est la *Femme debout* (1920). Dans un œuvre sculpté peu abondant, il s'est montré fidèle à une petite statuaire qui évacue pratiquement la troisième dimension.

La diversité des sculptures des peintres se révèle quand on pense que des hommes aussi différents qu'Auguste Renoir (1841-1919) et Amedeo Modigliani (1884-1920) ont pratiqué cet art au même moment. Celles de Renoir, après de premiers essais honorables sans plus, sont des créations de vieillesse élaborées par l'intermédiaire de praticiens *(Guino)* à partir de 1913, quand la paralysie lui ôte l'usage de ses mains. Ce sont pourtant sans conteste des Renoir que sa *Venus Victrix* ou son *Jugement de Pâris*. Modigliani s'est pensé, voulu sculpteur, mais n'a pas pu réaliser totalement l'œuvre sculpté qu'il rêvait et qui, de plus, a été en grande partie détruit ou perdu. Il a pourtant réussi avec éclat ce que Derain tentera assez vainement et bien plus tard. La connaissance de l'art nègre, de l'art khmer, de l'art médiéval fonde une sculpture absolument neuve où le canon allongé, les formes raréfiées, l'ascèse du métier, d'une intense qualité plastique, confèrent aux corps et plus encore aux visages force, poésie et mystère.

PERMANENCE DE LA TRADITION

Une histoire des seules avant-gardes, outre qu'elle est partiale, est toujours sujette à caution tant sont spécieux et historiquement appelés à être constamment révoqués les critères qui la fondent. Ainsi, à l'intérieur d'une sculpture de tradition, où commence, où finit l'Académisme ? Pour autant que l'Académisme existe. Au temps de Rodin, il est incarné par le très oublié Eugène Guillaume (1822-1905), qui fit une éblouissante carrière officielle mais n'en finit pas moins par demander à Rodin de faire son buste. Rodin resta aussi, ostensiblement, en bons termes avec J.-A. Falguière (1831-1900), à qui échut la commande du *Balzac* lorsque celui de Rodin fut refusé. Aussi ne s'étonnera-t-on pas que Rodin ait eu une influence certaine sur la génération suivante des sculpteurs formés par l'École ; il tempéra leurs dogmes et les incita à chercher, pour un temps du moins, une nouvelle dignité pour leur art. Le *Monument aux Réformateurs* (1906-1917, Genève) de Paul Landowski (1875-1961), pour réfrigérant qu'il soit, n'en a pas moins une sobriété et une monumentalité qui feront totalement défaut à son *Monument à la gloire de l'armée française* (Paris, place du Trocadéro, 1956). À Landowski, il faut joindre le nom de son ami et coéquipier Henri Bouchard (1875-1960), qui colore de « médiévomanie » un métier tout officiel.

On peut leur préférer les figures plus modestes et l'art quasi artisanal d'un Paul Niclausse (1879-1958), qui ne se réduit pas à l'Académisme, non plus que celui de Robert Wlérick (1882-1944), qui fut élève de Lucien Schnegg (1854-1909), et moins encore celui de Charles Malfray (1887-1940), sculpteur inégal mais grand pédagogue, dont l'atelier fut une riche pépinière. Tout un courant se maintient ainsi qui ne pourra que, au lendemain de la Première Guerre mondiale, renforcer le phénomène du « retour à l'ordre » qui trouble les avant-gardes.

L'entre-deux-guerres

LA DISPARITION DES AVANT-GARDES DANS LES PAYS TOTALITAIRES

Les victoires de Staline, de Mussolini, de Hitler, de Franco et enfin la submersion de l'Europe par le fascisme durant la Seconde Guerre mondiale représentent autant de nuits de l'esprit. Pratiquement, tous les artistes soviétiques quittent leur pays en 1921. L'avant-garde allemande, dont l'art est dit « dégénéré », n'a le choix qu'entre la mort, pour laquelle opte Kirchner, l'exil de Freundlich (que ses compatriotes retrouveront et assassineront) ou une vie cachée comme celle de Käthe Kollwitz. Une peinture et une sculpture

de qualité persistent très discrètement en Italie, en particulier au sein du mouvement *Corrente*. En revanche, pas un des « artistes » couverts de commandes et d'honneurs par ces régimes dictatoriaux n'a laissé une œuvre et ne vaut la peine d'être seulement nommé. L'Exposition de 1937, à Paris, le montra. Il s'ensuit que la vie artistique ne se poursuit guère que dans quelques pays européens, les États-Unis ne comptant encore que peu.

L'OFFENSIVE DE LA TRADITION

Le retour à l'ordre intéresse moins les sculpteurs que les peintres. S'il affecte, brièvement, Lipchitz, il n'empêche en rien le déroulement de l'œuvre sculpté de tous les grands artistes qui se sont déjà définis : Brancusi, Maillol, Matisse, Laurens et Picasso. Mais la position des sculpteurs dits « de tradition française » en est, indirectement, renforcée. Despiau accepte de patronner avec Bouchard le vaste programme sculptural des palais de Chaillot et de Tōkyō, élevés à l'occasion de l'Exposition internationale de 1937. Cette architecture et la sculpture qui l'accompagne parurent vite démodées. Elles sont pourtant l'objet d'une réévaluation. On trouve de nouveau du charme à l'œuvre discret de Pierre Poisson (1876-1953), de la qualité à celui de Louis Dejean (1872-1953), du ton à celui de Léon Drivier (1878-1951). Gardons-nous d'adopter en face d'eux et en face d'artistes comme Georges Saupique (1889-1961) ou Marcel Gimond (1894-1961) l'attitude d'arrogant mépris qui fut celle, précisément, de Gimond face à la sculpture d'avant-garde.

PERSISTANCE DE L'ABSTRACTION

Contrairement à l'idée si répandue et tout à fait fausse que l'entre-deux-guerres est une sorte d'entracte, voire un moment de régression, une sculpture très riche et diverse se manifeste, dont les deux pôles sont l'Abstraction et le Surréalisme. Robert Delaunay (1885-1941), revenant en 1930 à l'Abstraction en peinture, donne alors l'essentiel de son œuvre sculpté, qui est abstrait. Piet Mondrian vit presque ignoré à Paris, son compatriote Georges

Vantongerloo (1886-1965) aussi, le seul sculpteur qui puisse se rattacher au mouvement du Néoplasticisme, issu de la revue *De Stijl*. C'est pourtant à Paris et à Londres que cette féconde tentative trouvera le plus d'écho. En témoignent les œuvres de Jean Gorin (1899-1981), qui fut un proche de Mondrian. Mal perçue en France même, cette activité sculpturale abstraite n'attire pas moins à Paris nombre d'étrangers, l'Américain Alexander Calder (1898-1976), à qui ses « mobiles » vaudront une gloire immense, le Hongrois Étienne Béothy (1897-1961), le Hollandais César Doméla (né en 1900). L'Allemand Otto Freundlich (1878-1943) produit en France, entre 1929 et 1933, l'intégralité de son œuvre sculpté.

Le Néoplasticisme hollandais fit aussi école à Londres. L'exemple le plus net s'en trouve dans l'œuvre rigoureux, pratiquement consacré au bas-relief, de Victor Pasmore (né en 1908), dont l'influence s'exerce jusque dans les années soixante. L'Angleterre est alors une pépinière de jeunes talents que marque aussi le Surréalisme.

Car la sculpture abstraite ne trouve pas facilement sa place. Ayant lutté à armes inégales contre le réalisme qu'est le Cubisme, l'Abstraction s'impose tout aussi difficilement face à l'humanisme qu'est le Surréalisme. Elle ne triomphera vraiment en sculpture qu'après l'avoir fait en peinture, au lendemain de la Seconde Guerre mondiale.

LE SURRÉALISME ET LA SCULPTURE

Plus liée à la peinture que la plastique cubiste ou abstraite, la sculpture surréaliste l'est surtout, fait capital, à la littérature. Le Surréalisme ne mit pas les sculpteurs devant des théorèmes plastiques posés par des peintres, mais, tout différemment, des littérateurs les ouvrirent, dans l'immédiateté, à une pratique libre de tout système. Ce fut pour beaucoup une rencontre décisive.

Ainsi, Julio Gonzalez (1876-1942), arrivé en 1900 à Paris, donne seulement à partir de 1926-27 son œuvre personnel. Il a regardé Brancusi, il a aidé à travailler Picasso, à qui le Surréalisme est indifférent. Dans sa sculpture, faite en partant

d'éléments de fer, se fondent Cubisme, Abstraction, Surréalisme (série des *Hommes-Cactus*, 1940), Expressionnisme (la *Montserrat*, 1937). C'est lentement aussi et au contact du Surréalisme, plus précisément même au contact de Giacometti, que l'art de Germaine Richier (1904-1959) prend toute sa dimension ; celle d'un panthéisme angoissé, exprimé par des moyens qu'on peut dire eux-mêmes panthéistes (elle annexait à sa glaise des minéraux, des végétaux, des fils, des objets).

Ces deux exemples reflètent l'importance du faire pour le sculpteur surréaliste. Toute l'angoisse existentielle d'Alberto Giacometti (1901-1966) marque son travail, qui se fait dans une rage d'exténuation, une exténuation créatrice. D'arrachement en arrachement, la matière, s'amenuisant, semble dévorée par l'espace, alors que c'est ainsi et par là, dans sa ténuité, qu'elle lui offre son évidence infrangible et son pathétique.

Tout autre, en face de ce monde des angoisses, est la sculpture, ludique, de peintres surréalistes, comme Max Ernst (1891-1976) ; elle doit plus que sa peinture à l'écriture automatique. L'abondant œuvre sculpté de Joan Miró (1893-1983), commencé en 1922 et dont la place a été croissant dans sa production, est celui d'un Pierrot Solaire.

L'impact du Surréalisme a été, on peut le dire, immense, universel. Le cours de l'art aux États-Unis a été changé par la présence dans le pays, durant la Seconde Guerre mondiale, de nombreux surréalistes réfugiés. Le Surréalisme fait écho en Amérique latine, au Japon et bien entendu dans toute l'Europe, en Angleterre comme en Autriche. Il marque l'art de Henry Moore (né en 1898) comme il anime la puissante monovolumétrie de Fritz Wotruba (1907-1975). Paradoxalement, c'est en France que le Surréalisme a semblé faire long feu, mais n'assiste-t-on pas aujourd'hui à une résurgence ?

Depuis 1945

La Seconde Guerre mondiale a laissé derrière elle tant de ruines qu'il aura fallu de longues années pour que les vaincus reparaissent sur la scène artistique. Par ailleurs, le stalinisme gèle durablement la vie intellectuelle des pays devenus le glacis de l'Union soviétique.

Les États-Unis apportent un démenti à l'idée reçue qui voudrait que la sculpture soit en retard sur la peinture. Tout au contraire, la sculpture est sortie la première du provincialisme de l'art américain grâce à l'arrivée de sculpteurs importants. Rappelons celle, dès 1906, de Gaston Lachaise (1882-1935), qui y répète avec grands succès son type de femmes éléphantiasiques, celle de Elie Nadelman (1882-1946) et, déjà signalée, celle de Gabo et de Lipchitz. Pourtant, celui qui fut longtemps le plus célèbre des sculpteurs américains, Alexander Calder, se partagera toute sa vie entre les États-Unis et la France. Est-ce parce que les États-Unis, ont mis du temps à reconnaître leurs sculpteurs ? Louise Nevelson (née en 1899) n'a vu saluer que tardivement la sombre beauté de ses assemblages de bois. Il en a été de même pour Isamu Noguchi, dont le raffinement, qui se réfère explicitement au Japon, est bien celui d'un homme de cette côte ouest qui a suscité et attiré tant d'artistes (il est né en 1904 à Los Angeles).

Les années soixante représentent dans l'histoire de la sculpture une importante coupure. Avant cette date, comme durant l'entre-deux-guerres, Londres et Paris apparaissent comme deux centres particulièrement actifs.

LA SCULPTURE ANGLAISE

Ce n'est qu'à la paix que l'opinion internationale découvre l'abondance des talents de sculpteurs en Angleterre, presque trop tard déjà pour le surréaliste Paul Nash (1889-1946). Barbara Hepworth (1903-1975) a un peu souffert de l'ampleur de la gloire de Henry Moore (né en 1898), qui est sans doute, depuis son retour, d'ailleurs non exclusif, à la figuration, le sculpteur le plus internationalement admiré. Tous deux avaient pourtant traversé à pas égaux le Surréalisme et l'Abstraction, y ajoutant la note, si anglaise, de l'accord avec la nature.

Si le « purisme », dans la lignée de Pasmore, est resté agissant, l'impact du Surréalisme a été plus important encore. Il a marqué de façon décisive Reg Buttler (né en 1913) comme Lynn Chadwick (né en 1914) ou Kenneth Armitage (né en 1916), ouvert la voie à Anthony Caro (né en 1924), formé dans l'atelier de Moore, ou à Edouardo Paolozzi (né en 1924). Celui-ci fut un des fondateurs du *Pop art* anglais, qui en 1960 précéda le *Pop* américain et marque un regain de faveur pour la figuration, qu'illustrent aujourd'hui des artistes comme John Davies ou R. Mason.

LA SCULPTURE EN FRANCE

Les lendemains de la guerre virent en France le Cubisme refleurir inopinément (*Gisant* de Henri-Georges Adam au Salon de la Libération), notamment chez les peintres-sculpteurs *Portrait de Paul Eluard*, 1947, par André Beaudin, mais ce ne fut pour la plupart des jeunes artistes qu'une étape sur le chemin de l'Abstraction, qui triomphe en sculpture comme en peinture.

Un trait commun des sculpteurs abstraits français est leur ambition monumentale. Henri-Georges Adam (1904-1967) a posé en 1961 son immense *Signal* devant le musée du Havre. Le grand œuvre d'Émile Gilioli (1911-1977) fut son signe-chapelle du *Monument aux morts des Glières*, où il unit sculpture et architecture, que Pierre Szekely (né en 1923) a totalement confondues dans son *Carmel* de Valenciennes. André Bloc (1898-1966) dans des formes complexes et des matériaux lisses, Morice Lipsi (né en 1898) dans les volumes sobres et l'accident de la pierre volcanique visent pareillement la monumentalité. Ce n'est pas hasard si Étienne-Martin (né en 1913) nomme *Demeure* nombre de ses sculptures. Y font écho les étranges œuvres ruiniformes d'Amado (né en 1922), tandis que l'art de François Stahly (né en 1911) culmine avec son gigantesque *Jardin-labyrinthe* pour l'Empire State Plaza (Albany, N. Y.). Il n'est pas jusqu'à Étienne Hajdu (né en 1907), si longtemps voué au travail subtil du marbre ou du métal, qui ne triomphe maintenant dans le monumental avec *Sept Colonnes pour Stéphane Mallarmé,* ou Raoul Ubac (1910-1985) qui ne délaisse l'ardoise et le petit format pour les alliages de bois et de résine et les grandes dimensions.

Les métaux s'accordent particulièrement bien à la ville moderne quand Robert Jacobsen (né en 1912) travaille le fer ou Berto Lardera (né en 1911), avec prédilection, l'acier corrodé. Zoltan Kémény (1907-1965) réussit à hisser à la dimension monumentale un travail paradoxalement fondé pourtant sur l'accumulation d'un élément manufacturé (boulon, tige d'acier, etc.). En revanche, Pierre Soulages (né en 1919) a qualifié de « travail de peintre plutôt que de sculpteur » ses opérations sur des plaques, dont il fait fondre les formes dans le bronze doré.

Les femmes sculpteurs manifestent la même énergie. Alicia Penalba (1918-1982) restera comme un des grands sculpteurs de notre temps. Le travail raffiné de Marta Pan (née en 1923) s'accorde toujours heureusement à l'architecture. Celui de Diem Phung Thi (née en 1920) se pare d'une distinction austère. Martine Boileau (née en 1923) est un grand sculpteur dans la lignée de Germaine Richier.

Le Surréalisme trouve toujours des échos, directement dans l'œuvre, trop tôt interrompu, de Jean-Pierre Duprey (1930-1959), mêlé à bien d'autres sources dans celui, en plein essor, taillé dans le marbre ou le bois brûlé, d'Agustín Cárdenas (né en 1927).

LES DIVERS FOYERS EUROPÉENS

Si chaque pays européen peut s'enorgueillir de grands sculpteurs, il n'y a pas eu, du moins entre 1945 et 1960, de centre qui égale Londres ou Paris. L'Allemagne s'est refait dans les années cinquante une place artistique de grande importance avec tout d'abord de beaux sculpteurs abstraits comme Karl Hartung (1908-1967), très sensible à ce qu'il avait vu à Paris, Brancusi comme Arp, et de plus jeunes, Brigitte Meier-Denninghoff (née en 1923), Norbert Kricke (né en 1922), dont les œuvres, très différents, jouent

pourtant électivement des mêmes matériaux : la tige métallique mais aussi le vide. La Suisse a en Max Bill (né en 1908) un artiste et un théoricien dans la lignée de *De Stjil* et du *Bauhaus,* tandis que Robert Müller (né en 1920) a beaucoup aimé jouer de la trouvaille, de l'objet de rebut.

La sculpture italienne n'avait jamais abdiqué. Elle a repris droit de cité. Aux noms déjà évoqués, il faut ajouter ceux, très célèbres, de Marino Marini (1901-1980), qu'on a salué comme le restaurateur de la statue équestre, de Pietro Consagra (né en 1920), universellement connu pour ses *Colloques,* de Fontana (1899-1968), qui ne fut pas seulement peintre.

Il faut évoquer Giacomo Manzù (né en 1908) et des Italiens très itinérants comme Murabito (1907-1972), dont la gloire a souffert de son exil, durant la période fasciste, aux États-Unis, Serge Brignoni (né en 1903), Edgardo Mannucci (né en 1904) ou leur cadet Francesco Marino Di Teana (né en 1920), maintenant fixé en France. C'est en France aussi qu'a produit tout son œuvre le plus grand sculpteur espagnol, Condoy (Honorio Garcia, dit Condoy, 1900-1953).

LES ÉTATS-UNIS

Le phénomène marquant de notre temps est l'affirmation de l'art américain, conforté par la suprématie économique et politique du pays, soutenu par une critique au patriotisme combatif. Si David Smith (1906-1965) était parti de l'art européen (Gonzalez, Picasso, le Surréalisme), il s'est ensuite retrouvé de plain-pied avec la première génération de peintres américains, dont plusieurs (Barnett Newman, Adolf Gottlieb) ont pratiqué la sculpture, et même, à la fin de ses jours, avec le *Minimal art,* celui par exemple de son homonyme Tony Smith (né en 1912).

Les *pop artists* ont contribué à rendre spécieuse la frontière entre peinture et sculpture (Johns, Rauschenberg), entre sculpture et objet (Wesselmann), sculpture et environnement (Kienholz), tandis que Oldenburg est le maître de la « sculpture molle ».

Toutes les formes de sculpture sont représentées aux États-Unis. Le *Minimal art*, où s'illustrent Donald Judd (né en 1928) ou Robert Morris (né en 1931), ne peut se séparer du goût pour l'ascétisme, que manifeste aussi la peinture de Frank Stella ou d'Ad Reinhardt. Mais, concurremment, une sculpture de la *mimèsis* la plus exacerbée se déploie avec George Segal (né en 1924), Duan Hanson (né en 1945), ou John de Andrea.

La sculpture aujourd'hui

Il serait tout à fait vain de chercher à établir si tous les mouvements internationaux auxquels on peut encore rattacher quelque chose de ce concept éclaté qu'est la sculpture (*Op art, Land art, Art cinétique, Body art, Art pauvre, Happening, One man show, Performance*, etc.) sont tous, ou non, américains d'origine. Il est indéniable que c'est le pays le plus riche du monde qui offre aux artistes la scène la plus en vue, les mécènes les plus opulents, la critique la plus lue. Il est non moins indéniable que l'art vivant ne se fait pas qu'aux États-Unis. Les pays les plus sensibles, dans les années soixante-dix, au modèle américain, le Japon, l'Allemagne, l'Europe du Nord s'en écartent artistiquement. Aussi, dans ce commencement des années quatre-vingt, l'art français, électivement vilipendé, retrouve-t-il une audience.

Cependant, le modèle américain reste largement prévalent et a amené une internationalisation et une synchronisation de l'art qui sont sans exemple. Demeurent à l'écart les pays les plus pauvres et ceux soumis à des régimes dictatoriaux. Y a-t-il une sculpture vivante en Amérique du Sud ? L'Argentine avait vu fleurir les talents : ils forment une diaspora. Sans doute y a-t-il une sculpture soviétique puisque les expositions internationales permettent de découvrir des sculpteurs de talent, croates, lettons ou roumains. Mais les seuls qui se soient vraiment imposés sont les Polonais, parce qu'ils sont très informés de tout et ont su en même temps préserver leur spécificité

nationale, qu'avait incarnée Xavery Dunikowski (1875-1964). Magdalena Abakanowicz (née en 1930) a conquis une gloire internationale par ses compositions d'immenses tentures suspendues. La Pologne a confié de grandes commandes officielles à de jeunes artistes, tel Gustav Zemla (né en 1931) [*Mémorial des insurgés silésiens*, Katowice].

On peut sans paradoxe rapprocher le Japon de la Pologne. La vogue de l'art français a été balayée depuis une vingtaine d'années par celle de l'art américain, mais pas totalement. Si Kazuo Yagi évoque I. Nogushi, il connaît aussi Ernst et Giacometti. Tomio Miki (né en 1937), qui sculpte électivement des oreilles, renvoie dos à dos César et Jasper Johns. Le travail sur l'aluminium plié d'Hisao Domoto (né en 1928) témoigne de qualités conjointes de raffinement et d'ascétisme, toutes japonaises, comme est profondément nipponne l'évidence monumentale des stèles de Shindo Tsuji (né en 1909). Le Japon est un des grands centres de la sculpture mondiale.

Mais, plus généralement, les États-Unis, le Canada, les quelques pays de l'Europe de l'Est ou d'Amérique du Sud où subsiste un art vivant, l'Europe de l'Ouest adoptent les mêmes modes, où tendent à se dissoudre les spécificités nationales. Si la vedette du *Land art* a été l'Américain Smithson (1938-1973), le relais a été repris par son compatriote Carl André (né en 1935) et on ne sera pas étonné que, dans ce genre agreste, brille le Britannique Richard Long (né en 1945). Les *Dokumenta* de Cassel, la F. I. A. C. de Paris, les grandes manifestations qui se tiennent aussi bien à Venise ou à Bâle qu'en Amérique montrent des œuvres où il est bien difficile de discerner la nationalité et même l'identité de l'auteur, le travail de groupe étant, de plus, à la mode. Le lieu de naissance de Tinguely (né en 1925), d'Arman (né en 1928) importe peu tant sont internationales leurs carrières, comme le sont celles de Daniel Spoerri (né en 1930), de Christo (né en 1935), de Niki de Saint-Phalle (née en 1930), dont le seul point commun est d'avoir fait partie en 1960 du groupe des Nouveaux Réalistes, comme César (né en 1921), et Yves Klein, qui pratiqua aussi la sculpture. Une exposition récente (Nice, 1982) a montré que ce mouvement gardait une actualité. Olivier Brice (né en 1933) se réfère à Christo, Boris Tisnot (né en 1949) à Spoerri. Pourtant, dans les mêmes années soixante, à Paris aussi, le groupe *Le Mouvement* a, tout différemment, groupé des artistes abstraits de toute origine, Nicolas Schöffer (né en 1912), les Sud-Américains Demarco (né en 1932), Julio Le Parc (né en 1928), Soto (né en 1923), l'Américain Melina, qui ont une activité internationale témoignant de la vitalité actuelle de l'Abstraction en sculpture.

Pourtant, la présence de la figuration, sa reconquête même d'une place éminente est un fait majeur de la sculpture de notre temps. Elle est l'essence même de l'œuvre de l'Autrichien Josef Erhardy (né en 1928), qui n'hésite pas même à célébrer la « vénusté », ou du Français Jean Robert Ipoustéguy (né en 1920), qui joue de la forme classique, mais toujours subvertie pour faire affleurer le tragique et le sentiment de la mort. Il faut compter, parmi les « jeunes » sculpteurs figuratifs, Jean Dubuffet (né en 1901), mais aussi Chagall (1887-1985) et Dali (né en 1904), venus tard à la sculpture.

Les appartenances nationales devenues peu significatives, comme les matériaux, à la lettre, innombrables, les catégories deviennent de plus en plus floues, y compris celle de la sculpture. Le terme en vogue de *conceptuel* est des plus vagues. Conceptuels sont Michel Journiac (né en 1945), Bernar Venet (né en 1941), qui appelle sculpture « un volume de gravier mélangé à du goudron sans dimension spécifique », Bernard Pagès (né en 1940), que d'aucuns disent structuraliste. Joseph Beuys, célébrant la « forme » comme l'« anti-forme », déclare vouloir « pourfendre cette idée conventionnelle la sculpture ». Avouons-le : tant que le recul du temps nous manque, classer en rubriques les activités, même proprement sculpturales, ou tout simplement savoir ce qu'on peut appeler sculpture dépasse la capacité de l'historien. Du moins, survolant la sculpture depuis près d'un siècle et demi, avons-nous vu s'accomplir dans l'œuvre de Rodin la grande tradition anthropo-

morphique entée dans la Renaissance italienne. Contre elle, nous avons vu se lever en sculpture l'équivalent de ce qu'on a appelé la peinture, peinture considérée alors imprudemment comme une fin en soi. L'histoire récente, qui nous fait assister à la résurgence de la figuration et de l'anthropomorphisme jusque sous ses formes les plus mimétiques, nous montre qu'on a eu tort.

L'évidence de ce mouvement ne doit nous cacher ni la persistance de l'Abstraction ni l'écho, difficile à saisir en sculpture, mais existant, de mouvements qu'on hésite à dire seulement picturaux tant la persistance d'une sculpture *strico sensu* est concomitante d'un courant non moins fort qui, depuis au moins le Cubisme, tend à l'exténuation des catégories traditionnelles.

Bibliographie sommaire

ELSEN (A. E.), *Origins of Modern Sculpture, Pioneers and Premises*, New York, G. Braziler, 1974. HAMMACHER (A. M.), *L'Évolution de la sculpture moderne* (trad. de l'anglais), Paris, Éd. du Cercle d'art, 1971. READ (H.), *A Concise History of Modern Sculpture*, London, Thames and Hudson, 1963. *Rodin et la sculpture contemporaine*, actes du colloque organisé en 1982 par le musée Rodin, Éd. du musée Rodin, Paris, 1983.

LA MARCHE DE L'ARCHITECTURE MODERNE

(1900-1945)

Jean-Louis Cohen

Une histoire controversée

Les pages consacrées par ses premiers historiens à l'apparition du « Mouvement moderne » en architecture ont souvent pris figure d'épopée. Nikolaus Pevsner, dans ses *Pionniers du Mouvement moderne* (1936), ou Sigfried Giedion, dans *Espace, temps, architecture* (1941), ont fait de l'affirmation des thèmes et des formes de la modernité architecturale un combat de la lumière contre l'ombre, de la raison contre les ténèbres. De ce fait, la portée de plusieurs des architectes loués par ces auteurs a été amputée, et beaucoup des recherches extérieures à la ligne ainsi tracée n'ont pas reçu l'écho qu'elles méritaient. Inversement, l'ampleur des ambitions territoriales, sociales, voire éthiques dont ces textes ont doté l'architecture moderne a facilité sa mise en accusation devant les échecs d'un urbanisme produit par nombre d'autres facteurs que les doctrines architecturales. L'aventure des « pionniers » ne peut donc être restituée que dans ses limites et ses ambiguïtés, tout comme dans ses relations avec les politiques sociales qui l'ont portée. Elle doit aussi être vue comme une composante, certes spectaculaire, mais elle-même multiple et en aucune manière isolée, des courants de l'architecture contemporaine.

Il n'y a pas, en effet, dans l'architecture du XXᵉ s., de coïncidence exacte et durable entre les mouvements architecturaux et les mouvements politiques ou sociaux, pas plus que de correspondance étroite entre les nouvelles techniques de l'acier ou du béton armé et les poétiques qui entendent les exalter. C'est plus sur des conjonctures éphémères que par des convergences durables que les rapports entre architecture et société se fondent. Tel est le cas de la rencontre avec le « taylorisme » emprunté aux États-Unis par Le Corbusier (1887-1965) ou par des constructivistes russes dans la création d'une architecture réglée par l'esthétique de la machine. Parallèlement, les transformations les plus profondes de la culture architecturale se font jour parfois dans des bâtiments et des projets urbains dont les apparences visuelles ne sont guère frappantes : c'est dans leur espace qu'apparaît la nouveauté.

Le développement des idées modernes a pu être assimilé à un mouvement international unanime et uniforme ; il n'en a rien été et la dimension nationale, voire locale des recherches de nombre des protagonistes de la diffusion des formes nouvelles dès les origines apparaît aujourd'hui de manière évidente.

ENTRE VIENNE ET CHICAGO : LES ALTERNATIVES À L'ÉCLECTISME DE LA FIN DU XIXᵉ SIÈCLE

Avec l'*Architecture moderne,* manifeste publié à Vienne en 1895, Otto Wagner (1841-1913) dégage une perspective bien différente de celle que la Sécession ouvre la même année et que sa caisse d'épargne de 1904 et son église au Steinhof de 1908 viendront préciser : un espace lumineux, où le revêtement est affirmé dans son plaquage et où les lignes de la *Nervenleben* (Vie nerveuse) de la métropole moderne sont lisibles, s'affirme ainsi. Malgré les ors et les marbres rehaussant ici ou là la surface de ces bâtiments, c'est bien une recherche d'effets de série que vise Wagner au niveau de la construction comme à celui de la ville : « L'uniformité rendue nécessaire par le caractère fonctionnel et économique des maisons d'habitation doit s'exprimer fortement dans la nouvelle image de la ville », écrit-il en présentant son projet de « métropole à croissance illimitée » pour Vienne, en 1911.

En réaction plus encore aux formes des élèves de Wagner que sont Josef Hoffmann (1870-1956) et Joseph-Maria Olbrich (1867-1908) qu'aux propositions du maître, Adolf Loos (1870-1933) mène en parallèle, à partir de 1899, une activité de polémiste incisif et d'architecte à scandale. S'il ne demande pas, comme on a pu trop souvent le penser, l'abolition du décor, avec son fameux manifeste de 1908 *Ornement et Crime,* publié en français dès 1913, il n'en propose pas moins une redéfinition de ce qu'il nomme le « principe du revêtement » et qu'il met en œuvre dans la maison de la Michaelperplatz construite à Vienne en 1910, au prix d'un grand tollé, car elle superpose à son rez-de-chaussée lisse de marbre vert une façade blanche, critique explicite du langage des façades de l'Éclectisme et de la Sécession. À ces réticences devant la production architecturale de ces mouvements et à sa recherche d'horizons formels épurés, Loos ajoute une fascination pour la tradition fonctionnelle de l'artisanat, dont sa passion pour la mode masculine britannique est le meilleur indice. Mais, derrière les façades blanches de ses maisons particulières, comme la *Maison Scheu* (Vienne, 1912-13), apparaît aussi la véritable dimension de son travail architectural : l'invention du *Raumplan* (plan spatial), qui reformule complètement les règles de distribution intérieure dans un dispositif où les trois dimensions sont pleinement mises en jeu.

Ce n'est sans doute pas un hasard si la maturité de Loos, formé à l'Université technique de Dresde, coïncide avec son séjour aux États-Unis (1893-1896), où il découvre les immeubles rationnels des architectes de l'école de Chicago et aussi la diffusion de l'idée de standard dans la culture matérielle. Le regard des architectes européens sur la production américaine se constitue en effet avant même l'exposition décisive des travaux de Frank Lloyd Wright (1867-1959) à Berlin, en 1910, à l'issue de laquelle ses dessins, publiés par l'éditeur Wasmuth, font le tour du vieux continent : la révolution spatiale que Loos opère dans la hauteur de ses maisons est accompli par Wright dans la dilatation horizontale des maisons de la Prairie qu'il édifie à Oak Park et River Forest, faubourgs résidentiels de Chicago, entre 1893 et 1916, après avoir quitté l'agence de Louis Sullivan, promoteur d'une architecture nouvelle et spécifiquement américaine dans ses rapports avec la construction et avec le décor.

Sous les longs toits plats de la *Maison Martin* de 1903 ou de la *Maison Robie* de 1909 se développe un espace fluide qui définit des zones de repos protégées, dans le même temps qu'il associe plusieurs volumes autour d'un élément unique, telle la cheminée. Avec les bureaux du Larkin Building construit à Buffalo en 1904, Wright rompt avec la tradition des immeubles superposant des étages répétitifs pour construire une structure unique, dans laquelle un des premiers systèmes de conditionnement d'air connus trouvera organiquement sa place, comme les appareils d'éclairage ou de chauffage trouvent la leur dans les maisons de la Prairie.

L'ARCHITECTURE ALLEMANDE AVANT 1914 : ENTRE LA GRANDE INDUSTRIE ET LA CITÉ-JARDIN

La combinaison de la modernité technique dans la construction ou l'équipement avec la recherche d'espaces et de formes nouvelles trouve une autre configuration en Europe. À l'invitation du grand-duc de Saxe, Henry van de Velde (1863-1957) s'installe à Weimar, où il ouvre en 1906 un séminaire d'art et une école d'art appliqué pour transformer la production artisanale locale. La démarche de van de Velde, centrée autour d'une vision essentiellement stylistique de l'architecture nouvelle, provoque les sarcasmes de Loos et soulève en 1914 l'opposition de Hermann Muthesius (1861-1927), lors du congrès de Cologne du *Werkbund* (Ligue pour l'œuvre) allemand.

Fondé en 1908, le Werkbund avait comme objectif d'assurer la collaboration des artistes et des industriels dans la constitution d'une architecture et d'une production matérielle de qualité, tant pour le marché intérieur que pour l'exportation. Partisan lors des débats de Cologne d'une standardisation ou, plutôt, d'une typification poussée de la production des arts appliqués, Muthesius avait, dans son ouvrage de 1904 *Das Englische Haus* (la Maison anglaise), explicité les bases de sa réflexion à partir d'une apologie de la culture domestique britannique et notamment du renouveau des *Arts and Crafts* (Arts et artisanat).

La meilleure illustration de la politique préconisée par le Werkbund est cependant l'activité de Peter Behrens (1868-1940), au service du puissant groupe industriel d'Emil Rathenau, l'AEG. À partir de 1908, il déploie son invention et son contrôle sur la conception de l'ensemble de l'univers de l'AEG, des premiers ustensiles électroménagers (ventilateurs, bouilloires) aux lampes à arc et de la typographie des affiches aux bâtiments de production mêmes de la firme, au premier rang desquels la Kleinmotorenfabrik et la Turbinenfabrik construites à Berlin (en 1908 et en 1912).

Temple de l'industrie, la Turbinenfabrik

joue de l'opposition des grands portiques d'acier aux pieds apparents qui la soutiennent et des piles d'angles et du fronton polygonal plein, dont la solidité introduit une allusion nostalgique aux grands bâtiments agricoles du Brandebourg.

Mais le rôle de Behrens est aussi celui d'un maître, chez qui se forme la nouvelle génération des Walter Gropius (1883-1969) et des Ludwig Mies van der Rohe (1886-1969). Avec Adolf Meyer (1881-1929), Gropius développera avant la Première Guerre mondiale le thème de l'architecture industrielle, tant dans l'usine Fagus construite en 1911 à Alfeld an der Leine, dont l'angle vitré achève la démonstration engagée par Behrens à Berlin, que dans l'usine modèle construite à l'exposition du Werkbund à Cologne en 1914, dont l'escalier de verre indique le propos : exalter dans la forme architecturale le thème de la circulation développé par la configuration même de la production industrielle.

En parallèle à l'activité de Behrens, celle de Hans Poelzig (1869-1936) ouvre une autre voie pour l'architecture de l'industrie moderne : avec l'usine chimique de Luban près de Posen, il affirme l'expressivité que peuvent prendre les grands murs de briques opaques des usines. De façon plus explicite encore que Behrens, Poelzig a recours à la tradition des grands toits des fermes des campagnes de l'est de l'Allemagne, tandis que Heinrich Tessenow (1876-1950) s'appuie, quant à lui, sur celle de la maison paysanne. Architecte avec Richard Riemerschmidt (1868-1957) de la première cité-jardin allemande, construite à Hellerau, près de Dresde, à partir de 1906, Tessenow y développe une architecture qui ne s'enferme pas dans la référence aux expériences contemporaines de Raymond Unwin (1863-1940) et Barry Parker (1867-1941) dans la cité de Letchworth, où les idées d'Ebenezer Howard, fondateur du mouvement, sont mises en œuvre depuis 1903, ou dans le faubourg-jardin de Hampstead, près de Londres. Tessenow, dans un hommage lointain au type originel qu'est la maison de jardin de Goethe, construite à Weimar en 1776, s'intéresse à la purification du langage de l'architecture domestique, dont les lignes nettes viennent dès ses dessins s'ourler de guirlandes végétales, et de celui des bâtiments communautaires. La Volkshaus de Hellerau, avec son fronton marqué du signe du yin et du yang, et qui abrite une institution de formation dirigée par le Suisse Jacques Dalcroze, tente ainsi de devenir le creuset d'une collectivité soudée autour d'un idéal artistique et antiurbain.

LA FRANCE ET L'ITALIE AVANT 1914 : À LA RECHERCHE DES FORMES NOUVELLES DU BÉTON ARMÉ ET DE LA VITESSE

Formé à l'École des Beaux-Arts dans l'atelier de Julien Guadet, qui en codifie la pédagogie dans son traité *Éléments et Théorie de l'architecture*, publié en 1902-1904, Auguste Perret (1874-1954) allie le classicisme de sa culture avec l'innovation technique, qu'il rencontre dans l'entreprise de constructions en béton armé de son père et de ses frères. Avec l'immeuble du 25 *bis* rue Franklin et le garage pour automobiles de la rue de Ponthieu, édifiés à Paris en 1903 et 1905, Perret apparaît comme l'héritier direct de la tradition rationaliste de Viollet-le-Duc et d'Auguste Choisy qui avait mis en perspective dans son *Histoire de l'architecture* de 1899 la question de la structure constructive des bâtiments depuis l'Antiquité. Rue Franklin, Perret retourne la distribution traditionnelle de l'immeuble parisien, dont la façade est désormais non porteuse. Rue de Ponthieu, il pose devant les rampes de béton du garage une façade de verre diaphane tendue par un cadre architecturé. Alors que le pionnier du ciment armé, François Hennebique (1842-1921), avait — dans son immeuble du 1, rue Danton — tenté en 1901 de retrouver toutes les ressources du décor de pierre de taille et qu'Anatole de Baudot (1834-1915) avait eu recours dans son église Saint-Jean-de-Montmartre, achevée en 1902, à la brique et aux incrustations de céramique pour revêtir l'ossature de béton, Perret exploite les différentes techniques de traitement du nouveau matériau (lavage, brossage, piquetage) pour trouver une expression variée. Avec le chantier du Théâtre des Champs-Élysées, qu'il enlève à son architecte initial, Henry van de Velde, il réalise en 1911-1913 sa première œuvre monumentale, constituée par une ossature de treillis en béton armé, qu'ornent en façade les sculptures d'Antoine Bourdelle, tandis que Maurice Denis décore les foyers.

Un autre élève de l'École des Beaux-Arts, contre laquelle polémique Frantz Jourdain, l'architecte des grands magasins de la Samaritaine, Tony Garnier (1869-1948), se fait connaître en 1901 lorsqu'il ajoute à son « envoi » de Rome, où il est pensionnaire de la Villa Médicis, le projet d'une « Cité industrielle ». Dans le même temps que des élèves de sa génération tels que Léon Jaussely ou Henri Prost jettent les bases d'un « art urbain » qui deviendra bientôt l'urbanisme, Garnier donne une vision d'ensemble d'une ville rationnelle et hygiénique, dont il précisera les traits en 1917, grâce à l'expérience des projets qu'il construit à Lyon à partir de 1906 pour les abattoirs de la Mouche et à d'autres équipements urbains comme l'hôpital de Grange-Blanche et le stade de Gerland. Si Garnier centre son projet sur l'idée de service public et sur l'hygiène, en écho à l'utopie décrite dans *Travail* par Émile Zola, c'est la « beauté de la vitesse » qui va inspirer les futuristes italiens à la suite du manifeste de Marinetti, en 1909.

L'architecte du mouvement, Antonio Sant'Elia (1888-1916), dessine en 1914 les planches de la *Città Nuova* en détaillant particulièrement la gare, la centrale électrique, les ponts et tous les bâtiments qui autorisent le déploiement de résilles de câbles, de treillis de métal, de tubes de verre, facteurs de cette « architecture du calcul, de l'audace téméraire et de la simplicité » qu'il appelle de ses vœux dans son texte de la même année, l'*Architecture futuriste*. Mais la guerre, ardemment souhaitée par les Futuristes, pour qui elle est la « seule hygiène du monde », verra la mort de Sant'Elia et celle du premier Futurisme.

L'ARCHITECTURE DE L'ALLEMAGNE DE WEIMAR : DE L'EXPRESSIONNISME AUX DÉBUTS DU BAUHAUS

Dans le même temps, les thèmes industriels présents dans la culture allemande d'avant 1914 trouvent une nouvelle formulation avec les carnets que le jeune Erich Mendelsohn (1887-1953) couvre de dessins lors de son séjour au front. Dans les formes des grues et des usines, Mendelsohn voit le point de départ d'une architecture du déséquilibre et du mouvement. De son côté, Bruno Taut (1880-1938), qui avait édifié en 1914 à l'exposition de Cologne un pavillon de l'industrie du verre remarqué pour sa coupole prismatique et la transparence de son escalier, imagine une « architecture alpine » constituée de coupoles de verre, qui cristallisent les prophéties des poèmes publiés en 1914 par Paul Scheerbart sous le titre *Glasarchitektur*. Au même titre que les bâtiments d'inspiration orientale de la *Stadtkrone*, dessinée par Taut en 1917, ces coupoles condensent une aspiration à la paix et à la fraternité des peuples, dont le caractère deviendra collectif avec les activités de l'*Arbeitsrat für Kunst* (Conseil de travail pour l'art), fondé en 1918 à Berlin dans le traumatisme de la défaite et de la révolution. S'y rencontrent Taut, Mendelsohn, Gropius et le critique Adolf Behne (1885-1948) ainsi que des artistes comme Georg Kolbe, Max Pechstein ou Karl Schmidt-Rottluff, qui entendent réconcilier le peuple et la culture, en assurant notamment « l'alliance des arts sous l'aile d'une grande architecture ».

L'activité publique de l'*Arbeitsrat*, qui tient en 1919 une « Exposition des architectes inconnus » consacrée aux esquisses de diverses « cathédrales du futur », se prolonge dans la correspondance utopique de la *Gläserne Kette* (Chaîne de verre), par laquelle Gropius, Taut, Hans (1890-1954) et Wassili (1889-1972), Luckhardt, Hans Scharoun (1893-1972) et d'autres échangent dessins et idées d'architecture jusqu'en 1920, et surtout dans l'engagement de beaucoup de ces architectes dans la politique du logement social mise en œuvre par les municipalités et les coopératives allemandes à partir de 1923.

À Weimar, où est adoptée la Constitution du nouvel État, Walter Gropius prend en 1919 la direction de l'École d'arts appliqués, que van de Velde avait marquée de son sceau, qu'il transforme en ce *Bauhaus* vers lequel convergent Paul Klee (1879-1940), Wassily Kandinsky, Lyonel Feininger (1871-1956), Joseph Itten (1881-1967), Oskar Schlemmer (1888-1943). Ils y organisent un nouveau type d'enseignement, fondé sur un *Vorkurs* (cours préliminaire) voué à la manipulation des formes, des volumes, des matières et sur un travail d'ateliers de bois, de métal, de tissu, sans que la conception architecturale soit explicitement au centre de la pédagogie. Très vite, le thème de la série, de la typologie du logement apparaît dans les travaux du Bauhaus, présentés publiquement en 1923 lors d'une exposition à l'occasion de laquelle Georg Muche (né en 1895) construit la maison expérimentale *am Horn,* au grand volume central et aux murs blancs.

Parallèlement, les partisans de l'architecture expressionniste dont l'*Arbeitsrat für Kunst* était porteur réalisent des bâtiments qui témoignent de son souffle : Mendelsohn construit à Potsdam un observatoire fuselé pour Albert Einstein tandis que Hugo Häring (1882-1958) se rapproche de la tradition hanséatique illustrée par le *Chilehaus* construit par Fritz Höger (1877-1949) à Hambourg en 1923 quand il édifie sa ferme de Garkau. Poelzig déploie quant à lui les stalagtites de sa grande salle de spectacle en 1919 à Berlin pour le metteur en scène de théâtre Max Reinhardt. Au cinéma, il dessine les décors du *Golem* (1923) de Wegener.

LA CONTRIBUTION DES PAYS-BAS : DE STIJL ET L'ÉCOLE D'AMSTERDAM

Si la guerre suscite chez les expressionnistes allemands une architecture utopique de la transparence et du mouvement, elle est mise à profit, les Pays-Bas ayant échappé au conflit, par les Néerlandais du groupe *De Stijl,* fondé en 1917. Ses principaux membres seront à l'origine les peintres Piet Mondrian (1872-1944) et Theo van Doesburg (1883-1931) et l'ébéniste Gerrit Rietveld (1888-1964), mais c'est van Doesburg qui incarnera véritablement la continuité du mouvement jusqu'à sa mort, en 1931. À partir des *Mathématiques plastiques* du théosophe Schoenmaekers en et de sources architecturales essentiellement liées au travail de Frank Lloyd Wright et à celui de Hendryk Berlage, van Doesburg développe la notion de « Néoplasticisme », que Mondrian avait définie dans le champ de la peinture en 1918. Avec des plans déployés dans deux directions — l'horizontale et la verticale — et des couleurs limitées à trois — rouge, bleu, jaune, plus le noir et le blanc —, les tenants de *De Stijl* établissent un système plastique qu'ils mettent en œuvre dans un nombre d'occasions relativement limité.

En 1923, van Doesburg et Cor van Eesteren (né en 1897) présentent à la galerie Léonce Rosenberg à Paris une série de dessins et des maquettes de maisons composées à partir des éléments du Néoplasticisme. L'année suivante, Rietveld construit à Utrecht le véritable manifeste architectural du mouvement avec sa *Maison Schröder*, dont l'espace intérieur, transformable, est déterminé par un système mobile de plans colorés. De son côté, van Doesburg réalise, pour la brasserie de l'*Aubette* sur la place Kléber à Strasbourg, transformée avec Jean Arp et Sophie Taeuber, une salle de bal dont le volume parallélépipédique est à la fois effacé et dilaté par le dispositif coloré des murs et du plafond, avec ses bandes blanches et ses grands rectangles de couleur, manifestation de cet « anticubisme » professé par son auteur. Pendant que *De Stijl* assure la contribution néerlandaise à l'explosion des avant-gardes après 1918, les réalisations de deux de ses membres fondateurs introduisent de nouvelles approches : Rob van 't Hoff (1887-1979) construit en 1916 à Huis-ter-Heide une maison remarquablement proche par ses plans horizontaux de l'architecture de Wright, tandis que J. J. P. Oud (1890-1963) réalise à Rotterdam et à Hoek van Holland à partir de 1924 des ensembles de logements en bande aux formes lisses et épurées.

De leur côté, les architectes d'Amsterdam poursuivent une ligne plus expressionniste, n'effaçant pas les matériaux de construction, comme *De Stijl*, mais en exploitant toutes les possibilités tectoniques et colorées. Dans le cadre de la législation sociale avancée de la Hollande, Michel De Klerk (1884-1923) et Piet Kramer (1881-1961) construisent des logements de briques dont les ondulations murales et les bizarres toitures sont renouvelées à chaque projet, comme pour démentir la forte homogénéité de la distribution des logements et pour souligner la liberté laissée à l'architecture dans le cadre du plan d'ensemble de Berlage pour l'extension d'Amsterdam au sud.

LA RÉVOLUTION ARCHITECTURALE EN U. R. S. S. (1917-1932)

Aux positions radicales de *De Stijl* font pendant les recherches des avant-gardes russes ouvertes dès avant 1914 en réaction contre le Symbolisme et le Fauvisme dans la peinture et contre la variante locale de l'Art nouveau, illustrée par les œuvres de Fiodor Chekhtel (1859-1926) dans l'architecture. Avec la révolution d'Octobre, les projets les plus ambitieux viennent participer à la « propagande monumentale » que les Soviets attendent : Vladimir Tatline (1885-1953) fabrique à Petrograd pendant l'hiver 1919-20 sa maquette pour un *Monument à la IIIᵉ Internationale*, spirale de métal de 400 mètres de hauteur agitée par le mouvement rotatif d'un prisme, d'un cylindre et d'une sphère. À partir des travaux du *Jivskul'ptarkh*, qui rassemble en 1919 peintres, sculpteurs et architectes, sont ouverts en 1920 les *Vkhoutemas* — ateliers supérieurs d'art et de technique —, où un nouvel enseignement, inspiré par des soucis comparables à ceux du Bauhaus, est mis sur pied par les architectes Nikolaï Ladovsky (1881-1941), Vladimir Krinsky (1890-1971) et Nikolaï Dokoutchaev (1891-1944), tandis que des peintres comme Alexandre Rodtchenko (1891-1956) et Varvara Stepanova (1894-1958) ouvrent un enseignement de

Design en écho au thème de l'« art de production ».

De son côté, El Lissitsky (1890-1941), qui faisait partie du groupe de Vitebsk, où il avait aidé Malevitch à fonder en 1919 l'UNOVIS (Affirmation de l'art nouveau), réalise la série de ses PROUN, constructions spatiales convergentes avec certaines des idées de *De Stijl*. Lissitsky, fondateur à Berlin avec Ilia Ehrenbourg de la revue *Vechtch* (l'Objet), apportera sa contribution à la production des projets utopiques avec les *Wolkenbügel* (Croche-nuages), équipement perché sur un pylône de béton armé et destiné à être suspendu au-dessus des places de Moscou. À partir de 1925, les avant-gardes de l'architecture soviétique, dont l'existence est signalée à l'exposition des Arts décoratifs de Paris par le spectaculaire pavillon de l'U. R. S. S., boîte de verre fendue par un escalier en diagonale due à Konstantin Melnikov (1890-1974), sont constituées en groupes distincts, dont les plus significatifs seront l'ASNOVA, créée en 1923, rassemblant les « fonctionnalistes », et l'OSA, créée en 1925, rassemblant les « constructivistes ».

Les architectes de l'ASNOVA, Ladovsky, Dokoutchaev et Krinsky, proposent une architecture dans laquelle le jeu des volumes primaires et des couleurs sera fondamental ; ils sont rejoints par El Lissitsky. Les principaux architectes de l'OSA, Moïssei Guinzburg (1892-1946), Alexandre Vesnine (1883-1959) et ses frères, Ilia Golossov (1883-1945) et bien d'autres, parmi lesquels des élèves du Vkhoutemas comme Andreï Bourov (1900-1957) et Ivan Leonidov (1902-1959), sont plus engagés dans la mise au point de types nouveaux de bâtiments, « condensateurs sociaux » de la transformation du mode de vie mise à l'ordre du jour par la révolution. Le premier est la *maison commune*, ensemble de logements collectifs à services intégrés, dont le prototype sera construit par Guinzburg en 1928 à Moscou. Le second est le *club ouvrier*, dont beaucoup de variantes sont réalisées : ce bâtiment est lyrique chez Melnikov, auteur du *Club Roussakov* de 1928 avec ses porte-à-faux héroïques ; la mise en évidence des circulations en fait un signal urbain chez Golossov avec le *Club Zouiev*, construit la même année. À partir de 1930, les enjeux territoriaux liés au lancement du premier plan quinquennal amènent l'OSA à soutenir le thème du « désurbanisme » et de la constitution de systèmes urbains et architecturaux dispersés, tandis que la campagne menée contre les idées modernes s'intensifie.

LE CORBUSIER ET LA SCÈNE PARISIENNE APRÈS 1918

Si les constructivistes sont accusés d'être des adeptes d'un « corbusianisme » (sic) indigne et si, en retour, Le Corbusier se voit dénoncé comme « cheval de Troie du bolchevisme » par certains traditionalistes, c'est que sa place est considérable dans les débats de l'après-guerre. Formé à l'école d'art de La Chaux-de-Fonds, dans le Jura suisse, Charles-Édouard Jeanneret y reçoit une formation de graveur de boîtiers de montres ; s'engageant dans l'architecture, il vient en 1908 à Paris pour travailler chez Perret avant de passer chez Peter Behrens en 1910, année où il séjourne également dans la cité-jardin de Hellerau. Entre 1912 et 1917, Jeanneret se partage entre sa ville natale, où il construit plusieurs villas pour des industriels de l'horlogerie, dont la *Maison Schwob*, remarquable par l'utilisation d'un volume central à double hauteur, et Paris, où il propose avec sa *Maison Domino* — essentiellement une carcasse de béton armé de deux niveaux rectangulaires en plan — le principe constructif de ses villas ultérieures. En 1920, avec sa *Maison Citrohan*, il établit le dispositif spatial de tous ses logements, jusqu'à l'unité d'habitation de Marseille de 1946 : le séjour sur double hauteur.

Avec le peintre Ozenfant (1886-1966), il définit dans le manifeste de 1918, *Après le Cubisme,* une nouvelle position artistique baptisée le « Purisme », que ses propres peintures illustrent. Tous deux éditent la revue *l'Esprit nouveau,* dans laquelle Jeanneret publie en feuilleton sous le pseudonyme de Le Corbusier son premier pamphlet, *Vers une architecture* (1923). À côté des *Trois Rappels à MM. les architectes* que sont le plan, le volume, la surface, Le Corbusier y présente les sources d'inspiration de son architecture, du Parthénon à l'aéroplane Farman *Goliath.* Menant une double activité de publiciste, avec un sens de la formule très aigu (« la maison est une machine à habiter », « l'architecture est le jeu savant, correct et magnifique des volumes assemblés sous la lumière »...), Le Corbusier construit de nombreuses villas avec son cousin Pierre Jeanneret (1896-1968) et élabore plusieurs projets urbains : de sa *Ville contemporaine pour trois millions d'habitants* de 1922 à son *Plan Voisin* pour Paris de 1925 et à la *Ville radieuse* de 1930, il propose un modèle de ville rigoureusement divisée en zones fonctionnelles reliées par des autoroutes et constituée par des bâtiments de sa conception : gratte-ciel de verre, immeubles à redans reprenant l'idée formulée par Eugène Hénard pour Paris en 1903, « immeubles-villas ».

Ses maisons, conçues comme des « promenades architecturales », lui permettent de formuler en 1927 les « cinq points d'une architecture nouvelle » : les pilotis, le toit-terrasse, le plan libre, la façade libre et la fenêtre en hauteur. Mais leur inventivité n'est pas réduite pour autant : la *Villa Stein-De Monzie* à Garches joue en 1926 sur la transparence des façades, gouvernées par un des « tracés régulateurs » au travers desquels Le Corbusier va engager sa recherche sur les proportions ; la *Villa Savoye,* à Poissy, est une construction de plan carré soulevée du sol pour accueillir les automobiles et ouverte sur un large patio offert au soleil.

Le *Pavillon de l'Esprit nouveau,* constitué par une cellule d'« immeuble-villa », sera pourtant bien isolé lors de l'exposition des Arts décoratifs industriels et modernes de 1925 à Paris, qui constitue un important lieu de confrontation des positions architecturales. Auguste Perret y construit un théâtre en bois tandis que Rob Mallet Stevens (1886-1945), auteur l'année précédente d'une villa pour le vicomte de Noailles à Hyères, édifie le *Pavillon du Tourisme.* Henri Sauvage (1873-1932), auteur de l'immeuble à gradins de la rue Vavin à Paris (1912) et des « habitations à bon marché » englobant une piscine de la rue des Amiraux (1922), édifie le *Pavillon du Printemps*. Pierre Chareau (1883-1950) aménage le bureau d'une *Ambassade française* avant de construire en 1930, avec le Néerlandais Bernard Bijvoet, la *Maison de verre* du Dr Dalsace, espace domestique unique, délimité par deux parois de briques translucides.

LES CONGRÈS INTERNATIONAUX D'ARCHITECTURE MODERNE

Le débat va se déplacer vers Stuttgart en 1927. Le Deutscher Werkbund ouvre l'exposition *Die Wohnung*, constituée par des maisons dues à une pléiade d'architectes allemands et étrangers, parmi lesquels Gropius, Mies van der Rohe, Bruno Taut, Behrens Scharoun, Oud et Le Corbusier. Apparaît ainsi au grand jour un mouvement de dimension européenne, dont les points d'accord sont cependant assez flous, même si les architectes de la cité du Weissenhof, construite à Stuttgart, partagent un même goût pour la toit-terrasse, les méthodes modernes de construction et les enduits lisses. Condamnée par les traditionalistes allemands, qui y voient un « village arabe » scandaleux, la cité du Weissenhof est la première manifestation à l'échelle européenne de ce *Neues Bauen*, désormais, et pour peu de temps d'ailleurs, prédominant en Allemagne. Sur la lancée de ce succès public, le premier Congrès international d'architecture moderne se réunit l'année suivante à La Sarraz, en Suisse. L'assemblée est marquée par une certaine opposition entre le groupe que forment Ernst May (1886-1970), Hans Schmidt (1893-1972), Hannes Meyer (1889-1954) et Mart Stam (né en 1899), préoccupés avant tout de la dimension sociale de la nouvelle architecture, et Le Corbusier, plus soucieux de faire ratifier ses propres positions sur la forme même de cette architecture.

Les trois congrès suivants balayent des thèmes situés au carrefour de la construction et de l'urbanisme et voient l'entrée en lice de groupes nationaux de plus en plus nombreux, venant de l'Europe du Sud (Italie, Espagne, Grèce), de l'Est (Pologne, Tchécoslovaquie, Hongrie) et

du Nord (Finlande). La question de l'*Existenzminimum*, c'est-à-dire de la conception de logements standardisés de petite surface, est posée à Francfort en 1929. Celle du « lotissement rationnel » est débattue à Bruxelles en 1930, où Le Corbusier présente son projet de *Ville radieuse*.

Mais la plus importante des rencontres est bien la quatrième, qui se tient à bord du *Patris II* entre Marseille et Athènes à l'été de 1933, après le refus soviétique de l'accueillir à Moscou. Autour de l'exposition comparative sur la « ville fonctionnelle », les congressistes élaborent des thèses dont l'écho sera multiplié par leur publication sous le titre de la *Charte d'Athènes* par Le Corbusier en 1943. Le modèle de ville proposé est fondé sur la distinction des quatre « fonctions » : habiter, travailler, circuler, se récréer, et s'appuie sur une vision de la rationalisation réduisant la ville au logement.

LA VILLE MODERNE EN CHANTIER : LES NOUVELLES POLITIQUES DU LOGEMENT EN EUROPE

À côté des premiers quartiers d'Amsterdam, l'expérience la plus significative est celle de l'Allemagne, que les *Siedlungen* de Berlin ou de Francfort illustrent : le *Fer à cheval*, construit par Bruno Taut à Berlin-Britz, condense la dimension collective de ce projet urbain visant à constituer des communautés aux franges de la grande ville. À Francfort, Ernst May et son équipe innovent sur de multiples terrains : rationalisation de la forme des cités, standardisation des logements, avec la « cuisine de Francfort », poste de travail domestique taylorisé produit en série et préfabrication des bâtiments.

Toutes les institutions se ressentent de cette orientation sociale donnée au *Neues Bauen*. C'est le cas du Bauhaus, qui occupe depuis 1926 les nouveaux bâtiments construits à Dessau par Walter Gropius et qui s'oriente vers la question du logement social, notamment, lorsque Hannes Meyer y introduit, en 1928, un souci de l'usage et de la technique très fort avant son éviction pour raisons politiques et son remplacement, en 1930, par Mies van der

Rohe, qui dirigera l'école jusqu'à sa fermeture par les nazis en 1933.

Meyer, auteur de l'*École des syndicats* de Bernau en 1930, explore les possibilités d'une architecture rationnelle. Mies, ancien assistant de Behrens, est à la recherche d'un langage constructif laconique, depuis ses gratte-ciel de verre pour Berlin de 1922 jusqu'au pavillon spectaculaire qu'il édifie pour l'Allemagne en 1929 à Barcelone, dont l'espace n'est défini que par des plans verticaux abstraits.

Les politiques de réforme sociale trouvent en France un premier champ d'intervention avec les *Cités-jardins* que l'Office public d'habitations de la Seine construit à Drancy ou à Stains sous la direction du maire de Suresnes, Henri Sellier. Avec les financements de la loi Loucheur de 1928, cette politique permet la réalisation de grandes cités, comme celle de la *Butte Rouge* à Châtenay-Malabry, édifiée à partir de 1930 par Bassompierre, De Rutté et Sirvin avec un paysage urbain d'une grande variété, ou celle de la *Muette* à Drancy, où Eugène Beaudouin (1898-1983) et Marcel Lods (1891-1978) utilisent pour construire « les premiers gratte-ciel de la région parisienne » un système de préfabrication en acier et béton d'une grande avance technologique. Ce sont des équipements publics nouveaux qui ponctuent ces quartiers ; le groupe scolaire aéré d'André Lurçat (1894-1970) construit à Villejuif en 1933, l'école de plein air de Beaudouin et Lods ouverte à Suresnes en 1934 et surtout la *Maison du peuple* transformable en acier et aluminium que les mêmes architectes réalisent avec Jean Prouvé à Clichy en 1929 font apparaître les prototypes d'un nouvel âge des politiques d'éducation ou d'action culturelle.

ITALIE, FINLANDE, ANGLETERRE, ESPAGNE : DES VOIES ORIGINALES VERS L'ARCHITECTURE NOUVELLE

À partir de 1927, une nouvelle génération d'architectes italiens avance le thème du *Razionalismo* et ouvre une voie « méditerranéenne » à la modernité, pour laquelle elle cherche l'appui du régime fasciste. C'est ainsi que Giuseppe Terragni (1904-1942) donne, avec la *Casa del Fascio*, construite à Côme en 1936, à la fois une œuvre aux tracés parfaits, soulignés par un minutieux dosage de la lumière, et un exemple de la capacité du régime à s'approprier les nouvelles doctrines artistiques. Les plans des premières villes nouvelles liées à la mise en valeur des Marais pontins et les concours comme celui de la gare de Florence voient les rationalistes et les partisans des formes nouvelles s'imposer, pendant que les triennales de Milan présentent au grand public des projets d'habitations modernes.

En Finlande, les formes du néoclassicisme local sont écartées par Alvar Aalto (1898-1976), qui impose entre 1927 et 1935, avec sa Bibliothèque à Viipuri et son Sanatorium à Paimio, une architecture moderne construite sur un rapport organique avec le paysage et une variété d'espace et de lumière, renforcée par l'utilisation de matériaux comme la pierre, la brique, le bois, qu'exploite la *Villa Mairea*, construite à Noormarkku en 1938-39, dans un rapport intime avec la forêt.

L'architecture britannique, qui avait été marquée par les œuvres de Charles Rennie Mackintosh et Charles Voysey, est dominée par la personnalité d'Edwin Lutyens (1869-1944), auteur de remarquables habitations particulières et metteur en scène des fastes impériaux du *Palais du Vice-Roi*, à New Delhi, entre 1923 et 1931. Les idées de l'architecture nouvelle viendront pour l'essentiel par l'immigration via Paris du Russe Berthold Lubetkin (né en 1901), auteur avec le groupe Tecton des *Immeubles Highpoint 1* et *2*, manifestes des formes modernes en 1935 et 1938, et avec l'exil des Allemands Gropius ou Mendelsohn. L'action du groupe MARS ou la construction par Owen Williams (1890-1969) de l'usine de produits pharmaceutiques *Boots* en 1932 constituent des épisodes moins directement liés à la diffusion des idées européennes en Grande-Bretagne.

De petites nations à la recherche de leur identité culturelle s'attachent dans le même temps à voir dans l'architecture nouvelle un vecteur de leur modernisation, comme la Catalogne, avec Josep

Lluis Sert (1902-1983) et Josep Torres-Clavé (1907-1939), qui donnent avec la *Casa Bloc* de 1936 une version locale de la « maison commune », ou la Tchécoslovaquie, marquée par l'action du roi de la chaussure, Bat'a, pour créer un modèle de ville moderne à Zlín, en Moravie.

LA CONTRIBUTION DES ÉTATS-UNIS : LES NOUVELLES ORIENTATIONS DE FRANK LLOYD WRIGHT ET L'ARRIVÉE DES IMMIGRÉS EUROPÉENS

Lentement, le centre de gravité du mouvement s'est déplacé vers les États-Unis d'Amérique. Ses premiers agents sont deux Viennois émigrés sur la côte ouest : Richard Neutra (1892-1970) et Rudolf Schindler (1887-1953), venus travailler l'un après l'autre chez Frank Lloyd Wright. À la suite de Wright, Schindler s'installe à Los Angeles, où il construit, en 1925-26, la maison de plage du Dr Lovell à Newport Beach, manifeste des possibilités structurelles du béton armé. Sa géométrie associe les formes linéaires des élèves d'Otto Wagner à la légèreté issue de l'influence japonaise, vive en Californie. Neutra le rejoint en 1926 après être passé chez Mendelsohn à Berlin et construit, quant à lui, une autre maison démonstrative pour le même client, à Hollywood, en 1929, avec laquelle l'ossature métallique trouve droit de cité à Los Angeles. Dès lors, les deux émigrés mènent des carrières séparées, Neutra occupant le devant de la scène, par ses maisons de plus en plus diaphanes constituées de légers écrans abrités par des toitures horizontales ; elles opposent aux minéraux et à la végétation luxuriante du lieu des techniques d'avant-garde, comme les revêtements en acier : la maison du réalisateur Josef von Sternberg, construite dans la vallée de San Fernando en 1936, concrétise cette position.

L'architecture américaine se tourne en fait une nouvelle fois vers l'Europe, comme en témoigne déjà le concours organisé en 1923 pour le gratte-ciel du *Chicago Tribune*. À côté des projets américains, tous d'un éclectisme sans rival, les projets européens, et notamment ceux de Gropius, de Bruno et de Max Taut, marquent l'avancée des idées modernes, le projet le plus étrange étant sans conteste la gigantesque colonne dorique qu'Adolf Loos propose, archétype s'opposant à la brutalité du programme de l'immeuble de bureaux. Pendant que l'architecture des gratte-ciel de Raymond Hood (1881-1934) intègre certains éléments du langage moderne, les chantiers du *New Deal* de Roosevelt permettront l'apparition de grands programmes publics de construction et d'aménagement régional.

Mais en 1932, un historien, Henry Russell Hitchcock, et un critique, Philip Johnson, donnent une nouvelle dimension au rapport qui se noue entre l'architecture américaine et le Neues Bauen, avec une exposition au Museum of Modern Art de New York, dont le titre, *The International Style*, deviendra un programme. Les principes qu'ils distinguent dans les nouvelles réalisations, l'architecture pensée comme volume, la régularité et le refus du décor plaqué, incitent à couper l'architecture fonctionnaliste de son contexte social. Cette approche autorise l'intégration immédiate des émigrés allemands tels que Gropius, qui devient directeur de l'école d'architecture de Harvard en 1938, en même temps que Mies van der Rohe prend en main la section d'architecture de l'Armour Institute de Chicago. Avec l'exposition que le Museum of Modern Art consacre au Bauhaus en 1939, l'héritage allemand est complètement absorbé par la culture américaine.

Ce n'est pas un hasard si Mies est chaleureusement intronisé à Chicago par Frank Lloyd Wright. Après un passage à vide consécutif à une succession de drames personnels, Wright a beaucoup infléchi sa conception depuis ces maisons en blocs de béton construites à Los Angeles entre 1916 et 1922 et l'*Imperial Hotel* de Tôkyô de la même époque. Il réorganise la communauté de Taliesin dans le Wisconsin, où il vit et travaille, et l'installe dans l'Arizona en 1937, tout

Caisse d'épargne-postale
de Vienne, *construite
en 1904 par Otto Wagner.*

Maison Hass Müller
de Prague,
*construite de 1928
à 1930 par Adolf Loos.*

Maison Millard, *construite par Frank Lloyd Wright (1905).*
Highland Park (Illinois).

Bauhaus, construit par Walter Gropius *à Dessau (1925).*

Villa Mairea, *construite par Alvar Aalto (1938-39)
à Noormarkku (Finlande).*

Palais de l'Assemblée de Chandigarh *(Pendjab)*,
construit par Le Corbusier (1953-1962).

Le Musée Solomon R. Guggenheim, *à New York.*

Ci-contre :
Centre Georges-Pompidou,
*façade est,
construit par Renzo Piano
et Richard Rogers (1971-1977).*

Peinture 1951, *par Hans Hartung. Bâle, Kunstmuseum.*

Green and Tangerine on Red, *par Marc Rothko (1956). Washington, Phillips Collection.*

La Terre et le Ciel, *par Jean Bazaine (1950).*
Saint-Paul-de-Vence, fondation Maeght.

Composition, *par Nicolas de Staël (1950).*
Londres, Tate Gallery.

Étude pour un portrait, *par Francis Bacon (1953).*
Hambourg, Kunsthalle.

L'ART
POPULAIRE

Camion bariolé.
Afghānistān.

Coffre en mélèze
*gravé provenant
des Hautes-Alpes.*

Masque kwakiutl *(Canada), avec incrustations.*

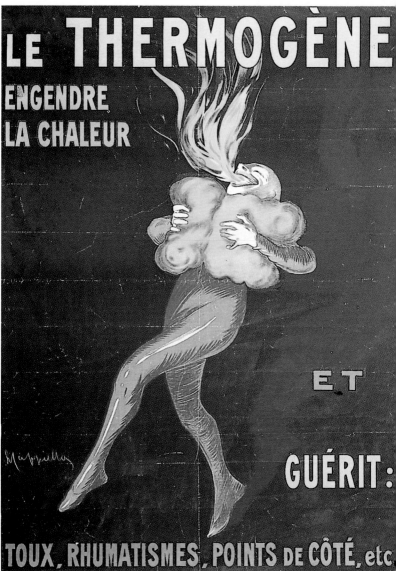

L'ouate thermogène, *affiche de Leonetto Cappiello, 1909.*

Tête de roi.
*Bronze d'Ifé.
X^e-XIIe s.
av. J.-C.
Londres,
British Museum.*

Tabouret caryatide en bois peint,
*provenant du Zaïre. H. 30,2 cm.
Paris, musée de l'Homme.*

en élaborant *Broadacre City,* utopie territoriale fondée sur des principes anti-urbains de décentralisation et de dispersion de l'habitat et de la production, pour laquelle Wright étudie une série de constructions types. Mais les modifications de sa réflexion sont condensées dans deux bâtiments très différents : la *Maison Kaufmann,* édifiée sur une cascade à Bear Run, en Pennsylvanie (1936), dans laquelle un nouveau rapport de la construction moderne — en l'occurrence des porte-à-faux de béton — est établi avec le paysage, sans pour autant que Wright renonce à la fluidité intérieure des maisons de la Prairie ; et les bureaux de la firme Johnson, construits la même année à Racine, Wisconsin, où les piliers et la toiture du bâtiment se fondent en d'étranges champignons blancs, séparés par une lumière zénithale venant éclairer une salle aux murs de brique opaques. Les formes de l'usine de Racine évoquent la science-fiction avec leurs couloirs entourés de tubes de verre, pendant que d'autres Américains, comme Richard Buckminster Fuller (1895-1983), qui invente une gamme d'objets nouveaux allant de l'automobile à la salle de bains en passant par la maison transportable, explorent plus directement l'univers de la technique.

LES ANNÉES 1930 ET LE RETOUR DU CLASSICISME EN U.R.S.S., EN ALLEMAGNE ET EN FRANCE

Mais un autre « style international » apparaît avec la relance d'un Néoclassicisme monumental dans plusieurs nations européennes. Le Classicisme n'était pas mort en Scandinavie, et c'est en 1928 qu'Erich Gunnar Asplund (1885-1940) avait terminé à Stockholm une bibliothèque dont la salle de lecture aux murs cylindriques couverts de livres et éclairée par le haut évoque les projets d'un Boullée ou d'un Ledoux. Les architectes néopalladiens avaient également continué leur activité dans l'U. R. S. S. des années vingt, mais ils triomphent en 1932, quand les organisations des avant-gardes sont dissoutes. Le concours pour le *Palais des Soviets* voit l'année suivante — avec le projet de Boris Iofan (1891-1976), Vladimir Gelfreikh (1885-1967) et Vladimir Chtchouko (1878-1939) — triompher un classicisme monumental et rhétorique oscillant entre le néorenaissance et le néorusse et qui va se diffuser, tant dans les stations du métro de Moscou que dans les îlots des quartiers nouveaux.

Dans l'Allemagne du nazisme, la dénonciation de l'« Art dégénéré », commencée avant 1933, débouche sur la domination des traditionalistes, bien qu'au moins trois langages soient employés dans les constructions du régime, du fonctionnalisme d'acier et de brique des usines au néovernaculaire des habitations ouvrières, en passant par les grands ouvrages monumentaux néoclassiques d'Albert Speer (1905-1981) pour Nuremberg ou Berlin. Mais les véritables monuments du Reich sont, plus que la *Chancellerie,* construite par ce dernier en 1938, les ouvrages d'art dispersés le long des autoroutes quadrillant l'Allemagne et conçus par l'architecte de la robuste gare de Stuttgart, Paul Bonatz (1877-1956).

La spectaculaire opposition des deux pavillons soviétique et allemand, avec leur architecture et leur statuaire héroïque et martiale, lors de l'Exposition universelle de Paris en 1937, ne doit pas pour autant faire oublier le « retour à l'ordre » de la France du moment, illustré par le *Palais de Chaillot,* de Carlu, Boileau et Azéma : *Eupalinos ou l'Architecte,* de Paul Valéry, est la référence littéraire de ce phénomène, dont les architectes sont Auguste Perret, avec les colonnades du *Garde-Meuble national,* de 1934, et celles du *Musée des Travaux publics,* de 1937, ou Michel Roux-Spitz (1888-1957), avec l'annexe à Versailles de la Bibliothèque nationale, construite en 1933. En Italie, l'État fasciste n'arbitre pas de manière définitive l'opposition entre rationalistes et néoclassiques qui marque le chantier de l'Exposition universelle prévue en 1942, alors que les projets que les architectes modernes milanais dessinent pour Adriano Olivetti assurent le développement des idées nouvelles, qui, dans le rapport avec la tradition rurale, anticipent ponctuellement sur le Néoréalisme de l'après-guerre.

Bibliographie sommaire

BANHAM (R.), *Theory and Design in the First Machine Age*, The Architectural Press, Londres, 1960. BENEVOLO (L.), *Histoire de l'architecture moderne*, 3 t., Dunod, Paris, 1978. DAL CO (F.), TAFURI (M.), *Architecture contemporaine*, Berger-Levrault, Paris, 1982. FRAMPTON (K.), *l'Architecture moderne, une histoire critique*, Philippe Sers, Paris, 1985. GIEDION (S.), *Espace, temps, architecture*, 3 t., Denoël-Gonthier, Paris, 1978. PEVSNER (N.), *Pioneers of Modern Design, from William Morris to Walter Gropius*, Penguin Books, Londres, 1966.

L'ARCHITECTURE DE L'APRÈS-GUERRE : SECOND SOUFFLE OU CRISE DU « MOUVEMENT MODERNE » ?

(1945-1980)

Jean-Louis Cohen

L'EXTENSION DE LA SPHÈRE D'INFLUENCE DE LA NOUVELLE ARCHITECTURE

C'est avant même la fin de la Seconde Guerre mondiale que se préparent dans plusieurs pays d'Europe les chantiers de la reconstruction : cette effervescence accélère la naissance d'un urbanisme d'État en France ; elle précipite la mise au point d'une politique de décentralisation en Angleterre. Avec la fin des hostilités, les architectes modernes voient enfin venir la phase des grandes réalisations. Les services de propagande américains s'emploieront à la diffusion des idéaux fonctionnalistes ; en Allemagne, ils organisent en 1946 pour Walter Gropius une tournée de conférences sous leur égide. Pour le lancement des idéaux d'une architecture « organique », ils financent à Rome l'activité de Bruno Zevi, qui fait écho aux constructions de F. L. Wright. Les autorités d'occupation françaises ne sont pas en reste, et Marcel Lods se voit chargé d'appliquer les règles d'un urbanisme brutal dans son usage du *zoning* pour la ville de Mayence en 1946, tandis que Georges-Henri Pingusson (1894-1978) est responsable de la reconstruction des villes de la Sarre à partir de 1945.

L'après-guerre permet le développement de l'intervention publique dans la sphère du logement et des équipements publics et ouvre donc un champ d'action considérable à l'architecture des avant-gardes des années vingt et trente. Ce brusque changement d'échelle des projets et des réalisations ne va pas sans provoquer des tensions et, à la limite, sans mettre en cause certains des postulats sur lesquels s'étaient appuyés les architectes de la période héroïque du « Mouvement moderne ». En effet, des principes un peu abstraits tels que ceux de la *Charte d'Athènes*, codifiés par Sert en 1942 sous le titre de *Can our Cities Survive ?* et par Le Corbusier lui-même en 1943, vont être coupés des positions architecturales raffinées de leurs auteurs pour être transformés en normes ou en préceptes d'aménagement valables partout, sans que soit prise en compte la spécificité de l'espace de la ville existante. Ces positions ont désormais atteint une diffusion pratiquement universelle, avec l'apparition de mouvements nationaux faisant écho aux projets européens de l'avant-guerre.

Au Brésil, les effets du voyage effectué par Le Corbusier en 1936 ont été durables. Lucio Costa (né en 1902), qui avait collaboré avec lui dans la construction du *Ministère de l'Éducation* de Rio de Janeiro en 1937, sur le plan de l'urbanisme, Oscar Niemeyer (né en 1907), auteur du *Pavillon du Brésil* à la *World Fair* de New York en 1939 et de l'ensemble de *Pampulha* en 1943, et Alfonso Reidy avec les courbes sinueuses de l'ensemble de logements de *Pedregulho* à Rio, commencé en 1947, définissent les traits d'une architecture épanouie dans la manipulation des courbes. Les jardins savants de Roberto Burle Marx (né en 1909) viennent d'emblée créer un monde végétal la rattachant au paysage brésilien. C'est avec la nouvelle capitale fédérale de Brasilia, dont le plan général dû à Lucio Costa est adopté en 1957 et dont les principaux bâtiments publics sont construits par Oscar Niemeyer, que le caractère volontariste et simplificateur de la nouvelle architecture brésilienne se révèle dans un grand jeu d'espaces libres et de volumes isolés.

Au Japon, le Tchèque Antonin Raymond, venu avec Frank Lloyd Wright, avait construit dès 1922 les premières maisons modernes, puis Tetsuro Yoshida (1894-1958) et Mamoru Yamada (né en 1894), créateurs de la Sécession japonaise en 1926, avaient utilisé le langage moderne européen dans des bâtiments publics, tandis que quelque influence des constructivistes russes apparaissait et, surtout, que de jeunes architectes partaient travailler à l'étranger. Kunio Maekawa et Junzo Sakakura vont ainsi chez Le Corbusier, et Sakakura construit le *Pavillon japonais* à l'Exposition de 1937. Après-guerre, Kenzo Tange (né en 1913), dont la consécration mondiale est liée aux jeux Olympiques de 1964, contribue avec une série de bâtiments publics, comme l'*Hôtel de ville* de Tōkyō ou la *Préfecture* construite à Kagawa en 1955-1958, à donner leur consistance aux principes expressifs de l'architecture japonaise contemporaine, fondés sur l'utilisation d'éléments en béton armé soumis à un traitement géométrique rigoureux.

LES RECONSTRUCTIONS : GRANDE-BRETAGNE, FRANCE, PAYS-BAS ET ITALIE APRÈS 1945

De grands projets publics européens coïncident avec cette extension planétaire de l'architecture moderne à la faveur, si l'on peut dire, des dommages de la guerre. La reconstruction prendra cependant un visage qui sera loin d'être uniforme dans les principaux pays d'Europe. Avec le *Plan du comté de Londres*, les Britanniques mettent en pratique l'idée de l'« unité de voisinage », définie à partir de critères spatiaux et sociaux et dont l'assemblage vient constituer la ville ; dans le même temps, le plan de l'urbaniste Patrick Abercrombie (1879-1957) assure le lancement d'une politique hardie de décentralisation par la construction des *New Towns*, qui réalise enfin le projet formulé en 1898 par Ebenezer Howard et offre un champ d'expérimentation pour les techniques de préfabrication légère, appliquées en Grande-Bretagne, avant tout, à la construction scolaire.

Aux Pays-Bas, c'est sur des objets urbains différents que porte la politique de reconstruction condensée par l'exemple de Rotterdam, dont le centre détruit en 1940 est complètement transformé et recomposé autour d'espaces piétonniers, en totale opposition avec la démarche suivie dans une autre ville martyre, Varsovie, où le tissu historique est pratiquement complètement recréé, témoin d'une identité nationale douloureuse.

La reconstruction française, préparée dès la période de Vichy par des actions qui avaient abouti à la *Charte de l'urbanisme* promulguée en 1943, est véritablement une affaire d'État, avec ses architectes en chef désignés et avec un encadrement réglementaire et technique qui façonne les chantiers pour des décennies. Si Le Corbusier échoue dans son projet pour Saint-Dié, où il propose une application radicale de la *Charte d'Athènes*, les plans pour Le Havre d'Auguste Perret et pour Maubeuge d'André Lurçat voient la notion de composition urbaine se transformer dans le jeu des tracés nouveaux avec l'écho des espaces urbains détruits.

Avec la construction de la *Cité Rotterdam* à Strasbourg, engagée par Eugène Beaudouin en 1951, un nouveau type d'habitat apparaît, le « grand ensemble », qui sera le produit privilégié des deux décennies suivantes, au cours desquelles la France verra la politique du logement industrialisé atteindre une extension exceptionnelle.

Alors que les projets français restent préoccupés de grandes compositions ou de préfabrication, les projets italiens, moins nombreux il est vrai, amorcent un rapport fécond avec les mouvements de la culture et notamment le Néoréalisme, né dans l'univers de la littérature et du cinéma. Le quartier *La Martella* de Matera et celui du *Tiburtino* à Rome, construits sous la direction de Ludovico Quaroni (né en 1911) au début des années 1950, intègrent dans leur plan et dans leur vocabulaire architectural de nombreuses références aux éléments des constructions rurales proches, claustras et toitures. Cette tentative pour donner une dimension « populaire » à l'architecture moderne se double de recherches sur une modernisation subtile des techniques de construction traditionnelles représentée par le *Manuale dell'architetto*, publié en 1945 par Mario Ridolfi (1904-1984).

L'ÉVOLUTION DE LE CORBUSIER ET LES NOUVEAUX HORIZONS DE L'ARCHITECTURE FRANÇAISE

Mais l'après-guerre est aussi une période d'inquiétude pour certains des « pionniers » : Le Corbusier, écarté des plus grands chantiers de la reconstruction, réalise au fond avec l'« unité d'habitation » de Marseille, construite entre 1946 et 1952, un projet déjà formulé avant 1939 : un bloc épais desservi par des « rues » intérieures et occupé par des logements traversants dont les séjours sur double hauteur ouvrent sur de vastes loggias protégées par des « brise-soleil ». Sur la terrasse de l'unité, une école maternelle et des équipements sportifs rappellent la dimension collective des grands projets de l'avant-guerre, tandis que les pilotis isolent le bâtiment du chaos urbain dans lequel il est implanté. La seule véritable occasion d'urbanisme que Le Corbusier rencontre lui est fournie par Jawaharlal Nehru, qui lui confie en 1951 le plan de la nouvelle capitale du Pendjab, Chandigarh, pour laquelle les règles de zonage et de classement des voies définies plus tôt sont mises en œuvre. Mais à Chandigarh, Le Corbusier s'attachera surtout à la construction du *Capitole*, centre civique pour lequel il dessine les bâtiments de l'Assemblée, du Palais de justice et du Secrétariat. Les volumes en sont très différenciés et s'ouvrent par les jeux d'ombre et de lumière sur la surface des murs de béton brut, dont les éléments sont rythmés au moyen du « Modulor », système de proportions harmoniques élaboré en 1949.

C'est avec deux bâtiments religieux que les nouvelles positions de Le Corbusier vont se manifester. Avec *Notre-Dame-du-Haut*, chapelle construite à Ronchamp à partir de 1950 et, plus encore, avec le *Couvent de la Tourette*, construit à L'Arbresle, près de Lyon, à partir de 1956, son intérêt pour le jeu sculptural apparaît en plein, tandis que le répertoire fini d'espaces sur lequel il opérait avant-guerre s'estompe. Le placement dans le site des objets architecturaux — le sommet d'une colline à Ronchamp, un flanc de coteau à la Tourette — devient déterminant, tandis qu'affleurent les réminiscences de l'architecture méditerranéenne, qui l'avait séduit lors de son voyage en Orient avant 1914. Dans le même temps, l'architecture française est marquée par l'activité de personnalités opposées : Jean Prouvé (1901-1984), qui avait collaboré aux plus hardis des projets de Lods et de son associé Beaudouin, explore les voies de la construction métallique légère avec ses maisons de la Côte des Gardes à Meudon, qui proposent dès 1950 une architecture modulaire de tôles pliées, avant d'imaginer des composants industrialisés techniquement ingénieux et étonnants de simplicité dans leurs formes, comme dans la maison prototype pour l'abbé Pierre, de 1956. André Lurçat poursuit de son côté un nouvel itinéraire, engagé lors de son séjour à Moscou de 1934 à 1937 et qui l'entraîne, de la reconstruction de Maubeuge aux cités des années 1950 à Saint-Denis, à mettre en œuvre non plus les « éléments nouveaux » qu'il recensait dans son manifeste de 1929, *Architecture*, mais les « lois » intemporelles évoquées dans son ambitieux traité *Formes, composition et lois d'harmonie*, publié à partir de 1953, où symétrie et hiérarchie retrouvent droit de cité. L'Afrique du Nord constitue au même moment un terrain d'exercice plus libre que la métropole pour les architectes français des générations qui suivent : Bernard Zehrfuss (né en 1911) en Tunisie, Michel Écochard (1905-1985) au Maroc, rejoint par des jeunes issus de l'atelier de Le Corbusier comme Georges Candilis (né en 1913) et Shadrach Woods (1923-1973), ou Louis Miquel, auteur de l'*Aéro-habitat* dominant Alger, imaginent des plans et des architectures dans des conditions politiques et réglementaires plus ouvertes.

L'évolution du travail de Le Corbusier, qui a abandonné la fascination du « lait de chaux » des années vingt pour l'utilisation du béton brut de décoffrage et de la brique apparente, produit des effets jusqu'en Grande-Bretagne, où l'émergence du « néobrutalisme » de Peter Smithson et d'Alison (nés en 1923 et 1928) répond aux surfaces rugueuses des *Maisons Jaoul* construites par l'architecte parisien à Neuilly en 1956.

LES NOUVELLES RECHERCHES D'AALTO ET DE SCHAROUN ET LA « RÉVISION » ITALIENNE

Le chemin poursuivi par Alvar Aalto depuis ses maisons de l'avant-guerre en passant par l'étonnant *Pavillon de la Finlande* à la *World Fair* de New York en 1939, à l'intérieur réglé par les ondulations d'un mur de lattes de bois, l'amène à l'*Hôtel de ville* de Säynätsalo en 1949, témoigne d'une nouvelle orientation : les éléments du bâtiment, construit en grands murs de briques apparentes, sont groupés autour d'un espace commun ouvert qui met en valeur le plus public de ces éléments : la bibliothèque. Avec l'*Institut de retraite* d'Helsinki, construit entre 1952 et 1950, et l'*Institut polytechnique* d'Otaniemi, dessiné en 1949 et réalisé à partir de 1962, Aalto joue sur de plus grandes unités, dans lesquelles son sens de la matière et de la lumière reste intact : sous les formes géométriquement retenues de l'extérieur des bâtiments, les courbes des plafonds, les jours circulaires viennent dessiner des espaces d'une grande douceur.

Aalto prend part en 1957 à l'exposition *Interbau* de Berlin-Ouest, réponse occidentale à l'édification, dans la partie orientale, de la Stalinallee selon les canons du Réalisme socialiste soviétique. À côté du bâtiment d'Aalto, Oscar Niemeyer, van den Broek, Bakema et beaucoup d'autres architectes européens viennent constituer un quartier d'immeubles implantés librement sur l'herbe, en réponse à l'alignement rectiligne de la Stalinallee, tandis que Le Corbusier réalise une « unité

d'habitation » à Spandau. Mais la figure dominante est sans conteste alors celle de Hans Scharoun, qui donne à l'ancienne capitale du Reich le symbole de sa survie avec la *Philharmonie* (1959-1963) qui matérialise, avec ses formes extérieures anguleuses et les divisions irrégulières de l'espace intérieur de sa salle, les projets utopiques dessinés sous le nazisme alors que, réduit au silence, il étendait ses croquis de la période expressionniste à d'ambitieuses cathédrales de la culture.

Mais si certains des maîtres européens du Mouvement moderne, tels que Aalto ou Le Corbusier, parviennent à dépasser leur premier langage, la génération suivante procède à une remise en cause plus approfondie. C'est par exemple une « révision critique » de l'héritage moderne que réclame Ernesto Nathan Rogers (1909-1969), fondateur avant-guerre du groupe milanais BBPR et qui devient directeur de la revue *Casabella continuità*, en 1953, pour en faire l'instrument de cette introspection. Il s'agit pour Rogers, et pour les jeunes Italiens — comme Aldo Rossi, Guido Canella, Vittorio Gregotti, Gae Aulenti ou Manfredo Tafuri — qu'il regroupe autour de lui, de faire une sorte d'inventaire général des notions et des formes de l'architecture des avant-gardes, pour en tirer des règles de conduite valables dans l'Europe de l'après-guerre. En parallèle avec ce travail, d'ordre surtout culturel et qui s'oppose au dogmatisme de l'action romaine de Bruno Zevi pour la diffusion de l'architecture « organique » de Wright, des œuvres isolées viennent montrer le potentiel et les limites d'un nouvel historicisme. La *Bottega d'Erasmo*, construite en 1953 à Turin par Roberto Gabetti (né en 1925) et Aimaro d'Isola (né en 1928), est ainsi une tentative pour retrouver une tectonique architecturale et une ferronnerie plus décoratives, ce qui amènera la critique à y voir un « néo-Liberty » (l'Art nouveau avait pris le visage du *Liberty* en Italie) répréhensible. Rogers accentuera lui-même le scandale avec la *Torre Velasca*, construite à Milan en 1957 et qui, en opposition au gratte-ciel de verre et de béton lisse construit par Gio Ponti (1891-1979) pour Pirelli, hisse à vingt étages du sol le volume d'un palais du vieux Milan avec ses rythmes de percements, ses volets et sa toiture caractéristiques.

LE « TEAM X »
ET LA CRISE
DE L'URBANISME FONCTIONNEL

La « révision » ainsi entreprise dans le champ de l'architecture touchera aussi la question de l'urbanisme. C'est de l'intérieur même des congrès internationaux d'architecture moderne (C. I. A. M.) que la révolte émergera, à l'occasion des débats du IXe Congrès, qui se tient à Aix-en-Provence en 1953. Face aux « pères fondateurs » (Le Corbusier, Gropius, Giedion), un groupe de jeunes architectes (Candilis, Woods, les Smithson, Aldo van Eyck [né en 1918], Jacob Bakema [1914-1981] notamment) s'insurge contre l'« idéalisme » des principes issus de la *Charte d'Athènes* et des propositions ultérieures des C. I. A. M. et réclame un retour à des notions plus urbaines, comme celles de rue ou de quartier. Baptisé *Team X* lorsqu'il est chargé de la préparation du Xe C. I. A. M., convoqué à Dubrovnik en 1956, ce groupe met en avant le thème de la continuité de la culture urbaine, qu'il oppose aux postulats destructeurs du fonctionnalisme. Ces idées trouvent leur débouché en 1957 dans le projet d'Alison et Peter Smithson pour le centre de Berlin, qui superpose un réseau de relations spatiales et sociales serré au tissu de la capitale détruite, et, plus encore, dans les projets du groupe Candilis, Josic, Woods pour *Toulouse-Le Mirail*, où le groupe propose en 1961 une structure urbaine complexe pour une ville de 100 000 habitants. Dans leur étude du *Römerberg* à Francfort-sur-le-Main, ces architectes imaginent en 1963 un réseau dense de rues et de bâtiments dans le centre bombardé de la ville. Giancarlo De Carlo (né en 1919), participant italien au Team X, intervient de son côté sur la petite ville d'Urbino, où il utilise les techniques de l'urbanisme moderne pour renforcer l'identité de la ville et non pour l'atténuer. Le plus radical des membres du Team X sera sans conteste Aldo van Eyck, qui donne au mouvement un de ses

manifestes architecturaux avec l'école qu'il construit à Amsterdam en 1958-1960 au moyen d'espaces modulaires assemblés en grappes autour de petites cours, cristallisant l'idée de communauté humaine. Ce dernier thème ainsi que ceux de la continuité de la culture urbaine et de l'identité des cultures extra-européennes seront au centre de l'intervention d'Aldo van Eyck au C. I. A. M. d'Otterlo ; cette assemblée scelle en 1959 la dissolution du mouvement Team X.

LES ÉTATS-UNIS
ENTRE L'ENSEIGNEMENT
DE MIES VAN DER ROHE
ET CELUI DE LOUIS KAHN

Pendant que les Européens mettent en cause les postulats de la période héroïque de l'architecture moderne, celle-ci s'est fortement enracinée aux États-Unis. Walter Gropius, qui sera remplacé par Josep Lluis Sert à Harvard, ouvre un atelier fondé, du moins en théorie, sur l'idée de pratique collective, *The Architects Collaborative* (TAC), et poursuit un travail portant à la fois sur l'étude de systèmes de maisons démontables (le *Packaged House System*, étudié en 1943-1945 avec Konrad Wachsmann) et sur l'échelle de l'urbanisme avec le « Programme pour la reconstruction de la ville », mis au point au même moment avec Martin Wagner, qui avait été l'artisan de la politique du logement social dans le Berlin des années vingt.

Mies van der Rohe marque la production américaine tout d'abord avec le campus de l'*Illinois Institute of Technology* (IIT), dont il étudie successivement les principaux bâtiments, dans le cadre d'un plan général dessiné dès 1939. Ces constructions, assemblées à partir de profilés d'acier et de murs de brique et de verre, entraînent Mies vers la recherche de formes géométriques d'une simplicité laconique et d'une taille de plus en plus grande, dont les plans restent largement indéterminés et donc susceptibles de servir à de multiples usages. À côté de la recherche de l'échelle monumentale que révèlent ces bâtiments, la perfection de leurs arêtes, dont toute anecdote constructive est bannie, condense une de ces maximes dont leur architecte est coutumier : *Less is more* (« moins, c'est plus »). Dans le registre de l'architecture domestique, Mies réalise une version réduite des bâtiments de l'IIT avec la *Maison Farnsworth*, dessinée en 1946 et construite en 1950 : flottant au-dessus du terrain, un parallélépipède de verre est raidi par une ossature d'acier dont l'abstraction est renforcée par un ameublement réduit à quelques sièges et à un noyau « humide » contenant la cuisine et les sanitaires au milieu de la boîte transparente. Mais le thème du gratte-ciel va être investi par Mies avec ses immeubles du *860 Lake Shore Drive* à Chicago, construits à partir de 1948 sur un plan rectangulaire et qui reprennent le thème du noyau de la *Maison Farnsworth* en l'élevant sur la hauteur du bâtiment pour loger les escaliers et les ascenseurs. La façade d'acier et de verre des immeubles introduit un nouveau type de jeu sur la matière et les reflets de ses composants.

Avec le *Seagram Building*, construit en acier couleur bronze et en verre sur Park Avenue à New York en 1958, Mies mène à son terme sa réflexion sur le rapport de l'ossature et des ouvertures de l'architecture des gratte-ciel ; dans le même temps, du *Crown Hall* pour l'IIT de 1952 à la nouvelle *Nationalgalerie* de Berlin-Ouest dessinée en 1962 et achevée en 1968, il donne une dimension définitivement monumentale à ses constructions à un niveau, tout en retrouvant les ressources du jeu de la lumière sur les écrans des cloisons, telles qu'il les avait explorées avec le pavillon de Barcelone en 1929.

Les architectes de certaines des grandes firmes commerciales de la côte est participent de leur côté à l'élaboration des nouveaux prototypes. C'est le cas avec la *Lever House*, construite en 1952 par Gordon Bunshaft (né en 1904) pour Skidmore, Owing et Merrill à New York et qui impose le type de l'immeuble de bureaux en lames de verre et de métal posées sur un socle rectangulaire au niveau de la rue.

Sur la côte ouest, Richard Neutra développe les thèmes de l'architecture d'écrans légers qu'il avait inventée pour Los Angeles et en donne la meilleure expression avec la *Desert House* de 1946, ouverte sur le paysage rocheux, offrant un panorama digne du CinémaScope, alors en cours d'élaboration à Hollywood.

Les nouvelles directions prises par Frank Lloyd Wright avant la guerre dans ses bâtiments comme la *Maison sur la cascade* ou les bureaux de Johnson Wax sont condensées dans la spirale éclairée par le haut du *Musée Solomon R. Guggenheim*, achevé l'année de sa mort, en 1959. Entre-temps, Wright avait théorisé dans de nombreux livres sa vision d'une architecture « organique » permettant de produire cette ville « vivante » dont Broadacre avait été une version. Mais personne n'est en état de prolonger la démarche hautement personnelle de Wright ; seul Bruce Goff (1904-1982) parvient à élaborer avec d'étranges maisons hélicoïdales ou hérissées de menuiseries crochues un espace bizarre évoquant les intuitions wrightiennes. C'est avec Louis Kahn (1901-1974), architecte de Philadelphie formé indirectement aux doctrines du rationalisme français du XIXe s. par Paul P. Cret, professeur à l'école d'architecture de l'université de Pennsylvanie et qui commence sa carrière en travaillant pour George Howe, que s'ouvre un nouveau développement dans l'architecture des États-Unis. Kahn va en effet suivre une voie différente de celle de la recherche de la minceur, de la transparence et de l'universalité, comme le démontre la *Galerie d'Art* qu'il réalise en 1954 pour l'université Yale, à New Haven. C'est la notion d'ordre spatial et celle de l'autonomie de la forme qui le guident dans sa redécouverte de l'importance de l'épaisseur des murs et de la structure. À New Haven, Kahn délimite par une façade sur rue opaque et une façade sur jardin transparente un musée symétrique et dont la solidité transcende la mobilité des cloisons et de l'éclairage des expositions à l'intérieur. Avec les *Bains* réalisés pour la communauté juive de Trenton en 1954-1959 et, plus encore, avec les *Laboratoires Richards* construits à Philadelphie entre 1957 et 1961, Kahn introduit une distinction féconde en effets logiques et formels entre les espaces « servants » (sanitaires, locaux techniques, réserves), localisés dans des colonnes ou des unités verticales opaques, et les espaces « servis » (bureaux ou laboratoires), ouverts, flexibles, bien éclairés. Ce nouveau fonctionnalisme ne visera plus à fournir un catalogue de formes reproductibles, mais bien à donner à chaque nouveau projet de Kahn sa personnalité géométrique et spatiale, de l'*Institut Salk*, achevé à La Jolla, près de San Diego, en 1965, sur une falaise dominant l'océan Pacifique, aux bâtiments du Centre de Dacca, commencés en 1962 dans ce qui est alors le Pākistān oriental. Kahn, qui avait été au contact du Français Robert Le Ricolais (1894-1977), inventeur de constructions métalliques légères, émigré aux États-Unis, fait de la structure non pas une fin en soi, mais un moyen permettant de régler d'étonnantes combinaisons d'espaces : grande place bordée par les « tours » abritant les lieux de réflexion des laboratoires de La Jolla, géométrie des percements des murs cylindriques du *Parlement* de Dacca. Kahn utilisera ainsi un pont porté par des câbles dans son projet non réalisé de 1969 pour un palais des Congrès à Venise. La question de la lumière naturelle et de sa diffusion n'est pas moins fondamentale pour lui dans nombre de bâtiments et avant tout, évidemment, dans les musées, comme dans sa dernière œuvre réalisée, le *British Art Center* pour l'université Yale, achevé en 1978, après sa mort, où d'ingénieux éléments de toiture permettent à la fois de tirer le meilleur parti de la rare lumière de l'hiver et de moduler la force de celle de l'été.

LE DÉGEL
ARCHITECTURAL EN U. R. S. S.

L'architecture moderne connaît dans les années cinquante un second souffle dans les terres mêmes qui lui avaient été les plus hostiles, comme en Union soviétique. Avant même le XXᵉ Congrès du parti communiste, qui se tient en 1956, Nikita Khrouchtchev choisit, en 1954, le terrain de l'architecture pour engager le « dégel » en dénonçant avec sa véhémence coutumière les « excès » décoratifs lors du « Congrès des bâtisseurs ». Condamnant les immeubles en hauteur construits à Moscou après la guerre, telle l'Université, et qui évoquent parfois certains gratte-ciel Art déco de Manhattan, Khrouchtchev préconise une standardisation de la construction qui sera mise en œuvre avec résolution par les constructeurs soviétiques, à tel point que l'U. R. S. S. fera figure dès le début des années 1960 de pays privilégié pour le développement d'une préfabrication lourde permettant la construction rapide de périphéries urbaines implacables dans leur répétitivité. Mais le « nouveau cours » architectural permet aussi la résurgence de certaines des idées des constructivistes, dont la mémoire pourra de nouveau être évoquée. Le rappel de ces projets autorise plusieurs groupes de jeunes architectes à dessiner des villes utopiques et des systèmes décentralisés d'organisation urbaine rappelant les préoccupations des « désurbanistes », tels les NER (Nouveaux éléments d'aménagement) étudiés par l'équipe Gutnov, Lejava, Baburov, Kharitonova à partir de 1965.

LES NOUVELLES UTOPIES
TECHNOLOGIQUES
ET LA JEUNE ARCHITECTURE
BRITANNIQUE

Le propos des Constructivistes avait eu un écho tout différent dans le travail de certains architectes anglais sortis de l'école à la fin des années quarante, comme James Stirling (né en 1926) et James Gowan (né en 1923). Avec le *Laboratoire d'ingénierie de l'université de Leicester*, construit en 1959, et la *Faculté d'histoire* de l'université de Cambridge, construite à partir de 1964, Stirling et Gowan réalisent deux bâtiments avec lesquels le thème de la machine fait sa réapparition. Dans chacune de ces constructions, les composantes de l'institution reçoivent un traitement architectural fortement différencié : à Leicester, la tour des bureaux, entièrement vitrée, s'oppose à l'extension horizontale des ateliers, couverts par une verrière plissée, et à l'opacité des amphithéâtres et des circulations verticales, totalement identifiables par leur contour ; le bâtiment de Cambridge est une sorte de livre ouvert, métaphore de l'étude, à laquelle il est destiné : en guise de couverture, les murs de briques apparentes des salles de cours s'ouvrent sur la bibliothèque, véritable foyer de l'institution, avec sa grande verrière transparente à la lumière ; sous celle-ci, les tuyaux de l'air conditionné sont non seulement laissés apparents, mais, plus encore, littéralement mis en scène.

Cette nouvelle approche architecturale, d'une technique plus raffinée que la diffusion des panneaux de béton, qui occupe alors une bonne partie de l'Europe et notamment la France et l'Union soviétique, va provoquer l'apparition de nouveaux mouvements utopistes exploitant poétiquement les ressources des structures en tubes, en câbles ou celles des membranes pneumatiques. Ces techniques sont développées par des constructeurs tels que Robert Le Ricolais ou Richard Buckminster Fuller, inventeur des coupoles « géodésiques » en tubes ou en feuilles de métal aux États-Unis, tandis que l'Allemand Frei Otto (né en 1925) explore les possibilités des structures tendues ou gonflables. Un groupe de jeunes Britanniques, auteurs de télégrammes utopiques qui lui donnent son nom, « Archigram », et l'architecte Cedric Price combinent ces nouveaux horizons constructifs avec l'esthétique du Pop art pour mettre au point une gamme de projets provocateurs : ces projets sont nourris théoriquement par une nouvelle génération d'analyses de l'histoire de l'architecture moderne, marquée par le livre publié par Reyner Banham en 1960, *Theory and Design in the First Machine Age*. Avec la ville mobile un peu inquiétante de la *Walking City*, ou la ville « branchée » sur de multiples réseaux de la *Plug-in City*, toutes deux de 1964, et, plus tard, l'*Instant City* de 1969, dont l'univers forain est transporté par des dirigeables, Peter Cooke (né en 1936) et ses complices font d'« Archigram » un prolifique magicien. En 1961, Cedric Price invente le *Fun Palace*, bâtiment déployant ses technologies pour une vaste gamme de plaisirs, dont l'inspiration planera dix ans plus tard sur le projet de Renzo Piano (né en 1937) et Richard Rogers (né en 1933)

pour le *Centre Georges-Pompidou* de Paris. D'autres groupes formulent au même moment des projets exploitant les ressources symboliques et formelles des résilles, des membranes et des machines constructives issues des recherches sur les structures. Le groupe français « Utopie » propose un univers gonflable et ludique, tandis que les « métabolistes » japonais se centrent sur l'utilisation de capsules suspendues à des pylônes lancés dans le ciel de Tōkyō. En Italie, des groupes comme « Archizoom » ou « Superstudio » proposent une vision ironique et dérisoire du destin des villes livrées aux nouvelles techniques et à la production de masse.

AUTOUR DE L'EXPÉRIENCE DES « GRANDS ENSEMBLES » FRANÇAIS

L'importance de l'intervention publique marque pendant pratiquement trois décennies la production de logements en France. Elle constitue le lieu privilégié d'apparition de nouvelles approches, dont les prémices sont très diverses : si Émile Aillaud (né en 1902) introduit dans la *Cité des Courtillières*, construite à Pantin en 1957-1960, et, plus tard, à *La Grande Borne*, construite à Grigny en 1970, des logements faits de composants en nombre limité mais dont le tracé sinueux et la coloration participent d'une recherche de la diversité posée en termes avant tout plastiques, l'approche d'un Paul Bossard (né en 1928) est tout autre : avec la *Cité des Bleuets*, qu'il édifie à Créteil en 1961-62, il explore les ressources propres du béton préfabriqué, concevant les éléments de ses logements comme autant de pièces de sculpture, dont les emboîtements sont minutieusement dessinés. Dans les dernières années de la colonisation française en Algérie, Roland Simounet (né en 1927) réalise dans la périphérie d'Alger, à Dienan el-Hassan, un ensemble de logements placés sur une très forte pente et qui parviennent à utiliser le vocabulaire de l'habitat traditionnel. Cet ensemble, construit en 1958-59, et celui que Simounet achève simultanément à Timgad et dont la structure de béton et de remplissage de parpaings répond à celle des ruines romaines voisines témoignent des possibilités d'adaptation d'un langage issu de Le Corbusier à des formes de vie méditerranéennes, tandis que Fernand Pouillon donne à ses réalisations algériennes de la même époque une tonalité plus monumentale. Des personnalités isolées marquent également la scène française, comme celle d'Édouard Albert (1910-1968), auteur de constructions en acier à ossature apparente d'une grande élégance comme les *Bureaux d'Air France* à Orly, en 1959-60, ou le « gratte-ciel » de la rue Croulebarbe à Paris, en 1962, ou celle de Claude Parent (né en 1923), qui explore les rapports entre les arts visuels et l'architecture.

Un nouvel idéal apparaît avec les ateliers pluridisciplinaires, que leurs créateurs souhaitent mettre à l'écoute des habitants. L'Atelier d'urbanisme et d'architecture, créé en 1960 et qui rassemble architectes, urbanistes et sociologues, ou l'Atelier de Montrouge contemporain trouvent avec de petits ensembles de logements ou des équipements disséminés dans la banlieue parisienne l'occasion d'ouvrir une sorte de voie française au « néobrutalisme », qui correspond à l'amorce tardive d'une relecture de l'expérience des avant-gardes françaises dans le cadre des débats européens.

En parallèle aux fantaisies des nouvelles utopies technologiques, la question de la perte de l'espace urbain, déjà posée par le « Team X », passe au premier plan de la réflexion. C'est tout d'abord dans les seuls moyens de la géométrie des logements que la solution est recherchée, par l'accumulation pittoresque de boîtes plus ou moins diversifiées. L'*Habitat 67* de Moshe Safdie (né en 1936) à l'Exposition universelle de Montréal cristallise cette attitude, qui conduit cependant à des solutions plus raffinées avec le *Walden 7*, construit par Ricardo Bofill (né en 1939), le *Taller de Arquitectura* à Barcelone en 1972 et les rénovations d'Ivry et de Givors réalisées par Jean Renaudie (1925-1981), qui avait été l'un des fondateurs de l'Atelier de Montrouge. L'École des Beaux-Arts de Paris reste, pendant ce temps, imperméable aux nouveaux problèmes posés par l'architecture du logement, et

c'est en Allemagne qu'apparaît la tentative pédagogique la plus avancée à ce propos : certains des héritiers en ligne directe du *Neues Bauen* de l'entre-deux-guerres, qui avait puissamment contribué au développement des techniques modernes, ont fondé la *Hochschule für Gestaltung*, ouverte en 1950 à Ulm, en Allemagne fédérale, sous la direction de Max Bill (né en 1908), auteur quelques années plus tard des bâtiments mêmes de l'école.

En continuité avec une partie de l'expérience du Bauhaus, dont Bill avait été l'élève et que Josef Albers représente physiquement, les enseignants d'Ulm entendent former des « concepteurs » dans le champ de l'architecture, du design ou de la typographie capables de maîtriser les nouvelles techniques et conscients de leur rôle social. Cet enseignement, incontestablement troublant pour les forces politiques allemandes, puisque l'école sera fermée en 1968, aura ses théoriciens en la personne de l'Argentin Tomás Maldonado (né en 1922) et du Suisse Claude Schnaidt (né en 1931).

L'ARCHITECTURE ITALIENNE ET SES THÉORIES

C'est d'Italie que la question d'une architecture « urbaine » est posée avec la plus grande insistance. Dans la continuité de l'enseignement de Giuseppe Samonà (1898-1983), qui avait fait de l'Institut d'architecture de Venise un lieu de convergence des positions des architectes de Rome et de Milan, Carlo Aymonino (né en 1926) et Aldo Rossi (né en 1931) élaborent des techniques d'analyse de l'espace urbain qui déplacent vers l'étude de la ville du passé la recherche des modèles d'un nouvel urbanisme. L'idée que chaque ville tire son identité de la disposition spécifique de ses « types » architecturaux par rapport à la trame des espaces urbains majeurs va donner aux projets de ces architectes italiens une sensibilité aiguë à l'histoire urbaine, qui ne déterminera pas seulement les règles d'insertion des constructions dans les villes existantes, mais aussi leurs formes spécifiques, qui viennent se situer dans une généalogie désormais explicite. Des politiques comme celle que la ville de Bologne mène pour restaurer son centre historique sont l'occasion de mettre en pratique ces positions dans la reconstitution de maisons et d'îlots précédemment destinés à être détruits. Aymonino et Rossi donnent cependant, avec l'ensemble de logements qu'ils réalisent entre 1968 et 1973 à Milan-Gallarate, une perspective contemporaine à leurs positions sur l'espace de la ville : Aymonino renouvelle plastiquement le thème du grand bâtiment collectif de la tradition « corbuséenne », tandis que Rossi manifeste son goût pour les archétypes du logement populaire de Lombardie. C'est en effet vers la mise au jour d'une mémoire qui est aussi bien celle des villes que la sienne propre que Rossi tire les nombreux projets qu'il laissera sur le papier à partir de 1970. Vittorio Gregotti (né en 1927), autre architecte de Milan héritier des positions culturelles de Rogers, centre son propos sur le thème du territoire : territoire culturel de l'architecte, qui le découpe dans les disciplines des sciences sociales, mais aussi territoire réel, qui impose une dimension de projet nouvelle. Le projet de Gregotti pour l'université de Cosenza en Calabre, élaboré en 1973, organisme linéaire traversant le paysage des collines sur 1,5 kilomètre, donne une image extrême de cette attention à la dimension géographique de l'architecture. Mais la scène italienne voit aussi les architectes des générations antérieures continuer un travail dans lequel la question des matériaux et de l'apparence de la construction occupe la première place. Mario Ridolfi construit à Rome, puis essentiellement dans sa ville de Terni, des édifices sans rhétorique, mais extraordinairement contrôlés dans leurs détails de maçonnerie et de ferronnerie, à partir d'une connaissance de première main de la dimension artisanale de l'industrie du bâtiment italienne. Carlo Scarpa (1906-1978) imagine quant à lui pour le *Musée du château* de Vérone des aménagements d'un raffinement rare, dans lesquels il dessine les jeux de surface des murs et les assemblages de tous les éléments construits avec une rigueur poétique qui trouve son meilleur débouché dans la

Tombe Brion-Vega, au cimetière de San Vito d'Asolo, en 1972. Scarpa y tend de minces voûtes de ciment armé et des murs rainurés où coulissent des menuiseries de bronze, apprivoisant des matières souvent utilisées sans attention à leur grain dans la construction courante : il y révèle l'image fugitive d'un luxe constructif introuvable.

LA CONFRONTATION DES ÉCOLES AUX ÉTATS-UNIS DEPUIS LES ANNÉES 1960

L'architecture américaine, sûre de son hégémonie à la fin des années cinquante, connaît elle aussi le moment de l'introspection et de l'inquiétude avec les analyses et les projets de Robert Venturi (né en 1925). Celui-ci publie en 1967, avec *Complexity and Contradictions in Architecture,* un pamphlet dont la signification est tout de suite perçue. Venturi y plaide pour une architecture refusant le simplisme fonctionnel et rétablissant l'importance du fait symbolique et, pourquoi pas, celle du décor. Prenant le contre-pied du minimalisme de Mies van der Rohe, Robert Venturi déclare : *More is more* (« plus, c'est plus ») ou *Less is a bore* (« moins, c'est assommant »). Plus tard, dans une étude menée en équipe sur le *Strip* de Las Vegas, dont il évoque l'indispensable « enseignement », il plaide pour une architecture urbaine sachant aussi s'approprier la richesse communicative des constructions vulgaires de l'ère des autoroutes et des supermarchés.

Alors que le thème du gratte-ciel va connaître une nouvelle jeunesse avec des projets comme la *Fondation Ford,* construite en 1968 à New York par Kevin Roche (né en 1922) et John Dinkeloo (1918-1981), qui réduisent la construction à un seul angle de la parcelle, essentiellement occupée par un grand jardin d'hiver de la hauteur de l'immeuble, Charles Moore (né en 1925) suit une ligne parallèle à celle de Venturi. Du *Sea Ranch Condominium,* construit en 1965 au bord du Pacifique et dont les murs et les toits en bois évoquent la tradition des maisons des pionniers avec des formes cubistes, aux multiples maisons particulières qu'il construit sur les deux côtes, Charles Moore déploie une même imagination dans l'utilisation du registre de la convention et de celui de la surprise : il propose l'idée d'une architecture conçue comme libre jeu des espaces et des matériaux.

En réaction à cet exercice parfois un peu débridé et à la lente dégradation des formes issues du Mouvement moderne, plusieurs architectes de New York vont réagir à partir de 1970. Peter D. Eisenman (né en 1932) conçoit une série de maisons particulières qui sont, dans leur sécheresse angulaire, autant de réflexions très intellectualisées sur la géométrie de l'architecture moderne. Richard Meier (né en 1934) développe plutôt le thème de la libre composition de volumes alternativement transparents et opaques, étendant à l'échelle de bâtiments publics comme l'*Atheneum* de New Harmony, terminé en 1982, le jeu formel de certaines villas de Le Corbusier. Michael Graves (né en 1934), plus versatile, passe d'un travail maniériste de collage sur des thèmes puristes à un monde dans lequel les bossages, les pergolas, voire les ordres viennent constituer un vocabulaire inépuisable pour des manipulations d'échelle qui ont de ses petites maisons pour des professeurs de Princeton au monumental *Civic Services Building*, achevé à Portland, Oregon, en 1982. À Portland, Graves rend le gratte-ciel moins austère, rejoignant les tentatives de Philip Johnson (né en 1906), qui avait doté d'un fronton son bâtiment pour ATT à New York, terminé la même année, alors qu'un architecte comme Cesar Pelli ne casse pas, quant à lui, le volume prismatique des gratte-ciel modernes et se contente d'en travailler la surface en la colorant, comme dans le cas du nouveau *Museum of Modern Art*, achevé à New York en 1983. À Los Angeles, les matériaux mêmes de la ville, dégagés de leur gangue de staff, que sont le contreplaqué ou la tôle, sont utilisés tels quels par Frank O. Gehry (né en 1929), qui émet ainsi un jugement formel sur les beautés cachées de la métropole californienne en rejoignant la démarche du Pop art.

DES PERSPECTIVES POUR LES ANNÉES 1980 : AU-DELÀ DU « POSTMODERNISME »

Mais la crise du fonctionnalisme et les débats qui l'ont accompagnée ont permis des démarches originales dans des univers régionaux particuliers : à Barcelone, Oriol Bohigas (né en 1925) se fait l'écho de l'architecture italienne en élaborant des bâtiments qui prolongent les techniques catalanes de construction en brique et constituent dans le même temps un commentaire sur la ville. Au Portugal, Alvaro Siza (né en 1933) réalise après 1974 des ensembles de logements dont les formes laconiques viennent révéler avec les instruments plastiques de l'architecture moderne les caractéristiques spatiales de l'habitat populaire traditionnel.

Apparaissent ainsi des architectes qui développent de façon personnelle des thèmes ou des démarches issus de l'expérience de l'architecture moderne, mais aussi de sa critique. Le Tessinois Mario Botta (né en 1943) s'appuie à la fois sur Le Corbusier et sur Kahn pour produire des maisons cachant derrière la brutalité et la simplicité de leur volume parallélépipédique des jeux de lumière subtils. En France, c'est sur le principe du montage d'éléments industriels parfois détournés de leur contexte qu'opère Paul Chemetov (né en 1928), issu de l'Atelier d'urbanisme et d'architecture et architecte du *Ministère des Finances*, mis en chantier à Bercy en 1984 ; de son côté, Henri Ciriani (né en 1936) situe ses logements, comme la *Cour d'angle* construite à Saint-Denis en 1982, dans le droit-fil des projets de Le Corbusier, dont il déplace les équilibres.

L'architecture des premières années 1980 voit donc coexister des attitudes opposées devant l'héritage du « Mouvement moderne ». L'intérêt pour la technologie avancée reste fondamental pour Renzo Piano ou Richard Rogers, qui opèrent séparément après la construction du *Centre Georges-Pompidou*, réalisant des usines métalliques diaphanes, comme pour le Britannique Norman Foster (né en 1935). L'idée d'une architecture autonome par rapport à la ville et génératrice d'une géométrie très forte est poursuivie par l'Allemand Oswald Matthias Ungers (né en 1926), qui réalise la nouvelle *Foire de Francfort* en 1983.

Mais les attitudes opposées à cette vision positive de la technique se renouvellent aussi, de l'exposition du Museum of Modern Art de New York en 1976, qui réhabilite l'architecture de l'École des Beaux-Arts de Paris, vilipendée depuis les temps héroïques de l'architecture moderne, à la biennale de Venise de 1980, où Paolo Portoghesi (né en 1931) présente sous le label de « postmodernisme », appliqué à l'architecture par le critique américain Charles Jencks, un conglomérat de positions allant d'un Néoclassicisme de troisième ordre à la nostalgie du Luxembourgeois Léon Krier pour la ville du XVIIIᵉ s., qu'il entend reconstruire dans ses projets. Le Français Christian de Porzamparc (né en 1944), par ses logements de la rue des Hautes-Formes à Paris en 1978, est fort superficiellement assimilé à ce mouvement, alors qu'il témoigne de l'apparition d'une approche poétique très personnelle de l'architecture urbaine.

L'architecture opère donc aujourd'hui dans le cadre d'une culture dont l'extension est mondiale : l'innovation technologique ne s'arrête pas aux frontières des pays développés et transforme le regard sur les techniques traditionnelles (bois ou terre), tandis que les nouveaux horizons symboliques de l'architecture en font un moyen de reconquête de l'identité nationale ou régionale.

Bibliographie sommaire

Architectures en France, modernité, post-modernité, Centre de création industrielle/Institut français d'architecture, Paris, 1981. Besset (M.), *Nouvelle Architecture française*, Arthur Niggli, Teufen, 1967. Bofinger (H.), Bofinger (M.), *Junge Architekten in Europa*, Kohlhammer, Stuttgart, Berlin, Cologne, Mayence, 1983. Chemetov (P.), *la Modernité, un projet inachevé*, Le Moniteur, Paris, 1982. Jencks (C.), *l'Architecture post-moderne*, Denoël, Paris, 1978. Magnago Lampugnani, *Dictionnaire de l'architecture moderne*, Philippe Sers, Paris, 1984.

L'ABSTRACTION TRIOMPHANTE

(1940-1960)

Albert Châtelet

Entre les deux guerres, l'Abstraction — alors surtout géométrique — avait connu une époque héroïque : art d'avant-garde apprécié d'un petit nombre, elle ne connaissait qu'une audience confidentielle, aussi bien en France qu'en Europe et aux États-Unis. La situation s'inverse brusquement au lendemain de la Seconde Guerre mondiale : en quelques années, elle s'impose comme la forme privilégiée de l'art. Vers 1950, toute autre expression est alors tenue pour réactionnaire, au moins dans les deux centres principaux, Paris et New York.

Cette conquête de l'opinion publique s'est développée à Paris et à New York sans que le moindre lien réel ait vraiment associé les deux mouvements. Bien plus, les artistes, de chaque côté de l'Atlantique, paraissent s'être quasiment ignorés : ce n'est qu'à partir de 1959 que le public français commencera à prendre conscience de l'importance des créateurs américains avec l'exposition *Pollock et la nouvelle peinture américaine*. Et si les œuvres françaises étaient moins inconnues à New York, elles ne suscitaient que peu d'intérêt à un moment où une sourde volonté d'affirmation nationale marquait le domaine de l'art.

Cette nouvelle phase de l'Abstraction tourne le dos, pour l'essentiel, à la précédente : la géométrie de *De Stijl* et de Cercle et Carré est le plus souvent délaissée au profit d'une expression plus spontanée et plus directe. « Abstraction lyrique », « Expressionnisme abstrait », « Art gestuel »..., les termes employés pour désigner les différents courants traduisent bien cette nouvelle orientation.

Naissance
de l'Abstraction américaine

L'INFLUENCE DES ARTISTES
VENUS D'EUROPE

Dans les années trente, New York voit se dessiner un nouvel intérêt pour l'art contemporain, et plus particulièrement pour ses manifestations européennes. Fondé en 1929, le Museum of Modern Art (M. O. M. A.) prend une rapide importance dans la culture américaine : deux expositions décisives en 1936, *Cubism and Abstract Art* et *Fantastic Art, Dada and Surrealism*, suivies, en 1939, par la première grande rétrospective de Picasso, présentaient mieux l'art européen du début du siècle que ne pouvaient le faire les collections permanentes, encore à leurs débuts. La création, en 1937, du Solomon R. Guggenheim Museum vint encore amplifier cet effet.

Quelques artistes européens, par leur présence aux États-Unis et leur enseignement, ont contribué également à l'émergence d'un nouveau climat esthétique. Ce n'est guère le cas de Mondrian, dont le séjour à New York, de 1939 à sa mort, en 1944, semble être passé aussi inaperçu que celui qu'il avait fait à Paris. Plus décisif fut l'enseignement de Hans Hoffmann (1880-1966), venu de Munich en 1930, qui avait ouvert une école, en 1933, dans la huitième avenue. Si son œuvre personnel ne s'affirma que tardivement, après 1944, son influence fut sensible, notamment par sa théorie du *push and pull* (l'opposition des couleurs qui avancent ou reculent par le jeu de leurs contrastes). Josef Albers (1888-1976), qui avait enseigné au Bauhaus et s'était installé en Amérique en 1935, eut également une grande influence, mais qui marqua peut-être davantage la seconde génération des peintres abstraits américains : jusqu'en 1949, il enseigna au Black Mountain College (Caroline du Nord), où de nombreux artistes fréquentèrent son atelier.

Cette orientation nouvelle a été encore renforcée par le reflux vers New York, durant la guerre, d'artistes européens réfugiés en Amérique, tels Fernand Léger, Lyonel Feininger, Max Beckmann, Max Ernst, André Masson et bien d'autres. Elle a aussi été amplifiée par le rôle de l'un de leurs admirateurs d'avant-guerre, Peggy Guggenheim, qui ouvre, dès 1942, la galerie *Art of this Century*, où elle expose aussi bien leurs œuvres que celles de jeunes peintres américains et favorise entre eux la formation de liens plus étroits encore. Dans la première étape de leurs démarches, entre 1942 et 1945 environ, les peintres américains, futurs représentants de l'Abstraction, adoptent pour la plupart une expression encore proche du Surréalisme : l'exposition de 1936 au M. O. M. A., l'influence de Max Ernst, alors époux de Peggy Guggenheim, celle plus décisive encore d'André Masson avaient créé un climat favorable à cette orientation.

Même au moment du plein épanouissement de l'Expressionnisme abstrait, les peintres que l'on rattache à ce mouvement sont loin de présenter une parfaite homogénéité. Beaucoup d'entre eux étaient passés par les chantiers de la *Works Progress Administration* (WPA), une organisation mise en place par le président Roosevelt pour aider les artistes pendant la période de crise de 1929. L'obligation d'avoir à décorer des murs de bâtiments officiels les avait alors familiarisés avec les grands formats, auxquels ils restent, pour la majorité d'entre eux, attachés. La relation de l'œuvre au spectateur en devient autre : elle le domine, elle l'environne presque totalement. Cette impression est rendue d'autant plus sensible que les peintures n'ont plus de centre et que leurs limites apparaissent comme de simples effets du hasard, elles n'ont ni articulations marquées, ni discontinuité sensible à leur surface. Cette technique, dite de l'*over-all* (« par-dessus tout »), n'est pas non plus adoptée par tous, mais elle domine largement.

LES EXPRESSIONNISTES
ABSTRAITS

C'est peut-être l'artiste d'origine arménienne Arshile Gorky (1904-1948), venu en Amérique à l'âge de quinze ans, qui fut le premier à trouver une voie originale.

Après avoir été tenté par l'exemple d'artistes européens aussi divers que Cézanne, Picasso, Léger, Kandinsky et Miró, la fréquentation d'André Breton, de Matta et de Masson l'entraîne vers le Surréalisme. Il en retient cependant moins une pratique qu'un langage et crée des œuvres où flottent, sur une surface qui refuse toute spatialité, des formes qui paraissent souvent issues du monde organique. La vigueur d'une écriture qui intègre les couleurs comme éléments expressifs donne une forte présence à des peintures qui, malgré des titres renvoyant à la réalité, ne se laissent guère lire que dans leur matérialité.

Jackson Pollock (1912-1956), en partie grâce à l'appui de Peggy Guggenheim, attira le premier l'attention. Son cheminement est proche de celui de Gorky : il passe aussi par une étape surréalisante (*Gardians of the Secret*, 1943, San Francisco, M. O. M. A.). Le *Mural* de 1943, conçu pour l'entrée de l'appartement de Peggy Guggenheim, exclut déjà toute forme figurative aussi bien que tout titre précis en se limitant à un vigoureux lacis de couleurs. Ce n'est pourtant qu'en 1946 que Pollock adopte un langage totalement abstrait et sa fameuse pratique du *dripping :* les toiles sont travaillées horizontalement au sol, et l'artiste fait couler sur elles la peinture en promenant au-dessus des boîtes percées ou des bâtons trempés dans la couleur. Une telle technique entend restituer une place primordiale au hasard. Elle est gestuelle parce qu'elle engage le corps tout entier dans l'action créatrice, et non plus le seul bras porteur du pinceau.

La dénomination d'*Expressionniste abstrait* qui avait été utilisée en 1929 à propos de Kandinsky est reprise en 1945 pour les jeunes peintres américains. Aussi imprécise et discutable dans ses termes qu'elle puisse être, elle convient assez bien, cependant, à tout un groupe d'artistes qui s'expriment dans une facture très franche avec des couleurs fortes.

Un Willem De Kooning (né en 1904) est, ainsi, plus expressionniste qu'abstrait dans la mesure où subsistent dans son art des formes qui font allusion à la réalité de vision. À l'opposé, l'art raffiné de Robert Motherwell (né en 1915) a peu à faire, sinon par la vigueur des tons utilisés, avec l'Expressionnisme : le premier Cubisme a laissé chez lui des marques profondes et le conduit à des organisations très équilibrées de toiles. Même lorsque ses thèmes se veulent allégoriques (*Élégie à la République espagnole*, 1961, New York, Metropolitan Museum), ses peintures s'imposent d'abord par leur structure interne. Helen Frankenthaler (née en 1928) appartient à la deuxième génération de l'Abstraction américaine, mais, par son tempérament, elle est plus proche de la première (à laquelle elle est également liée personnellement par son mariage avec Motherwell). Ses peintures sont formées de subtils nuages colorés.

Le terme d'*Expressionnisme abstrait* convient encore mieux à l'art d'un Franz Kline (né en 1910) ou d'un Clyfford Still (né en 1904). Le premier réduit sa palette au blanc et au noir et zèbre ses toiles de signes qui font penser à la calligraphie orientale. Le second couvre la surface picturale de zones colorées qui se déchirent comme de gigantesques écorces polychromes.

Pour d'autres peintres, Rothko, Newman, Reinhardt, la notion d'Expressionnisme abstrait a un sens moins évident. La méditation philosophique qui les inspire exclut toute violence dans la facture, et leur Abstraction se rapproche souvent de structures géométriques. Ad Reinhardt (1913-1967) pourtant est le seul d'entre eux qui soit passé par l'Abstraction géométrique, à partir de 1937. En apparence, il lui est demeuré fidèle. Homme de grande culture, attiré par l'Islâm et par l'Orient, il s'oriente vers une réflexion sur la nature de l'art qui le conduit à un art ascétique, proche d'une expression conceptuelle. Ses dernières peintures ne sont que des monochromes noirs, qu'il définit lui-même comme des « évanescences noires, carrées, uniformes, d'un mètre et demi, à triple section, d'un classicisme intemporel ».

Barnett Newman (1905-1970) n'aborde l'Abstraction qu'en 1946 après avoir, lui aussi, traversé une période surréalisante. Ses toiles vont progressivement se réduire à de grands monochromes rompus seulement par des lignes verticales, des *zips*, peut-être équivalents plastiques des rayons lumineux symboles de la présence divine. La lecture de textes mystiques juifs et de la Kabbale aurait orienté la formation de ce langage austère, mais aussi grandiose par l'ampleur des formats adoptés.

De ces trois peintres, Mark Rothko (1903-1970) est celui dont les œuvres sont les plus picturales. À partir de 1947, il se détache de sa première expression surréalisante et crée de grandes toiles où ne subsistent plus, dès le début de 1950, que des superpositions de surfaces rectangulaires aux contours flous qui semblent comme flotter dans un espace indéfini. Rothko s'est refusé à confirmer qu'elles puissent symboliser le rideau du Temple juif. Du moins la profondeur des tons — qui doit beaucoup à la leçon de Hoffmann, de Matisse et de Bonnard — donne-t-elle une telle densité de mystère qu'elle suggère une intention philosophique, religieuse, voire mystique. Les dernières œuvres du peintre, conçues en 1970 sur commande de Mme de Menil, étaient justement destinées à une chapelle interconfessionnelle élevée à Houston : comme les œuvres ultimes de Reinhardt, elles se limitent à une gamme de noir, ici plus subtile, qui traduit bien l'ascèse ultime et semble comme annoncer le futur suicide de Rothko.

On ne saurait limiter l'évocation de la première Abstraction américaine à ses seuls artistes de la côte est. Il faut faire une place à l'homme de l'Ouest qu'est Mark Tobey (1890-1976). Au vrai, le panorama aurait même pu débuter par lui : en 1935, avec ses *Écritures blanches (Broadway)*, il s'approchait de l'Abstraction, dont il avait entrevu la conception théorique dès 1920, en tentant d'imaginer ce que pouvait être la vision d'une mouche tournoyant dans une pièce, et dans les années trente, pendant son séjour au Japon dans un monastère zen. Pourtant, isolé à Seattle, il n'atteint pas à la notoriété avant sa première exposition new-yorkaise, en 1944, et trouve même une consécration plus complète en Europe, où il s'installe en 1960. C'est que son art raffiné, écriture plus encore que peinture,

demeuré fidèle au petit format, est plus proche de l'esthétique européenne, même s'il se réfère, dans l'organisation des surfaces picturales, à la formule de l'*over-all*.

L'Abstraction en France

NAISSANCE DE L'ABSTRACTION LYRIQUE

Au lendemain de la guerre, l'Abstraction géométrique, qui avait dominé les groupes Cercle et Carré et Abstraction-Création, réapparaît brillamment : le Salon des réalités nouvelles, qui ne s'était tenu qu'une seule fois, en 1939, renaît en 1946 et sera son fief privilégié. La galerie Denise René ouvre ses portes rue La Boétie et présente en 1946 une exposition personnelle de Herbin (1882-1960), qui a alors atteint la pleine maturité de son art et défini son « alphabet plastique ». Des artistes plus jeunes surgissent du groupe et renouvellent les pemières orientations. Jean Dewasne (né en 1921) semble associer des souvenirs de Léger à la rigueur de compositions purement géométriques. Et c'est à partir de 1947 que Victor Vasarely (né en 1908), Hongrois d'origine installé à Paris depuis 1930, se réalise pleinement dans un art où les jeux formels, les répétitions, les ambiguïtés géométriques sont utilisés avec beaucoup de raffinement.

La ligne dominante de l'expression abstraite de l'après-guerre devait cependant venir d'autres sources. Hans Hartung (né en 1904), venu de Dresde en France en 1935 après y avoir fait un premier séjour prolongé dès la fin des années vingt, avait participé, il est vrai, aux premières recherches abstraites. S'il s'impose rapidement, après sa première exposition personnelle, en 1947, c'est que son art est précisément porté par un profond lyrisme. Les signes qu'il inscrit sur ses toiles sont plus déchirures et griffes, traces d'un geste qu'écriture dominée : ils se veulent spontanés et s'inscrivent dans une orientation proche de celle de Pollock aux États-Unis.

Cet art gestuel devait trouver rapidement d'autres adeptes. Pierre Soulages (né en 1919), venu de Rodez à Paris en 1946, s'exprime par de grands signes noirs sur la blancheur de la toile, qui transparaît par endroits. Sa démarche est si proche de celle de Franz Kline, en Amérique, que l'on pourrait croire à quelque échange entre eux : il n'en est rien et c'est un singulier et rare parallélisme qu'offrent ces deux artistes qui se sont ignorés l'un l'autre avant d'atteindre à la notoriété. Georges Mathieu (né en 1926), installé à Paris en 1947, développe un art gestuel empreint d'une élégance calligraphique qui lui a assuré une large audience, même auprès des pouvoirs publics : il fait de lui une manière de peintre abstrait officiel (commandes des chemins de fer, du ministère des Finances, de la Monnaie).

Une deuxième voie entre l'Abstraction géométrique et gestuelle est ouverte par Serge Poliakoff (1900-1969). Venu de Moscou, il a participé, lui aussi, aux recherches d'avant-guerre, mais s'y montrait encore hésitant. Ses rencontres avec les Delaunay le confirment dans un goût de la couleur dense et chaude. Dans l'immédiat après-guerre, après une première exposition en 1945 dans une petite galerie, il est accueilli en 1946 par la galerie Denise René. Il peut paraître géométrisant parce que ses toiles (*Composition abstraite*, 1950, New York, Guggenheim Museum) sont constituées de formes quasi géométriques. Leur exécution laisse cependant une place primordiale à la matière, qui, à elle seule, rompt la pure planéité et instaure une poétique où domine la picturalité. James Guitet (né en 1923) s'exprime avec des moyens plastiques très voisins dans une gamme plus précieuse.

Le goût de la matière et du métier pictural guide aussi la création de Nicolas de Staël (1914-1955). Son passage dans l'atelier de Léger, en 1938, a pu contribuer à lui donner le sens de structures fortement affirmées. Ce sont pourtant plus ses fréquentations de Sonia et Robert Delaunay et, à partir de 1943, son amitié avec Braque qui lui ouvrent le chemin d'une peinture exigeante dans sa rigueur et riche dans la beauté de sa facture. Présenté en

1944 par Jeanne Bucher, il devait atteindre assez vite à une grande notoriété. Le plus singulier est bien que lui qui avait donné ses lettres de noblesse à l'Abstraction par la qualité de ses harmonies — ces gris chantés par le poète Pierre Lecuire — ait fait, dès 1952, retour à la figuration, après l'émotion décisive du spectacle d'un match de football nocturne au parc des Princes (*Grands Footballeurs*, 1952, Paris, coll. part.). Il s'agit cependant d'une figuration sublimée, dont les éléments, qui sont plus des signes que des représentations, sont mis en œuvre avec des valeurs colorées et une matière picturale si subtilement orchestrées qu'elles assurent elles-mêmes la qualité poétique : l'Abstraction, en somme, est encore présente en ce que les constituants picturaux s'imposent en priorité, avant même ce qui est signifié. La voie choisie était pourtant étroite et, si des problèmes personnels ont pu jouer, l'angoisse de la création n'a pas dû être totalement étrangère au suicide de Nicolas de Staël, le 16 mars 1955.

L'ABSTRACTION LYRIQUE
DANS LES ANNÉES CINQUANTE

L'affirmation de l'Abstraction lyrique n'aurait peut-être pas été aussi complète en France si elle n'avait pas été également soutenue par un groupe de peintres issu d'un compagnonnage de la période de l'occupation allemande. Le 10 mai 1941 s'ouvrait à la galerie Braun à Paris une exposition dite « des Jeunes peintres de tradition française », qui se voulait affirmation nationale en face de l'occupant et attachement à la tradition, celle du renouvellement ouvert par les aînés au début du siècle. Se retrouvaient dans cette manifestation des peintres issus du Cubisme, comme Suzanne Roger et André Beaudin, ou du Surréalisme, comme Coutaud et André Marchand, un familier de Picasso, avec André Pignon (né en 1905), et un groupe de jeunes ayant environ trente-cinq ans, Le Moal, Singier, Manessier, Estève et Bazaine. Aucun de ces derniers, à cette date, ne s'exprime de manière abstraite : tous transposent la réalité de vision dans un flamboiement coloré qui rappelle celui des œuvres ultimes de Pierre Bonnard. Autour de 1944 et de 1945, ils abandonnent la figuration. Jean Bazaine (né en 1904) s'appuie parfois sur des références musicales (*Messe de l'homme armé*, 1944) et plus souvent des souvenirs de paysages (*Marée basse, arbre...*). Alfred Manessier (né en 1911), profondément croyant, traduit sa foi dans ses créations picturales, mais les souvenirs de la nature sont aussi à l'origine de formes très libres. Maurice Estève (né en 1904), qui avait participé au travail de l'équipe des Delaunay pour l'exposition de 1937, est resté marqué par des harmonies fondées essentiellement sur les couleurs primaires. Il est plus proche de l'Abstraction géométrique que ses amis Bazaine et Manessier, parce que son langage s'appuie essentiellement sur des formes simples. Il pourrait passer pour proche de Poliakoff si sa matière n'était pas plus ductile et s'il ne gardait pas, même dans la peinture à l'huile, un goût pour des effets de fluidité voisins de l'aquarelle, qu'il pratique et affectionne.

Ces trois peintres, Manessier, Estève, Bazaine, apparaissent dans les années cinquante comme les figures dominantes de l'Abstraction lyrique française. Ils participent tous trois au renouveau de l'art religieux, amorcé pendant la guerre et poursuivi grâce à l'action énergique du R. P. Couturier. Les vitraux de Bazaine (Paris, Saint-Séverin), de Manessier (Hem, près de Roubaix) et d'Estève (Berlimont, Jura suisse) comptent parmi les premières tentatives qui ne retiennent de la notion de vitrail que celle de filtre coloré et traitent sa structure interne avec des formes contemporaines.

Quelques artistes sont venus aussi à l'Abstraction après une étape de jeunesse surréalisante. C'est le cas de Camille Bryen (1907-1977), qui avait créé avant la guerre des objets surréalistes et s'est attaché ensuite à une expression abstraite très raffinée : des formes étranges, qui paraissent parfois issues du monde végétal ou microbien, semblent comme un lointain souvenir de ses premières démarches. Alfred Wols (1913-1951) suit un cheminement voisin : né à Berlin et installé à Paris en 1932, il s'était consacré à la photographie surréalisante avant de

venir, vers 1945, à une peinture mystérieuse, le plus souvent limitée à de petits formats, ou à des aquarelles dans lesquelles il a créé ses œuvres les plus fines et les plus sensibles.

Le ralliement d'un Roger Bissière (1886-1964) à l'Abstraction, peu après 1945, traduit bien la force du mouvement. Profondément peintre, il devait être naturellement tenté par cette expression qui lui permettait de donner le meilleur de lui-même, cette finesse sensible qui fait chanter précieusement les tons. Pourtant, il n'avait pas, jusqu'alors, abandonné la figuration, à laquelle il trouvait une portée poétique et qu'il avait abordée successivement avec un précisionnisme proche du Derain classicisant, une volonté constructrice marquée par Braque ou encore avec le plaisir des matériaux dans les charmantes « tapisseries » cousues, pendant le dur temps de l'occupation, dans une technique de « patchwork ».

AUX MARGES DE L'ABSTRACTION

À côté de choix clairement pris et souvent même affirmés comme position esthétique, nombre d'artistes poursuivent des expressions voisines de l'Abstraction sans l'admettre comme but ni rejeter tout élément figuratif, fût-il allusif. Le terme d'*informel*, qui a été employé à propos de certains d'entre eux, n'exclut pas précisément l'allusion aux formes du réel. Jean Fautrier (1898-1964) avait été d'abord attiré vers un art surréalisant, servi par une matière raffinée, à la fin des années vingt. De 1932 à 1939, il traverse une période abstraite, connue seulement de quelques amateurs lettrés (J. Paulhan), peignant en pâte épaisse de très petits formats. Le combat de la Résistance lui fait entreprendre sa série des *Otages :* formes vagues, à la limite de la réalité, ils sont l'évocation passionnée et austère du sacrifice. « L'irréalité d'un informel absolu n'apporte rien » dira-t-il vers 1955. Aussi la référence au monde visuel demeure-t-elle chez lui plus précise et plus affirmée que chez un Bazaine ou un Manessier, même si la force de ses œuvres naît de leur matière épaisse et comme modelée et de ses accords sourds.

Son parcours n'est pas sans rapport avec celui de Jean Dubuffet (né en 1901). D'abord commerçant en vins, celui-ci ne se consacre à la peinture que la quarantaine accomplie, en 1942. Son art hésite alors entre deux pôles : l'écriture naïve — celle des enfants et des autodidactes — et une Abstraction matérielle. Du premier relèvent ses premières œuvres, qui font appel à l'exemple des graffiti, ses séries de portraits ou encore, depuis 1962, son cycle de l'*Hourloupe*. Au second, ses *Corps de dame* (1950), ses paysages et ses sols, ce qu'il dénomme ses *Hautes Pâtes*, dont la matérialité picturale est le motif essentiel. La découverte d'un autodidacte génial, Gaston Chaissac (1910-1964), a contribué à lui faire adopter sa dernière manière, vision comique, souvent proche du féroce, qui le situe aussi aux confins de l'Expressionnisme.

Ce qui fait hésiter à classer Marie-Hélène Vieira da Silva (née en 1908) parmi les maîtres abstraits, ce n'est pas seulement son refus d'être tenue pour telle, c'est aussi que, dans presque toutes ses œuvres, elle crée un espace et par là donne à voir quelque chose d'autre que la seule peinture. Joueurs d'échecs, bibliothèques, villes, les thèmes importent peu. C'est un monde magique, construit à partir de petites unités colorées et de lignes de fuite affirmées comme des réalités, qui naît sous son pinceau. À ses côtés, Árpad Szenes (1897-1985), son mari, s'inscrit également dans les marges de l'Abstraction. De ses œuvres de jeunesse, franchement figuratives, il a évolué progressivement de la construction à l'allusion dans une facture d'une rare distinction où interviennent souvent des harmonies blanches délicates.

L'Automatisme au Canada

Faut-il voir en Paul-Émile Borduas (1905-1960) le peintre le plus marquant du Canada contemporain et l'un des premiers abstraits ? On en peut discuter. Son premier séjour en France, en 1928-1930, ne l'avait guère ouvert aux réalités des mouvements d'avant-garde. C'est pendant la

guerre que la fréquentation d'Alfred Pelan (né en 1906), rentré de France avec des peintures d'inspiration surréalisante, le jette dans une orientation nouvelle, qui l'amène, dès 1942, à des créations où la réalité de vision n'apparaît plus que rarement. Autour de lui se constitue tout un groupe d'artistes qui travaillent dans le même esprit. Le nom d'automatisme adopté par ce groupe traduit bien son origine surréaliste et la spontanéité voulue de la pratique. Pourtant, Borduas abandonne bientôt cette référence pour développer des formes plus franchement abstraites. En 1953, un séjour à New York suscite un renouvellement qui le rapproche de l'*Action painting*. Puis il gagne Paris en 1955, où il crée, jusqu'à sa mort, ses œuvres les plus monumentales et les plus austères, de larges surfaces sombres flottant sur des fonds bleus.

Avec lui, le Canada pénètre rapidement et pleinement dans une expression moderne. L'un de ses disciples les plus proches, Jean-Paul Riopelle (né en 1923), gagne rapidement une réputation internationale après son installation à Paris, en 1951. Ses grands formats, ses pâtes épaisses (*Chevreuse*, 1954, Paris, M. N. A. M.) l'apparentent pourtant aux créations américaines et canadiennes, mais la distinction raffinée de ses accords de tons montre bien que le climat parisien ne l'a pas laissé insensible.

Diffusion de l'Art abstrait

Dès la fin des années 40, le succès de l'Abstraction s'étend rapidement dans tous les pays européens, tantôt par des influences venues des cercles parisiens, tantôt par une reviviscence des traditions abstraites d'avant-guerre. La deuxième *Documenta* — cette exposition de Kassel qui tente, tous les quatre ans, de présenter un bilan de l'art occidental contemporain — présente, en 1959, sous le titre « l'Art depuis 1945 », un ensemble qui lui est presque exclusivement consacré.

L'ABSTRACTION EN ALLEMAGNE

En Allemagne, deux survivants des avant-gardes des années trente donnent le ton. Willi Baumeister (1889-1955), qui avait participé à l'Abstraction géométrique, pratique, dès la fin des années quarante, un art plus libre avec des accents de matière nouveaux. Il exerce une grande influence par son enseignement à Stuttgart à partir de 1946. Julius Bissier (1893-1965) était proche de l'Abstraction dès 1930, mais avec des nuances surréalisantes. Sous le régime nazi, il est contraint de se limiter à des lavis d'encre de Chine et revient, en 1947, à une peinture plus franchement abstraite où subsistent des manières de signes flottant sur une surface indéfinie.

L'exemple de ces deux aînés encourage des orientations nouvelles chez des peintres de la génération des abstraits lyriques parisiens. Ernst Wilhelm Nay (1902-1968) avait été attiré, à ses débuts à Cologne, vers l'Expressionnisme, ce qui l'avait conduit auprès de Munch à Oslo. Ce n'est qu'après la guerre qu'il abandonne toute Figuration pour des formes peintes très librement — d'une facture qui rappelle celle des expressionnistes — dans une gamme colorée très soutenue. Fritz Winter (né en 1905) devait à son passage par le Bauhaus d'avoir abordé l'Abstraction, sous l'influence de Kandinsky et de Klee. En 1949, après une guerre passée aux armées, il reprend une orientation abstraite, fortement marquée par l'art oriental : il est significatif qu'il ait créé, en 1949, à Munich, avec Nay, un groupe intitulé *Zen 49*. Deux artistes un peu plus jeunes ne viendront aussi à l'Abstraction qu'après les épreuves de la guerre. Hann Trier (né en 1915) la rallie au début des années cinquante avec des surfaces couvertes de réseaux arachnéens ; Bernard Schultze (né en 1915), quant à lui, crée des fulgurances proches de celles de Wols, mais dans des formats plus grands, avec des empâtements accusés.

LES ARTISTES ABSTRAITS EN ITALIE

L'Italie, malgré les tendances du fascisme, avait vu se développer avant la guerre quelques expressions abstraites, surtout à Milan avec Anastasio Soldati (1896-1953) et Osvaldo Licini (1894-1958), qui avait exposé pour la première fois en 1935, à la Galleria del Milione. À la première biennale de Venise ouverte après la fin du conflit mondial, en 1948, un groupe de peintres se présentait uni dans un *Fronte nuovo dell'Arte*, patronné par le critique Giuseppe Marchiori. Pourtant, le seul lien qui unissait ces artistes était la revendication d'une modernité aux contours flous et l'on pouvait ainsi trouver parmi eux le réaliste Renato Guttuso. Beaucoup d'entre eux tendent vers l'Abstraction, qui est alors plus une orientation qu'un acquis. Renato Birolli (1906-1959), l'un des aînés, n'a pas encore franchi le pas et reste attaché à des formules proches de l'art de Picasso : il rejoint l'Abstraction lyrique vers 1950. Giuseppe Santomaso (né en 1907) passe progressivement d'une évocation poétique de la réalité de vision à une Abstraction pure. C'est en fait Emilio Vedova (né en 1919) qui prend la tête du mouvement et trouve très rapidement sa voie dans un art très gestuel qui se traduit par un lacis inextricable de formes aiguës colorées. Afro (Balsadella, dit Afro, né en 1912) rejoint bientôt cette orientation en abandonnant les formes de la réalité de vision pour n'en plus garder qu'une suggestion floue.

La même tendance gagne également les ateliers romains, où Giuseppe Capogrossi (né en 1900) abandonne, en 1949, la figuration pour développer un art fondé sur la répétition sérielle de formes qui semblent presque avoir la qualité de signes. Il est suivi par Alberto Burri (né en 1915), qui intègre des éléments textiles, le plus souvent de vieux sacs, dans une peinture qui trouve ses accents dans la poétique des matériaux.

LES PEINTRES ESPAGNOLS

En Espagne, ce sont deux artistes directement liés aux milieux parisiens qui sont les figures dominantes. Antoni Tàpies (né en 1923), même s'il travaille et réside à Barcelone, s'est formé en France et demeure en contact avec Paris (galerie Maeght). C'est en 1950, au cours d'un séjour en France, que s'affirme sa manière personnelle, qui le rapproche des *Hautes Pâtes* de Dubuffet et des toiles de Burri : sa peinture est essentiellement matière, elle est épaisse, craquelée, boursouflée, écorchée de graffiti. Le groupe barcelonais *Dau al Set*, auquel il avait participé en 1948, comprenait également Modesto Cuixart (né en 1925), qui suivait une voie proche de la sienne. Antonio Saura (né en 1930), quant à lui, n'atteint pas une expression très affirmée avant 1957. La violence de sa touche le rapproche des pratiques expressionnistes ou d'un Emilio Vedova et il n'est pas surprenant de voir réapparaître chez lui des formes de la réalité transcrites avec une cruauté voulue.

Le groupe Cobra

Il serait difficile de qualifier d'abstraites les œuvres du groupe Cobra : elles le paraissent souvent et le sont, parfois, complètement. Généralement, pourtant, elles incorporent des formes qui font allusion à la réalité de vision, mais qui sont traitées plus comme signes que comme représentation et qui n'entraînent presque jamais un caractère narratif.

Le groupe s'est formé à Paris, en 1948, à partir d'une dissidence du mouvement surréaliste révolutionnaire. En désaccord avec la « Conférence internationale du centre de documentation sur l'art d'avant-garde », des artistes danois, belges et hollandais se réunissent et inventent, à partir du nom des capitales de leurs pays respectifs, le nom de CO(penhague) BR(uxelles) A(msterdam). Pendant deux années, Cobra aura la vie d'un véritable groupe, avec ses réunions et ses publications. Si, depuis 1950, les liens se sont distendus, une unité de ton marque encore les œuvres des artistes qui participèrent à cet effort collectif.

Avant même la fondation du groupe, une orientation picturale originale avait été affirmée par l'aîné des peintres, le Danois Asger Jorn (1914-1973). Âgé de trente-quatre ans en 1948, il avait participé, depuis 1948, au groupe danois *Host*

(« Moisson »), qui se voulait « abstrait surréaliste ». Abstrait, il ne l'était pas alors, du moins pas dans le sens radical du terme. Des figures mystérieuses, dont les structures rappellent celles du dessin enfantin, sont traduites avec une palette stridente. Si la facture est proche de celle de l'Expressionnisme d'un Munch, ni les thèmes ni les titres des œuvres ne justifient cette appellation.

L'exemple de Jorn a séduit ses cadets, Constant (Constant Nieuwenhuys, né en 1920) d'abord, puis Karel Appel et Corneille. Les expositions communes du groupe entraînent de nouvelles adhésions : celles de Pierre Alechinsky (né en 1927), de Jean-Michel Atlan (1913-1960) et de Jacques Doucet (né en 1920) en 1949. Violence des tons, écriture hachée en larges coulures posées à la brosse ou au couteau, figuration allusive apparentée aux graffiti ou à la caricature sont les traits communs qui unissent ces peintres. Cobra, c'est un peu un carnaval pictural — ce carnaval si vivant encore dans les pays septentrionaux, mais où le rire et la joie ne seraient pas dépourvus de quelque férocité.

Dans l'œuvre de l'aîné, Jorn, la figure s'évanouit assez vite et il ne subsiste plus alors que des enlacements de pâtes colorées où n'émerge plus que le souvenir des formes organiques. Karel Appel (né en 1921) est probablement la personnalité la plus affirmée du groupe. Le dessin enfantin est chez lui source première et l'inspire même dans ses objets ou ses « sculptures ». La note ludique est souvent très cruelle dans ses accents. Il n'est pas surprenant que certaines de ses créations, notamment dans les années soixante-dix, fassent penser à celles de Gaston Chaissac. Corneille (Corneille Guillaume van Beverloo, né en 1922) préfère des formes mieux définies, qu'il aime même à cerner fortement. C'est un art plus narratif que propose Pierre Alechinsky : dès ses débuts, il aime à présenter des formes proches du monde animé, qui s'offrent à un déchiffrement possible. Dans ses peintures plus récentes, il entoure un centre, proche de l'abstraction, d'une série de saynètes qui apparaît comme une bande dessinée dont le secret se serait perdu. Avec Cobra, ce sont les tendances expressionnistes septentrionales qui semblent se réveiller, en associant des souvenirs du Surréalisme et l'approche de l'Abstraction.

Tendances expressionnistes

C'est un Expressionnisme plus proche de celui du début du siècle que l'on trouve en Angleterre chez Francis Bacon (né en 1909). Il a en commun avec celui de Cobra d'être issu de tendances surréalisantes : Graham Sutherland (né en 1903), de peu son aîné, mais plus tôt actif en peinture, a pu contribuer à l'orienter par son art, qui prend une grande liberté d'invention dans la traduction des formes du monde de la vision. Avec ses *Trois Études de personnages au pied d'une Crucifixion* (Londres, 1945, Tate Gal.), Bacon inaugure ses déformations de la figure humaine. Ses visages peuvent faire croire à quelque parenté avec ceux du Picasso de *Guernica :* en fait, leur gestation s'appuie sur les photographies du mouvement, non sur une recomposition à partir de fragments de visions diverses. Une couleur violente, un cadre hallucinant et intemporel enfermant ces figures contribuent à créer un climat de dérision et d'humour féroce. « Ce que je veux faire, déclare Bacon, c'est déformer la chose et l'écarter de l'apparence, mais dans cette déformation la ramener à un enregistrement de l'apparence. »

Francis Bacon est un homme isolé, autour duquel ne s'est constitué aucun groupe. Cependant, l'interprétation de la forme humaine est par essence le thème de l'œuvre de Picasso, et cet illustre exemple avait suscité de nombreuses approches analogues. Il s'en détache une grande figure, en France, celle d'Édouard Pignon (né en 1905), qui se situe à l'opposé de Bacon. Rien chez lui de cette violence âpre, mais seulement un élan vital qui cherche à traduire passionnément la vie. Son engagement politique, ses origines humbles ont laissé peu de traces dans son art. Expressionniste, il ne l'est pas si l'on réserve cette dénomination à ceux qui

traduisent cris et amertume. Son écriture a pourtant l'accent et la force d'un cri, mais de joie et d'élan vital.

Retour de l'art géométrique

ART OPTIQUE ET ART CINÉTIQUE

L'Abstraction géométrique n'a pas été tuée par l'Abstraction lyrique : non seulement ses tenants ont brillamment poursuivi leur carrière, soutenue notamment à Paris par la galerie Denise René, mais encore elle a donné naissance à des expressions apparentées ou, mieux, à des variantes. Ce que l'on appellera l'Art optique naît d'ailleurs de l'évolution d'un abstrait géométrique, Victor Vasarely.

Si ce dernier expose régulièrement à partir de 1944, son audience ne s'est guère affirmée que vers la fin des années 60, et l'exposition *Le Mouvement*, de 1955, tendait à le présenter comme le père de l'Art optique aussi bien que du Cinétisme. Dès 1948 environ, il en était venu à composer à partir de structures géométriques simples, d'ambiguïtés de perspective et de répétitions de motifs. La rigueur mathématique de ses créations l'amènent à prôner l'édition de « multiples », c'est-à-dire l'édition d'œuvres dont la structure est suffisamment précise pour être reproduite mécaniquement sans trahison. Dans leur *Manifeste jaune* (1955), les signataires affirmaient : « Forme et couleur ne font qu'un. La couleur n'est qualité qu'une fois délimitée en formes. Deux formes-couleurs, nécessairement contrastées, constituent l'unité plastique, donc l'unité de la création. »

Autour de Vasarely, on trouve en France des artistes comme Agam (né en 1928), qui eut l'honneur d'une commande d'un salon pour l'Élysée par Georges Pompidou (1972-1974), qui entra à Beaubourg dès 1974. Il joue avec brio de la fragmentation en dents de scie des surfaces picturales, qui permet de faire varier la vision selon la position du spectateur ou en fonction de son déplacement devant l'œuvre. François Morellet (né en 1926) se situe dans une perspective plus rigoureuse et construit des trames à partir de calculs mathématiques, inaugurant des positions proches de l'Art conceptuel, comme son émule américain Sol Lewitt (né en 1928).

En Angleterre, Bridget Riley (née en 1931) évolue de manière voisine après s'être intéressée à la technique néo-impressionniste. Plus que Vasarely, elle joue sur les déformations et les ruptures à l'intérieur des séries avec beaucoup de raffinement. En Amérique, Richard Anuszkiewicz (né en 1930), qui avait été l'élève d'Albers à Yale, s'inspire beaucoup des premiers travaux de son maître. En revanche, Larry Pons (né en 1937) répartit avec plus de fantaisie points ou taches sur une toile presque monochrome par ailleurs : malgré le caractère répétitif du procédé, il réintroduit une qualité picturale dans sa facture.

L'Art cinétique associe à la leçon de Vasarely l'exemple de Nicolas Schöffer. Né en Hongrie en 1912, installé à Paris en 1937, celui-ci avait créé, à partir de 1948, ses premières œuvres *spatio-dynamiques :* elles associaient des formes en mouvement (par l'intervention d'un moteur) à des sources de lumière qui envahissaient l'espace sous des aspects constamment renouvelés par les filtres formels et colorés interposés dans le faisceau lumineux par la structure animée. C'est en quelque sorte le renouvellement de l'antique kaléidoscope par la vertu de la technique et de l'imagination d'un artiste.

Quelques artistes groupés dans le G. R. A. V. (Groupe de recherches d'art visuel), qui a connu une activité commune de 1960 à 1968, développent aussi bien des œuvres d'art purement optiques avec François Morellet ou Jean-Pierre Yvaral (né en 1934) que des créations associant mouvement et lumière avec le Brésilien Garcia Rossi (né en 1929), l'Argentin Julio Le Parc (né en 1928) — probablement l'esprit le plus créateur dans ce domaine — ou encore Joël Stein (né en 1926).

Précédant les recherches du G. R. A. V., le Vénézuélien Soto (né en 1923), qui expose depuis 1956, se contente de recherches plus simples avec des rideaux de formes en mouvement devant des formes picturales. Son compatriote Carlo Cruz

Diez (né en 1923), installé à Paris en 1960 seulement, réalise depuis 1959 des *Physiochromies,* ou *Chromo-interférences,* qui plongent les spectateurs dans des bains de lumière colorée pour rendre perceptible « la couleur autonome dans l'espace, agissant de toute sa force sur le spectateur ». Contrairement à l'Art optique, l'Art cinétique s'est peu développé en dehors de Paris. L'Allemand Günther Vecker (né en 1930) se rapproche des effets de Soto en jouant de formes (clous, tubes...) en rapport avec un support peint.

L'Art minimal américain

La dernière et la plus originale variation de l'Abstraction américaine s'est constituée comme une riposte au Pop art et une surenchère sur l'Expressionnisme abstrait le plus dépouillé, celui d'un Newman ou d'un Reinhardt. Elle a été activement soutenue par un critique influent, Clément Greenberg, qui avait été un moment professeur au Black Mountain College : de l'exposition *Emerging Talent* (1954, gal. Kootz), qui présentait Morris Louis et Kenneth Noland, à *Post Painterly Abstraction* (1964), son action fut décisive et efficace.

De l'exemple de leurs aînés, les peintres de cette nouvelle génération (celle de 1925-1935) ont hérité le goût des grands formats. À l'enseignement d'Albers, ils doivent l'association de la couleur à la forme et une tendance à abandonner le cadre sempiternel du rectangle, mais, à l'opposé des créateurs de l'Art optique, la plupart d'entre eux conservent le souci d'une exécution picturale — et non mécanique — qui, même dans les grandes surfaces monochromes, n'exclut pas les variations infinitésimales.

L'aîné d'entre eux, Morris Louis (1912-1962), se fait connaître d'abord avec des « tableaux voilés » où la toile crue est recouverte de voiles successifs de peinture qui créent une sorte de brume. Dès 1959, il passe de là à de grands filets de couleurs *unfull* (déployés) sur les angles inférieurs d'une surface par ailleurs brute ou la zébrant. L'imprécision des formes de ces filets leur conserve un accent pictural qui se souvient peut-être des papiers découpés de Matisse.

Les plus jeunes développent un art fondé sur une « problématique » que la critique américaine a minutieusement disséquée. Kenneth Noland (né en 1924) compose de 1963 à 1966 des toiles rythmées de chevrons colorés, puis, à partir de 1966, de rayures. Frank Stella (né en 1936), le plus connu de ce groupe, recherche à partir de 1959 un rapport étroit entre la forme de la surface et l'organisation picturale : c'est ce que l'on dénommera des *structures déductives.* Il en vient rapidement à rompre avec la rectangularité traditionnelle. Ses œuvres deviennent ainsi des objets et il n'est donc pas étonnant que les derniers avatars de sa création soient justement de passer à des constructions superposant des volumes colorés (de minces épaisseurs, toutefois, dans la plupart des cas).

Jules Olitski (né en 1922), dont la carrière s'est poursuivie parallèlement à celle de Noland et de Louis, apparaît au premier abord davantage comme un direct héritier de l'Expressionnisme abstrait. Ses toiles sont des *over-all* dont la monochromie n'est rompue que par de légères variations dans des demi-teintes raffinées. Il aime pourtant, par quelques touches, marquer un angle de la toile et rompre ainsi la nature de l'*over-all* en restituant leur rôle structurel aux limites de la toile.

Le contrepoint réaliste des années cinquante

C'est face à une sorte d'opposition réaliste que l'Abstraction lyrique s'était imposée. Au loin, en U. R. S. S., le pouvoir communiste avait prôné, dès la fin des années vingt, le retour au Réalisme, un *Réalisme socialiste* propre à traduire l'idéal du parti. Art de propagande, il ne faisait que reprendre, avec encore moins d'invention, la pratique de l'art officiel russe, et peu de personnalités s'en dégagent. En France, un militant convaincu comme André Fougeron (né en 1913)

abandonne progressivement, à partir de 1944, sa première manière, proche de celle de Pignon, pour se présenter, sans grand bonheur, comme un réaliste social. En Italie, plus tôt encore et non sans courage, Renato Guttuso (né en 1912) avait affirmé un Réalisme de combat, au temps même du fascisme, avec sa *Crucifixion* de 1940-41 (Coll. Guttuso). Il reste fidèle depuis à une traduction du réel en prise directe avec les problèmes du moment, et sa forte personnalité fait de lui le plus attachant des artistes, dont le Réalisme est d'abord un choix politique.

En face de telles positions se manifeste, un peu partout en Europe et en Amérique, une opposition à l'Abstraction plus indépendante et souvent mieux reçue qu'elle. Elle comprend plus de talents que d'artistes de premier rang, et le succès qu'ils ont connu d'abord semble avoir quelque difficulté à s'inscrire dans la durée. En France, à partir de 1943, un Bernard Buffet (né en 1928) affiche un misérabilisme qui doit beaucoup à l'exemple de Gruber et connaît une grande audience dans les années cinquante. Autour de lui, des peintres comme André Minaux, Rebeyrolle, Vénard — qui fondent, en 1949, le salon *Le peintre témoin de son temps* — ne parviennent guère à affirmer l'humanisme qu'ils revendiquent.

Il faut tenir compte également de cet attrait pour le Réalisme pour comprendre l'intérêt nouveau que commence alors à susciter Balthus (Balthazar Klossowski de Rola, dit Balthus, né en 1908). Sa première exposition, en 1934, était passée inaperçue, sauf de quelques grands amateurs. Son style d'apparence traditionnelle, nourri de nombreux souvenirs d'œuvres du passé, témoigne également de quelques liens avec le Surréalisme par l'étrangeté des situations représentées et les fréquentes allusions érotiques. La beauté du métier, qui affectionne une matière grumeleuse et joue subtilement des effets de lumières douces, fait beaucoup pour la poétique d'un œuvre dont le retentissement, sur le plan international, n'a cessé depuis de s'affirmer, malgré son orientation à contre-courant.

En Amérique, la forte tradition réaliste se poursuit bien vivante dans l'œuvre tardif d'un Edward Hopper (1882-1967). Elle trouve aussi une nouvelle expression dans celui d'Andrew Wyeth (né en 1917), qui pratique un art minutieux dans la représentation, sans rapport pourtant avec l'Hyperréalisme, parce qu'il est marqué par une grande poésie, non seulement par ses thèmes, mais aussi par une facture picturale très sensible.

En Autriche, se fondant en partie sur les souvenirs du début du siècle, ceux de Klimt et de Schiele, se développe un Réalisme fantastique qui semble vouloir renouveler, avec un ton moderne, le langage de Bosch. Le Surréalisme n'est pas loin, même si automatisme et inconscient ne semblent pas recherchés. Ernst Fuchs (né en 1930), aux côtés d'Erich Brauer (né en 1929), Wolfgang Hutter (né en 1928) et Anton Lehmden (né en 1929), apparaît le personnage dominant de cette « école de Vienne ».

Bibliographie sommaire

Cassou (J.), *Panorama des arts plastiques*, Gallimard, Paris, 1960. Seuphor (M.), *la Peinture abstraite, sa genèse, son expansion*, Paris, 1962. Vallier (D.), *l'Art abstrait*, le Livre de poche, Paris, 1967. *Depuis 45, l'art de notre temps*, La Connaissance, Bruxelles, 1969.

DES RÉALISMES
D'AUJOURD'HUI

(1960-1982)

Albert Châtelet

LE TRIOMPHE SI TOTAL DE L'ABSTRACTION ne pouvait que susciter une réaction opposée. La représentation du réel, de la réalité de vision, n'avait certes pas perdu ses droits dans les années 50 : dans tous les pays, elle était restée pratiquée par bon nombre de peintres, et la grande majorité du public la préférait à ce qui, faute d'une préparation suffisante, était tenu pour un art de l'élite. Dans les années 60 et 70, les positions s'inversent : le Réalisme, ou plutôt des Réalismes deviennent démarches d'avant-garde. La réalité est alors appréhendée à travers la matérialité du quotidien et son exaltation par la publicité et les médias, ou encore à travers l'objectif des photographes et des cinéastes, qui guident, à tout moment, notre vision actuelle. La contemporanéité est au centre même de la création artistique, elle est présente dans sa banalité même — acceptée ou critiquée —, elle est le thème, le prétexte de toute variation picturale.

En contrepoint s'affirme pendant la même période une attitude esthétique qui peut sembler la négation même du Réalisme. C'est celle qui privilégie le seul acte intellectuel au détriment du faire, celle qui se veut essentiellement conceptuelle. Elle s'appuie pourtant le plus souvent sur l'objet, utilisé brut, comme pour les *ready-made* de Marcel Duchamp. Des châssis du groupe Support-Surface à la chaise de Kosuth, des photographies de Boltanski aux performances des années 60, ou encore aux interventions de Christo sur le paysage, il y a bien un lien commun, celui de la poursuite d'un geste, d'une intention esthétique, qui prime même sur sa réalisation matérielle, laquelle ne peut qu'être éphémère. La présence de la quotidienneté et de la matérialité à travers l'objet, le corps ou la terre demeure cependant indispensable à de telles démarches, qui s'instaurent, elles aussi, dans la réalité. Si de telles attitudes ne relèvent pas à proprement parler du Réalisme, parce qu'elles n'entendent pas proposer quelque équivalent visuel de fragments du vécu, elles se veulent elles-mêmes vécues, donc expériences du réel.

ART D'ASSEMBLAGE

En 1961, le Museum of Modern Art présentait une exposition intitulée *The Art of Assemblage :* elle révélait un courant artistique opposé à l'Abstraction lyrique qui s'était formé dans les cinq années précédentes. Elle consacrait surtout l'originalité de deux artistes qui avaient un court moment travaillé en très étroite collaboration vers 1955, Jaspers Johns (né en 1930) et Robert Rauschenberg (né en 1925). L'approche nouvelle qu'ils proposaient a pu bénéficier d'une tradition de l'objet issue des mouvements dada et surréaliste : Joseph Cornell (1903-1972), dès les années 30, créait des boîtes assemblant des fragments, sorte de déchets de la quotidienneté, rendus précieux par leur arrangement et leur présentation. Chez les « assembleurs », d'ailleurs, la revendication du précédent surréaliste est sans équivoque : Jaspers Johns se fait présenter, en 1959, à Marcel Duchamp et il est présent, avec Rauschenberg, à l'*Exposition internationale du Surréalisme* de la galerie Daniel Cordier à Paris la même année, exposition organisée par André Breton et Marcel Duchamp. L'art du musicien John Cage, professeur au Black Mountain College en 1952, qui fonde ses créations sur la qualité musicale du bruit et l'appréhension directe de l'environnement sonore brut, a pu constituer un exemple transposable à d'autres moyens d'expression.

Dès 1954, Rauschenberg utilise des matériaux bruts dans ses peintures, jouant à la fois de leur réalité et de leur déchéance par l'intégration dans un assemblage pictural qui rappelle l'aspect lépreux des murs new-yorkais recouverts d'affiches déchirées et de graffiti. À partir de 1961, il aime à transgresser les limites du tableau dans sa structure traditionnelle en lui associant des objets entiers qui le prolongent ou le complètent dans l'espace. Fondé sur l'hétérogénéité de ses composants, l'art de Rauschenberg affirme cependant toujours l'unité de l'œuvre par un traitement proprement pictural qui orchestre les éléments de l'assemblage.

Jaspers Johns, de son côté, présente l'objet dans sa nature propre, même si elle devient prétexte à des développements picturaux. Il commence, à partir de 1955, ses séries de drapeaux qui assimilent la toile à l'objet, lequel se trouve alors dénaturé aussi bien dans sa matière que dans sa couleur. « Johns, écrit Lawrence Alloway, a pris des signes d'une extrême banalité et il les a peints avec une exquise attention à leur caractérisation artistique, si bien que nous ne savons plus si nous appréhendons, à travers eux, le signe même, où si nous en sommes distraits (c'est-à-dire charmés par leur « voilement »). » Ce voilement — l'organisation picturale apparente — demeure chez lui,

comme chez Rauschenberg, la première préoccupation, même lorsque l'objet est directement intégré dans la création, comme les boîtes de bière de la marque Ballantine ou les boîtes de pinceaux fondues en bronze et peintes : l'objet créé prime sur l'objet intégré. « Sur le plan de la figuration, écrivait William Seitz dans sa préface à l'exposition de l'assemblage, la pratique de l'art de l'assemblage élève les matériaux d'un niveau de simples relations formelles à celui d'une poésie associative, tandis que les mots et les chiffres ont, à l'inverse, tendance à se formaliser. »

LA NAISSANCE DU POP ART EN ANGLETERRE

La réflexion sur le quotidien, sur la *pop(ular) culture*, et sa portée esthétique était au même moment la préoccupation d'un groupe d'artistes et de critiques qui se réunissaient à l'*Institute of Contemporary Art* de Londres. En 1956, il présentait à la Whitechapel Art gallery l'exposition *This is tomorrow* (« ceci est demain »), où figurait, au milieu de véritables environnements constitués d'éléments de la réalité la plus triviale, le célèbre collage de Richard Hamilton *Qu'est-ce qui peut bien rendre nos foyers d'aujourd'hui si différents, si sympathiques ?*

Le Pop art est bien né en Angleterre de ces réflexions et de ces recherches. C'est là qu'il apparaît dans une voie qui est moins marquée par l'appropriation d'éléments de la réalité quotidienne que par leur transgression poétique, souvent teintée d'humour et à travers leur transmission par les médias.

Personnalité marquante du groupe anglais, Richard Hamilton (né en 1922) passe d'un art allusif, associant des représentations de fragments d'objets, traités comme autant de signes, à des élaborations picturales de photographies qui semblent empruntées à des séquences filmiques. David Hockney (né en 1937), dans sa période pop, compose des scènes féroces par leurs accents où les représentations demeurent volontairement ambiguës. Vers 1970, il revient à un art presque mondain. Peter Blake (né en 1932) élabore ses œuvres à partir d'associations directes d'images publicitaires et de photographies. Bien que d'origine américaine, Ronald Kitaj (né en 1932) demeure d'inspiration très britannique : incorporant des éléments de représentation très précis, ses œuvres jouent sur les déformations agressives de cette représentation, non sans avouer parfois quelque parenté avec la démarche d'un Francis Bacon.

Le plus proche des artistes américains est en fait un Anglais, Allen Jones (né en 1937) : toutes ses créations transposent sur un ton ironique (ou glorificateur ?) l'image de la femme-objet telle que la constituent la publicité et le cinéma. Il se complaît dans une certaine vulgarité, même dans la transposition picturale des données. Ses mannequins féminins en sous-vêtements faisant fonction de portemanteaux, de tables ou de chaises (1969) sont bien la dérision la plus évidente d'un monde sexiste.

LE POP ART AMÉRICAIN

L'exposition de 1961 de l'Art de l'assemblage au M. O. M. A., qui consacrait Jaspers Johns et Rauschenberg, faisait en même temps connaître les premières œuvres des artistes pop américains. Leur origine est donc claire : en opposition à l'Expressionnisme abstrait, ces jeunes créateurs, qui appartenaient pour la plupart à la génération de 1930, choisissaient leurs aînés américains comme exemples. Leur parenté avec leurs prédécesseurs anglais est moins évidente : plus que de l'échange, elle doit relever du parallélisme. Très tôt, d'ailleurs, les Américains se tournent vers un type de création très différent de celui des Anglais, vers une acceptation plus directe et plus complète de l'objet trivial appréhendé dans sa vulgarité même, voire magnifié par un agrandissement monumental ou répété en séries comme pour en rendre la présence plus hallucinante.

Andy Warhol (né en 1930) est la personnalité la plus célèbre du groupe, et sa notoriété a encore été accrue par ses réalisations cinématographiques. Il a largement utilisé la sérigraphie comme procédé permettant des variations défor-

mantes par l'emploi de colorations variées, mais aussi comme technique de multiplication et d'édition. Qu'il prenne pour motif le visage de *Marilyn Monroe* (1962) ou les boîtes de *Campbell's Soup* (1961), c'est l'invasion des images médiatisées qui l'inspire et qui lui suggère des variations que l'on peut tenir pour critiques ou tout au moins teintées d'humour.

Cet humour sous-tend toutes les créations des peintres pop. Il leur fait imiter les formats gigantesques des peintres abstraits lyriques non pour magnifier un geste pictural, mais pour traiter en une dérisoire proportion monumentale les objets les plus banals du quotidien. Tom Wesselman (né en 1931) peut paraître exalter l'hygiène des Américains par ses montages associant des éléments réels du mobilier hygiénique à des nus réduits à des silhouettes aseptisées. Claes Oldenburg (né en 1929) étale des nourritures gigantesques rendues vulgaires non seulement par leurs couleurs hurlantes, mais aussi par leur exécution fruste, qui ne cherche pas à tromper sur sa nature. Il va jusqu'à faire exécuter à une échelle véritablement monumentale des objets quotidiens comme une cuillère ou une truelle et à les planter dans le gazon d'une université comme des monuments de notre culture. James Rosenquist (né en 1933) utilise de préférence les motifs publicitaires traités en larges aplats. Roy Lichtenstein (né en 1923), le plus âgé de ces artistes, est aussi le plus subtil dans son expression. Venu au Pop en 1961, il tire de grandioses images de bandes dessinées. Sa technique affiche une prétendue littéralité de copiste en présentant des images décomposées par les points énormes d'une imaginaire trame, comme s'il s'agissait de véritables agrandissements gigantesques de clichés d'impression colorés. En réalité, en artiste sensible, il ne copie jamais et interprète ses modèles par une simplification systématique, qui rend plus évident encore leur caractère stéréotypé : son œuvre constitue une véritable analyse de la mythologie figurée de l'Américain du xxe s.

De tous les artistes pop, le plus proche du *Kitsch* — dont on peut douter qu'il se détache vraiment — est bien Mel Ramos (né en 1935) : le monde des *pin-up girls*, dans sa plus stricte littéralité, est le sien. À l'opposé, Richard Lindner (1901-1978), marqué par sa jeunesse en Allemagne et une culture proche du « Réalisme magique », transpose, à partir de 1955, sa critique féroce en un langage mécanique qui rejoint les accents pop par sa facture d'affiche. Plus singulière est la démarche de Jim Dine (né en 1935) : ses emplois d'objets posés sur toile peuvent faire penser à la pratique de Rauschenberg, mais imposent des accents beaucoup plus féroces. Son art est beaucoup plus graphique et s'approche des orientations conceptuelles par la litote de son langage.

LE NOUVEAU RÉALISME

La publication du manifeste du *Nouveau Réalisme*, le 16 avril 1960, à Milan, par le critique d'art Pierre Restany — suivie le 27 octobre de la constitution d'un groupe de ce nom associant les peintres Arman, Hains, Yves Klein, Martial Raysse, Spoerri, Villeglé et Tinguely — ne suffit ni à instaurer une unité dans l'orientation de ces créateurs ni même vraiment à leur proposer une esthétique commune. Le seul lien qui les réunisse vraiment est peut-être « la passionnante aventure du réel perçu en soi et non à travers le prisme de la transcription conceptuelle ou imaginative ». Encore faut-il reconnaître que l'utilisation du réel intervient chez chacun des membres de ce groupe de manière fort différente. Ce qui semble acquis également, c'est qu'aucun d'eux ne doit rien à l'exemple des artistes pop américains, dont l'activité est, au mieux, strictement contemporaine et, dans bien des cas, un peu postérieure à la leur.

Avec le plus célèbre des artistes du *Nouveau Réalisme*, Yves Klein (1928-1962), l'intention « réaliste », nouvelle ou non, est déjà en grande partie évoquée. Réaliste, il l'est par l'emploi d'objets ou de moulages, par le traitement de la peinture comme matériau brut en monochromie, dans le refus « du phénomène spectacle qu'est le tableau conventionnel, ordinaire, classique, de chevalet ». Son propos, dès 1947, avec sa *Symphonie monotone*, c'est d'abord de rendre évidente l'intention de son acte, qui domine même sur le produit créé. Ses monochromes, ses éponges teintées (1958), son IKB *(International Klein's Blue)* — cette teinte unique de bleu dont il se réserve l'usage et qu'il veut exclusive —, son exposition du vide (1958, gal. Iris Clert), ses anthropomorphies (1958-1960), traces de corps féminins nus enduits de peinture bleue), ses cosmogonies (peintures soumises aux effets du vent et de la pluie) sont autant de gestes qui donnent à son expression une nature conceptuelle. Pourtant, chez lui, le produit demeure un objet précieusement élaboré, marqué d'un raffinement proche du caractère d'un objet d'art traditionnel : le Centre Georges-Pompidou l'a bien compris, qui, pour la rétrospective de 1983, avait présenté ses œuvres dans un cadre recherché qui prenait la qualité d'un écrin.

Les autres membres du groupe répondent mieux à l'idée du Nouveau Réalisme. Arman (né en 1928) compose avec des objets qu'il découpe et dont il assemble et réorganise les fragments avec un souci de distinction encore plus accusé que celui de Klein. Spoerri (né en 1930) est le poète des déchets, qui crée depuis 1959 des *Tableaux piégés* où sont figés les reliefs d'un repas ou de quelque autre matérialité dans leur réalité même. Raymond Hains (né en 1926) et Villeglé (Jacques Mahé de La Villeglé, né en 1926) se saisissent d'affiches lacérées et décollées et leur donnent une dimension nouvelle en les fixant en en les délimitant sur des châssis. Ils ont trouvé un compagnon dans le peintre italien Mimmo Rotella (né en 1918), qui avait exposé des affiches lacérées à Rome en 1954 avant de gagner Paris et de s'associer au Nouveau Réalisme.

Martial Raysse (né en 1936) est, de tout le groupe, le peintre le plus proche des artistes pop américains. Il utilise toute la mythologie et les procédés publicitaires, traités dans une gamme agressive et parfois associés à des objets réels, voire à des tubes de néon.

Au-delà du groupe originel, le Nouveau Réalisme, mais aussi le Pop art américain ont suscité des émules en France. Ainsi Jean-Pierre Raynaud (né en 1939) crée à partir de 1963 des *Psycho-objets*, le plus souvent des pots de fleurs, auxquels il donne, à l'exemple des Américains, des proportions gigantesques, à moins qu'il ne joue sur l'effet d'accumulation. Gérard Schlosser (né en 1931), à partir de 1965, donne à voir des gros plans de personnages féminins, associés le plus souvent à des arrière-plans d'automobile, évocation sommaire des plaisirs de week-end au XXᵉ s. traités dans une technique qui se veut proche de la photographie.

LA NOUVELLE FIGURATION EN FRANCE

La dénomination de « Nouvelle Figuration » n'a jamais correspondu ni à un groupement ni à une esthétique commune. Elle est commode pour réunir sous une même dénomination diverses tentatives d'approche du réel qui se manifestent dans les années 60 et se rapprochent tantôt des créations du Pop anglais, tantôt de celles de l'Hyperréalisme américain. La plupart de ces artistes empruntent le plus souvent aux Américains la facture nette et lisse des affiches, mais ils sont plus proches des Anglais par le détournement de la réalité qu'ils proposent : transformation par prismes colorés, dérive perspective, réduction à des associations de signes.

Valerio Adami, Italien d'origine (né en 1935), se complaît à des images ambiguës dont les vigoureux cernes rompent brusquement la cohésion de l'image que le premier regard semblait identifier. Gérard Fromanger (né en 1939) travaille sur des documents d'origine photographique que des colorations arbitraires transforment et orientent. Jacques Monory (né en 1934) transpose aussi des clichés photographiques, le plus souvent traduits dans une monochromie bleuâtre et glauque qui souligne l'atmosphère lourde et obsédante de ses thèmes. Hervé Télémaque (né en 1937) s'exprime par association de signes empruntés au quotidien dans une manière qui n'est pas sans rappeler les premières œuvres de Richard Hamilton. Joël Kermarec (né en 1939) se situe dans une direction voisine en traitant les éléments de ses compositions dans un développement en aplat, à la manière de planches entomologiques.

L'illusionnisme de la facture s'affirme plus nettement dans l'œuvre de Wolfgang Gäfgen (né en 1956), l'un des artistes qui restituent ses lettres de noblesse au dessin. Ses images sont celles d'habits abandonnés dont la description suscite la conscience d'une absence. Gérard Titus-Carmel (né en 1942) a aussi pour langage un dessin précis : il lui sert à évoquer des formes ou des objets marqués par un début d'altération, qui retient l'attention.

Situer au sein de cette Nouvelle Figuration un artiste comme Leonardo Cremonini (né en 1925) peut paraître singulier. Rien chez lui, en effet, qui rappelle l'utilisation de la photographie ou du traitement publicitaire des formes ou même de quelque illusionnisme : il est peintre et peut presque paraître « traditionnel » par son traitement de l'espace. Au sein de sa représentation s'insèrent pourtant des déviations qui instaurent un climat étrange et inquiétant : la couleur exaltée vers le chaud, la forme, la vacuité de l'espace, le traitement des figures interviennent en ce sens. Le Réalisme qui semble évident à la première approche se dérobe pour laisser place à une peinture allusive, créant d'abord un climat, *des rapports* disait Louis Althusser.

L'HYPERRÉALISME AMÉRICAIN

Neuf années après l'exposition du M. O. M. A. où étaient apparus les premiers artistes pop, une manifestation du Whitney Museum, *22 Realists,* consacrait en 1970 un nouvel avatar du Réalisme contemporain américain, l'*Hyperréalisme.* Il en est la forme la plus exacerbée. Comme son nom seul le laisse présumer, il ne recule devant aucune précision et s'appuie, le plus souvent, sur la photographie, projetée sur la toile, voire directement imprimée sur une toile sensibilisée pour guider la main du peintre. C'est que ce Réalisme est moins celui de la vision humaine que celui de l'objectif photographique.

La forte tradition réaliste de l'art américain — celle des précisionnistes des années 30, celle de Edward Hopper, celle d'un Philip Pearlstein (né en 1924), qui, depuis 1940, peignait des nus d'une précision presque insoutenable, celle d'un Wyeth — ne pouvait que favoriser cette tendance. Les Hyperréalistes récusent, de leur côté, toute filiation à l'égard du Pop art. Ils lui doivent pourtant une part de la faveur de leur public et, sinon une approche technique ou esthétique, du moins la nature de leurs thèmes.

À la suite des peintres pop, ils affectionnent, en effet, la banalité du quotidien. Ils la voient avec des verres grossissants qui en isolent certains aspects inattendus. Et chacun d'entre eux — comme les « petits maîtres » hollandais et même plus étroitement qu'eux — se fait une spécialité bien définie. Ils se disent impartiaux en face de cette réalité photographique : leurs choix ne sont pas pourtant innocents et portent, consciemment ou non, un œil critique sur la *société de consommation,* qu'il est alors commun, après Marcuse, de dénoncer.

Malcolm Morley (né en 1931) est peut-être le plus objectif : il demeure que ses cartes postales ou ses clichés agrandis disent bien, par leur trivialité même, la vulgarité d'un monde. Chuck Close (né en 1940) reprend le gigantisme des formats de l'Expressionnisme abstrait pour rendre fascinantes des photographies d'identité. Robert Cottingham (né en 1935) isole des enseignes dans le paysage urbain. Richard Estes (né en 1936) s'attache aux vitrines et à leurs reflets, qui associent le spectacle de la rue à leur contenu, on encore aux voitures, dont les chromes sont si bien briqués qu'ils deviennent aussi miroirs. Don Eddy (né en 1944) manifeste un intérêt très voisin pour les voitures et les vitrines, mais se montre souvent un peu plus tendre. Plus franchement critiques au contraire sont Ralph Goings (né en 1928), qui met en cause l'importance de la voiture dans la civilisation américaine, ou Richard MacLean (né en 1934) avec ses transpositions de photos conventionnelles d'Américains nantis posant devant leurs biens. On sait aussi la violence ou l'ironie mordante de la sculpture hyperréaliste de Duane Hanson (né en 1925) et la sensualité inquiétante de celle de John de Andrea (né en 1941).

EXPANSION DE L'HYPERRÉALISME

En 1974, le centre national d'Art contemporain présentait à Paris une exposition intitulée *Hyperréalistes américains et réalistes européens :* la nuance était sensible, mais peut-être moins justifiée qu'il n'y semblait. Que les peintres européens récusent toute filiation, qu'ils se distinguent souvent par des nuances dans leur utilisation de la vision photographique de la réalité, qu'ils se situent parfois à mi-chemin du Pop art et de l'Hyperréalisme, cela est vrai. Ils n'en sont pas moins, pour l'essentiel, attachés à un type de vision similaire, celle qui donne à voir avec une précision insistante la structure d'un fragment de réalité, perçu à partir d'un objectif photographique.

L'Italien Domenico Gnoli (1933-1970) a élevé les chemises pliées pour la présentation commerciale à un niveau monumental. Le Suisse Peter Stämpfli (né en 1937) fait de même avec les pneus de voiture, comme l'Allemand Konrad Klapheck (né en 1935) avec des machines diverses. Des éléments plus nettement obsessionnels semblent guider le choix de certains autres : ainsi du Français Gilles Aillaud (né en 1928) et de ses animaux en cage, ou de son compatriote Jean-Olivier Hucleux (né en 1930) avec ses cimetières ou ses portraits fascinants dans leur précisions vestimentaires. Le Suisse Franz Gertsch (né en 1930) agrandit les photos de famille, l'Allemand Gerhard Richter (né en 1932) préfère le plus souvent un certain flou qui renvoie encore plus clairement à son document d'origine, en suggérant le mouvement par la seule imprécision de la prise de vue. L'Italien Pistoletto (né en 1932) s'est fait une spécialité des personnages peints sur des surfaces d'acier poli qui reflètent l'image du spectateur et du lieu aux côtés de figures feintes, renouvelant ainsi les jeux de trompe-l'œil du temps du Maniérisme.

LES RÉALISTES CANADIENS

Au Canada, la nuance critique, avouée ou non, de l'Hyperréalisme est pratiquement insensible chez les peintres qui pratiquent un Réalisme de la précision.

L'évocation des paysages ou de la vie quotidienne leur offre des thèmes qu'ils abordent avec une sensibilité poétique. Un précurseur, Alex Coville (né en 1920), avait ouvert la voie dès le début des années 60, avec des « cadrages » qui devaient beaucoup au cinéma. Il est suivi par de nombreux cadets qui renoncent encore plus à tout caractère littéraire, comme D. P. Brown (né en 1939), Ken Danby (né en 1940), Tom Forrestal (né en 1936) ou Christopher Pratt (né en 1935).

LA NOUVELLE SUBJECTIVITÉ

L'orientation canadienne a son parallèle en Europe, que Jean Clair a baptisé, en 1979, *Nouvelle Subjectivité* en présentant à Bruxelles un groupe d'artistes : chez eux, la sensibilité poétique devant le quotidien, le goût même d'un certain mystère émanant des objets ou des lieux les plus triviaux marquent des représentations très précises dans leurs données. Trois peintres espagnols ont ouvert la voie avec des créations peintes et plus souvent encore dessinées, remarquables par leurs notations de lumières ; ce sont Francisco Lopez (né en 1932), Isabel Quintanilla (née en 1938) et Antonio Lopez García (né en 1936). Ils trouvent en France un écho dans les peintures de Bernard Moninot (né en 1949).

ART, NON-ART, HAPPENINGS

Le débordement de la notion d'art est au cœur des réflexions de nombreux artistes, surtout américains, autour de 1960. Oldenburg parlera de *Non-art* pour désigner « toute chose n'appartenant pas de manière conventionnelle au domaine de l'art ». Les cadres de la peinture et de la sculpture éclatent. L'art, ou le Non-art, devient un tout qui peut aussi bien se rapprocher du théâtre, de la danse ou de toute autre expression artistique.

C'est alors la saison des *Happenings*, qui s'ouvre en 1960 environ, mais ne se poursuit guère au-delà de 1968. Le Happening est fondé sur une intervention de l'artiste qui cherche à entraîner dans son action le public. Il s'agit en somme d'une concélébration où s'efface la distance entre le créateur et le spectateur, associés dans un même acte qui s'inscrit lui-même dans la réalité du quotidien, même si son but est justement d'atteindre son dépassement onirique.

Le Happening est né dans la foulée du Pop art et a d'abord gardé, en Amérique, un caractère de gaieté et de fantaisie ironique. Jim Dine en a réalisé qu'il considérait comme une prolongation de son œuvre peint. Le nom d'Allan Kaprow (né en 1927) est étroitement associé à cette période fugitive, à laquelle il a donné quelques-unes de ses créations les plus notoires. En France, les tentatives de Jean-Jacques Lebel n'ont eu qu'un faible écho.

En Allemagne, au contraire, l'activité débordante de Wolf Vostell (né en 1932) et surtout la formation à Cologne, en 1962, du groupe *Fluxus* (mot latin, *fluide*) apportent une utilisation toute différente du procédé. Les interventions de Vostell ont un accent critique de revendication passionnée. Les manifestations du groupe se tiendront de Cologne à New York en passant par Paris, Copenhague et Düsseldorf. Elles ne dépassent pas l'année 1964, mais l'œuvre de Vostell se poursuit après cette date avec la même ardeur, et c'est du mouvement Fluxus qu'est sorti Joseph Beuys.

ENVIRONNEMENTS

Des Happenings aux Environnements, la distance est faible : de la participation du spectateur à son encerclement, voire à son enfermement dans l'œuvre qui l'entoure et l'inclut, la différence est surtout de nuance. L'Environnement naît avec le Pop art : l'exposition de 1956 à Londres en comportait, Claes Oldenburg en réalisera également. Il trouve son créateur le plus singulier dans Edward Kienholz (né en 1927), dont les créations sont d'une grande férocité critique (*Mémorial de guerre portable*, 1968 ; *Roxy*, 1961) et doivent beaucoup au Surréalisme par l'inattendu dans l'association de leurs composantes. Elles s'apparentent à l'œuvre d'un Vostell par l'esprit qui les anime. Il n'est pas étonnant que Kienholz, tout américain qu'il soit, se soit installé à

Berlin, où la force critique de l'Expressionnisme est encore vivante.

C'est aussi à une notion d'environnement que se rattachent bien des travaux de Joseph Beuys (né en 1921). Créateur d'objets, ou plutôt assembleur d'objets et non peintre, il installe ses ensembles dans des lieux qui se trouvent marqués d'un esprit de contestation. En même temps, les associations qu'il réalise ont moins de portée par leurs caractères formels que par leur signification : Beuys peut aussi bien être tenu ainsi pour un artiste conceptuel. Il offre aujourd'hui la situation paradoxale d'un homme qui se présente comme révolté, mais qui est en même temps intronisé dans son pays et au-delà par une très large consécration qui le place au plus haut rang de la réputation. C'est bien l'exemple le plus marquant de la « récupération » rapide de toute manifestation dite d'avant-garde par un marché et un circuit officiel (musées et pouvoirs publics) qui craignent à chaque instant d'apparaître comme dépassés.

RÉALISME DU MATÉRIAU :
SUPPORT-SURFACE

La fascination de l'objet dans sa matérialité même se retrouve, en quelque sorte, retournée sur elle-même, dans la réflexion sur les constituants de la peinture qui est propre au groupe français Support-Surface. Elle n'est pas éloignée de celle des peintres américains du Minimal art, qui s'astreignent à soumettre les rythmes de la peinture à ceux du support choisi. Pourtant les créations des Français sont sans rapport avec celles des Américains : elles donnent à voir des matériaux dont l'aspect brut est volontairement affirmé, toiles sans châssis, châssis, cordes.

La démarche de Simon Hantaï (né en 1922) peut aussi bien être tenue pour une annonce de celle du groupe que qualifiée de peinture abstraite. D'origine hongroise, après des débuts surréalisants qui lui valent, en 1953, une préface d'André Breton, puis une période d'Abstraction lyrique gestuelle marquée par l'influence de Pollock, il découvre, en 1960, la technique des pliages : la toile sans châssis

est pliée sans règle et peinte sur les seules surfaces laissées accessibles par cette manipulation. Retendue, ou même seulement dépliée, elle offre une structure née, pour l'essentiel, du hasard et retrouve la pratique de l'écriture automatique chère aux Surréalistes. Le produit est cependant autre : il présente une toile, tendue ou non, dont la matière n'est que rehaussée par le rythme des taches colorées.

Une attitude voisine est celle que le groupe B. M. P. T., qui réunit les quatre peintres Daniel Buren (né en 1938), Olivier Mosset (né en 1944), Michel Parmentier (né en 1938) et Niele Toroni (né en 1937), affiche solennellement, le 2 juin 1967 : il présente alors sur la scène de l'auditorium du musée des Arts décoratifs à Paris quatre toiles de 2,50 m de côté, peintes de motifs simples, sans autre acte ni commentaire. Le spectacle ainsi proposé peut s'interpréter comme une simple exposition de peinture abstraite, mais se veut plutôt affirmation et présentation de la toile dans sa matérialité, comme représentation à elle seule. Cet acte ambitieux est demeuré sans lendemains notoires.

C'est au même moment qu'apparaît, dans le midi de la France, le groupe Support-Surface. En 1968, B. M. P. T. se trouvait associé avec certains de ses membres dans une exposition commune tenue à Céret, et la dénomination nouvelle est utilisée pour la première fois en 1970 pour une présentation de la galerie Fournier à Paris.

Claude Viallat (né en 1956) peint des toiles sans châssis avec des empreintes répétées en séries. Le support devient plus tenture que peinture et il peut être exploité de manière à accuser ce caractère : en série sur de longs murs, voire drapé en manière de tente. Louis Cane (né en 1943) travaille aussi sur la toile détachée de son châssis, mais cherche plutôt par là à l'intégrer au mur porteur. Il la marque de formes simples qui peuvent être lues comme signes et sont issues d'une épuration extrême des données de la réalité de vision.

Daniel Dezeuze (né en 1942) s'interroge sur le châssis sans toile, réduit à l'état de squelette et devenu objet mythique. Par ses constituants, la peinture rejoint ainsi la sculpture. D'ailleurs, un sculpteur, Toni Grand (né en 1935), participe au groupe et s'exprime par des structures simples surtout, faites de bois brut simplement équarri.

Avec Support-Surface, l'objet demeure au centre de la création. Il ne saurait pourtant se lire sans ses références. Qu'il soit toile peinte ou bois brut, il renvoie le spectateur à la structure traditionnelle dont il s'est détaché — le tableau —, à ce qu'il pourrait être et qu'il n'est pas. La création se situe ici moins dans l'objet que dans son élaboration : l'Art conceptuel est proche, car, affirme Viallat, « le discours sur la production fait partie de la pratique productive, il en est la dialectique interne et il devient la production ».

LE PATTERN

Si les intentions sont différentes, les produits du groupe américain du Pattern sont proches de ceux de Support-Surface. Ce sont des toiles dont le seul propos est une structure répétitive qui, toutefois, se donne à voir pour sa nature même et non comme faire-valoir du support. Leur perception est cependant peu différente de celle des empreintes d'un Viallat. Les peintres du Pattern n'accompagnent pas non plus leurs travaux d'un discours sur l'œuvre : ils se proposent surtout de donner ses lettres de noblesse à la décoration et réalisent une sorte de transposition populaire de l'Art minimal américain en exploitant des motifs de papiers peints. Art aimable et frais, le Pattern semble n'avoir fait qu'un feu de paille : présenté en 1977 à Miami *(Patterning and Decoration)*, il s'évanouit autour de 1980. Son représentant le plus brillant, Robert Zakanitch (né en 1935), s'adapte aux formules de la Transavant-garde. Tina Girouard (née en 1946), Valérie Jaudon (née en 1945), Joyce Kozloff (né en 1942), Robert Kushner (né en 1948), Kim MacConnel (né en 1946) et Myriam Shapiro (née en 1923) ont été les représentants les plus marquants de ce mouvement.

Le Français François Rouan (né en 1943) pourrait être aisément rapproché par ses travaux du Pattern parce que ses œuvres présentent aussi des structures répétitives et décoratives. Il est assimilé pourtant plus volontiers au groupe Support-Surface, auquel il n'a pas vraiment appartenu, parce que ses œuvres sont obtenues par un tissage de bandes préalablement peintes et qu'elles se veulent un travail sur le support autant que sur la peinture proprement dite.

LE LAND ART

L'action sur l'objet, pour l'action plus que pour l'objet, se retrouve dans la pratique du Land art. L'artiste prend son matériel dans la nature même, où son travail est fatalement éphémère. Les seuls témoignages qui en subsistent sont alors les photographies qui peuvent en avoir été faites. Cette pratique est née en Amérique, où l'ampleur des paysages de l'Ouest appelait l'insertion d'une marque humaine suggérée par des précédents archéologiques comme la mystérieuse ligne de Nazca au Pérou.

Les premières tentatives de ce genre sont probablement dues à Walter de Maria (né en 1935), qui réalise un premier travail en 1959. Ce n'est pourtant guère avant 1968 que le Land art sera reconnu et plus largement expérimenté (*Earthworks*, galerie Dwan). Robert Smithson (1938-1973), disparu précocement, a réalisé les créations les plus importantes, comme son *Cercle brisé* à Emmen (1971). L'Anglais Richard Long (né en 1945) a travaillé sur des paysages très divers. Le Hollandais Jan Dibbets (né en 1941) soigne particulièrement ses relevés photographiques et, par une élaboration très raffinée de leur présentation, crée avec eux de véritables œuvres qui prolongent ses interventions sur la nature.

L'ART CORPOREL

Autre matériau d'expression dont la réalité ne peut être niée, le corps a servi à certains artistes. Pour eux comme pour les créateurs du Land art, leurs réalisations ne sauraient être qu'éphémères et ne se perpétuent que par le moyen de la photographie. Aussi, comme Jan Dibbets, certains artistes sont-ils tentés de travailler particulièrement par des recherches de composition et de présentation ce produit plus durable : ainsi, pour les travaux récents de Gilbert et George (nés en 1943 et 1942).

L'Art corporel (Body art) est surtout marqué par les thèmes de mutilation avec la Française (d'origine italienne) Gina Pane (née en 1939), qui se complaît à l'utilisation de lames de rasoir, ou l'Allemand Arnulf Rainer, qui aime à se couvrir de sang et peint aussi avec du sang comme le Viennois Hermann Nish (né en 1938) ; ou encore avec les déformations plus modérées de l'Américain Bruce Naumann (né en 1941). Les Anglais Gilbert et George sont peut-être les seuls à apporter dans ce domaine une attitude toute britannique de flegme distingué, qui tranche avec le masochisme des autres artistes. L'Art corporel se développe aussi vers 1968, au même moment que le Land art : Denis Oppenheim (né en 1938) a pu, quant à lui, pratiquer les deux.

L'ART CONCEPTUEL

Le dépouillement ultime de l'art est bien de situer la création dans le seul concept. L'initiateur de cette orientation est l'Américain Joseph Kosuth (né en 1945), qui, dès 1965, abandonne toute peinture au profit de ce qu'il dénomme *investigations : Une et trois chaises,* en 1965, présente la notion de chaise à travers sa réalité matérielle, sa représentation photographique et sa définition. Pour Kosuth, « l'idée de l'art et l'art sont une même chose ». Moins que tout autre, l'Art conceptuel n'est pas le fait d'un groupement cohérent d'artistes, c'est tout au plus une orientation intellectuelle à laquelle, à partir de 1970 environ, se rattachent des expressions variées.

Ainsi du groupe anglais *Art Language* qui publie, à partir de 1969, une revue de ce nom. Terry Atkinson (né en 1930), Michael Baldwin (né en 1945), David Bainbridge (né en 1941) et Harold Handl (né en 1940) entendent ne retenir que les mots comme matériaux, tout en se refusant à se tenir pour écrivains ou poètes. Ils leur associent parfois des formes visuelles qui les développent.

En France, Ben (Benjamin Vauthier dit Ben, né en 1935) peut être tenu pour artiste conceptuel : il prolonge l'attitude de Marcel Duchamp en entendant s'approprier le monde : « Tout est art » déclare-t-il dès 1958. La matérialisation de son action se limite à des sentences écrites et signées sur des manières d'écriteaux.

Bernar Venet (né en 1941) offre pour tout propos des équations. François Morellet (né en 1946) associe l'Abstraction géométrique et l'Art conceptuel en ordonnant la répartition des formes à partir de données mathématiques, voire aléatoires, comme le fait également son émule, l'Américain Sol Le Witt (né en 1928).

L'ART DE LA MÉMOIRE

Variante de l'Art conceptuel, l'Art de la mémoire s'est essentiellement développé en France. Des matériaux sont assemblés autour de la notion de souvenir et proposent ainsi des évocations ou des réflexions implicites sur des tranches de vie. Les créateurs, comme ceux de l'Hyperréalisme, affectent l'objectivité la plus scrupuleuse à l'égard de leur matériau, mais leurs présentations suggèrent implicitement ironie ou critique. Christian Boltanski (né en 1944) crée un monde singulier en tentant de reconstituer son passé par des photographies évoquant les actes de son enfance, par exemple, ou en présentant celui des autres à travers leurs traces les plus banales. Jean-Marie Bertholin (né en 1936) fabrique des déchets. Jean Le Gac (né en 1936) compose des récits de sa vie — d'une vie mythique — illustrés de photos. Annette Messager (née en 1943) crée des « collections » à partir de 1974. Il semble pourtant que plusieurs de ces artistes ressentent aujourd'hui le besoin de sortir de leur voie initiale : Boltanski aborde la photographie en couleurs de natures mortes composées par lui, créant un monde de féerie qu'il présente comme pictural. Annette Messager, avec la photographie comme matériau, crée des monstres.

L'œuvre d'Anne et Patrick Poirier (nés en 1942) peut paraître similaire, parce qu'ils travaillent sur le passé en créant des ruines. Pourtant, contrairement à Boltanski et à Le Gac, qui tiennent à laisser au produit de leur activité le caractère dérisoire de techniques frustes, ces deux artistes font de l'objet créé une œuvre précieuse et raffinée qui devient moins Art de la mémoire que vision surréaliste d'un monde imaginaire de ruines.

LA TRANSAVANT-GARDE

C'est entre 1978 et 1980 qu'apparaissent les premières manifestations importantes d'artistes pour lesquels ce terme sera inventé. Cette nouvelle orientation est consacrée successivement par la biennale de Venise de 1980 et la Documenta 7 de 1982. Le terme choisi, *Transavanguardia* (Transavant-garde), traduit la volonté des artistes ou des critiques qui les soutiennent d'affirmer un dépassement de l'avant-garde, identifiée à l'Abstraction et à l'Art conceptuel. Aussi un retour aux valeurs picturales, mais également à des accents expressifs proches d'une sorte de sauvagerie picturale, constitue-t-il les bases de cette Transavant-garde.

Il est probablement encore trop tôt pour distinguer les conditions réelles de l'affirmation de ce mouvement. Qu'il ait eu des précédents ne fait aucun doute et que ces précédents soient essentiellement germaniques ne saurait étonner. L'Allemand Georg Baselitz (né en 1938) avait, par exemple, amorcé dès 1964 un œuvre qui apparaissait en néo-expressionniste, et l'Autrichien Arnulf Rainer (né en 1929), dans sa peinture, pratiquait une violence d'écriture qui peut aussi annoncer celle de bien de ses cadets.

En quelques années, cette approche nouvelle de la peinture s'est largement développée en Italie (importante exposition à Rome en 1982) et en Amérique. Sandro Chia (né en 1946), l'une des figures les plus en vue du groupe italien qui s'est installé à New York, se complaît dans une figuration très narrative, comme son compatriote Francesco Clemente (né en 1951). Ce n'est pourtant pas la seule voie italienne : Mimmo Paladino (né en 1948) associe la tendance expressionniste à des souvenirs conceptuels. À New York, il n'est pas étonnant de voir un représentant du Pattern, Robert Zakanitch, se rapprocher de la Transavant-garde. En Allemagne, Markus Lupertz (né en 1941) se plaît aux grands formats brossés vigoureusement où se retrouve un goût de la synthèse. Salomé (né en 1954) a des accents proches de ceux de *Die Brücke*, mais avec un sentiment plus euphorique. De nombreux artistes français adoptent une orientation analogue, mais peu se sont vraiment affirmés, comme Gérard Garouste, qui tente de se rapprocher d'un style proche de Daumier, ou Jean-Michel Alberola, qui laisse transparaître une formation traditionnelle.

L'avenir de ce mouvement se laisse peu présager. Il atteste toutefois un retour à la peinture, la « peinture peinture », comme l'on dit dans les ateliers, dont la mort a été si souvent et si inutilement annoncée.

En guise de conclusion

L'histoire de l'art, aussi bien que l'histoire, ne saurait être prospective. Ce que sera la peinture ou l'art de demain ne peut faire l'objet de supputations gratuites. Bien plus, il est fort à parier que le panorama tenté, dans les pages précédentes, se trouvera largement révisé lorsque le temps aura fait son œuvre et permis de mieux distinguer les perspectives d'une production proliférante et largement diversifiée.

Ce que peut faire l'historien de l'art du présent, c'est analyser la mode — dans le meilleur sens du terme —, le goût préconisé par tous ceux qui s'instaurent juges : galeries, critiques, musées, cette mode qui aujourd'hui aime classer, désigner et poursuit une course effrénée en quête de nouveautés. Beaucoup d'artistes s'y laissent prendre qui croient nécessaire de suivre le mouvement. D'autres, plus conscients de leur propre tempérament, restent fidèles à la voie qu'ils croient leur, au risque de se voir abandonnés au bord du chemin par cette mode inconstante.

Les jugements du moment sont parfois singulièrement déconcertants. En France, la glorification solennelle en 1983 de Balthus survient singulièrement tard pour un artiste reconnu depuis les années 30 par les meilleurs collectionneurs et qui était encore presque ignoré du grand public quand l'autorité de Malraux lui valut la direction de la Villa Médicis. À l'inverse est déroutante l'ignorance manifestée à l'égard d'un Sergio de Castro (né en 1922), qui depuis 1949 réalise en France, qu'il a choisie pour patrie, un œuvre considérable, d'une rare densité picturale (paysages, intérieurs ; vitraux) et qui a atteint dans ses dernières années un lyrisme coloré dont l'intensité fait apparaître singulièrement pauvres les effets de bien des artistes de la Transavant-garde tenus pour de grands coloristes.

La crise intellectuelle de l'art, dans les vingt dernières années, a marqué le goût. Il n'est pas surprenant que l'on s'empresse aujourd'hui, sans discernement, de réhabiliter les « pompiers » du XIXe s. : un jugement intellectuel se laisse prendre au charme du récit et de la description plus encore que de la pensée, souvent absente ou indigente chez eux. Si ce goût était logique, il devrait renvoyer dans les réserves les œuvres de Georges de La Tour, que seul un jugement portant sur le métier pictural en avait fait exhumer.

Un tournant nouveau s'est-il dessiné ? On pourrait le croire. La Documenta 7 de 1982 semblait l'indiquer : au négligé de la présentation dans les salles laissées à l'état de ruines qui convenait si bien à la Documenta 5 (1972), laquelle consacrait, notamment, l'Art conceptuel, une présentation recherchée offrait non des témoignages, mais des œuvres. Même Beuys, avec son accumulation de pierres, semblait tout à coup soucieux de s'intégrer presque respectueusement dans l'environnement plutôt que de le bousculer. La notion d'œuvre, et avec elle celle de picturalité, est-elle en train de reprendre le pas ? À l'historien de demain de le dire.

Bibliographie sommaire

CLAIR (J.), *Art en France. Une nouvelle génération*, Le Chêne, Paris, 1973. LUCIE-SMITH (E.), *l'Art d'aujourd'hui*, Nathan, Paris, 1976. SAGER (P.), *Neue Formen des Realismus*, Dumont, Cologne, 1979.

L'ART
POPULAIRE

Jean Cuisenier

LA NOTION D'ART POPULAIRE N'ÉMERGE GUÈRE, dans la tradition culturelle de l'Europe, qu'au début du XIXᵉ s. Elle est alors liée au mouvement historique d'éveil des nationalités et à l'affirmation du droit des peuples à disposer d'eux-mêmes. Il n'avait pas fallu moins qu'une élaboration philosophique séculaire associée au travail théorique de la Révolution française pour que, de Rousseau à Hegel en passant par Robespierre et Danton, le concept de « peuple » surgisse à la conscience des élites cultivées et permette de penser le sujet véritable de l'histoire. Et il n'avait pas fallu moins que les guerres napoléoniennes, l'éclatement de l'Empire et la formation d'États qui soient aussi des nations pour que la voie s'ouvre à une compréhension du « peuple » comme objet de disciplines d'érudition, de ces disciplines qui allaient prendre pour nom *Volkskunde, folklore* ou *ethnographie*. Dès l'instant où penseurs et critiques d'art commencent à le façonner, la notion d'Art populaire apparaît ainsi au cœur des débats sur les normes, les idéaux et les valeurs des sociétés concernées. Quant aux œuvres classées sous ce titre, elles sont l'objet de jugements contrastés : dépréciées pour leur rudesse, leur grossièreté, leur absence de style, ou magnifiées pour leur force, leur spontanéité, leur sincérité, comme le « peuple » lui-même.

Par sa construction comme par l'usage qui en a été fait à l'origine, la terminologie est donc incertaine. Sous le nom d'« Art populaire », faut-il, en effet, entendre l'art *du* peuple, des classes populaires, par opposition au *non*-peuple, aux classes qui *ne* sont *pas* populaires, les classes dirigeantes ou moyennes, les clercs, les savants et les lettrés ? Est-ce l'art *d'un* peuple particulier, avec toutes ses caractéristiques démographiques et ethniques, par opposition aux arts des peuples qui l'entourent et à leurs caractéristiques propres, l'art d'une ethnie ou d'une aire culturelle particulière ? L'Art populaire est-il l'art des *non*-artistes, de ceux qui n'ont pas la création artistique comme occupation professionnelle socialement reconnue ou comme activité spécialisée culturellement identifiée, l'art des peintres du dimanche en Europe ou des potiers en Kabylie ou en Turquie ? Est-ce l'art *popularisé*, l'art devenu populaire par la diffusion que permettent les *médias*, l'art répandu et vulgarisé parce qu'il répond aux goûts du plus grand nombre ?

Les incertitudes sont trop grandes, on le voit, pour qu'on puisse repérer le champ visé par la notion d'Art populaire sans outils d'analyse plus précis. L'histoire de l'art est d'un moindre secours, de ce point de vue, que l'ethnologie. C'est donc à l'étude de cas bien documentés par l'enquête ethnographique que l'on demandera d'offrir un champ ouvert à l'investigation anthropologique. Ainsi, on examinera des situations de continuité et des situations de différenciation entre formes frustes et formes élaborées de l'activité artistique. À partir de ces exemples, il sera possible, ensuite, de s'interroger sur les critères d'après lesquels, en diverses sociétés, on considère certaines œuvres et certaines activités comme relevant ou non de l'Art populaire. On sera ainsi amené à rechercher comment, à quelles fins et à quelles conditions fonctionne l'opposition la plus pertinente pour appréhender le système des œuvres et des activités relevant de l'Art populaire : l'opposition entre modèles savants et sources populaires. De là, on pourra passer à l'étude des mécanismes de la transmission des formes, de l'apprentissage des techniques et de la création. On pourra conclure, en s'interrogeant sur l'Art populaire aujourd'hui, et sur les différences, s'il en existe, qui le distinguent du Naïf, du *Folk*, du Néorégional et du *Design*.

Formes simples formes complexes

Quelles sont donc, dans l'univers des formes, celles dont le jeu permet d'identifier un Art populaire ? Il n'y a guère de genre et de matière qui, au jugement d'aujourd'hui, ne donnent lieu à un développement de formes qui ne puisse être considéré comme de l'Art populaire. Les pièces de mobilier, les costumes, les images entrent certainement dans son champ, si l'on en croit les experts, commissaires-priseurs, conservateurs de musée ou collectionneurs. Mais ce sont aussi les instruments de musique, le mobilier liturgique, les décors de boutique, les ouvrages de poterie et de ferronnerie, de vannerie et de tissage, de dentelle et de cordonnerie ; les outils et ustensiles de la vie quotidienne, les instruments et produits de la vie professionnelle, les marques et les symboles de la vie cérémonielle. Quelles œuvres, quelles activités, à la limite, échappent à un champ qui, si l'on n'y prend garde, s'étend, pour une société donnée, jusqu'aux confins de la culture ? Il n'y a qu'une voie à suivre pour fixer précisément ces limites : rechercher, pour chaque culture, ce qui, au jugement de ses propres experts, a qualité d'Art populaire.

Pour notre propre information, la sentence est prononcée, jour après jour, par le choix des amateurs, des collectionneurs et des conservateurs de musée. Ceux-ci considèrent, lorsqu'ils émettent un juge-

ment de goût, la combinaison de deux qualités : l'« *ustensilité* », ou qualité d'usage attribuable à un objet lorsqu'il est adéquat à sa destination pratique, et la *plasticité*, ou qualité de conformation lorsque cet objet provoque le plaisir de son destinataire. Ainsi, il advient que des amateurs européens admirent comme des œuvres d'art des ustensiles exotiques destinés aux usages les plus quotidiens, alors que ni leur fabricant ni leur destinataire d'origine ne trouvent en eux d'autre qualité que l'« ustensilité », alors que ces objets avaient été élaborés et mis en service sans la moindre intention esthétique, c'est-à-dire sans recherche explicite de qualité plastique. Considérés comme de simples objets d'usage dans leur culture d'origine, ces poteries, ces vanneries, ces outils de forgeron ou de carrier, sans valeur plastique connue et reconnue par leurs utilisateurs premiers, sont élevés au niveau d'œuvres d'Art populaire parce que l'amateur étranger découvre dans leur conformation ou leur chromatisme une certaine qualité plastique, parce qu'il les rapproche, par le regard et par la mémoire, d'œuvres conçues dans sa propre culture par des sculpteurs ou des peintres, sans destination utilitaire, pour la seule délectation.

Mais la situation inverse n'est pas moins fréquente. Nombreux en effet sont les exemples que l'on pourrait citer d'œuvres considérées dans la culture où elles ont pris forme comme de grande qualité plastique, et non considérées comme telles par les amateurs, sinon par les experts étrangers mis en situation de les connaître. Combien de masques nègres ou de poteaux totémiques indiens ont-ils été ignorés, rejetés, détruits, parce que nul, parmi les voyageurs, les missionnaires ou les soldats qui les voyaient, n'appréciait leur valeur et n'était capable de les distinguer d'œuvres semblables moins prisées dans leur culture d'origine ? Les collections d'Art populaire ne sont-elles pas, aujourd'hui encore, laissées à l'abandon dans certains musées polyvalents par des conservateurs sensibles aux différences que leur culture les prépare à saisir, mais inaptes à discerner la distinction que des cultures étrangères marquent entre les œuvres de leurs artistes ?

FORMES SIMPLES

C'est donc par référence aux valeurs de chaque culture, et non aux valeurs de la culture savante dominante, qu'il convient d'apprécier la différence entre *formes simples* et *formes complexes*. Celle-là procède en effet du rapport plus ou moins libre à l'« ustensilité ». Sont *simples* en Art populaire les formes dans lesquelles on discerne un système de valeurs plastiques qui se développe sous la contrainte de l'« ustensilité ». Ainsi, il y a une grande variété de nasses de pêcheurs. Toutes ont une même destination : capturer des poissons ou des crustacés. La configuration de ces engins est directement en rapport avec les espèces pêchées et les techniques de capture : dimensions, proportions, liaison des parties. En aucune culture connue du monde, les pêcheurs qui les confectionnent ne poursuivent, en laçant les fibres végétales qui les composent, une intention esthétique. Mais bien peu sont insensibles à la régularité des œuvres qui sortent de leurs maisons, à la pureté des lignes et à la simplicité de leur géométrie, garantie, ils le savent d'expérience, de robustesse et de longévité. L'art de confectionner les nasses est ainsi un Art populaire au sens plein du terme : c'est une technique de mise en œuvre de matériaux pour produire des objets d'un genre bien défini, identifié et nommé comme tel dans toutes les cultures où des hommes capturent des poissons ou des crustacés. Un ensemble de contraintes fortes limite le nombre de solutions possibles au problème, et en chaque culture un très petit nombre de solutions sont connues et appliquées, de sorte que les marges de liberté laissées à l'initiative des ouvriers sont infimes. La qualité plastique des œuvres qui en résultent dépend de la solution générique donnée au problème et non du traitement individuel qui en est fait. L'art que les pêcheurs exercent en confectionnant ces nasses ne peut engendrer que des formes simples, un système de valeurs plastiques lié aux contraintes d'« ustensilité », dont dépend

le choix des dimensions et des proportions.

FORMES COMPLEXES

Sont *complexes* au contraire en Art populaire les formes pour lesquelles les valeurs plastiques jouent librement, sans les contraintes de l'« ustensilité ». C'est ainsi que, dans l'espace créé par les quatre faces d'un coffre, le champ est largement ouvert au déploiement possible de formes. Tantôt l'artiste puise dans le répertoire de formes géométriques et garnit son espace, en un ordre plus ou moins serré, de rouelles, de soleils, de spirales, de virgules. Tantôt il mobilise les ressources des images végétales et animales : on voit alors tiges de fleurs et feuilles d'arbres, oiseaux et œufs peupler l'espace des panneaux et offrir à l'usager les moyens de broder en imagination sur le thème des plaisirs champêtres et des joies de la chasse. Tantôt encore il met en scène la figure humaine ou les instruments du culte, signifiant de la sorte la sainteté du mariage et la fécondité du couple. Le lexique des motifs et la syntaxe des arrangements ne sont déterminés en rien par l'« ustensilité », mais servent uniquement un programme de mise en valeur plastique. Les formes développées en cet art du meuble sont complexes, car elles doivent répondre à des finalités multiples : signifier la position économique et sociale des commanditaires, évoquer la destination pratique du coffre, donner une figure aux valeurs symboliques exprimées par les êtres de la nature et les œuvres de la culture.

Des différences existent, certes, entre les œuvres d'Art populaire relevant de formes simples pour une même culture : d'une nasse confectionnée par un pêcheur des îles Marquises ou un pêcheur des îles Baléares à une autre, des variations sont discernables, dues à la régularité plus ou moins grande des intervalles entre brins de fibres ou au degré de perfection de la configuration géométrique. Entre eux, les pêcheurs se distinguent selon l'habileté qu'ils manifestent dans l'art de fabriquer des engins de capture. Collectivement, ils forment un véritable jury d'experts, capable de discerner dans un lot de nasses celles qui sont les plus belles selon leurs propres critères, et non pas seulement les meilleures parce qu'elles seraient les plus performantes. Ce qui vaut déjà pour les formes simples vaut à plus forte raison pour les formes complexes. Pour fabriquer un masque ou sculpter un mât totémique, un Indien kwakiutl ne doit pas seulement posséder la technique, et les uns s'y montrent déjà plus habiles que d'autres ; il ne lui faut pas seulement posséder le système des croyances, le lexique des figures et la syntaxe des arrangements, que certains dominent également mieux que d'autres. Il lui faut aussi et surtout être capable de trouver les solutions plastiques à un problème toujours renouvelé : donner son identité à la figure mythique qu'il veut exprimer, traduire dans le bois la succession des épisodes que narre le mythe et que déroule le rite. Sur l'espace qu'offre le masque ou le poteau totémique, l'artiste kwakiutl développe, sans autres contraintes que celles qui résultent de la matière et de la technique, les combinaisons de lignes et de couleurs les plus variées, non sans leur donner toujours une valeur signifiante. Mais au jugement des experts de sa propre culture, il le fait avec un bonheur inégal, sanction de sa liberté.

Formes populaires formes savantes

Si les formes qui règlent le choix des motifs et leur agencement dans l'espace sont pour l'art kwakiutl des formes *complexes*, en résulte-t-il que ces formes sont aussi *savantes ?* L'art des Indiens de la côte nord-ouest du Pacifique offre un bon terrain pour faire valoir la complexité de certaines formes d'art pour lesquelles la différenciation entre clercs et laïcs, lettrés et analphabètes, savants et ignorants est à peu près complètement dépourvue de signification. Les savoirs mobilisés pour composer le programme iconographique d'un poteau totémique sont appris et transmis par des mythes, actualisés lors

de rites, fixés pour l'artiste dans le tissu ou dans le bois. S'il existe des différences entre membres de la société haïda quant à la capacité de composer un pareil programme, elles viennent du sexe et de l'âge, non de la possession de savoirs spécialisés appris en école. Cet art est *populaire* dans la mesure où tous y ont accès et tous peuvent le goûter, où les œuvres, masques, mâts totémiques et coffres sont offerts à la vue de tous, où tout homme, dès qu'il a atteint l'âge viril et suivi les rites, a les connaissances nécessaires et suffisantes pour composer un programme iconographique.

Mais n'en est-il pas de même pour l'art grec de l'Antiquité classique ? Tout citoyen athénien n'a-t-il pas la connaissance nécessaire et suffisante des mythes et des rites de sa cité pour composer un programme iconographique comme celui d'un de ces innombrables cratères décorés de scènes mythologiques que conservent tous les grands musées du monde ? L'art grec n'est-il pas alors à considérer tout entier, si on lui applique ces critères, comme un art populaire ? Et pourtant, on hésite à le faire. Non en raison de la qualité des œuvres, qui, pour ceux qui connaissent aussi bien les unes et les autres, comportent d'aussi exceptionnelles réussites à Vancouver qu'à Athènes, mais parce que, dans la culture grecque du ve s., à la différence de celle des Indiens de la côte nord-ouest du Pacifique, du mythe s'est distinguée la science, et du temple, l'école. À partir de l'instant, en effet, où dans une culture certains des savoirs à mobiliser pour créer des œuvres sont enseignés dans des lieux spécialisés par des experts professionnalisés et selon des normes codifiées, une opposition se constitue entre deux types d'activité artistique selon la manière dont le métier est appris, les règles qui régissent la pratique et les destinations auxquelles ces œuvres sont promises.

Si claire soit-elle conceptuellement, cette opposition n'en est pas moins difficile à manier, car elle n'est pas indépendante du système d'oppositions qui caractérise les cultures à stratification sociale forte. Les formes savantes de l'art, au sens qui vient d'être défini, sont en effet celles aussi, le plus souvent, qui sont goûtées par les hautes classes de la société : noblesse européenne au Moyen Âge, cours royales et princières à la Renaissance et au XVIIe s., grande bourgeoisie au XVIIIe et au XIXe s. Ce sont celles aussi qui, pour se développer, ont besoin des moyens que seuls peuvent procurer aux artistes les détenteurs de positions sociales dominantes : l'évêque et l'abbé, le duc et le pair, l'intendant et le fermier général, l'industriel et le banquier. Ainsi advient-il que les formes savantes de l'art sont aussi les formes dominantes, non en vertu de l'excellence qui peut-être leur est propre, mais par le pouvoir des puissances qui les promeuvent et les soutiennent. En un inévitable complément, les formes non savantes de l'art, même lorsqu'elles respectent les canons anciennement établis, apparaissent le plus souvent aussi comme des formes subalternes. De même que dans l'ordre des connaissances et de la pensée le raffinement s'oppose à la grossièreté, de même l'élégance dans l'ordre des manières et du goût s'oppose à la vulgarité : dans les sociétés stratifiées, les formes savantes de l'art sont d'un côté, les formes populaires de l'autre.

Rien probablement n'illustre mieux la façon dont un art populaire et un art savant se différencient que le devenir des formes architecturales en Europe et la manière dont l'histoire en a été pensée. À l'exception des granges d'abbaye, des halles de ville et des arsenaux royaux, rares ont été dans des pays comme la France, l'Angleterre ou l'Italie les bâtiments de service édifiés selon les normes de l'architecture savante. La plupart des logis et des bâtiments d'exploitation agricole ont été, jusqu'à une date récente, construits sans architecte, sans plan figuré, sans maquette préalable. Mais cela ne veut nullement dire : sans intervention d'hommes de l'art ; l'enquête ethnographique liée à l'investigation historique le montre. En un pays où le bois prédomine comme matériau de construction et où la structure entière du bâtiment est œuvre de charpenterie, un charpentier spécialisé conduit le chantier, avec l'aide d'un ou deux compagnons et le concours du commanditaire, de sa famille et de ses

proches. Voilà une architecture non savante, populaire mais non ignorante, raffinée souvent dans ses techniques et dont certaines œuvres sont d'une merveilleuse qualité. Une infinie variété de formes naît, se développe, prolifère et disparaît, sans rien devoir aux prototypes de l'architecture savante, et encore moins aux « règles » de Vitruve. Œuvres « vilaines » ou « vulgaires » parce qu'elles ne sont pas conformes aux prescriptions de J. F. Blondel ou parce qu'elles ne sont pas commanditées par l'élite cultivée de nos sociétés stratifiées ? « Vilaines » ou « vulgaires » parce que strictement appropriées à leur fonction pratique et sans destination gratuite, ou parce que dépourvues de qualité ? Mais que signifie la qualité en la matière : la régularité des proportions, l'ampleur et la différenciation des volumes, le soin avec lequel l'ouvrage a été mené ? Mieux vaut reconnaître, comme y invite la plus sobre démarche anthropologique, qu'il y a des formes populaires à l'art de bâtir, que celles-ci composent un système relativement autonome et qu'il faut traiter ce système comme tel.

Modèles savants et sources populaires

Mais l'exemple de l'architecture mérite d'être poursuivi. Les charpentes à *cruck* ont-elles ou non un rapport avec l'ogive des cathédrales ou avec les coques de navire ? Les *bories* et autres bâtiments de pierres sèches sont-ils ou non les lointains descendants des constructions cyclopéennes ? Les voûtes à encorbellement ne sont-elles technologiquement que de fausses voûtes ? Autant de questions controversées qui, posées en ces termes, sont manifestement insolubles. La mise en valeur, ces dernières années, des caractères originaux de l'architecture populaire ne peut dispenser d'affiner l'analyse et de rechercher en particulier si ces formes spécifiques sont des adaptations de modèles savants ou au contraire la source populaire susceptible d'avoir inspiré l'élaboration de pareils modèles. Mais que faut-il entendre par *modèle* en Art populaire ?

DU GABARIT
AU MODÈLE GÉOMÉTRIQUE

En un premier sens, le plus rudimentaire, les modèles sont des dispositifs matériels qui permettent aux artisans de façonner en grand nombre d'exemplaires les œuvres qu'ils ont à livrer. De ce genre sont les moules, les calibres, gabarits et patrons, qui permettent de projeter les contours de l'œuvre et de les tracer sur la matière, voire de guider les outils de façonnage. « Calibre, chez les horlogers, rapportent Diderot et d'Alembert, signifie encore une plaque de laiton ou de carton, sur laquelle les grandeurs des roues et leurs situations respectives sont marquées. C'est en fait de machine la même chose qu'un plan en fait d'architecture. » On ne pouvait mieux expliciter cette notion, ni montrer plus clairement que les modèles matériels sont géométrisables, et qu'à un niveau d'abstraction à peine plus élevé ils sont réductibles à un jeu de figures simples.

En un sens un peu plus élaboré du terme, en effet, les modèles sont les dessins réduits, en plan et élévation, des œuvres que fabriquent les maîtres et compagnons. Des traités comme *l'Art du menuisier en meuble* de Roubo (1772) montrent que dès le XVIIIᵉ s., et peut-être même plus tôt, les artisans savaient non seulement se servir des « outils de moulure », mais encore *tracer*, c'est-à-dire engendrer le dessin des œuvres à façonner à partir d'une série de manœuvres élémentaires parfaitement ordonnées. Ils s'étaient élevés à l'idée que les œuvres les plus complexes peuvent être créées par le moyen de modèles compliqués, certes, mais construits eux-mêmes par assemblage de pièces disposées géométriquement et fabriquées chacune à l'aide de cintres, de calibres ou de patrons construits eux aussi selon des méthodes géométriques élémentaires. L'art du trait avait une telle importance pour la qualité des œuvres et le rendement des ateliers que celui qui le possédait était tout naturellement appelé à diriger les travaux : dans l'Europe du XIXᵉ s., au prestige découlant de la maîtrise d'une technique difficile étaient associés, pour ces

arts appliqués, l'autorité et le commandement.

Combien parmi les maîtres de l'Art populaire étaient-ils, au XIXᵉ s., capables d'employer de pareils modèles ? Un petit nombre seulement : quelques milliers par pays, dans des États comme la France, l'Angleterre, l'Autriche et l'Italie. On est ainsi amené à se demander si d'autres modèles, non géométrisables ceux-là, n'ont pas inspiré les artisans et les façonniers qui, en beaucoup plus grand nombre, assuraient la production des œuvres d'Art populaire. Les exemples abondent qui montrent à quel point l'Art populaire procède par adaptation à de petites séries de prototypes savants réalisés en exemplaire unique. Qu'il suffise de citer, pour l'imagerie, les figurations de la *Cène* d'après le tableau de Léonard de Vinci ou les batailles de Napoléon traitées par Georgin à Épinal d'après les gravures de Couché et de Bovinet ; pour la statuaire, les effigies de *Saint Fiacre*, dont le corpus soigneusement constitué montre avec une précision unique la façon dont les artistes locaux traitaient un modèle savant, comment, au contraire, ils prenaient la figure du saint pour prétexte seulement à variations sur le thème du moine jardinier. Entre l'exécution fidèle et précise d'une œuvre d'après un modèle tracé selon les méthodes de la géométrie descriptive d'une part, l'interprétation libre que donne du même modèle un artisan local pour répondre à une commande spécifique d'autre part, tous les degrés existent dans la rigueur du rapport entre prototype et spécimen. C'est, au maximum, la reproduction strictement exacte du modèle par moule ; et, au minimum, la simple relation d'affinité entre le modèle et la variante d'exécution, comme celle qui existe entre ce même moule et la gravure dont le tailleur sur bois s'est inspiré. On perçoit à quel point l'Art populaire est, pour des champs entiers de sa production, un *art savant popularisé.*

Mais, comme Malraux l'a montré pour les monnaies gauloises, il advient aussi que l'écart se creuse tellement entre le prototype savant et la variante locale que tout rapport se rompt entre les deux termes, que les formes *popularisées* des thèmes acquièrent une vie autonome et deviennent de ce fait véritablement *populaires*. Pour qu'il en soit ainsi, il faut que les variations affectant le traitement du même prototype ne soient pas seulement erratiques, il faut qu'insensiblement elles aillent dans le même sens, qu'à l'insu probablement des artistes eux-mêmes elles conduisent à une organisation de l'espace plastique conforme à d'autres attentes. Entre l'œuvre originale de Léon Lhermitte figurant la moisson, l'aquarelle qu'en a tirée un artiste besogneux pour l'agenda de la Belle Jardinière et la composition à laquelle s'est livré un ornemaniste pour décorer une boutique de boulanger, le rapport est évident : même disposition d'ensemble, avec deux personnages en premier plan, un champ de blé au second plan ; même attitude du faucheur, appuyé sur le manche de son outil, et de la moissonneuse, un genou en terre. Mais du tableau original conservé à la Washington Gal. de Saint Louis (États-Unis) au panneau sous verre de la boutique parisienne, les différences sont nombreuses et vont toutes dans le même sens : plus grande simplicité de la composition d'ensemble, effacement des traits marquant la fatigue et la peine, mise en valeur des épis de blé eux-mêmes. Il ne s'agit plus d'une équipe de travailleurs peinant aux champs, mais d'un couple faisant la pause au milieu de ses travaux et se parlant tendrement. La description de Lhermitte, sur l'original et sur la gravure qu'il en a tirée, était réaliste et populiste, comme il convient lorsqu'on s'adresse au public des Salons et des expositions ; la composition du peintre de boutique est idéaliste et symbolique, comme il sied lorsqu'on oriente l'attention non vers les producteurs, mais vers les produits. La transformation, ici, est une véritable recréation.

LA TRADITION DE L'ABSTRACTION

En marge de l'art savant popularisé et de ses modèles, des sources existent donc qui orientent les artistes vers des formes d'art différentes, au devenir largement autonome, si vigoureuses et généreuses

parfois que l'art savant vient à son tour y puiser. C'est d'abord la tradition millénaire de l'Abstraction qui, dans des cultures comme celles où l'Islām prédomine, donne leur unité aux arts savants et aux arts populaires, de sorte qu'il est impossible de décider qui, de l'artiste de cour ou de l'artisan de *soukh*, fournit les modèles ou offre les sources. Mais on aurait tort de croire que, en des pays où la stratification sociale a historiquement conditionné la différenciation entre arts savants et arts populaires, la tradition de l'abstraction s'est éteinte. L'Europe est au contraire l'un des lieux où elle s'est perpétuée jusqu'à nos jours avec toute sa vitalité, comme le montre le répertoire des motifs qui ornent tant et tant de poteries, de meubles et de costumes. C'est aussi le lieu où cette tradition a été reprise comme une source de renouvellement pour les formes les plus avancées de l'art. Mieux que Picasso, Brancusi en offre le vivant exemple. Né en Roumanie dans une maison de bois sculpté selon les normes les plus traditionnelles, il a vécu son enfance et grandi au milieu de ces poteaux ornés de motifs géométriques, de ces couvertures, coussins et tapis qui dans l'espace offert au talent des tisseuses se prêtent aux jeux de l'Abstraction la plus libre. Loin de se laisser dominer par les modèles savants prévalant dans sa culture d'origine, il a pu s'appuyer sur la force d'une tradition vivante : c'est pour une bonne part le système des valeurs plastiques hérité de ses ancêtres qu'il introduit dans les formes les plus hautes de l'art du sculpteur.

LIEUX ET CIRCONSTANCES DE LA CRÉATION POPULAIRE

Mais l'abstraction n'est pas la seule à fournir aux arts populaires une source intarissable de renouvellement. La créativité des non-savants éclate en toutes ces circonstances et dans tous ces lieux où les modèles dominants cessent d'exercer leurs pouvoirs. Ce sont les foires et les marchés, où tout un monde de bonimenteurs, de bateleurs et de démonstrateurs se livre sans guère de retenue à l'invention verbale, aux tours de farces et attrapes, aux trafics et combines de toutes sortes. Là, il n'est pas mal de se faire remarquer, de porter, qui un costume insolite, qui un accessoire inédit, voire de monter un véritable spectacle. Combien de personnages ne sont-ils pas nés dans ces conditions, combien de saynètes, de petites comédies, de numéros d'acteurs ? D'où Arlequin, Polichinelle et Guignol tirent-ils leur origine, sinon de ces improvisations sur répertoires fixés, mais dont les acteurs adaptent chaque fois l'exécution au public qui les applaudit ? À ces occasions, des costumes sont créés, des instruments de musique essayés, mille petites inventions tentées. D'autres lieux et circonstances propres au développement autonome des arts populaires sont les bals et les fêtes, les repas de baptême, de communion et de noce, les cérémonies de la circoncision, la célébration des anniversaires ou des saints patrons ; il faut s'y montrer sous sa plus belle apparence, faire valoir sa personne, sa famille et son rang par ses atours. Il faut donc mobiliser les talents d'innombrables hommes de métier, du tailleur au barbier en passant par le rôtisseur et le pâtissier, le cordonnier et le joaillier. Comble des débordements, affranchissement de tous les modèles dominants, le carnaval est le lieu et la circonstance par excellence où les sources populaires de la création peuvent librement affluer, l'occasion de mille créations de mots, de jeux, de costumes, de masques, propres à stimuler l'imagination des masses aussi bien que le talent des artistes les plus exigeants.

TRANSMISSION ET RENOUVELLEMENT DES CAPACITÉS

Le thème du carnaval ne doit cependant pas faire illusion : les barrières sociales ne sont abolies que pour la durée d'une nuit, les valeurs inversées le temps d'un spectacle. La fête passée, les différences se reconstituent, les producteurs et les usagers de l'Art populaire se retrouvent dans leurs ateliers et leurs foyers, aussi distincts, dans les sociétés stratifiées, des académies et des palais, qu'ils l'étaient auparavant.

Tandis que, pour l'art savant, les œuvres, les modèles et les procédés sont transmis de génération en génération, à travers modes et changements, grâce à l'existence d'un milieu restreint (abbayes et palais épiscopaux, cour royale et cours princières, parlements et salons, académies et écoles), pour l'art populaire, en revanche, la transmission est diffuse, les produits, les messages et les significations passent par mille canaux en des réseaux inégalement denses.

À la valeur d'échange élevée et à la rareté, généralement attachées aux œuvres de l'art savant, s'opposent une valeur marchande faible mais une valeur d'usage forte pour les œuvres d'Art populaire. Les unes ont toutes chances d'être conservées, transmises, suivies, respectées pendant de longs temps, à travers des cheminements réguliers et lents d'abbaye en palais et de château en salon, pour trouver finalement une place dans les collections ou les musées. Les autres œuvres ont toutes chances au contraire d'être rapidement mutilées ou détruites, remplacées ou réemployées pour un autre usage, abandonnées dans le fond d'une cour ou portées au bûcher.

Les conditions de transmission et de renouvellement des capacités ne peuvent qu'être fort différentes dans les deux cas.

C'est ainsi que, dans une société peu stratifiée comme la société turque d'Anatolie, les femmes pratiquent dans leur immense majorité l'art de confectionner les tapis. Préparer les toisons, filer la laine, teindre les écheveaux, dresser le métier, passer la trame dans la chaîne s'apprennent en famille, de mère à fille et de tante à nièce, comme en famille se transmettent les répertoires de motifs et la syntaxe des arrangements. C'est en famille aussi que les œuvres achevées sont mises en service : on s'assoit et se couche dessus, on les empile dans la chambre de réception comme un trésor et un patrimoine, on en distrait une pièce pour doter un enfant ou la vendre à un voisin. Certes, des ateliers-écoles existent qui élaborent de nouveaux modèles et diffusent de nouvelles méthodes, mais le principe de l'apprentissage et les règles de fonctionnement sont les mêmes. Un tel art est exposé à deux destins possibles, dont historiquement de nombreux exemples existent. L'un est la dégradation lente et inexorable, quand les petites sociétés locales s'ouvrent à la société englobante, à ses négociants et à ses marchés, à ses fabriques et à ses commerces, quand l'Art populaire est marginalisé et cantonné à la sphère de la production et de la consommation des classes sociales les plus pauvres. Mais le second destin possible n'est pas meilleur pour le maintien des spécificités propres à cet art et la qualité des œuvres qu'il produit : c'est la transformation progressive d'une activité domestique en activité salariée, d'une production destinée aux usages locaux à une production marchande de luxe, d'un art puisant pour ses modèles aux sources de la tradition en un art cherchant à répondre à la demande d'une clientèle anonyme.

Dans les sociétés anciennement stratifiées comme les sociétés européennes occidentales, la transmission et le renouvellement des capacités se font pour l'Art populaire à tous les niveaux de l'organisation sociale. Les productions actuelles sont marginalisées et ne donnent qu'une faible idée de la variété et de la qualité des produits élaborés naguère, de l'intensité et de la fréquence des relations entretenues entre producteurs et usagers.

Au XIXᵉ s., quatre types de réseaux fonctionnaient par lesquels produits, messages et capacités circulaient largement. C'était, en premier lieu, le réseau domestique. Le temps n'est pas si loin en effet où, en des pays comme la France ou la Roumanie, les outils de l'exploitation agricole, les ustensiles nécessaires à la maisonnée, les vêtements et costumes étaient pour une grande part produits et consommés à la maison. Mais ni le char à bœufs, ni le tonneau de vin, ni le drap des vêtements ne provenaient du réseau familial : on faisait appel pour ces produits à des artisans spécialisés, dont beaucoup étaient itinérants. L'un des problèmes majeurs que pose l'interprétation des costumes régionaux, dont on connaît la valeur emblématique, vient précisément de l'imbrication de ces deux réseaux, familial et artisanal. Dans quelle mesure les marques qui distinguent des villages voisins par le costume sont-elles dues au besoin de préserver une identité contre l'uniformisation que tend à imposer un artisanat dont la source d'approvisionnement en matières premières et d'inspiration en modèles sont autres que les sources locales ? Dans quelle mesure l'itinérance des tailleurs et des marchands parvient-elle à imposer jusque dans les villages les plus reculés les normes urbaines et les canons de modes qui viennent d'ailleurs ? La question se complique, car un troisième réseau fonctionnait, largement transrégional : celui qui lie les ateliers et les manufactures les uns aux autres par les foires et les marchés, où les commerçants se confrontent et s'affrontent, où les clientèles fluctuent et changent. Bêches et houes, haches et cognées, récipients de cuivre et d'étain, poteries de terre et de faïence sont pris simultanément dans ces réseaux et soumis à des mouvements contraires : maintenir des variantes de formes locales pour répondre à une clientèle soucieuse de se particulariser ou lancer des produits génériques pour satisfaire une demande anonyme... L'équilibre n'est pas le même, d'une région à l'autre, entre ces deux mouvements : ainsi s'explique la différence de destin entre des centres de productions analogues, dont certains desservent un marché microrégional, voire local, et d'autres un large marché régional, voire le marché national. Que l'on pense aux faïences de Samadet et à celles de Nevers, aux images de Caen et à celles d'Épinal, aux poteries noires de Marginea (Roumanie) et aux peintures sur verre de Bohême. Quant au quatrième réseau, transrégional et même transnational, c'est celui que faisaient fonctionner deux catégories très différentes d'ambulants : les colporteurs, agents majeurs de la diffusion des arts savants, par l'image notamment, et les compagnons, agents de l'innovation technique et de la circulation des modèles, par le biais de leurs institutions spéciales, l'« initiation », le « chef-d'œuvre » et le « tour des villes ».

Avenir ou destin

C'est au présent qu'on a pu citer des exemples d'Art populaire pour les sociétés à stratification sociale récente ou pour les sociétés aujourd'hui encore socialement peu différenciées. Mais c'est au passé qu'appartiennent la plupart des exemples qui viennent d'être relevés pour les sociétés historiques anciennement stratifiées. Le fait est là et demande réflexion. L'Art populaire est-il confronté aujourd'hui à son destin ? A-t-il des perspectives d'avenir ? Qu'est-il en train d'advenir au temps des *médias,* de la production en grande série et de la consommation de masse ?

DÉCHÉANCES
DE L'ART POPULAIRE

On connaît trop bien le spectacle désolant qu'offrent au bord des routes et sur les lieux de rassemblement populaire ces multitudes d'objets hétéroclites offerts à la curiosité des touristes, fabriqués prétendument sur place mais importés de Hongkong, Formose ou Manille. Là voisinent la Vierge de Lourdes et les nougats de Montélimar, les vanneries des Indes et les parapluies du Japon. Le fil de la tradition est rompu entre la production domestique, artisanale ou manufacturière des œuvres d'art authentiquement populaires, d'une part, la production industrielle des horreurs généreusement offertes aux clientèles anonymes, d'autre part. Pour être moins évidente, la rupture n'est pas moins grande, dans nos sociétés, pour les arts comme la poterie ou le tissage. La terre des pots et le lin des chemises sont peut-être les mêmes, les techniques de cuisson et les procédés de tissage aussi, tout n'en est pas moins radicalement différent. Car le pot à beurre et la chemise de grand-père étaient d'usage courant jadis, en des temps où rien d'autre n'en tenait lieu. Et s'ils ont disparu, ce n'est pas par hasard : leurs substituts d'étain, de verre puis de plastique, de coton, de Nylon et maintenant de Tergal sont plus résistants, plus faciles à entretenir et moins coûteux. Les pots de terre et les chemises de lin ont perdu la destination économique de leurs prédécesseurs de naguère, ils sont dépourvus de toute « ustensilité » vraie et servent seulement à composer un décor ou à fournir un déguisement, comme si leurs usagers d'aujourd'hui voulaient vivre par procuration dans un passé dont seuls subsisteraient les signes extérieurs de la qualité plastique. Sans doute veut-on affirmer de la sorte la continuité avec des temps révolus. Mais en agissant ainsi, en reprenant des formes plastiquement belles mais socialement mortes, on dénie à l'Art populaire toute capacité de génération des formes, on reste aveugle à ce qui surgit, qui naît et se transforme. Car un art populaire moderne pointe, qu'il faut savoir découvrir et reconnaître.

FORMES NOUVELLES
DE L'ART POPULAIRE

D'autres continuités sont perceptibles en effet à qui sait les discerner. C'est ainsi que les affiches publicitaires modernes poursuivent la tradition de l'estampe. Conçues pour transmettre des messages, comme les images diffusées jadis par les colporteurs, les affiches des publicistes emploient les procédés de tous ceux qui avant eux poursuivaient des fins de communication : simplifier le contenu, frapper l'œil, faire une impression directe. Comme Georgin pour propager la légende napoléonienne, Cappiello pour vendre le chocolat Vilans ou la ouate Thermogène, les maîtres du genre renoncent à la figuration réaliste au profit du schématisme, jouent des oppositions entre plages sombres et plages claires, choisissent des couleurs vives et contrastées. Comme l'estampe était accompagnée d'un texte destiné à en fixer le sens, l'affiche livre un slogan destiné à faire valoir un produit. Mais tandis que le texte et l'image restent, dans l'estampe, disjoints, dès 1900 ils sont, dans l'affiche, conjoints, puis intégrés, en sorte que le graphisme devient un élément essentiel de la plastique. Un genre nouveau est apparu, plein de force et de vitalité, dans lequel se renouvelle un genre ancien, populaire par le public, par les moyens d'expression, par les ressorts qu'il fait jouer, sinon par les artistes qui le maîtrisent.

Mais l'affiche n'est pas le seul cas où une continuité certaine est perceptible entre formes traditionnelles et formes modernes d'Art populaire. Entre Barbe-Bleue ou Cendrillon illustrés par Pellerin et les Pieds Nickelés, nos journaux eux-mêmes, qui accordent une certaine place aux faits divers par l'image et par le texte, ne sont-ils pas les héritiers directs des « canards » du XVIIIᵉ s. ? Nos étiquettes de marque, nos vignettes de conditionnement des produits alimentaires, nos papiers d'emballage et notre linge de maison ne reprennent-ils pas inlassablement les mêmes thèmes, offrant sur de multiples supports un champ toujours renouvelé au devenir des formes ? Mille improvisations sans finalité artistique voulue fleurissent en vérité dans les lieux les plus inattendus et composent le domaine des nouveaux arts populaires. C'est ainsi que des sports comme le cyclisme et le rugby provoquent tout un folklore et suscitent une demande de formes nouvelles. Que dire des peignoirs pour champions de boxe ou de catch, des combinaisons pour skieurs de descente, des casques pour motocyclistes ? La demande est là, pressante et originale. Des populations entières réclament, sans nostalgie du passé, des couleurs et des formes. Mais quels artistes prennent cette demande en charge ? Quelles académies, quelles écoles se préoccupent d'élever ces produits à la dignité d'œuvres d'art ? Où sont les concours, les jurys, les expositions stimulant la recherche de qualité pour la création de formes ?

Il faut en convenir : la dualité séculaire entre arts savants et arts populaires dans les sociétés historiquement stratifiées se perpétue, plus grande que jamais. Des arts multiples fleurissent, aux artistes anonymes ou connus d'un cercle d'intimes seulement, sans commandes d'État et sans prestige public, dans l'indifférence des pouvoirs et le mépris des Salons, tandis qu'à l'opposé un petit nombre de peintres, de sculpteurs et de graveurs, soutenus par la mode, l'argent, les marchands et les subventions de l'État, exercent dans la légitimité sociale une activité noble et savante. Les contenus peuvent changer, des activités artistiques populaires devenir savantes et *vice versa*, des arts mineurs devenir majeurs et l'inverse, la différenciation entre arts populaires et arts savants se perpétue d'époque en époque avec les changements de la stratification sociale. Loin d'avoir un destin scellé qui les fixerait à jamais dans le passé, les arts populaires ont pour avenir celui-là même qui procède de la relation qu'ils entretiennent avec les arts nobles et savants. La charrette sicilienne qui narre dans le bois les exploits des paladins et de Roland est devenue aujourd'hui objet de musée, morte, fixée à jamais dans un espace immobile, offerte à la curiosité des amateurs et des savants. Loin de périr avec l'artiste anonyme qui le créa naguère, le projet qui peupla ses rayons et ses roues de héros épiques et de princesses noires est repris, plus vivant que jamais, par les artistes inconnus qui couvrent aujourd'hui d'inscriptions, de symboles et d'arabesques les convois géants qui traversent les déserts.

Bibliographie sommaire

COCCHIARA (G.), *Storia del folklore in Europa*, Turin, Einaudi, 1952. CUISENIER (J.), *l'Art populaire en France*, Fribourg, Office du livre, 1975. *Catalogues : Art populaire*. Travaux artistiques et scientifiques du Iᵉʳ Congrès international des arts populaires, Duchartre, Paris, 1930. *Aspects de la vie populaire en Europe. Amour et mariage.* Exposition internationale européenne. Musée de la vie wallonne, Liège, 1975. *Hier pour demain, arts, traditions et patrimoine*, Paris, Réunion des musées nationaux, 1980. *Le Masque dans la tradition européenne*, Dir. S. Glotz, Binche, Musée international du carnaval et du masque, 1975.

LES ARTS
DE L'AFRIQUE
SUBSAHARIENNE

Francine Ndiaye

Approches
de la création plastique

L'Afrique est un immense continent. En limiter l'étude de la création plastique aux régions sub-sahariennes s'impose, tant il est évident que les arts des pays du Maghreb, de la Libye, de l'Égypte se rattachent aux civilisations du bassin méditerranéen et que, par ailleurs, l'Islām a tissé entre eux et les pays du Proche-Orient des liens d'une importance telle qu'il est d'usage d'intégrer l'étude de leurs arts à ceux des pays musulmans. L'Islām a certes de nombreux adeptes au sud du Sahara, notamment au Sénégal, au Mali, au Niger, dans le nord du Nigeria et du Cameroun, mais, même là où elle fut ou est aujourd'hui promue au rang de religion d'État, permettant notamment aux dirigeants politiques d'établir ou de maintenir une certaine cohésion par-delà les divisions ethniques et la diversité religieuse, la religion musulmane n'a pas été à l'origine de créations artistiques que l'on puisse qualifier de spécifiquement africaines. Contrairement aux arts du monde musulman, ceux de l'Afrique subsaharienne n'ont été reconnus en tant que tels par l'Europe qu'à l'extrême fin du XIXᵉ s. et au début du XXᵉ, « découverte » généralement attribuée aux artistes d'avant-garde européens.

LA LONGUE MÉCONNAISSANCE
DE L'ART AFRICAIN

En effet, il aura fallu attendre le XIXᵉ s., période d'exploration systématique de l'Afrique au sud du Sahara, pour que paraissent les premières études relatives aux cultures matérielles du continent africain et qu'une partie en soit consacrée aux objets d'art. En 1875, Christol étudiait l'art de l'Afrique australe (auquel il consacra un livre paru en 1911). Dès 1874, Schweinfurth publiait un ouvrage sur les Nilotes, où il est fait mention de leurs arts « aristocratiques ». De 1896 à 1898, Frobenius faisait connaître les arts des royaumes nigérians et congolais. Ses études sont les premières concernant l'activité esthétique des Africains. Les Anglais Read et Dalton d'une part, en 1899, Pitt-Rivers d'autre part, en 1900 (suivis par l'Allemand F. von Luschan en 1919), traitaient de l'art ancien du Bénin, mais, surpris par la qualité des ivoires et des bronzes parvenus en Europe comme prises de guerre, ils l'attribuaient à une influence portugaise. Le XIXᵉ s. voit se constituer les premiers grands musées d'ethnographie : en 1879 est fondé à Paris le musée d'Ethnographie du Trocadéro, premier musée exclusivement réservé aux arts et métiers des peuples non européens. Plusieurs expositions consacrées spécialement à l'Afrique ont lieu dans les dernières années du siècle : à Leipzig (1882), à Anvers (1894), à Bruxelles-Tervueren (1897). Il est vrai que les conditions de collecte avaient souvent été telles que les objets venaient « mourir » dans les réserves des musées. Parvenus en Europe sans archives qui puissent en préciser la signification et la destination, ceux-là étaient au mieux localisés géographiquement. Nulle indication n'étant donnée sur les sculpteurs, ces œuvres étaient condamnées à l'anonymat ; nulle date ne les accompagnait, si ce n'est celle de leur enregistrement dans les inventaires des musées. Dans ces conditions, l'objectif de ceux-ci, rendre compte des mœurs, des usages et des besoins des peuples qui vont être colonisés, ne pouvait être atteint, à moins que les objets n'y fussent exposés que pour illustrer une idée préconçue de l'Afrique et des Africains, jugés d'après leur indice de technicité. L'infériorité technique d'une civilisation impliquant son infériorité dans tous les autres domaines, y compris dans le domaine artistique, les musées contribuaient à leur façon à justifier l'occupation coloniale. Masques et statuettes, que leurs qualités plastiques nous font considérer comme objets d'art, étaient présentés avec tous les autres témoins de la culture matérielle. Il s'agissait en effet de fournir des éléments de connaissance aux futurs administrateurs, qui ne pouvaient bien gouverner les colonies qu'en étudiant au préalable les us et coutumes, sur lesquels ces objets donnaient quelques indications, ou aux commerçants désireux de connaître le goût et les besoins de leurs futurs clients. Quant aux historiens de l'art officiel et aux amateurs de l'époque, ils ne fréquentaient pas ces musées, assimilés par le public à ceux d'histoire naturelle. En fait, les uns comme les autres n'étaient pas prêts à les voir. Familiers d'un art européen qui n'avait plus qu'une fonction décorative (au mieux historique) et dont la création était devenue affaire purement individuelle, d'autant plus appréciée qu'elle paraissait gratuite (l'« art pour l'art »), ils ne pouvaient considérer comme ayant une réelle valeur esthétique des objets d'usage relatifs au culte des ancêtres, à la magie, à la chefferie, ainsi que le précisaient dans l'ensemble les inventaires des musées ou les récits des voyageurs.

LA DÉCOUVERTE
DE L'ART AFRICAIN

Ce sont les artistes européens du début du XXe s., ceux que l'on appelle à juste titre les « créateurs de l'art moderne », qui nous ont appris à voir les œuvres d'art africain.

Collectionnés parallèlement aux œuvres océaniennes (en grand nombre en Europe dès le XVIIe s.), à celles du haut Moyen Âge, de la Grèce archaïque et de l'Égypte, masques et statuettes jouèrent un rôle privilégié dans l'élaboration d'une nouvelle esthétique niant tout à la fois l'Académisme des écoles d'art, le Réalisme de Courbet et de ses contemporains et l'Impressionnisme, qui dilue les formes plastiques dans le rendu fugitif de l'instant. La « découverte » de la statuaire africaine, autour de 1907, par les peintres de l'école de Paris confirma la direction de leurs recherches esthétiques. Il n'est pas question de parler d'influences, mais d'affinités, de rencontres. Ce vers quoi ces artistes tendaient en tâtonnant se trouvait avoir déjà été réalisé en Afrique : des œuvres qui ne se soucient pas de restituer des impressions visuelles mais qui expriment l'idée que l'artiste se fait d'un objet ou d'une personne — le caractère « conceptuel » de l'art africain que Picasso a si bien mis en évidence en disant de lui qu'il est « raisonnable » — et qui, comme de véritables sculptures, ont une existence autonome et possèdent le caractère statique, figé du signe. Plus tard, vers 1925, l'art africain — tout autant que l'art océanien, tous deux regroupés sous le terme d'« art primitif » ou d'« art sauvage » — fut apprécié par les Surréalistes, de même qu'il l'avait été par les Fauves et les Expressionnistes allemands pour son « contenu émotionnel mystique ». Ils croyaient y discerner une expression directe, authentique et étrange des zones profondes et irrationnelles de l'homme. Parce qu'ils ignoraient le contexte dans lequel ces objets étaient nés — ou se refusaient à en prendre connaissance — les Surréalistes, et après eux tous les tenants du « Primitivisme », les dotèrent d'une extraordinaire liberté. Ce détournement du sens véritable de l'art africain, qui n'était insolite et libérateur qu'en Europe, a eu des conséquences durables.

En 1915, K. Einstein avait tenté le premier une analyse formelle de la sculpture africaine, sans négliger ce qu'il croyait être sa raison d'être. Son *Negerplastik* est suivi de plusieurs tentatives sérieuses d'établir une sorte d'inven taire stylistique des arts africains. E. von Sydow, dans *Die Kunst und die Vorzeit* de 1923, distingue deux grandes catégories : un art élaboré en Afrique occidentale et centrale, un art simple (style « poteau ») en Afrique orientale et australe. Cette répartition trouve un écho dans la classification de G. Hardy (1927), qui oppose l'art de la savane, symbolique et abstrait, à l'art de la forêt, réaliste, établissant ainsi un lien entre le milieu et l'œuvre. D. Kjersmeier propose un inventaire des *Centres de style de la sculpture nègre africaine* (publiés entre 1935 et 1938). H. Lavachery, dépassant les seules caractéristiques de styles, s'attache, dans *Statuaire de l'Afrique noire* (rédigée entre 1925 et 1930, publiée seulement en 1954), à mettre en évidence les déformations pertinentes de la vision normale qui apparaissent dans la sculpture africaine. Considérant surtout la manière dont les sculpteurs traitent la tête, il classe la statuaire en style concave et style convexe et tente de les faire coïncider avec un type différent d'organisation sociale (société segmentaire clanique ou lignagère s'opposant à société étatique ou à chefferie).

Il est inutile d'insister sur ce qu'ont d'arbitraire et de dépassé ces classifications qui avaient pour seul mérite d'être fondées sur l'observation morphologique systématique des œuvres et la considération de leur origine. Ces synthèses étaient surtout prématurées. Elles furent, en effet, élaborées à une époque — celle des années 1920-1940 — où l'on devait encore se contenter d'approximations quant à la localisation des objets. Ces auteurs ne semblent pas s'être inquiétés des lacunes considérables de catalogues qui ne comprenaient pas encore les nombreux objets que leurs fonctions rituelles avaient sauvés de l'avidité des collecteurs. Quant aux informations, que seules de patientes enquêtes sur le « terrain » permettent de récolter, ils n'en saisissaient pas vraiment l'intérêt, qui est de restituer le rapport entre la forme et le contenu de l'œuvre d'art.

Les quelques chercheurs africanistes qui ont recensé le vocabulaire de l'émotion artistique et ont travaillé avec ceux que l'on peut appeler les « critiques d'art » africains, en soulignant la spécificité de leurs catégories esthétiques, découragent toute tentative de les réduire aux seules valeurs artistiques occidentales. Il est important de souligner ici que ce vocabulaire africain, qui fait presque toujours référence à l'« *instrumentalité* » des objets d'art, ne dissocie jamais la forme et sa fonction. Ainsi est-il d'usage, dans les livres d'art ou catalogues d'exposition, d'accompagner l'analyse des formes et ce que l'on sait de l'histoire de l'objet d'une notice relative à sa fonction, à moins que le commentaire ne soit consacré qu'à celle-ci ou mette en évidence le problème soulevé par la multifonctionnalité de la plupart des objets d'art africain. Ceux-ci ont en effet été créés pour exprimer les valeurs spirituelles fondamentales des sociétés traditionnelles. La plupart jouent, en tant que représentation d'un esprit par exemple, un rôle religieux. Quelques-uns contribuent à assurer la fertilité des hommes, des troupeaux et des champs. Dans ces sociétés de l'oralité, les objets ont également pour fonction d'assurer la transmission, au cours des générations, de certains savoirs. Tel fut le rôle des objets utilisés dans les rituels d'initiation. D'autres symbolisaient le pouvoir politique, comme ces images de personnages royaux représentés avec les attributs de leur richesse et de leur puissance, ou ces objets de prestige réservés aux chefs de villages ou de confédérations. Rendre compte de leur instrumentalité, ce n'est pas dénier aux objets la qualité artistique ou ne voir dans les arts africains que des *arts appliqués*. Ce qui reste évident, c'est que, loin de se concentrer comme en Occident en un domaine plus ou moins marginal, l'art, en Afrique, du fait même qu'il est fonctionnel, existe dans toutes les activités de manière diffuse et ne peut être étudié indépendamment de ce que l'on entend par culture, c'est-à-dire la communauté d'expérience à tous les niveaux possibles (économique, technique, social, historique) qui constitue un lien de parenté entre plusieurs sociétés. En changeant de culture, on passe à un autre style d'expériences. S'agissant de la création plastique, c'est le classement par *aires d'influence culturelle,* coïncidant plus ou moins avec une évidente homogénéité stylistique, qui est le plus souvent adopté, comme ici, pour l'étude des objets d'art africain.

Les aires d'influence culturelle

LE SOUDAN OCCIDENTAL

Chez les auteurs arabes, le *bilad as-Sudan* est très littéralement le pays des Noirs au sud du Sahara. En fait, l'usage arabe, puis européen, a réservé le nom de *Soudan* à la grande zone de la savane et de ses marges, de l'Atlantique à la mer Rouge, dont la frontière nord ouvre sur le désert et celle du sud est contiguë à la forêt. Le Niger traverse d'ouest en est le Soudan occidental, puis, s'orientant vers le sud, se jette dans l'Atlantique au Nigeria. Cette région fait sans doute partie des quatre régions du monde où sont apparues pour la première fois l'agriculture et la domestication des animaux. Des empires s'y constituèrent (le Ghāna du IVᵉ au XIᵉ s., le Mali du XIIᵉ au XVᵉ s., le Songhay aux XIVᵉ et XVᵉ s.) qui durent leur richesse au commerce de l'or et du sel, que transportaient les carayanes transsahariennes. De plus petits États succédèrent à ces empires : les royaumes mossi au XVᵉ s. et plus tard ceux des Bambara et des Haoussa.

L'Islâm a connu au Soudan des alternatives d'expansion et de régression liées à la croissance et à la décadence des empires du Mali et du Songhay ; cependant, il n'a jamais gagné qu'en surface et n'était pour les dirigeants qu'un outil politique. Au XIXᵉ s., c'est en son nom que furent menées les guerres saintes d'El Hadj Omar et de Samory Touré. Mais partout il a dû s'adapter au contexte religieux traditionnel et il est des peuples soudaniens (les Dogon, par exemple, désignés sous le nom d'Habbé — païens — par les musulmans) qui lui opposèrent une résistance farouche.

Au Soudan occidental, les artistes appartiennent à la caste des forgerons ; leurs femmes sont souvent potières. Ils sont à la fois craints et respectés pour leur

maîtrise du feu et de la terre, d'où ils étaient les seuls à savoir extraire les métaux. Les confréries ou sociétés d'initiation jouent un rôle très important. Elles sont structurées suivant une stricte hiérarchie de grades auxquels leurs membres accèdent progressivement, compte tenu de leur âge et de leurs connaissances. Les sociétés féminines n'utilisant que peu d'objets sculptés, elles sont rarement citées en référence dans le domaine de la création plastique. Pour expliquer l'absence de masques dans ces sociétés (il en est de même dans les autres aires culturelles de l'Afrique), un mythe soudanien attribue leur invention à une femme qui dérobe le travesti abandonné par des génies ; les hommes, en s'emparant des masques, ont ainsi pu affirmer leur supériorité sur leurs épouses, supériorité indispensable au maintien de l'ordre social.

Le style de la création plastique est relativement homogène. Creusées profondément dans le tronc d'arbre dont la masse idéale les enveloppe, les figures humaines s'allongent, portées par des membres grêles dont tout réalisme anecdotique est exclu. La tête, plutôt petite, et le tronc, objet de soins particuliers, juxtaposent surfaces planes et courbes, qui se joignent à angles aigus. Cette géométrie à trois dimensions s'agrémente de tracés délicats, les uns représentant les traits du visage ou des détails corporels, comme tatouages et scarifications, les autres des bijoux. Ces ornements sont traités sans souci réel de leur signification matérielle. Épaules et seins se confondent souvent en un seul volume. Dans les masques prédominent les représentations animales, dont les traits sont souvent audacieusement combinés avec ceux des hommes. Le décor géométrique qu'ils portent se retrouve dans les superstructures, échafaudage de lattis ou longue planchette ajourée, polychromés ou noircis au fer rouge. Les informations réunies sur ces objets mettent en évidence leur caractère symbolique et leur valeur instrumentale. La richesse et la complexité des significations contrastent avec la simplicité des formes, qui nous paraîtraient abstraites si nous ignorions leur sens.

L'art des Dogon du Mali est parmi les

mieux connus. Les premiers objets de bois rapportés en Europe l'ont été dès 1906 par L. Desplagnes, initiateur des fouilles archéologiques conduites au Mali, qui ont permis de mettre au jour un ensemble de bronzes zoomorphes et de bijoux peut-être contemporains des terres cuites trouvées durant ces trente dernières années dans des tumuli de la vallée du Niger, près de Djenné et de Ségou. Les datations par thermoluminescence en font des contemporaines de l'empire du Ghāna. L'abondant « trésor » de mythes et de rites dogon fait l'objet d'études et de publications très détaillées depuis 1930, notamment en France. La tentation est grande de ne voir dans les statues et les masques qu'illustrations de récits, représentations de génies, de chefs religieux ou d'ancêtres mythiques. En pays dogon, comme ailleurs en Afrique, bien que la création esthétique paraisse dominée par des impératifs sociaux et religieux particulièrement contraignants, l'emprise des significations sur les formes n'est pas telle qu'il ne reste aucune place pour l'invention. Groupés dans la société initiatique des hommes, les porteurs de masques, représentant des animaux ou des personnes, s'exhibent à l'occasion, notamment, des fêtes de lever de deuil célébrées pour un ou plusieurs morts récents.

Chez les Bambara du Mali et les Senoufo du nord de la Côte-d'Ivoire, la vie quotidienne est également contrôlée par les sociétés d'initiation, qui dispensent à leurs membres, tout au long de leur vie, les connaissances indispensables pour devenir un homme accompli. Ces sociétés (celles du Ntomo, du Komo, du Chiwara, du Kono, du Koré chez les Bambara, celles des Poro et Sandogo chez les Senoufo) sont les clientes des sculpteurs, qui ont eux-mêmes leur propre société. Plusieurs hauts de masques, les antilopes de la société Chiwara par exemple, et les cannes ouvragées font partie des objets qui sont utilisés lors des fêtes liées aux temps forts de l'activité agricole (défrichage, semailles, moisson) et encouragent le zèle des participants au même titre que les joueurs de tambour et de xylophone qui accompagnent les travailleurs. Le plus courageux d'entre eux aura le privilège de porter le haut du masque et d'arborer la canne sculptée d'une figurine représentant, chez les Senoufo, une jeune vierge très belle.

En Haute-Volta (Burkina), les masques de bois sont liés à l'activité agricole. Ils apparaissent, de même que ceux de feuilles et de fibres, à la fin de la saison sèche, au cours de cérémonies qui ont pour but de régénérer la communauté humaine par sa participation aux rites de renouvellement de la végétation. Les masques de bois, le plus souvent zoomorphes, ont, de tout temps, fait l'objet d'échanges, d'achats ou d'emprunts entre les différents peuples de la Haute-Volta. C'est ainsi que le masque le plus connu des Bwa, le Deyo, visage rond surmonté d'un bec de calao et prolongé d'une lame à motifs géométriques polychromes, est, en fait, d'origine gurunsi. Quant aux masques portés en pays mossi, ils sont à l'origine l'œuvre des Nioniosé, peuple soumis par les envahisseurs mossi. Cela témoigne d'un phénomène fréquent en Afrique : le respect du pouvoir religieux des premiers occupants, parmi lesquels on trouve les « chefs de terre », mais aussi l'emprunt par les nouveaux arrivés de certains rituels et de certaines formes de la mythologie du peuple vaincu.

LA CÔTE DE GUINÉE

Cette région s'étend depuis la Guinée-Bissau jusqu'au sud-est du Nigeria. C'est le domaine de la forêt dense enserrant des clairières défrichées par l'homme et les plages du littoral atlantique bordées de palmiers. Aménageant, non sans peine, par abattage des arbres et brûlis, des terrains de culture pris sur la forêt, de modestes sociétés villageoises se sont développées dans un environnement plutôt hostile. Des royaumes (Ashanti, Danhomé, Yorouba) se sont imposés aux régions orientales de cette côte, que fréquentent, depuis le XVIᵉ s., les bateaux européens. Les Portugais, les Hollandais, les Anglais et les Français commerçaient avec les populations côtières, qui, en échange, leur vendaient leurs produits, d'où les noms portés jusqu'à une époque récente par les différentes parties de la côte : côte des Graines (le poivre) correspondant au Liberia, côte d'Ivoire, côte d'Or (aujourd'hui Ghāna), côte d'Esclaves, les actuels Togo et Bénin. Au XVIᵉ s., des visiteurs portugais passèrent commande d'articles en ivoire à des artistes sherbro et bini. Ces ivoires, dits afroportugais (cornes d'appel, cuillers, salières), sont des objets européens sculptés par des artistes africains dans un style qui est un compromis entre deux traditions artistiques différentes. Ils nous permettent d'imaginer quelles relations s'étaient établies avant que la traite des esclaves ne rende impossible tout rapport d'égalité entre Européens et Africains.

La création plastique de cette région diffère beaucoup de celle du Soudan occidental. La plupart des objets y sont de taille plus modeste et le bois, généralement teint de couleur foncée, est poli avec soin. Les artistes de la côte de Guinée manifestent une prédilection pour les formes rondes, souples et ramassées. Leur art élégant ne néglige aucun détail. Les scarifications, les coiffures et autres ornements corporels sont souvent sculptés en relief. Une grande variété de matériaux est utilisée : le bois, la pierre, l'argile, l'ivoire, le bronze et l'or. Les figurines n'ont plus la forme allongée de leurs sœurs soudaniennes, et les proportions du corps humain sont celles que l'on trouve couramment dans la statuaire africaine : tête plutôt grande (un tiers ou un quart de la hauteur totale), membres relativement courts et fragiles. Quant aux masques, généralement de petite taille, ils ne couvrent que la face. La plupart d'entre eux sont anthropomorphes plutôt que zoomorphes et certains, dont les *Masques-portraits* des Baoulé, relativement naturalistes. L'art des Baga, des Bidyogo et peuples apparentés de Guinée et Guinée-Bissau est sensiblement différent de celui des autres ethnies de la côte guinéenne. Les surfaces polychromes, les formes géométriques, la décoration linéaire des objets utilisés par les sociétés initiatiques rappellent les créations plus septentrionales. Il est d'ailleurs rapporté par la tradition orale que des populations de riziculteurs, d'arboriculteurs et de marins auraient émigré du Soudan dans leur habitat actuel. C'est en Guinée, au pays kissi, et en Sierra Leone, chez les Sherbro, que des figures de pierre, dont les plus anciennes remonteraient au XVIIᵉ s., furent, par hasard, trouvées par des cultivateurs dans leurs champs. L'identité de l'ancêtre, ainsi représenté, est le plus souvent révélée au cours d'un rêve. Dès lors, habillées de bandelettes et parées de colliers, les statuettes sont placées sur un autel.

Chez les peuples de l'Ouest ivoirien (Dan-Guere, Kono), où le contrôle social, l'autorité, les valeurs culturelles sont entre les mains des chefs de lignage et d'une ou plusieurs associations à caractère religieux, les masques participent au maintien de l'ordre dans les villages. Ils arbitrent les conflits et prélèvent les amendes, veillent à la propreté et à la sécurité. Ils font respecter la discipline, notamment de la part des femmes et des jeunes. Ils protègent contre toutes les calamités (épidémies, disettes, attaques armées). Ces fonctions politiques coexistent avec celles de pur divertissement. Ainsi qu'il est fréquent en Afrique, les mêmes masques peuvent « sortir » pour les funérailles des notables, quand il s'agit à la fois d'honorer les défunts et de purifier le village des forces malignes attirées par la mort. Les statues de cette région appartiennent rarement à des confréries. Celles sculptées par les artistes dan (Côte-d'Ivoire) le sont sur commande de villageois, qui y voient une marque de prestige et les font comme telles admirer de leurs amis. Quant aux *Figurines* des Baoulé de Côte-d'Ivoire, elles sont utilisées par des particuliers, qui par leur intermédiaire entrent en contact avec leurs esprits (maris et épouses de l'autre monde) et ceux de la nature. Chez les Agni et autres groupes akan du sud-est de la Côte-d'Ivoire et du Ghāna, les *Statues commémoratives*, en terre cuite, sont aussi utilisées comme autels d'ancêtres, alors que celles sculptées dans le bois sont conservées dans des sanctuaires dédiés aux divinités locales.

LE NIGERIA

Dans sa partie méridionale tout au moins, le Nigeria fait partie de l'aire culturelle de la côte de Guinée, mais, compte tenu de la richesse et de la variété stylistiques de sa production artistique, il est d'usage de l'étudier comme un tout. Rappelons que c'est au Nigeria que se trouve le plus important groupe humain du continent (un Africain sur quatre est Nigérian !), que s'y sont rencontrés un certain nombre de courants historiques fondamentaux. Au nord, la savane soudanienne fut ouverte de tout temps aux circuits commerciaux transsahariens porteurs de formes culturelles ; la région de confluence du Niger et de la Bénoué est une antique plate-forme de migrations, de trafics et de conquêtes.

À l'exception des *Sculptures* du Bénin, qui, pour des raisons historiques bien particulières, sont dans les musées d'Europe et des États-Unis, la plupart des arts « traditionnels » du Nigeria y sont encore des arts du présent. Même lorsque certains masques et statues ne sont visibles que dans les musées (Lagos, Ibadan, Ifé, Bénin, Yos, Kano, Kalabar), ils appartiennent à un passé si proche que les visiteurs nigérians peuvent en préciser la qualité à la fois artistique et utilitaire, ces objets participant à des rituels ou à des divertissements collectifs tout à fait vivants.

L'activité artistique du Nigeria a une longue histoire. Les *Terres cuites* de Nok, déterrées dans les mines d'étain du plateau de Jos, ont été datées du ve s. av. J.-C. au IIe s. de notre ère. Elles présentent déjà certains des caractères spécifiques de l'art africain : géométrisation et stylisation des formes humaines. L'iconographie est la même que celle des objets plus récents : les artistes ont fait de la figure humaine leur thème préféré, mais s'inspirent aussi fréquemment de la faune. Les plus anciens bronzes connus d'Afrique subsaharienne, fondus à cire perdue, ont été mis au jour en pays ibo, à Igbo-Ukwu, près du delta du Niger. On les situe aux IXe et Xe s., datations tout à fait surprenantes si l'on prend en considération le style et la technique, qui rappellent ceux de l'art rococo européen et donnent à penser que nous sommes au terme d'une tradition. Les figurations humaines et animales sont rares sur ces objets (coupes et récipients divers) ; la plupart sont abondamment décorés d'oiseaux et d'insectes minuscules. L'art le plus naturaliste qui soit en Afrique vient de l'ancienne capitale du pays yoruba, Ifé. Les *Têtes de bronze* représentant des rois et des reines ont été fondues entre les XIIe et XVe s. Des *Terres cuites* datées du XVe s. et apparentées stylistiquement à celles d'Ifé ont été mises au jour dans la ville voisine d'Owo. L'importance de l'art de cour de la ville du Bénin ne fut vraiment révélée à l'Europe qu'à la fin du XVIIe s. Grâce aux récits des voyageurs, on connaissait ce royaume qui, à l'époque de son apogée, s'étendait de la république du Bénin actuel jusqu'à Bonny, près de la ville de Port Harcourt, à l'est. La description que le Hollandais Dapper a laissée du palais de l'Oba (ou roi), tel qu'il était au XVIIe s., ne mentionne comme éléments décoratifs que des oiseaux et des plaques de revêtement en bronze, alors que, dans le « butin » de l'expédition punitive britannique de 1897, figurent des statuettes, des têtes, des masques, des cloches, des colliers et différents autres objets, relevant tous du culte du « roi divin », tels ces léopards d'ivoire et de bronze, symboles du pouvoir. Le style en est plutôt naturaliste, bien qu'il respecte les proportions humaines caractéristiques de l'art africain, qui sont de convention irréaliste. Les artistes du Bénin, qui étaient organisés en corporations, ont créé un art somptueux, attaché au traitement des surfaces et ne négligeant aucun détail. Les Yoruba sont aujourd'hui plus de dix millions et restent parmi les peuples artistiquement les plus prolifiques. Héritiers des cités-États d'Ifé et d'Owo, ils reconnaissent encore le pouvoir de leurs rois traditionnels, qui se réclament de l'ancêtre Odudua, fils du créateur et premier roi d'Ifé. Ils ont une claire conscience de leur unité culturelle, qu'illustre leur création plastique. Celle-ci, en dépit de variantes locales, en république du Bénin notamment, présente une grande unité stylistique. Elle puise son inspiration dans le culte des divinités du panthéon yoruba (Shango, dieu du tonnerre, Ogun, dieu du fer et de la guerre, Osun, déesse des eaux et femme de Shango, Eshu, dieu malin de la chance et du destin) ou des héros locaux ; dans les cultes familiaux (surtout celui des jumeaux) ; dans les institutions politiques, les procédés divinatoires et les rites des sociétés à masques. L'art des provinces du Sud-Est et de la région du delta du Niger est plus dédié aux esprits (de la nature, des ancêtres) qu'à un panthéon de dieux. La forêt dense rend les contacts difficiles et explique peut-être le regroupement des peuples en petites unités politiques et économiques autonomes. De cet émiettement de la population est née une grande variété de styles artistiques. Il n'est pas rare qu'au sein d'une même ethnie on trouve des objets ne présentant aucun trait commun et n'illustrant qu'un style villageois. Ainsi, l'art des Ibo du Nord est très différent de celui des Ibo du Sud. En revanche, les hauts de masques en forme de tête humaine et recouverts de peau se retrouvent dispersés dans plusieurs ethnies. Cela est sans doute dû au fait que les sociétés secrètes, qui en sont les utilisatrices, regroupent des adeptes d'ethnies différentes et assurent ainsi la circulation des objets.

Il est ainsi quasiment impossible de procéder à des généralisations à propos des arts du Nigeria du Sud-Est. L'accès aux productions plastiques des peuples du plateau central et oriental, de ceux vivant au sud-est et au sud-ouest du confluent Niger-Bénoué est très récent. Beaucoup de ces peuples sont aujourd'hui musulmans et ont abandonné toute tradition sculpturale ; mais ceux, réfractaires à l'Islām comme au christianisme, qui vivent de part et d'autre de la Bénoué, ont persisté dans une riche production artistique qui n'est pas sans analogie avec la statuaire des plateaux du Cameroun, du nord-est du Zaïre et du Soudan occidental : même tendance à l'abstraction plastique, même simplification des formes, même hardiesse dans l'art de relier entre elles les diverses parties d'un tout.

L'AFRIQUE ÉQUATORIALE

Les arts des sociétés du Grassland camerounais, sociétés à base agricole, témoignent d'une évidente unité culturelle. La structure politique fortement hiérarchisée des chefferies bamiléké et du royaume Bamoun, en garantissant l'équilibre et la continuité, a permis à un art de cour très riche et très original de s'épanouir. Ici la sculpture sur bois est loin de se limiter aux statues et aux masques. Sièges, tambours, coupes, pipes en bronze et en terre sont exécutés pour les chefs, les dignitaires, les confréries religieuses ou guerrières. L'intégration fréquente de la statuaire à l'architecture explique peut-être la tendance à la monumentalité que dénote par ailleurs la fréquence des masques géants et des statues de taille plus qu'humaine, souvent recouvertes de perles de verre. Le style en ronde bosse très accentué est caractéristique des hauts de masques bamoun anthropomorphes et zoomorphes, en bois lourd et non évidé. Portés au-dessus de la tête, ils surmontent une sorte de cage de bambou et de paille qui cache le danseur. Chez les Bamoun, la statuaire est aussi caractérisée par l'exaspération de la ronde-bosse. S'y ajoute un évident désir de suggérer le mouvement et le dynamisme par les lignes courbes du corps et des membres. On retrouve les mêmes dominantes stylistiques, mais moins accentuées, dans la statuaire bamiléké. Toutes les ethnies du Grassland camerounais sont expertes dans l'art de la fonte à cire perdue, qui était autrefois aux mains de guildes organisées. La teinture par réserves brodées et la technique du perlage étaient aussi pratiquées par des artisans spécialisés au service des chefferies.

Le Gabon a connu quelques-uns des plus grands artistes d'Afrique. Dès le début du XXᵉ s., la statuaire a été appréciée en Europe comme un des styles majeurs de l'art africain et demeure, à juste titre, l'une des plus admirées. Les sculpteurs du Gabon réalisaient pour de petites communautés des figures gardiennes des reliques d'ancêtres éminents conservées dans des boîtes d'écorce ou des paniers. Les figures sont morphologiquement très diverses. Celles exécutées par les artistes kota sont résolument abstraites : le visage est une simple planchette de bois de forme ovale, flanquée de deux ailes et surmontée d'un croissant de lune. Le tout est recouvert de cuivre, de laiton ou de fer. Le support, souvent découpé en losange, suggère les bras. Le traitement savant du métal combine les plans, les couleurs, les effets résultant des techniques employées (martelage, repoussage, gravure). Les *Statues* des Fang étaient fixées au reliquaire par un prolongement vertical. En l'absence de ce support, les jambes ou le cou, lorsque la sculpture se réduit à une tête, s'enfoncent dans le couvercle. Les formes, toujours arrondies, de ces figures, leur « géométrie charnelle », leur riche patine les placent stylistiquement à l'opposé des *Figures* kota malgré la parenté des fonctions qu'elles remplissent. Les Fang du nord et du centre du Gabon, ayant quitté le Cameroun du Nord sous la pression des Peuls, n'ont abordé la grande forêt du Gabon qu'à la fin du XVIIIe s. Le fleuve Ogoué constitue la limite sud de leurs migrations. Au-delà, vers le sud, la région du Sud-Gabon et celle du Bas-Congo présentent une remarquable homogénéité artistique : prédominance des représentations humaines selon un naturalisme figuratif que renforcent une vive polychromie et des éléments d'inspiration européenne dans les accessoires, les vêtements, le mode de fabrication. Parmi les masques du sud et du centre du Gabon, les plus connus et les plus naturalistes sont les masques blancs attribués aux Punu et aux Lumbo. Leur aspect « asiatique » a suscité nombre de controverses ; il semble que les yeux bridés soient un trait bien connu de la morphologie du visage de certaines ethnies de la vallée de la Ngounié. Ces masques se manifestent lors des fêtes de lever de deuil et, plus généralement, pour tous les événements importants du village. Ils sont portés par des danseurs montés sur de hautes échasses. Fang, Tsogo, Kota, Kwélé taillent des masques dont les visages sont traités de façon très géométrique.

Dès la fin du XVe s., les Portugais implantèrent des bases commerciales, puis des missions religieuses en pays kongo, au nord et au sud du fleuve Zaïre. Ils y trouvèrent un État organisé, avec un roi (le Mani Kongo) et une capitale, Mbanza Kongo (auj. San Salvador). Très tôt, un syncrétisme religieux, culturel et artistique se manifesta dans ce qu'il est convenu d'appeler le Bas-Congo. Cette symbiose culturelle fut renforcée, après le déclin du royaume du Kongo sous les assauts conjugués des Yaka du Kwango (Zaïre) et des Portugais, par l'implantation d'autres comptoirs européens, qui se disputaient le monopole de la traite des esclaves et de l'ivoire. Lors de la conférence de Berlin (1885), dite « du partage de l'Afrique », cette portion de l'Afrique équatoriale fut officiellement répartie entre la France, la colonie du roi des Belges et le Portugal. L'ancienneté et l'importance de l'implantation européenne expliquent que la production artistique du littoral du Bas-Congo ait été imprégnée des thèmes, des formes et des façons européennes, tout en conservant une vision africaine originale, que dénote le respect du canon habituel de la statuaire africaine, qui donne plus d'importance à la tête par rapport au corps. L'influence européenne n'est pour rien dans l'invention des *Konde,* ces statues-fétiches anthropomorphes et zoomorphes, à clous et à miroirs, des Vili, Yombe et Woyo du Bas-Congo. C'est dans le travail de l'ivoire que se manifesta plus particulièrement l'intégration des apports européens. Les artisans ivoiriers sculptaient, dès le XVIIIe s., les insignes de dignité ou d'apparat des chefs. Les Européens qui fréquentaient les comptoirs en vinrent à leur passer commande d'objets répondant à leur propre goût. La banalisation de la demande entraîna bientôt la dégénérescence du métier.

AFRIQUE CENTRALE

L'énorme bassin du fleuve Zaïre et de ses affluents définit l'espace de l'Afrique centrale. En ce qui concerne la création plastique, la variété des styles est telle que l'on est contraint de les étudier par régions. On peut en distinguer quatre : celle des Kuba et des peuples voisins de la province du Kasaï ; celle qui s'étend de la région des lacs au Kasaï et qui fut dominée par la culture luba ; la région méridionale, qui s'étend au-delà des frontières de l'Angola et de la Zambie, territoire de l'empire des Lunda ; enfin, la région bordée au nord par le fleuve Oubangui et au sud par une frontière qui joindrait idéalement les lacs Mayi

Ndombe et Tumba à l'ouest au lac Kivu à l'est. Cet amphithéâtre équatorial, ceinturé de plateaux à forêts clairsemées, abrite un véritable puzzle ethnique. Les arts plastiques présentent néanmoins une étonnante homogénéité, hormis peut-être ceux des Lega et des Bembe de la forêt centre-sud du Maniema, que l'on peut considérer comme marquant la transition entre les arts du nord-est du Zaïre et ceux du Kasaï. À l'exception des Kuba, les peuples de Kasaï, Pende, Wongo, Mbala et Lwalwa se divisent en multiples lignages, dont l'art reflète l'importance des sociétés d'initiation dans l'organisation sociale et politique. Celles-ci sont détentrices des masques que portent les jeunes initiés lors des fêtes qui clôturent la période d'isolement, quand ils réintègrent le village comme adultes. Le royaume kuba est une exception, comparé aux autres sociétés décentralisées du Kasaï. Outre les *Masques d'initiation,* les artistes, groupés en confréries spécialisées, produisent une grande quantité d'objets de prestige pour le roi divin et les dignitaires. Ce qui frappe, c'est l'exaspération du remplissage décoratif, dans tous les domaines plastiques : architecture, sculpture, métallurgie, vannerie, tissage, teinturerie et perlage. La statuaire se consacre à la représentation des rois, dont le plus ancien a régné au début du XVIIᵉ s. Toutes les statues montrent le souverain assis, jambes croisées et portant les insignes immuables de son autorité divine.

La province du Shaba, au sud-est du Zaïre, correspond à peu près au territoire sur lequel l'Empire luba s'imposa du XVIᵉ s. à la fin du XIXᵉ s. Longtemps, les arts plastiques luba ont été considérés comme formant un ensemble homogène, dont le style se caractériserait par le traitement arrondi des formes, le respect des proportions du corps humain, le souci de représenter les différents éléments de la parure, l'apparente recherche d'une expression psychologique. Mais l'intégration progressive d'autres populations au second empire luba a eu pour conséquence la multiplication des styles, dont une dizaine au moins sont localisables. C'est à propos d'un art luba que pour la première fois on a parlé, avec sérieux, de

la personnalité d'un artiste africain : le Maître de Buli, du nom d'un village où les premières œuvres de cet artiste furent trouvées. On lui attribue une douzaine de figures au visage anguleux, aux pommettes saillantes, aux yeux mi-clos, étirés sous les sourcils, au nez à l'arête molle, aux narines gonflées et au menton pointu. Les influences culturelles ont été réciproques entre les Luba et les Songye. Dans la statuaire de ces derniers, l'addition d'éléments magiques atteint souvent au paroxysme. Une autre caractéristique de ce style est le traitement très géométrique de la figure humaine, découpée en volumes bien distincts.

Du début du XVIIᵉ s. au milieu du XIXᵉ, les régions situées entre le Kasaï, le Sud-Ouest angolais et la Zambie virent se former puis se fragmenter le grand Empire lunda. Les arts plastiques y sont d'une extrême richesse, bien que ceux des Tshokwe du plateau méridional de l'Angola aient retenu plus souvent l'attention. Ils rappellent les arts des Kuba : même caractère très décoratif des objets domestiques les plus divers (haches, herminettes, massues, bâtons, spatules, couteaux, appuie-têtes, chaises, peignes) et création d'une statuaire anthropomorphe expressive. Mais ce qu'il y a de plus original dans l'art lunda-tshokwe, c'est « une remarquable appréhension du dessin impliqué dans chaque objet et un constant recours à la décoration géométrique, dont les motifs sont toujours liés à une réalité naturelle par un réseau serré de correspondances ».

Chez les Zandé et les Mangbetou du nord-est du Zaïre, la structure politique et l'émulation créée par la recherche du luxe et de l'ostentation à la cour des grands rois ont stimulé l'essor des arts appliqués. Les Bembe, Lega et Boa de la région forestière du Nord-Est sculptent des masques et des statues pour leurs sociétés d'initiation. Le relatif naturalisme propre aux arts du bassin du Zaïre est ici absent. Les volumes cubiques et la géométrisation des formes prédominent dans le traitement du corps humain. Les plans simplifiés et anguleux, l'absence presque totale de décoration des surfaces sont typiques d'un art d'une incontestable expressivité formelle.

AFRIQUE DE L'EST ET DU SUD

Cette énorme région réunit tous les extrêmes, du désert du Kalahari aux sommets glacés du Kilimandjaro et aux collines verdoyantes et de climat tempéré de la province du Cap. Une même diversité caractérise la composition ethnique : les millions d'hommes de langue bantoue au centre, les petites communautés de Bochiman et autres groupes khoisan du Kalahari, les « Swahili » (en arabe : « ceux de la côte ») du littoral oriental. L'Afrique de l'Est serait le berceau de l'humanité. Les restes des plus anciens hominiens ont été mis au jour au Kenya et dans le sud de l'Éthiopie. Des voies commerciales la traversent depuis l'Antiquité. Les Égyptiens s'y rendaient pour s'approvisionner en or, en ivoire, en esclaves et en animaux. Les marchands arabes et indiens fréquentent ses côtes depuis le VIIIe s. L'Afrique du Sud compte enfin les plus importantes colonies de peuplement européen du continent.

Comparée à l'Afrique occidentale et centrale, cette partie de l'Afrique subsaharienne est bien pauvre en productions plastiques. Les énergies créatrices se sont ici manifestées dans l'architecture, la peinture murale et rupestre (celle-ci nettement figurative) et dans l'ornementation du corps humain. Des traditions sculpturales existent néanmoins. Des Nilotiques et des peuples du sud de l'Éthiopie, on connaît un type de sculptures en bois dur souvent rougeâtre, figurations d'hommes au sexe apparent, plus rarement de femmes, à peine dégagées du matériau initial : le torse est toujours étiré sur des jambes longues, écartées, raides comme le sont les bras ; le cou presque inexistant supporte une tête ronde ou quelquefois oblongue et de traitement très fruste. Ces images se retrouvent sur des ornements de tête, de bagues, de faîtes de cases.

La sculpture figurative réapparaît en Tanzanie et dans le nord du Mozambique, notamment chez les Kondé, producteurs, aujourd'hui, d'une sculpture en ébène bien connue des touristes, mais qui n'a

rien à voir avec la tradition locale, laquelle s'est éteinte vers les années 1920. Morphologiquement, la statuaire kondé n'était pas sans rappeler celle des grands styles de la sculpture du Zaïre, présentant une même tendance à un naturalisme modéré, un même goût pour les formes généreuses et arrondies. La statuaire des Angouru du Malawi, des Sukuma, des Shambala et des Nyamwezi de Tanzanie est d'une grande hétérogénéité et révèle des influences diverses entremêlées (Zimbabwe et Zaïre).

L'*Acropole du Grand Zimbabwe*, dont on imaginait autrefois que les ruines impressionnantes pouvaient être celles du palais de la reine de Saba, comprend une grande enceinte, un temple elliptique de 67 m sur 88 m, haut en certains endroits de 9 m, dont les murs portent en leur sommet un motif en chevrons où certains ont voulu voir une influence musulmane. L'assemblage des blocs de granit utilisés pour ces constructions, sans utilisation de mortier, rappelle la technique ancienne des peuples azaniens. D'après les nombreux objets d'importation trouvés dans les ruines, notamment des fragments de céramique chinoise, on a avancé l'époque du XIVe s. comme étant celle du Grand Zimbabwe, mais les perles de verre découvertes ensuite et datées du VIIIe s. peuvent laisser supposer une époque bien antérieure. On y reconnaît l'œuvre des souverains du Monomotapa, mais rien ne permet d'affirmer qu'il s'agit des vestiges d'un comptoir ou d'une ville minière et industrielle. Quelques statues de pierre ont été trouvées dans ces ruines. Taillées dans une roche serpentineuse à chlorite, ces pièces d'un noir verdâtre représentent des personnages-oiseaux et des oiseaux. Leur forme phallique et leur traitement schématique et géométrique sont comparables à ceux d'autres fragments de figurines en stéatite ou en poterie découverts dans l'acropole de Zimbabwe et dans des sites avoisinants, trouvailles que l'histoire des civilisations soto-karanga et shona permet de situer au XVe s.

Des diverses techniques pratiquées par les peuples de langue bantoue entre le Zambèze et le cap de Bonne-Espérance, c'est sans doute la poterie qui révèle le mieux les talents des peuples rotsé et soto. Des premiers, on connaît des récipients souvent engobés, des seconds des marmites de forme très pure. La perfection des céramiques se retrouve dans les couvercles plats en bois, sur lesquels se dressent des suites d'animaux ou de personnages. La diversité des appuie-nuques est surprenante. L'élégance des armes, le goût de la parure, le décor perlé de multiples objets domestiques apparaissent partout et rendent mieux compte de la vie esthétique que la sculpture sur bois attribuée aux Zoulou, longues figures humaines en bois lourd, au torse et aux membres raides.

Bibliographie sommaire

DELANGE (J.), *Arts et peuples de l'Afrique noire*, Gallimard, Paris, 1967. LEIRIS (M.), DELANGE (J.), *Afrique noire, la création plastique*, L'Univers des Formes, Gallimard, 1967. Dictionnaire : BALANDIER (G.), MAQUET (J.) et autres coll., *Dictionnaires des civilisations africaines*, Hazan, Paris, 1968. Catalogue d'exposition : *Trésors de l'ancien Nigeria*, Réunion des musées nationaux, Paris, 1984.

INDEX

PHOTOGRAPHIES

Amsterdam – Rijksmuseum : 16. ◊ Artephot – Hinz : 65, 88 (h) – Kersting : 49 – Schneiders : 20/21. ◊ Artothek : 41 (b). ◊ Arts Council of Great Britain : 40. ◊ Bernand-Chevret : 1. ◊ Broquet : 33. ◊ C.C.I. – Cladel : 84 – Gimonet : 82, 85 – Lion et Tajan : 81 (b). ◊ C.E.D.R.I. – Martinez : 6. ◊ J.-L. Cohen : 81 (h), 83, 86. ◊ Donatino – Université de Séville : 9. ◊ Dresde – Gemaldegalerie : 12/13. ◊ Edimbourg – National Gallery of Scotland : 62 (h). ◊ Engelskirchen : 75. ◊ Explorer – Cambazard : 29 – Errath : 4 – Fiore : 18 – Nacivet : 50 – Roy : 22 (h). ◊ Fleming : 23 (h). ◊ Garanger : 17. ◊ Gerhard-Reinhold : 31 (h). ◊ Giraudon : 30, 35, 36, 37, 44/45, 54/55, 64, 69, 74, 79 (b) – Bavaria : 22 (b) – Bridgeman : 32, 34 (h). ◊ Haarlem-Frans Hals Museum : 14/15. ◊ Hambourg – Kunsthalle : 91. ◊ Kiel – Kunsthalle : 66. ◊ Kleinhempel : 67. ◊ Lajoux – A.T.P. – R.M.N. : 92 (b). ◊ Larousse : 23 (b), 72. ◊ Lauros-Giraudon : 26 (h), 31 (b), 38, 42/43, 52/53, 60/61, 63, 70, 73, 76/77, 78/79. ◊ Ch. Lenars : 93. ◊ Levassort : 19. ◊ Londres – British Museum : 95. ◊ London – The National Gallery : 41 (h). ◊ Londres – Tate Gallery : 90. ◊ Londres-Victoria & Albert Museum : 51. ◊ Mayer : 71. ◊ New York – Museum of Modern Art : 68. ◊ Paris – Réunion des musées nationaux : 27, 48, 56, 57, 58/59, 62 (b), 80. ◊ Pedicini : 26 (b). ◊ Photogriffe : 89. ◊ Ponsard : 96. ◊ Rapho – Michaud : 92 (h) – Steffen : 34 (b). ◊ Scala : 2, 3, 7, 8, 10, 11, 24, 25, 28, 39, 46/47, 94. ◊ Snark International : 5. ◊ Vincent : 87. ◊ Washington – Phillips Collection : 88 (b).

© by SPADEM, 1988 : 58/59, 62 (b), 66, 68, 72, 75, 76/77, 78/79, 79 (b).
© by ADAGP, 1988 : 62 (b), 65, 69, 70, 71, 73, 74, 79 (b), 80, 88 (h), 89, 90.
D.R. : 67, 88 (b), 91.

Imprimerie New Interlitho
Dépôt légal Mai 1988 - N° de série Éditeur : 14602
Imprimé en Italie *(Printed in Italy)*. - 720053 - Mai 1988